Advanced Readings in Chemical and Technical German

From
PRACTICAL REFERENCE BOOKS
(Ullmann; Houben; Meyer und Jacobson; Beilstein; Gmelin; Oberhoffer; Guertler)

WITH
A SUMMARY OF READING DIFFICULTIES
A FREQUENCY VOCABULARY LIST
AND NOTES

Selected and Edited by
JOHN THEODORE FOTOS
Professor of Modern Languages
Purdue University

AND

R. NORRIS SHREVE
Professor of Chemical Engineering
Purdue University

NEW YORK
JOHN WILEY & SONS, INC.
LONDON: CHAPMAN & HALL, LIMITED
1940

Copyright, 1940, by

JOHN T. FOTOS AND R. NORRIS SHREVE

All Rights Reserved

This book or any part thereof must not be reproduced in any form without the written permission of the publisher.

SECOND PRINTING, JUNE, 1949

PRINTED IN U. S. A.

PREFACE

THIS book is the last volume of a series of four chemical and technical graded readers that have been prepared through the coöperation of the School of Chemical and Metallurgical Engineering and the Department of Modern Languages at Purdue University.

The purpose of this book and that of its companion volumes is to facilitate the study of German for chemists, chemical engineers, metallurgists, and pharmacists, and to introduce the student to the form and appearance of technical German as it is found in the important German technical publications, which must be consulted in professional work. In the companion volumes the beginner has instruction on the elements of grammar, sentence structure, word order, word formation, as well as graded readings in chemical and technical German.

In this, the advanced readings, the selections have been made from practical and widely used German reference books which experience has shown that the research worker, the progressive engineer, and the advanced worker in chemistry and chemical engineering must consult from time to time.

Extracts have therefore been made from:

Ullmann:	*Enzyklopädie der technischen Chemie*
Houben:	*Die Methoden der organischen Chemie*
Meyer und Jacobson:	*Lehrbuch der organischen Chemie*
Beilstein:	*Handbuch der organischen Chemie*
Gmelin:	*Handbuch der anorganischen Chemie*
Oberhoffer:	*Das technische Eisen*
Guertler:	*Metallographie*

The selections were made by various members of the staffs of Chemistry and Chemical Engineering, to illustrate not only variety of subject matter, but also variation in style and vocabulary. Prior to their use a reluctance on the part of the student to consult these volumes had been noticed, apparently because of their bulk and number. However, since using these selections in mimeographed form, the student has become familiar with the style and vocabulary of these reference books and feels that, if he can read one chapter from them, he can read the entire book. For this reason, the text of these selec-

i

tions is presented exactly as originally written: the tables, bibilograph-ical references, abbreviations, etc., have all been reproduced as found. It should also be emphasized that the actual chemical facts in these selections are up-to-date, and the acquisition of useful scientific in-formation should result as a by-product.

Some one might ask: "Are there no translations for these impor-tant German reference books?" The answer is in the negative. It would take years to translate them, and when this is done the trans-lations would be antiquated, as new revised editions of these works are brought out, which include new up-to-date information. The French undertook a translation of Beilstein years ago, and had to give it up as a hopeless task.

Much work has been done in editing this book in order to facilitate the study and accurate comprehension of the German in these selec-tions and to speed up the student's reading ability. In the Introduc-tion is given a review of the "Reading Difficulties of Scientific and Chemical German." These syntactic difficulties have been found to constitute the main stumbling blocks in the accurate translation of this type of German. These reading difficulties are followed by a list of approximately 2250 words which, by actual count, have been shown to have a frequency of two or more times in the selections to be read.

Those words that were found to occur only *once* by this original count (which was the result of years of research) have been presented in visible form. These page vocabularies present, in the order in which they occur in the text, words that have a frequency of one in the text, or words with higher frequencies but unusual meanings. The visible vocabulary of unusual words is followed by explanatory visible notes on the various German reading difficulties with a cross-reference to the Introduction, where they are more fully explained.

This plan of editing enables the student to read more rapidly and thus derive more pleasure from his reading. It also serves as an incen-tive to vocabulary building, since the student who does not know all the words omitted from the page vocabularies will doubtless recognize his deficiency and correct it by looking them up in the complete voca-ulary in the back of the book. To emphasize their importance, the frequency number of each word is indicated in the complete alpha-betical vocabulary. The student will thus learn, both in context and out of context, a vocabulary which has been shown to be of the great-est importance to him in his future readings.

Other new features in this book are the complete list of abbreviations of scientific German, and the complete list of abbreviations of the names of important scientific journals cited, both given after the vocabulary at the end of the book.

The present edition is the result not only of theory, but also of actual practice. For several years mimeographed editions have been tried out with a large number of students. The editors have therefore found it possible to check their own ideas and opinions in the light of actual classroom experience.

From the beginning, the actual results from the use of even the trial editions have exceeded the editors' expectations. Not only has the attitude of the science students toward their work improved considerably, but also there is a noticeable saving in time.

The selections have been presented as nearly as possible in order of their difficulty. This order was determined by the actual number of new words that the average student has to look up in the complete vocabulary in the back of the book.

The editors wish to acknowledge their indebtedness to the German publishers for their kind permission to use the selections included in this reader. We also wish to thank Dr. James L. Cattell, Head of the Department of Modern Languages, and Dr. John L. Bray, Head of the School of Chemical and Metallurgical Engineering, for their advice and encouragement, as well as the various members of the German staff at Purdue, for using this book in mimeographed form in their classes for a number of years.

J. T. F.
R. N. S.

CONTENTS

INTRODUCTION
CHEMICAL GERMAN READING DIFFICULTIES
MINIMUM ESSENTIALS

Below is given a list of the main reading difficulties encountered in scientific and technical German. The student is expected to have a thorough knowledge of each difficulty, if he is to translate scientific German intelligently.

1. The Participial Construction. The present participle ending in –*end*, and the past participle ending in –(*e*)*t* (with weak verbs) and –*en* (with strong verbs), are used as adjectives. When so used they have adjective endings and modify a noun or nouns.

The difficulty in translating a present or past participle used as an adjective, and called the participial construction, lies in the fact that prepositional phrases or other words modifying the German participle *precede it*, whereas in English they follow it. Hence in the English present participial phrase:

The house standing on the hill,

" standing " is the present participle following the noun, and " on the hill " is the prepositional phrase modifying " standing."

In German, since the present or past participle is used as an adjective, it must precede the noun it modifies, and the above English present participial phrase with its modifiers would be expressed in German by:

The on the hill standing house.

Das auf dem Hügel stehende Haus.

Similarly, the English past participial phrase:

The gold dissolved in the sea-water,

is expressed in German by

The in the sea-water dissolved gold

Das im Seewasser gelöste Gold.

It will be seen then, that in translating a German participial construction into English, the English word order would have to be rearranged as follows. Translate: (1) The definite or indefinite article, if there is one; (2) the preposition, if there is one; (3) the noun; (4) the present or past participle, which may be paraphrased by a relative clause; and (5) the intervening words (i.e., the prepositional phrase(s), adverb, or other modifiers):

(1) Die Schwierigkeit der Gewinnung reinen Aluminiumsulfats
    1   4   4   3   2
    aus etwas Eisensulfat enthaltenden Laugen.

    The difficulty of the production of pure aluminum sulfate from
                                                                    1
                              2   3
    liquors which contain (containing) some iron sulfate.

    1   2   5   4   3
(2) Das reinste bisher dargestellte Aluminium.
    The purest aluminum (that has been) prepared so far.

    1   6 7   9   8   4   5   2
(3) Die in der verwendeten Kammersäure stets gelösten salpetri-
            3   10
    gen Gase entweichen.
    The nitrous gases always dissolved (which are always dissolved) in the chamber acid used, escape.

(4) The present participle used as an adjective and preceded by the preposition zu assumes a *future passive meaning* and should be noted:

    1   4   3   2
    Das technisch herzustellende Reinaluminium.
    The pure aluminum which *is to be prepared* commercially.

(5) In addition to the present and past participles, an *adjective preceded by long adverbial phrase(s)* is often translated as if it were a participle:

    Der Name ist abgeleitet von „coelestis" = himmelblau, wegen
        der dem Mineral vielfach eigenen blauen Farbe.
    The name is derived from *coelestis* = azure blue, on account of
        the blue color *that is frequently peculiar* to the mineral.

2. Word-Order. The word order of scientific German does not differ from that of literary German. However, scientific German usually employs long complex sentences, which for the sake of clarity should be broken up into their simple forms and translated into English that sounds natural and that makes sense above all.

The *inverted word order* in both the principal and subordinate clauses, with the omission of **wenn,** is of especially frequent occurrence in scientific German:

Sinkt sein Gehalt unter 98%, so wird Aluminium spröde.
If its content falls below 98% aluminum becomes brittle.

This sentence in literary German would be expressed by
Wenn sein Gehalt unter 98 % sinkt, wird Al spröde.

The **so** connective in the principal clause is usually the sign that an " if " clause precedes it.

3. Word-Formation. There is no limit to the formation of compound words in German from two or more distinct words. Very often the components themselves are derivatives or even compounds. They will therefore not be found listed in any dictionary. The student will therefore have to regard such words not as single " long words " but as compound words. The meaning of these words is often obtained by reading the compound " long words " by their respective component parts.

In compound words the first component receives the main stress and gives the keynote to the meaning: **Farb′-stoff** = *dyestuff;* **Gefrier′-punkts-erniedrigung** = *freezing-point lowering*, etc.

In the formation of words by the addition of a prefix, simply take the *meaning* of the *prefix* and derive the English form of the word: **Ge′gen-druck** = *counter pressure;* **Durch′-schnitt** = *cross section;* **Unter-abteiling** = *subdivision.*

It will be noted that the correct English term of many such German words is often derived by taking the Latin meaning of the components:

Zusammen-setzung = *com-position;* **wider-sprechen** = *contra-dict*, etc.

Other translation difficulties are:

4. Verbs. A thorough knowledge of simple and compound tenses and forms of both weak and strong verbs, and an understanding of the formation of compound tenses with **sein,** are essential. For a list of the principal parts of the irregular verbs, see p. 295.

5. The Passive Voice. Next to the present and past indicative tenses, the passive voice is the most frequently encountered verb form in scientific German.

Formation: **Werden** followed by the past participle (placed last in a clause):

> **Von Wasserdampf wird es oxydiert.**
> It is oxidized by steam.
> **Es ist von Wasserdampf oxydiert worden.**
> It has been (was) oxidized by steam.

Substitutions for the Passive:

(1) By the reflexive pronoun **sich,** especially **sich lassen:**

> **In feuchter Luft oxydiert sich reines Quecksilber zu Oxydul.**
> In moist air pure Hg is oxidized to mercurous oxide.
> **Das lässt sich leicht tun.** That may (can) be done easily.

(2) By the impersonal pronoun **man** (one, we, they, people):

> **Man unterscheidet vier Sorten von Platinmetall.**
> Four kinds of platinum metal are differentiated.

(3) Any form of **sein** (usually **ist** or **sind**) + **zu** + an infinitive is to be translated by the passive:

> **Das ist zu tun.** That is *to be* done.

6. Verbs with Inseparable Prefixes. Verbs with the prefix **be-, emp-, ent-, er-, ver, zer-,** and **ge-** (and sometimes **durch-, über-, um-, unter-,** and **wieder-**) have no **ge** in the past participle. These prefixes are called *inseparable* prefixes.

Basic Meanings of the Inseparable Prefixes. No general rules can be given regarding the meaning or meanings of the inseparable prefixes. They vary according to the verb to which they are prefixed. The student will note, however, that the inseparable prefix usually alters the meaning of the verb to which it is prefixed. The following observations may be found helpful:

(1) **Be-** has in general the force of English *be-;* it forms transitive verbs from intransitive verbs in that it tends to specify the action of the verb towards an object; it may also thus form a verb from an adjective or noun.

fallen, *to fall* (intransitive); **befallen,** *to befall, to attack* (transitive)

frei, *free* (adjective); **befreien,** *to set free, to liberate* (transitive)

die Luft, *air;* **belüften,** *to ventilate.*

(2) **Emp-** sometimes has the force of **ent-** and sometimes it does not; notice its effect in the following verbs:

fangen, *to catch;* **empfangen,** *to receive*

finden, *to find;* **empfinden,** *to feel, to be sensible of*

fehlen, *to miss, to err, to be wrong;* **empfehlen,** *to recommend, to commend, to intrust*

The meaning is almost inverted by the **emp-** in the last example.

(3) **Ent-** and sometimes **emp-** carry the idea of separation, or origin of an action; it may have the idea of *forth, from, out, away,* and also may have the force of the English *dis-*. Its nearest English cognate is *en-*.

decken, *to cover;* **entdecken,** *to discover*

fallen, *to fall;* **entfallen,** *to fall out of, to escape*

färben, *to color, dye;* **entfärben,** *to decolorize, to bleach*

stehen, *to stand;* **entstehen,** *to arise, to originate, to be formed*

(4) **Er-** denotes beginning, becoming, completion, or accomplishment, and may be translated *forth* or *out;* it may have the meaning of **auf** as in **erstehen.** *A,* as in English *arouse* might be considered its English cognate. Sometimes it intensifies the meaning of the original verb.

finden, *to find;* **erfinden,** *to invent*

stehen, *to stand;* **erstehen,** *to arise*

halten, *to hold;* **erhalten,** *to maintain*

It is used to form verbs from adjectives or nouns.

kalt, *cold* (adjective); **erkalten,** *to cool*

(5) **Ge-** has an indefinite force. It may be found in older literature with the force of *with* or *together* and sometimes denoting accomplishment, but is now used more in forming the perfect participle. It may carry the idea of emphasis on the meaning of the verb stem.

brauchen, *to use, to need;* **gebrauchen,** *to use, to need*

horchen, *to listen;* **gehorchen,** *to obey*

hören, *to listen, to hear;* **gehören,** *to belong to*
fallen, *to fall;* **gefallen,** *to suit, to please*
frieren, *to freeze;* **gefrieren,** *to freeze*

(6) **Miss-** (which may occasionally be also found as a separable prefix) has the idea of *false* or *amiss* and the force of the English *mis-*, *dis-*.

handeln, *to treat, to manage;* **misshandeln,** *to abuse, to mis-manage*
fallen, *to fall;* **missfallen,** *to be disagreeable to, to displease*

(7) **Ver-** has the meaning of completeness of action, of error or perversion; it often has the force of English *for*, in *forbid*, or *forget*. It is also used to form verbs from nouns and adjectives; it may or may not change their meaning.

fallen, *to fall;* **verfallen,** *to expire, to fall into decline*
führen, *to lead;* **verführen,** *to lead astray, to mislead*
binden, *to bind;* **verbinden,** *to combine*
stehen, *to stand;* **verstehen,** *to understand*
die Ursache, *cause;* **verursachen,** *to cause, to bring about*
der Dampf, *vapor;* **verdampfen,** *to evaporate*
schön (adj.), *beautiful;* **verschönen, verschönern,** *to beautify*

(8) **Voll-** is usually, but not always, an inseparable prefix. It carries the idea of completeness into the meaning of the stem verb.

ziehen, *to draw, to pull;* **vollziehen,** *to accomplish, to put into effect*

(9) **Wider-** usually carries the idea of opposition into the action of the stem verb with which it is combined.

sprechen, *to speak;* **widersprechen,** *to contradict*
stehen, *to stand;* **widerstehen,** *to resist*

(10) **Zer-** conveys the idea of destruction, i.e. in pieces or asunder.

fallen, *to fall,* **zerfallen,** *to fall to pieces, to disintegrate*
der Staub, *powder, dust;* **zerstäuben,** *to spray*

7. Reflexive Verbs. Difficulties in translation arise over German reflexive verbs, especially those in which the reflexive pronoun is not felt as an object but as part of the verb, such as: **sich verbinden,** *to combine;* **sich vereinigen,** *to unite;* **sich finden,** *to be* (*located*); **sich**

verhalten, *to behave;* **sich entzünden,** *to ignite;* **sich handeln um,** *to be a question about;* **vorsichgehen,** *to occur.* For the translation of **sich** as a passive see § 5.

8. Separable Prefixes. Certain prepositions and adverbs are used as prefixes to a group of frequently occurring verbs known as separable-prefix verbs. They are so called because the prefixes are separated from the stem and stand at the end of independent clauses (1) in the present tense, (2) in the past tense, and (3) in the imperative mood. In a subordinate clause, the present and past tense of a separable verb are written together with the prefix.

(1) **Seine Eigenschaften hängen von seiner Reinheit ab.**
    Its properties depend on its purity.

(2) **Es kam in jenem Verfahren vor.**
    It occurred in that process.

(3) **Da seine Eigenschaften von seiner Reinheit abhängen ...**
    Since its properties depend on its purity ...

It will be noted that the addition of a separable prefix alters the meaning of the verb completely. **Hängen** means *to hang;* **abhängen** means *to depend.*

Prepositions and adverbs generally used as separable prefixes are:

ab, off, down	**entgegen,** toward	**ob,** over, above
an, at, on	**entzwei,** in two	**über,** over
auf, up	**fort,** away, forth	**um,** around
aus, out	**gegen,** against	**unter,** under
bei, with	**heim,** home	**vor,** before
bevor, before	**her,** hither	**weg,** away
da(r), there	**hin,** thither	**wieder,** again
dazwischen, between	**hinter,** behind	**zu,** to
durch, through	**in(ne),** in	**zurück,** back
ein, into	**mit,** with	**zusammen,** together
empor, up	**nach,** after, toward	

9. The Impersonal *es*. (1) The impersonal **es** besides being used as subject of impersonal verbs like **es regnet, es gelingt, es fehlt, es gibt,** etc., is often used in scientific German as the subject of any verb, *to introduce the real subject that follows.* The English translation of **es** often then begins with " there is," " there are ":

Es werden daher langhalsige Kolben verwendet.

For this reason there are used long-necked flasks. *i.e.*, Long-necked flasks are therefore used.

(2) Very frequently the impersonal **es** *is omitted* from the German and *has to be supplied:*

Da das Invar technische Bedeutung bekommen hat, so soll speziell auf diese Legierung näher eingegangen werden.

Since invar has attained commercial importance, it (this alloy) especially must be gone into in greater detail (i.e., *we* must go into this alloy in greater detail).

10. The Subjunctive Mode is of rather infrequent occurrence in scientific German except:

(1) *In Indirect Discourse.* In quoting the statements or words of another person, German uses the subjunctive in order to avoid the responsibility for the correctness or truth of the statement.

Gerade diese homogene und amorphe Beschaffenheit spricht gegen die früher vielfach geäusserte Auffassung, Glas sei eine feste Lösung — that glass may be a solid solution.

(2) The subjunctive is occasionally used to express *a command* in the third person.

Vollende er diesen Versuch!
Let him finish this experiment!

Es sei auf jenes Verfahren verwiesen. Let it be referred to that process (i.e., you are referred to that process).

Es sei erwähnt. Let it be mentioned (i.e., it is mentioned).

(3) *Unreal Conditions.* The past subjunctive is generally used for the present conditional tense in present time unreal conditions; the pluperfect subjunctive is used for the perfect conditional.

(*a*) Present Time Unreal Condition:

Die Entwicklung der Kautschukindustrie käme nicht weiter, wenn man nicht neuere Erfindungen machte.

The development of the rubber industry would not go farther if newer discoveries were not made.

(*b*) Past Time Unreal:

Die Entwicklung der Kautschukindustrie wäre wohl nicht

**weiter gekommen, wenn nicht im Jahre 1838 Goodyear in
Amerika, und 1843 Hancock in England die Feststellung
gemacht hätten, dass . . .**

The development of the rubber industry would probably not
have gone farther, if in 1838 Goodyear in America and in
1843 Hancock in England had not established that . . .

Unreal conditions are of rather infrequent occurrence in scientific
German. However, when they do appear, they constitute a reading
difficulty.

(4) The past subjunctive of *the modal auxiliary verbs* also has
special meanings:

> **dürfte,** might
> **könnte,** might, could
> **müsste,** would have to
> **sollte,** should, ought
> **wollte,** would (want to)
> **möchte,** should like

11. Nouns, Case and Number. (1) The case and number of a
noun in German are generally determinable from the form of the
definite or indefinite article, or an **ein** or **kein** word preceding it. The
genitive, dative, and accusative case is often used after prepositions,
verbs, or adjectives. A German sentence often begins with a noun
object, direct or indirect; however, the form of the definite article
used with the noun, or the descriptive adjective, or the ending on the
verb, will indicate what case the noun is in, or whether it is singular or
plural. For reading purposes, then, a knowledge of the correct gender
of the noun is not necessary as the function of the noun is usually
determined by the form of the article preceding it. The student should
memorize, however, the following forms of the definite article together
with their translations:

	SINGULAR			PLURAL FOR	TRANSLATION
	M.	F.	N.	ALL GENDERS	
NOMINATIVE:	der	die	das	die	the
GENITIVE:	des	der	des	der	's, s', of
DATIVE:	dem	der	dem	den	to (for, from) the
ACCUSATIVE:	den	die	das	die	the

**Die sicherste Angabe liefert aber die Veränderung des von der
Hitze hervorgerufenen Lichtes.**

The change in the light produced by the heat gives the most reliable data.

(You cannot tell whether **Angabe** or **Veränderung** is subject or object from the inflections; the meaning is to be derived from the sense.)

Die graphische Darstellung zeigt Abbildung 46.

Figure 46 shows the graphic representation.

Den geringeren Ausdehnungskoeffizienten zeigen die nahestehenden Nickel-Eisen-Legierungen.

The related nickel-iron alloys show the smaller coefficient of expansion.

(You don't know whether **Ausdehnungskoeffizienten** is dative plural, or accusative singular except from the context.)

(2) With nouns used in a *general sense* the definite article usually accompanies the German noun, but it is not to be translated into English:

Der Zucker ist süss. Sugar is sweet.

Das Gold ist gelb. Gold is yellow.

(3) Certain verbs and adjectives govern the genitive or dative case, where in English the direct object is used: **bedürfen, gewiss, frei, voll, wert** take the genitive; **ähneln, antworten, folgen, gelingen, geschehen, gehören** (sometimes **gehören zu**), **helfen, fehlen, mangeln, verdanken, ähnlich, bekannt, dankbar, eigen, nahe, schädlich, verwandt,** etc., take the dative.

Es bedarf nicht weiterer Erklärung.

It does not need further explanation.

Den ersten geschichtlichen Hinweis auf die Verwendung von Kautschuk verdanken wir den Forschungen über die Majakultur.

We are indebted to the investigations into the Maya Indian culture for the first historical clue on the use of rubber.

(4) The student should recognize the noun suffixes: **–ung, –heit, –keit, –schaft; –er, –ler, –ner, –el, –ling; –tum,** and **ei.**

The Foreign Noun Suffixes: **–or, –ant, –ent, –ment; –ion, –ie, –ik, –tät,** and **–ur.**

It is of great importance that the student develop the ability to know whether the noun is singular or plural, in order to translate the noun correctly.

12. Prepositions. (1) Prepositions in German may govern the genitive, the dative, or the accusative case. The meaning of a preposition in scientific German is not confined to a certain single word in English. Prepositions have meanings and usages different from those listed in grammars based on literary German. The correct meaning will have to be derived from the context. In translating certain prepositions like **an, auf, bei, unter, aus, ausser, nach, vor,** etc., the English words *on, upon, by, under,* etc., are often misleading and should generally be avoided.

(2) The compounds of **da** (spelled **dar** when the preposition begins with a vowel) and **hier** joined to a preposition require especial attention. **Da(r)** and **hier** in such combinations generally mean " it " or " them." Usually a preposition may not govern a personal pronoun when referring to things:

Die anderen darin enthaltenen Elemente entweichen.
The other elements contained in it escape.
Das hierfür verwandte Invar.
Invar used for this (it).
Er verwandte hierzu die Fizeausche Methode.
He used Fizeau's method for this (it).

(3) Certain prepositions are sometimes placed *after nouns or pronouns;* these usually are **nach, wegen,** and **gegenüber.**

Meiner Meinung nach, according to my opinion.
Dem Natrium gegenüber hat Kalium den Nachteil der schwierigeren Herstellung.
In comparison with sodium, potassium has the disadvantage of the more difficult preparation.

(4) Sometimes prepositions occur *in pairs,* where in English only one preposition is used.

Das Monohydrat $CaCl_2 \cdot H_2O$ setzt sich beim Erhitzen der Lösung auf über 176° ab.
The monohydrate $CaCl_2 \cdot H_2O$ is deposited upon the heating of the solution (up to and beyond) above 176°.

(6) Often certain prepositions *follow certain verbs or adjectives or nouns;* these prepositions then assume a special meaning; **abhängen von,** *to depend on;* **abhängig von,** *dependent on;* **bestehen aus,** *to con-*

sist of; riechen nach, *to smell of (like);* suchen nach, *to seek for;* teilnehmen an (dat.), *to participate in;* werden aus, *to become of;* werden zu, *to change;* hinweisen auf, deuten auf, zeigen auf, *to point at (to);* zweifeln an, *to doubt (about);* arm an, *poor in;* gleich an, *equal in;* gut gegen, *good to;* reich an, *rich in;* Gehalt an, *contents of,* etc.

> Seine Eigenschaften hängen ausserordentlich von seiner Reinheit ab.
>
> Its properties depend extraordinarily (more than usual) on its purity.

13. Adjectives and Adverbs. (1) An adjective without any descriptive ending may be used *as an adverb.*

> Das technisch herzustellende Reinaluminium enthält noch Si, Fe, Cu neben 99,6% Al.
>
> Pure Al which is to be prepared commercially (for commercial purposes) contains Si, Fe, Cu, in addition to 99.6% Al.

(2) The *comparative form* of the adjective ending in –er *without any further inflection* may be used as the *comparative of the adverb.*

> Zweckmässig ist es, den Schwefelkies durch vorsichtiges Rösten in Eisensulfür überzuführen, das leichter als das Ausgangsmaterial verwittert.
>
> It is appropriate to convert the iron pyrite, by careful roasting, into ferrous sulfide, which disintegrates more easily than the initial material.

(3) –er, however, is not *always the ending of the comparative.* An inflected adjective in the masculine nominative, when preceded by an ein (kein, mein, dein, sein, ihr, unser, euer, ihr) word, ends in –er; the ending –er is also found in adjectives which have the strong endings in the feminine genitive singular and in the genitive plural:

> Das Ammoniakgas wird äusserst heftig und unter lebhafter Wärmeentwicklung absorbiert.
>
> Ammonia gas is absorbed very vigorously and with lively evolution of heat.
>
> Bei gewöhnlicher Temperatur verbrennt es im Fluor.
>
> At ordinary temperature it burns in fluorine.
>
> Das Aluminium ist härter als Zinn und Zink aber weicher als Kupfer.

Aluminum is harder than tin and zinc but softer than copper.

Filter sind Apparate zur Trennung fester und flüssiger Körper.
Filters are apparatus for the separation of solid and liquid substances.

Je reiner umso zäher ist Aluminium.
The purer the aluminum, the tougher it is.

Verwendung in grösserem Massstabe hat das Kalium nicht gefunden, weil es in allen wichtigeren Fällen durch das Natrium zu ersetzen ist.
Potassium has not found use in a greater measure because it can be replaced by sodium in all the more important cases.

Das ist durch neuere Untersuchungen zweifelhaft geworden.
That has become doubtful according to more recent investigations.

(4) The comparative degree of the adjective is translated by " rather," " quite," or " fairly " when *there is no direct comparison.*

Er verfolgt dieses Verfahren seit längerer Zeit.
He has been following this process for a rather long time (quite a long time).

(5) The superlative of the predicate adjective and superlative adverbs are formed with **am + –sten** or **aufs: am stärksten, am heftigsten, am besten, aufs beste,** etc.

(6) Adjectives may be used as nouns; they are then declined as weak nouns: **das Freie,** *the free* (*space*)*;* **das Nützliche,** *the useful* (*things*)*;* etc.

(7) Adjective endings, especially the weak adjective endings, are rarely of service in reading German except as an indication whether the noun before which they stand is singular or plural: **die beobachteten Effekte,** *the effects observed:* **keine unmittelbaren Beweise,** *no immediate proofs.*

(8) The adjective suffixes are: **–lich, –isch, –bar, –haft, –ig, –sam, –reich, –voll, –los, –n, –en, –ern, –er, –sch.**

(9) The compound adjective suffixes are: **–artig, –haltig, –förmig, –mässig.**

14. Personal Pronouns. (1) Personal pronouns, except for the subject pronouns **ich, er, es, sie, wir, ihr, sie, Sie,** are not of great frequency in scientific German. The subject and object pronouns are most frequently translated by *it*. **Er, sie, ihm, ihn, ihr** = it.

> **Ihn kann man nicht sehr leicht herstellen.**
> It cannot be manufactured very easily.
> **Die Leitfähigkeit des Kupfers wird durch fremde Körper in ihm stark beeinflusst.**
> The conductivity of copper is greatly influenced by impurities in it.

(2) **Damit, daraus, dabei,** etc., cannot always be translated by *with it, out of it, by it,* respectively; **damit** as a conjunction may mean *in order to;* **dabei** often means *during this process* or *in so doing.*

(3) **Es, das,** and **dies** are often used as subjects of the verb **sein.**

> **Es sind viele davon hier.**
> There are many of them here.

15. Demonstrative Pronouns. (1) **Der, die, das,** when used as demonstrative pronouns, may mean *the one,* or *he, she, it.* When **der, die, das** is used as a demonstrative it does not affect the word order as when used as a relative pronoun, nor is it followed by a noun as when it is used as the definite article.

(2) The genitive form of the demonstrative pronoun is the same as that of the relative; **dessen** and **deren** mean most usually *whose* as relatives, but they mean *its, their, his, her* as demonstrative pronouns.

(3) The dative plural **denen** means *to whom, to which,* as a relative but *to them* as a demonstrative.

(4) **Derjenige, diejenige, dasjenige** means *the one, he, she, it, those.*

(5) **Derselbe, dieselbe, dasselbe,** means *the same,* or *he, she, it, they.*

(6) **Damit, daraus, dadurch,** etc., may refer to the content of a preceding clause, paragraph, or sentence, especially when followed by **dass;** they are then translated *by the fact that* or better by an English *gerundive,* when possible.

> **Namentlich wies er auch darauf hin, dass es von besonderer**

**Bedeutung sei, dem Boden die betreffenden Pflanzennähr-
stoffe zuzuführen.**

He especially also pointed out *the fact that* it was of especial importance to bring to the soil the suitable plant foodstuffs.

**Ob ein Teil gelöst ist, prüft man dadurch, dass man filtriert und
das Filtrat auf einem Uhrglas verdampft.**

One tests whether a portion is dissolved by filtering and evaporating the filtrate on a watch glass.

16. Relative Pronouns. (1) The relative pronoun may be expressed in German by **der, die, das,** or by **welcher, welche, welches.**
The relative pronoun introducing a subordinate clause transposes the
verb to the end of the clause, and the relative pronoun is separated from
the principal clause by a comma.

(2) The case forms of the relative pronoun help to establish its
correct meaning.

(3) **Deren, dessen,** and **denen** as relatives mean *whose, its, their, to
which,* and transpose the word order.

**Bei bestimmtem Druck gibt es eine bestimmte Temperatur
unterhalb deren nur monokliner Schwefel beständig ist.**

At a definite pressure, there is a definite temperature below
which only monoclinic sulfur is stable.

(4) The relative pronoun is expressed by **wo(r)** when governed by a
preposition referring to an inanimate object. Thus **woraus, wobei,
womit,** etc., may mean *from which, during which* (process), *with
which,* etc. These relative pronouns may have as their antecedent a
word, phrase, or clause.

**An der Luft erhitzt, verbrennt es mit lebhafter Feuererschei-
nung, wobei es sich sowohl mit Sauerstoff als auch mit
Stickstoff verbindet.**

When heated in the air, it burns with a lively fire phenomenon
(i.e., flame) during which (process) it combines with oxygen
as well as nitrogen.

**Die dabei beobachtete Wärmeentwicklung weist auf die
Bildung eines Wasserstofftrichlorids, HCl$_3$, hin.**

The evolution of heat (which was) observed during this process,
points to the formation of a hydrogen trichloride, HCl$_3$.

17. Conjunctions. The principal conjunctions that the student should learn are:

(1) *Coordinate.* These require the normal word-order.

aber, but	**denn,** for	**sondern,** but, on the contrary
allein, but, yet	**oder,** or	**und,** and

(2) *Correlative:*

bald ... bald, now ... again, sometimes ... sometimes
entweder ... oder, either ... or
nicht nur ... sondern auch, not only ... but also
sowohl ... als auch, both ... and, ... as well as
teils ... teils, partly ... partly
weder ... noch, neither ... nor

(3) *Subordinate.* These require the transposed word-order.

als, when, as, than
als ob, as if
auch (selbst) wenn, even if
ausser(dem) dass, apart from, except that
bevor, before
bis, until
da, since, as
damit, in order that
dass, that
ehe, before
falls, in case
indem, while, by
indessen, while
inzwischen, meanwhile

je ... je (or **desto** or **um so**) (adverbs), the (more, etc.) ... the
je nachdem, according as
kaum (dass), barely, scarcely, hardly
nachdem, after
ob, whether, if
obgleich (obschon, obwohl), although
ohne dass, without
seit (dem), since
sobald, as soon as
solange, as long as
während, while

18. The Infinitive. The infinitive is used in German:

(1) As direct complement of modal auxiliaries, **lassen,** *to let, to allow;* **lehren,** *to teach;* **lernen,** *to learn.*

> **Es kann nicht dargestellt werden.**
> It cannot be manufactured.
> **Lässt man diese zum Teil erstarren ...**
> If one allows these to solidify in part ...

(2) All other verbs, nouns, and adjectives take **zu** when they govern a complementary infinitive. The complementary infinitive is placed last in a clause.

Auf Grund dieser Eigenschaft ist wiederholt versucht worden, Sauerstoff aus der Luft zu gewinnen.

On the basis of this property it has been repeatedly attempted to obtain oxygen from the air.

Für Schaustücke empfiehlt es sich Li in Stangenform zu giessen.

For exhibition pieces it is recommended to pour lithium in stick form.

The **zu** is placed between separable prefixes, but before inseparable prefixes:

Es ist Regel, Phosphor stets unter Wasser aufzubewahren und zu zerschneiden.

It is a rule always to store phosphorus and to cut it up into pieces under water.

Es ist üblich, die Menge des in Stahlflaschen komprimierten Sauerstoffs durch Multiplikation des Flaschenvolumens mit dem Fülldruck zu ermitteln.

It is customary to determine the amount of oxygen compressed in steel cylinders by multiplying the volume of the cylinder by the filling pressure.

(3) After certain verbs especially the construction **ist (sind, war,** etc.) + **zu** followed by the infinitive, the German infinitive has passive meaning and is translated as an English past participle.

Eine Dissoziation ist erst bei extrem hoher Temperatur zu erwarten.

A dissociation is to be expected only at extremely high temperature.

Es lässt sich daher in ein anderes Gefäss ausgiessen.

It can, therefore, be poured into another vessel.

Other verbs requiring the above construction are: **bleiben,** *to remain;* **es gibt,** *there is;* and verbs of perceiving and hearing: **sehen,** and **hören.**

Es blieb nicht viel zu tun.   Not much remained to be done.

Es gab viel zu tun.   There was much to be done.

(4) The infinitive is frequently used after the prepositions **um . . . zu** *in order to;* **ohne zu,** *without,* and **anstatt zu,** *instead of.*

Doch bedarf es besonderer Vorkehrungen, um das an der Luft verbrennende Kalium zusammenzuhalten.
However, special precautions are needed to preserve potassium which is burning in the air.

Es wird schnell erhitzt, ohne zu schmelzen.
It is quickly heated without melting.

19. Causative Verbs: sitzen, setzen; liegen, legen; fallen, fällen; hangen, hängen etc.

Er sass auf dem Boden. He sat on the ground.
Er setzte das Buch auf den Boden. He placed the book on the ground.

20. Translation of certain **special words** and **compound prepositions: damit, dabei, darüber, womit, wobei, daraus, also, da, denn, doch, eben, ja, nämlich, namentlich, schon, selbst, erst, wohl, stark.** For the meaning or meanings of these words see Vocabulary at end of book.

Erst wenn man chemische Kräfte zur Anwendung bringt, zerfällt Schwefeleisen in Eisen und Schwefel.
Not until chemical forces are used does iron sulfide decompose into iron and sulfur.

Erst does not mean *first* in the above sentence.

MINIMUM CHEMICAL GERMAN FREQUENCY VOCABULARY

Learning to read a foreign language is, to a certain extent, the gaining of a comprehension of the meaning of words. A student's ability to read scientific German will depend on the number of words learned. In order to facilitate this difficult task the following list of chemical German words, selected on a frequency basis, is given here. These words are presented in the order of their frequency. All words that have a frequency of two or higher in the selections included in the "Advanced Readings in Chemical and Technical German" are listed here. These words (2250) the student should make an effort to learn. Common words like the auxiliary verbs *sein, haben,* and *werden* as well as the conjunction *und,* forms of the definite article *der, die, das,* and the relative and demonstrative pronouns were not included in the count.

The meaning of those words that have been found to occur, by actual count, only once in this book are mostly given at the bottom of each page of text where they occur.

The student should write the English meaning or meanings after each German word. Prepositions in scientific German have several common meanings; therefore give several. Uninflected forms of adjectives may be used as adverbs.

Frequency		Frequency		Frequency	
in	748	nach	175	Temperatur	89
von	653	dass	156	Chlor	88
mit	482	oder	145	dieser, diese,	
bei	417	Mittel	136	dieses	85
durch	256	Wasser	127	unter	84
Phenol	228	Eisen	126	vergleichen	83
auch	227	Lösung	117	zur	82
zu	212	nicht	111	beim (bei dem)	75
für	195	als	109	Gas	72
auf	188	so	100	Indigblau	72
man	181	über	95	gross	71
aus	176	können	90	an	70

FREQUENCY		FREQUENCY		FREQUENCY	
wie...........	70	solcher........	36	also..........	27
sehr...........	69	geben.........	35	bestimmen.....	27
noch..........	66	gleich (adj.)....	35	ganz..........	27
Menge........	65	nahtlos........	35	kommen.......	27
Verfahren......	65	wässrig........	35	all............	26
etwa..........	63	bis; bis zu.....	34	allgemein......	26
erst...........	59	gewinnen......	34	Destillation....	26
wenn..........	58	Benzol........	33	gegen.........	26
entstehen......	56	Kohlenstoff....	33	Metall........	26
während.......	55	Magnetit......	33	Reduktion.....	26
dann..........	54	Material.......	33	Jahr..........	25
Indigo........	54	stark..........	33	zeigen.........	25
lassen.........	54	erfolgen.......	32	zum (zu dem)..	25
Teil...........	54	Fall...........	32	aber..........	24
zwischen.......	54	natürlich......	32	bestehen (aus) .	24
enthalten......	53	technisch......	32	Verwendung...	24
bilden.........	48	um...........	32	Druck.........	23
ander(e)	47	meist..........	31	folgen.........	23
Luft..........	47	neben.........	31	Form.........	23
nächst.........	47	vor...........	31	müssen........	23
nur...........	46	beide..........	30	Produkt.......	23
Seite..........	46	gewöhnlich.....	30	Salz...........	23
weit...........	44	Herstellung....	30	sehen.........	23
gering.........	43	höher.........	30	Stahl.........	23
schon.........	43	leicht.........	30	Tabelle........	23
sowie..........	42	Oxyd..........	30	wenig.........	23
Zusammensetz-		verwenden.....	30	Alkali.........	22
ung	42	welcher........	30	da............	22
herstellen......	41	Zweck.........	30	direkt.........	22
lösen..........	41	Art...........	29	erhitzen.......	22
Verbindung....	41	Darstellung....	29	Gegenwart.....	22
chemisch......	40	Einfluss.......	29	Harnstoff......	22
Oxydation.....	40	Einwirkung....	29	im (in dem)....	22
rein...........	40	ferner.........	29	kein..........	22
Bildung.......	38	Gruppe........	29	konzentriert....	22
Substanz......	38	letzt..........	29	Molekularge-	
verschieden....	38	ohne..........	29	wicht........	22
Wasserstoff....	38	schmiedbar	29	Stickstoff......	22
erhalten.......	37	Verhalten......	29	viel...........	22
finden.........	37	Ausdehnungs-		wesentlich.....	22
liefern.........	37	koeffizient	28	zwei..........	22
mehr..........	37	besonders......	28	bleiben........	21
flüssig.........	36	reduzieren.....	28	ergeben.......	21
Säure.........	36	Sauerstoff......	28	erwähnen......	21
Schwefelsäure..	36	wollen........	28	fast...........	21

FREQUENCY		FREQUENCY		FREQUENCY	
sieden	13	Destillat	11	mittels(t)	10
abscheiden	12	Farbe	11	Naphthalin	10
Behandlung	12	geeignet	11	passivieren	10
bekennen	12	hierzu	11	Pflanze	10
besitzen	12	kochen	11	praktisch	10
bezeichnen	12	Kohlendioxid	11	schliesslich	10
bisher	12	Methode	11	selbst	10
dagegen	12	näher	11	Sorte	10
Erhitzen	12	Natrium	11	stets	10
erzielen	12	Natur	11	System-Num-	
fällen	12	Nummer	11	mer	10
Feststellung	12	Oberfläche	11	teils	10
Frage	12	Phase	11	verbreiten	10
Gefäss	12	Salpetersäure	11	verdünnt	10
Gewicht	12	sondern	11	weiss	10
Gewinnung	12	später	11	ziehen	10
heute	12	Verarbeitung	11	Anthranil-	
Indigweiss	12	verbinden (sich)	11	säure	9
Indol-Komplex	12	vollständig	11	Ätzkali	9
Industrie	12	weil	11	Ausbeute	9
Jod	12	Wirkung	11	ausschliesslich	9
Kautschuk	12	zuerst	11	Base	9
Kühler	12	Analyse	10	berühren	9
Lagerstätte	12	Atmosphäre	10	beziehen (auf)	9
Löslichkeit	12	Ätznatron	10	blau	9
machen	12	ausführen	10	Chlorwasser	9
magnetisch	12	beobachten	10	Dehnung	9
Masse	12	Bezeichnung	10	ebenfalls	9
möglich	12	Chemie	10	einfach	9
Molekül	12	dadurch	10	einführen	9
Nickel	12	einig	10	Einteilung	9
organisch	12	einzeln	10	Eisenglanz	9
sie	12	erkennen	10	entdecken	9
übergehen	12	gehen	10	entweder ...	
überschüssig	12	gelangen	10	oder	9
Volumen	12	heissen	10	Fremdkörper	9
wechseln	12	Isatin	10	Gasblase	9
Abhängigkeit	11	je	10	Grenze	9
Anwendung	11	jedoch	10	Grund	9
Apparat	11	Kapitel	10	heiss	9
berechnen (auf)	11	lediglich	10	Hydrolyse	9
Bestimmung	11	leiten	10	Kälte	9
binden	11	löslich	10	Kohlensäure	9
Brom	11	manch	10	konstant	9
darauf	11	Mangan	10	Küpe	9

FREQUENCY		FREQUENCY		FREQUENCY	
vorgeschicht-		Wasserrohr....	2	Zentralheizung.	2
lich..........	2	Wasserrohrkes-		zerlegen.......	2
vorgeschlagen..	2	sel..........	2	zerspringen....	2
Vorhanden-		Wasserstoff-		Zerspringen....	2
sein..........	2	menge........	2	Zink..........	2
vorhergehend ..	2	Wechselstrom..	2	Zinnchlorid....	2
vorherig.......	2	Weichenplatte .	2	Zirkon........	2
vorherrschend..	2	weisskernig....	2	Zuckermühle...	2
Vorprobe......	2	Werk.........	2	zueinander.....	2
vorstehend.....	2	Wichtigkeit....	2	zufliessen......	2
Vorstoss.......	2	widerstands-		Zug...........	2
vorwiegen (v.)..	2	fähig.........	2	zugänglich.....	2
vorzugsweise...	2	wiedererzeugen.	2	zugrunde......	2
Vulkanisation..	2	wiederholen....	2	Zunahme......	2
wahr..........	2	wiederum......	2	zurzeit........	2
Waid..........	2	Winkel........	2	zusammen.....	2
Walzdraht.....	2	wirksam.......	2	zusammen-	
Walzeisen......	2	Wolle.........	2	hängen.......	2
walzen........	2	worauf........	2	Zusatzele-	
Walzwerk......	2	woraus........	2	ment.........	2
Wand.........	2	Wort..........	2	zweifelhaft.....	2
Wandstärke....	2	Xanthen.......	2	zweifellos......	2
Ware..........	2	Xanthon......	2	Zweig.........	2
Wasserabspal-		m-Xylol.......	2	zweiwertig.....	2
tung.........	2	p-Xylol........	2	Zwilling.......	2
wasserfrei......	2	zähhart........	2	Zwischen-	
Wassergas.....	2	zählen.........	2	phase........	2
Wassermantel..	2	Zaundraht.....	2	Zylinderguss...	2

ADVANCED READINGS IN CHEMICAL AND TECHNICAL GERMAN

FROM

PRACTICAL REFERENCE BOOKS

ACKNOWLEDGEMENT

The editors wish herewith to express their deep gratitude and appreciation to the following German publishers and authors from whose works the articles in this book have been selected:

Urban and Schwarzenberg for: Ullmann's "Enzyklopädie der technischen Chemie," Berlin, 1928–32.

Georg Thieme for: Houben's "Die Methoden der organischen Chemie," Leipzig, 1930.

Walter de Gruyter & Co. for: Meyer und Jacobson's "Lehrbuch der organischen Chemie," Leipzig, 1924.

Julius Springer for: Beilstein's "Handbuch der organischen Chemie," Hamburg und Leipzig, 1938.

Deutsche chemische Gesellschaft for: Gmelin's "Handbuch der anorganischen Chemie," Verlag Chemie, G.M.B.H., Berlin, 1937.

Julius Springer for: Oberhoffer's "Das technische Eisen," 598 pp., 2nd edition, Leipzig, 1925.

The Gebrüder Borntraeger for Dr. Guertler's "Metallographie. Die thermische Ausdehnung," 336 pp., Berlin, 1926.

ADVANCED READINGS

ULLMANN: *ENZYKLOPÄDIE DER TECHNISCHEN CHEMIE*

2. *Auflage, Dritter Band*

CHLOR

[Seite 205–208]

CHLOR, Cl, Atomgewicht 35, 46, ist (bei gewöhnlicher Temperatur und gewöhnlichem Druck) ein grünlichgelbes Gas von erstickendem Geruch, das schon in geringen Mengen eingeatmet Schnupfen, Husten und Erstickungsanfälle, bei häufigerem Einatmen [1] Blutspeien hervorruft. Die schädliche Wirkung des Chlors ist [2] hauptsächlich auf seine 5
ätzenden Eigenschaften zurückzuführen; es wirkt [3] demnach nicht giftig in dem Sinne wie z. B. Schwefelwasserstoff oder die Stickstoffoxyde auf den Organismus ein.[3]

Aus dem Molekulargewicht des Cl_2 und des O_2 sowie der Dichte des O_2 wurde die theoretische Dichte des gasförmigen Cl_2 von 0° und 10
760 mm Druck, bezogen auf Luft von 0° und 760 mm Druck, zu 2,4494

VOCABULARY

erstickend (*adj.*), suffocating, choking, pungent
einatmen (*v.*), to inhale; eingeatmet, when inhaled
Schnupfen (*m.*), irritation of the mucous membrane

Husten (*m.*), cough
Erstickungsanfall (*m.*), choking attack
Blutspeien (*n.*), spitting of blood
ätzend (*p. adj.*), caustic, corrosive

NOTES

1. **bei häufigerem Einatmen,** *at more frequent inhaling.* Notice the use of the comparative of adjectives, also the formation of neuter verbal nouns from the infinitive of verbs (**Einatmen**).
2. **ist,** read with **zurückzuführen,** *is to be attributed.* Any form of the verb **sein** (**ist, sind, war**) plus **zu** plus infinitive has a passive meaning. See §18 (3), Introduction.
3. Read the separable prefix **ein** with **wirkt.** See §8.

3

berechnet (PIER,[1] *Ztschr. physikal. Chem.* **62**, 386 [1908]). Daraus würde sich [2] das Gewicht von 1 l Cl_2 von 0° und 760 mm zu 3,167 g berechnen.[2] Das experimentell bestimmte Gewicht von 1 l Cl_2 von 0° und 760 mm beträgt 3,214 g (JAQUEROD und TOURPALAN, *Journ.*
5 *Chim. physique* **11**, 17 [1913]). Der höhere Wert der experimentell bestimmten Dichte deutet auf das Vorhandensein von grösseren Komplexen (Cl_4) hin. Zwischen 20 und 200° ergibt sich die Dichte nach der Formel $D_t = 2,4855 - 0,00017 \, t$ [3] (JAHN). Chlor ist etwa 2,3 mal so schwer wie Sauerstoff und 2,5 mal so schwer wie Luft. Die Ände-
10 rung der Dichte des Chlors bei hohen Temperaturen wurde besonders von V. MEYER untersucht, ohne dass sich [4] die aus den erhaltenen Resultaten gezogenen weitgehenden Schlussfolgerungen [5] über die elementare Natur des Chlors in der Folge aufrechterhalten liessen. Spätere Untersuchungen ergaben, dass die Dichte des Chlors (von
15 300–1450°) normal ist.

Von PIER wurden auch die schon früher ermittelten Abweichungen des Chlors von den Gasgesetzen (zwischen 0° und 184,4° sowie zwischen 0,0569 und 1,6960 Atm.) wieder experimentell bestimmt und die Abhängigkeit der spezifischen Wärme von der Dampfdichte erörtert.
20 Oberhalb 1450° beginnt das Cl_2 sich in Atome zu spalten.

Die spezifische Wärme des Chlors bei konstantem Druck (C_p) ist 0,1210, bezogen auf die des Wassers = 1 (REGNAULT); nach STRECKER ist $C_p = 0,1155$, die spezifische Wärme bei konstantem Volumen $C_v =$
0,08731 (nach EUCKEN bei 0° 0,082 Cal.), $K = \dfrac{C_p}{C_v} = 1,323$, nach
25 PETRINI 1,333.

hindeuten auf (*v.*), to indicate	**Abweichung** (*f.*), variation, deviation
aufrechterhalten (*v.*), to maintain	ation
tain	**erörtern** (*v.*), to discuss

1. For the list of abbreviations and the titles of the periodicals for which they stand, see p. 298.
2. **würde sich . . . berechnen**, *would be calculated.* Notice the formation of the present conditional tense (**würde** + inf.); also the passive force of **sich**. See §5 (2).
3. **t = Temperatur.** For a list of the abbreviations used in this book, see p. 287.
4. **ohne dass sich . . . aufrechterhalten liessen**, *without being able to be maintained;* **sich lassen** + inf. = *may* (*can*) *be* + English past participle. See §18 (3).
5. **die aus den erhaltenen . . . Schlussfolgerungen**, a participial phrase. See §1.

In eine Leuchtgas- oder Weingeistflamme geleitetes [1] Chlor färbt
sie grün. Über das Spektrum des Chlors vgl. GMELIN–FRIEDHEIM
(Handbuch der anorganischen Chemie, 7. Aufl., 2. Abt. 59; 8. Aufl.,
System-Nummer 6 [Chlor], S. 50 ff.) und KAYSER (Handbuch der
Spektroskopie **3**, 322 [1905]). 5
Das Chlor steht in der siebenten Gruppe des periodischen Systems,
u. zw. in der Hauptgruppe zwischen Fluor und Brom und bildet mit
diesen Elementen und dem Jod die Gruppe der Halogene. Entsprechend der Zusammensetzung des Chlorwasserstoffs wird das Cl in den
meisten Verbindungen für [2] einwertig angesehen; die Zusammenset- 10
zung der Sauerstoffverbindungen und der Säuren des Chlors würden
für seine Mehrwertigkeit (3-, 5-, 7-Wertigkeit) sprechen. Manchmal
wurde (z. B. in ClO_2) das Chlor auch 4wertig angenommen.
Chlor ist ein Gemisch zweier Isotopen mit den Massen 35 und 37.
Auf Grund des Atomgewichtes von Cl 35,467 wurde das Isotopenver- 15
hältnis zu 76,6 % Cl (35) und 23,3 % Cl (37) berechnet (HARKINS und
STONE, *Nature* **116**, 426 [1925]). Gemäss der völligen Übereinstimmung der Atomgewichte ist das Isotopenverhältnis in irdischem Chlor
sowohl [3] marinen als auch nichtmarinen Ursprunges konstant. Die
Konstanz des Isotopenverhältnisses in Cl verschiedenen Ursprungs 20
führt zu dem Schlusse, dass dasselbe [4] schon mehrere Billionen Jahre
bestanden haben muss.
Chlorgas wird von Wasser unter Bildung von grünlichgelb gefärb-
tem Chlorwasser gelöst, am reichlichsten [5] bei 9–10°; von 9° bis zu [6]
0° nimmt die Löslichkeit ab, bei 100° ist sie gleich 0 (vgl. später). 25
Man stellt das Chlorwasser durch Einleiten von möglichst luftfreiem
Chlor in Wasser von etwa 10° dar. Gesättigtes Chlorwasser ist von

1. **geleitetes Chlor,** *chlorine that has been conducted.* A participial
phrase. See §1.
2. **für** read with **angesehen,** *looked upon as.* Certain verbs and adjectives
in German govern certain prepositions. The meaning of such prepositions
is to be determined from the context.
3. **sowohl** read with **als auch.** For a list of the common correlative
conjunctions, see §17(2).
4. **dasselbe schon . . . bestanden haben muss,** *it must have existed for
several billion years.* Notice use of **derselbe, dieselbe, dasselbe** meaning *it,*
to make the antecedent clear; **schon** meaning *for* with expression of time.
5. **am reichlichsten,** *most abundantly.* Superlative adverb. See §13(5).
6. **bis zu,** *down to.* Prepositions are occasionally used in pairs. Their
meanings are to be derived from the context.

grüngelber Farbe, weist den Geruch des Chlors auf und schmeckt herb. Bei etwa 0° gefriert es unter Bildung von Chlorhydrat und Eis. Konz. Lösungen der Chloride haben eine geringere Löslichkeit für Chlor als reines Wasser. Eine gesättigte Natriumchloridlösung
5 löst bei 14,5° 0,3607 Vol. Chlor. Bei Sättigung in einer Chloratmosphäre von gewöhnlichem Druck und 12° löst 1 l Wasser sofort 4 g Chlor, bei sehr langer Einwirkung 6 g. Die Schwankungen werden auf eine Reaktion des Cl mit Wasser unter Bildung von HCl und HOCl zurückgeführt. Nach SCHÖNFELD (1855) absorbiert 1 Vol.
10 Wasser bei 10° 2,5852 Vol. Chlor (von 0° und 760 mm), bei 20° 2,1565, bei 30° 1,7499, bei 40° 1,3665 Vol. Chlor. Nach ROOZEBOOM (1884) enthält die Lösung des Chlors in Wasser (unter 760 mm Druck) bei 0° 1,44%, bei 6° 1,07%, bei 9° 0,95%, bei 12° 0,87% Cl.

In wässeriger Salzsäure ist Cl löslicher als in Wasser. 1 l einer
15 gesättigten wässerigen Chlorwasserstofflösung löst 7,3 g Chlor. Die dabei beobachtete Wärmeentwicklung weist auf die Bildung eines Wasserstofftrichlorids, HCl_3, hin (BERTHELOT). 1 l wässerige Salzsäure, die zu etwa $\frac{1}{3}$ aus HCl besteht, löst 11 g Cl. Die Lösungswärme von Chlor in Wasser ist nach THOMSEN (korr.) 4870 Cal., nach BAKER
20 4970 Cal.

Die Reaktion des Chlors mit Wasser zu HCl und HOCl ist nach JAKOWKIN umkehrbar und wird durch Erhitzen beschleunigt. Bei etwa 90° können die Hydrolysenprodukte voneinander getrennt werden. Beim Erhitzen einer wässerigen Chlorlösung bleibt im Rück-
25 stand HCl in einer Menge, die der im Destillat vorhandenen [1] HOCl äquivalent ist. Chlorwasser zersetzt sich bei der Einwirkung von Licht, wobei zunächst HOCl entsteht ($Cl_2 + H_2O = HCl + HOCl$), welches dann weiter gemäss: $3 HOCl = 2 HCl + HClO_3$ unter Bildung von Chlorsäure zerfällt. Nach BILLITZER erfolgt die photochemische
30 Zersetzung des Chlorwassers nicht annähernd proportional der Belichtungsstärke und Belichtungsdauer, vielmehr geht hier eine autokatalytische Reaktion vor sich. Bei sehr starker Verdünnung (1 Mol. Cl_2 auf 400 Mol. Wasser) findet im Lichte weitgehende Zer-

schmecken (v.), to taste
gefrieren (v.), to congeal, to freeze
Schwankung (f.), fluctuation
umkehrbar (adj.), reversible

Belichtungsstärke (f.), light intensity
Belichtungsdauer (f.), time of exposure

1. der im Destillat vorhandenen HOCl, a pseudo-participial phrase. See §1(5).

setzung gemäss $2 Cl_2 + 2 H_2O = 4 HCl + O_2$ statt. Die Bildung von HCl und O kann auch auf die Zersetzung der durch Hydrolyse zunächst entstehenden HClO gemäss $2 HClO = 2 HCl + O_2$ zurückgeführt werden. Die Produkte der Photolyse der Lösungen von Cl in Wasser und in wässerigen Lösungen von Salzen und Säuren sind HCl, 5 $HClO_3$ und O_2; $HClO_4$ und H_2O_2 treten dabei nicht auf.

Aus gesättigtem Chlorwasser krystallisiert in der Kälte Chlorhydrat, das auch durch Eintropfen von Salzsäure in auf 2–3° abgekühlte unterchlorige Säure entsteht (über seine Bildung in den Chlorleitungsröhren vgl. S. 214). 10

Das Chlorhydrat bildet eine blassgelbe (bei −50° fast weisse), baumförmig krystallinische Masse von etwa 1,2 spez. Gew., die manchmal in Nadeln oder Oktaedern krystallisiert. Es zerfällt bei gewöhnlicher Temperatur und normalem Druck in Chlorgas und Chlorwasser; im zugeschmolzenen Rohr bleibt es selbst bei Sommertemperatur 15 unverändert und zersetzt sich erst [1] bei 38° in wässeriges und flüssiges Chlor, welche sich bei nachheriger Abkühlung wieder zu krystallisiertem Hydrat vereinigen. Über die Zusammensetzung und Konstitution des Chlorhydrats wurden verschiedene Ansichten veröffentlicht.[2] Nach FARADAY ist die Zusammensetzung $Cl_2 + 10H_2O$, nach 20 MAUMENÉ sollen [3] auch die Hydrate mit $12 H_2O$, $7 H_2O$ und $4 H_2O$ existieren, während ROOZEBOOM, der auch die Dissoziationsspannung ermittelte, zu der Formel $Cl_2 + 8 H_2O$ gelangte. Nach DE FORDRAND, der auch die Bildungswärme bestimmte, ist die Zusammensetzung des Chlorhydrats $Cl_2 + 7 H_2O$, nach BOUZAT und AZANIÈRES (1923) 25 $Cl_2 + 6 H_2O$, übereinstimmend mit einer älteren Angabe von VILLARD (1897).

Ausser in Wasser löst sich Chlor auch in verschiedenen anderen Lösungsmitteln auf. So [4] nimmt Tetrachlorkohlenstoff bei gewöhn-

unterchlorig (*adj.*), hypochlorous	**nachherig** (*adj.*), subsequent
blassgelb (*adj.*), pale yellow	**veröffentlichen** (*v.*), to publish
baumförmig (*adj.*), arborescent, tree-shaped	**Dissoziationsspannung** (*f.*), dissociation potential

1. **und zersetzt sich erst bei 38°,** *and does not decompose until 38°.* **Erst** as an adverb usually means *not until;* as an adjective it means *first.* For a list of tricky words see §20.

2. **wurden ... veröffentlicht** = sind ... veröffentlicht **worden.**

3. **sollen ... existieren,** *are said to exist.* Note this special idiomatic meaning of **sollen.**

4. **so** = **zum Beispiel,** *for example.*

licher Temperatur 10% Chlor, bei 0° 25% seines Gewichtes auf. 1 kg Chloroform löst bei 10° 250 g Cl auf.

Chlor löst sich ferner in flüssigem Äthan, in Tetra- und Pentachloräthan, ferner in Chromoxychlorid, Vanadinoxychlorid und in 5 Sulfurychlorid. Von Holzkohle wird es stark adsorbiert, ebenso von trockenem $SnCl_4$.

Bei entsprechender Abkühlung sowie bei erhöhtem Druck verdichtet sich das Chlor zu einer dunkelgrünlichgelben, bei sehr niedriger Temperatur $(-102°)$ orangegelben Flüssigkeit, in der sich gelbe Krystalle ausscheiden. Bei weiterer Temperaturerniedrigung erstarrt die 10 ganze Flüssigkeit zu einer gelben krystallinischen Masse, die bei $-102°$ schmilzt.

Das flüssige Chlor siedet bei $-33,6°$ und 760 mm Druck (REGNAULT, BECKMANN, KNIETSCH); nach P. HARTECK (*Ztschr. physikal.* 15 *Chem.* **134**, 21 [1928]) ist der Kochpunkt bei 760 mm $-33,95°$, der Schmelzp. $-100,5°$; die Siedekonstante in CCl_4 bzw. C_2Cl_6 ist 16,5 (BECKMANN); Chlor leitet nicht die Elektrizität.

Dichte des flüssigen Chlors nach KNIETSCH, (*A.* **259**, 100 [1890]).

Temperatur°	Spez. Gew.	Temperatur°	Spez. Gew.	Temperatur°	Spez. Gew.
− 80	1,6602	13,85	1,4314	40,0	1,3490
− 33,6	1,5560	14,50	1,4278	51,3	1,3160
− 9,5	1,4931	19,00	1,4156	55,5	1,3000
± 0	1,4689	21,80	1,4065	63	1,274
5,25	1,4541	26,37	1,3930	67	1,258
7,73	1,4481	27,63	1,3891	69	1,250
9,70	1,4434	30,90	1,3786	77	1,216
11,10	1,4359	36,20	1,3621		

Für die Berechnung der Werte für die Dichte des flüssigen Chlors 20 wurde die Formel: $y = 1,6583346 - 0,002003753x - 0,0000045596743x^2$ abgeleitet, wobei $x = t + 80$. Auch A. LANGE (*Ztschr. angew. Chem.* **13**, 683, [1900]) bestimmte die spez. Gew. des flüssigen Chlors mit guter Übereinstimmung mit den Zahlen von KNIETSCH. Nach diesem ist der mittlere Ausdehnungskoeffizient für $-80°$ bis $-33,6°$ 0,001409, 25 für $-30°$ bis $+0°$ 0,001793, für $+50$ bis $+60°$ 0,002690, für $+70°$ bis $+80°$ 0,003460. Bei $+90°$ wird die Ausdehnung des flüssigen Chlors so gross wie die der Gase.

Die kritische Temperatur beträgt 146°. Der kritische Druck 83,9

ebenso (*adv.*), as well as   **mittler(e)** (*adj.*), mean, average

Atm.; der Zusammendrückbarkeitskoeffizient: bei 35,4° 0,000225, bei 64,9° 0,000366, bei 91,4° 0,000637. Die spezifische Wärme zwischen 0° und 24° beträgt 0,2262. Der Ep[1] liegt bei −102°. 1 kg flüssiges Chlor entspricht 300 l Gas. Der Druck bei 146° von 93,5 Atm. stellt den Druck beim kritischen Punkt dar.   5

Druck des flüssigen Chlors nach KNIETSCH

Atm. absol.		Atm. absol.		Atm. absol.	
Temperatur°	Druck	Temperatur°	Druck	Temperatur°	Druck
− 33,6	1	29,70	8,652	80	28,4
− 9,5	2,662	33,16	9,470	90	34,5
± 0	3,660	38,72	10,889	100	41,7
9,62	4,885	40	11,50	110	50,8
13,12	5,433	50	14,7	120	60,4
20,85	6,791	60	18,6	130	71,6
21,67	6,960	70	23,0	146	93,5

Das Chlor gehört zu den am stärksten [2] elektronegativen und reaktionsfähigsten Elementen, indem es sich mit wenigen Ausnahmen (Sauerstoff, Fluor, Brom, Stickstoff, Edelgase) mit fast allen anderen Elementen direkt und häufig unter Feuererscheinung vereinigt. Mit Wasserstoff verbindet es sich bei gewöhnlicher Temperatur im Dunkeln 10 nicht, langsam im zerstreuten Licht; im direkten Sonnenlicht tritt sofort Verbindung mit Wasserstoff unter Explosion und Bildung von Chlorwasserstoff ein. Wasserstoff verbrennt im Chlorgas mit bläulicher Flamme.

[Seite 231–32]

VERWENDUNG. Der weitaus grösste Teil des erzeugten Chlors wird 15 zur Darstellung der technischen Chlorprodukte, hauptsächlich Chlorkalk, ferner der Chlorate und Bleichflüssigkeiten (Hypochlorite) verwendet. Ausserdem kommt das Chlor als flüssiges Chlor (vgl. Gase, komprimierte) in den Handel. Für manche Zwecke, besonders in der Cellulose- und Papierfabrikation, für die Herstellung der 20 Bleichlaugen, hat in einigen Ländern in den letzten Jahren das in

Zusammendrückbarkeitskoeffizient (*m.*), coefficient of compressibility
indem, in that
Edelgas (*n.*), noble (inert) gas
unter Feuererscheinung, with appearance of fire
zerstreut (*adj.*), diffused
weitaus (*adv.*), by far

1. **Ep = Erstarrungspunkt.** For a list of abbreviations of words, see page 287.
2. **am stärksten elektronegativen und reaktionsfähigsten,** superlative adverb and adjective. See §13.

Kesselwagen billig gelieferte flüssige Chlor den Chlorkalk stark zurückgedrängt. Vgl. z. B. hinsichtlich Amerika *Chemische Ind.* **1927**, 533. In Deutschland wird etwa ein Drittel des produzierten Chlors verflüssigt. Vgl. J. BILLITER (*Ztschr. Elektrochem.* **33**, 353 [1927]).

5   Über das Bleichen von Rohcellulose mit freiem Chlor vgl. WAENTIG (*Chem.-Ztg.* **52**, 479 [1928]). Für Desinfektionszwecke und zur Sterilisierung von Wasser hat man früher hauptsächlich Chlorkalk verwendet, während man in den letzten Jahren auch hierfür (für Trinkwasser, Wasser für Hallenbäder, für Abwässer) vorwiegend Chlor

10 verwendet. Die Chlorung des Wassers wurde 1912 in Amerika eingeführt. Anfangs 1926 wurden dort bereits rund 70% des gesamten Trinkwassers gechlort. In Nordamerika wird flüssiges Chlor von mehr als 6000 Orten zum Desinfizieren von Wasser verwendet. Auch die Chlorung von Abwässern zwecks Beseitigung von Geruch- und

15 Fäulniswirkung, Desinfektion, Beseitigung von Wasseralgen hat bereits ausgedehnte Anwendung gefunden. Vgl. ORNSTEIN (*Chem.-Ztg.* **52**, 480 [1928]; *Ztschr. angew. Chem.* **39**, 1035 [1926]); **41**, 646 [1928]); ED. MERKEL (ebenda 646); MEINGART (*Chem.-Ztg.* **52**, Fortschrittsberichte 49 [1928]), ferner auch KUENZI und GUBEL-

20 MANN (*Chem. Ztrlbl.* **1927**, **II**, 1382), R. GRASSBERGER und F. NOZISZKA (*Chem. Ztrlbl.* **1927**, **II**, 2701), K. BAUER, F. NOZISZKA, O. STUBER (Abhandlungen aus dem Gebiete der Hygiene, H. 1 [1928]), W. OLSZEWSKI (*Chem.-Ztg.* **52**, 141 [1928]), L. W. HAASE (*Chem. Ztrlbl.* **1928**, **I**, 3104), M. DUGGELI (ebenda **1928, II**, 94).

25 Die Verwendung von Chlor zur Darstellung verschiedener anorganischer und organischer Chlorverbindungen wurde in steigendem Masse durchgeführt, um [1] der sich stark fühlbar machenden [2] Überproduktion an Chlor (vgl. S. 212) zu begegnen. Vgl. z. B. ASKENASY (*Ztschr. angew. Chem.* **20**, 1166 [1907]); F. ULLMANN (*Chemische Ind.*

Kesselwagen (*m.*), tank car
Hallenbad (*n.*), swimming pool
Abwässer (*n. pl.*), sewage
Beseitigung (*f.*), destruction, removal

Wasseralgen (*f. pl.*), water algae
ausgedehnt (*p. adj.*), extensive, considerable
Fäulniswirkung (*f.*), sepsis

---

1. **um . . . der Überproduktion an Chlor zu begegen,** *in order to meet the overproduction of chlorine.* Notice that the verb **begegnen** governs the dative case, and that **Überproduktion** requires the preposition **an**.
2. **der sich stark fühlbar machenden Überproduktion,** a (present) participial phrase. See §1(1).

31, 405 [1908]); J. T. CONVAY (*Trans. Amer. elektrochem. Soc.* **49**).
So wird das Chlor zur Darstellung von Chloral, Chloressigsäure,
chlorierten Benzol- und Naphthalinderivaten, Chlorpikrin, chlor-
haltigen Farbstoffen, Tetrachlorkohlenstoff, Acetylenchloriden, (s.
Bd. I, 155) Phosgen, Chlorschwefelverbindungen verwendet. Wäh- 5
rend des Krieges sind grosse Mengen Chlor im Gaskampf (als Bombenchlor und zur Herstellung anderer Gaskampfstoffe) verwendet
worden.

In den letzten Jahren hat auch die Verwendung von Chlor zum
Aufschluss von Holz und anderen cellulosehaltigen Rohstoffen (be- 10
sonders aus Espartogras) für die Herstellung von Cellulose eine gewisse
Bedeutung erlangt. Das [1] schon vor [2] mehr als 20 Jahren von KELLNER
vorgeschlagene Verfahren ist besonders in Italien industriell ausgebildet worden. Vgl. J. BILLITER (*Ztschr. Elektrochem.* **33**, 353 ff
[1927]), ferner G. CONSIGLIO (*Papierfabrikant* **24**, 785 [1926]); H. 15
WENZL (ebenda **24**, 809 [1926]) und P. WAENTIG (ebenda **25**, 144
[1927]). S.[3] Näheres bei Cellulose, Bd. III, 144.

Chlor findet ferner Anwendung bei der Bromgewinnung (vgl
Brom, Bd. II, 667) aus den Kalienlaugen, dann als Oxydationsmittel,
wie z. B. nach einem (älteren) Verfahren zur Darstellung von Fer- 20
ricyankalium. Relativ grosse Mengen Chlor werden zur Herstellung
von Zinnchlorid (s. d. unter Zinnverbindungen) für die Seidenbeschwerung verwendet. In ausgedehntem Masse findet Chlor zur
Entzinnung von Weissblechabfällen Verwendung. Auch Quecksilber-,
Silicium-, Aluminiumchlorid (dieses für den Crackprozess) werden 25
hergestellt. Auch Zinkchlorid soll nach A. P. 1314715 in grossem
Umfange aus Zn und Cl hergestellt werden (*Ztschr. angew. Chem.* **39**,

Krieg (*m.*), war (here the World
War 1914–18)
Gaskampfstoff (*m.*), war gas ma-
terial
Espartogras (*n.*), esparto grass,
Spanish grass (tall perennial grass
native to S. Spain and N. Africa)

Entzinnung (*f.*), detinning, removal
of tin
Seidenbeschwerung (*f.*), silk
weighting
Weissblechabfälle (*m. pl.*), tin plate
scrap

1. **das ... vorgeschlagene Verfahren,** a (past) participial phrase. See
§1(2).
2. **vor mehr als 20 Jahren,** *more than twenty years ago.* The preposition
vor followed by an expression of time means *ago*, never *for*.
3. **S. Näheres bei Cellulose, Bd. III, 144,** *for further details see Vol.
III, p. 144, under cellulose.*

865 [1926]). Ferner wird Chlor zur Chlorierung von Erzen und (früher mehr als gegenwärtig) für die Goldgewinnung verwendet. Von Interesse sind auch die Vorschläge zur Überführung von Chlor in Salzsäure (vgl. S. 208). Vorschläge, bei welchen gleichzeitig Schwe-
5 felsäure gewonnen werden soll, wurden z. B. von W. Hähner (1854), Masson (1902) und von Askenasy und Mugdan (1903) gemacht. Das letzterwähnte, dem Consortium [1] patentierte Verfahren, das auch auf der Reaktion:

$$Cl_2 + SO_2 + 2 H_2O = 2 HCl + H_2SO_4$$

beruht, wurde von A. Coppadoro (L'Ind. Chim. 1910, H. 2–5;
10 Chem.-Ztg. 34, Rep. 354 [1910]) im kleinen Massstabe geprüft und für die Verwertung von elektrolytischem Chlor als sehr beachtenswert bezeichnet. Ausserdem sind eine Reihe anderer Verfahren zur synthetischen Darstellung von Salzsäure aus Chlor und Wasserstoff vorgeschlagen und zum Teil bereits technisch durchgeführt worden (vgl.
15 auch Bd. III, 208). Ein solches Verfahren war [2] bereits vor mehr als 15 Jahren in Italien bei der Società Italiana di Elettrochimica [3] in der Fabrik Bussi [4] in Betrieb, auch bei der Basf [5] in Anwendung. Auch in Spanien und in Amerika wird Salzsäure aus Chlor und Wasserstoff hergestellt. Für Italien hat [6] die Herstellung von Salzsäure aus
20 Elektrolytchlor auch mit [7] Hinsicht auf das dort bearbeitete Problem, Leuzite mittels derart synthetisch erzeugter Salzsäure aufzuschliessen, Bedeutung. In Italien wird ferner das Chlor auch zur Erzeugung von Kupferchlorid und Kupferoxychlorid verwendet; letzteres wird in grossen Mengen von der Landwirtschaft zur Vertilgung von Schäd-

Chlorierung (f.), chlorination
letzterwähnt (p. adj.), last mentioned

beachtenswert (adj.), worthy of notice, noteworthy
Landwirtschaft (f.), agriculture

1. dem Consortium, for the Consortium (German syndicate).
2. war ... in Betrieb, was in operation.
3. Società Italiana di Elettrochimica, name of the Italian Electrochemical Society. (Company)
4. Fabrik Bussi, Bussi factory.
5. BASF, abbreviation of the well-known "Badische Anilin- und Sodafabrik" at Ludwigshafen am Rhein.
6. hat, read with Bedeutung.
7. mit Hinsicht auf das dort bearbeitete Problem, Leuzite ... aufzuschliessen, with reference to the problem worked out there of decomposing leucites, etc.

lingen gebraucht. Vgl. *Chem.-Ztg.* **38**, 865 [1914]. In Amerika wird
Chlor auch zum Bleichen von Mehl und in der Petroleumraffinerie
benutzt. Über das Bleichen von Fettsäuren mittels Chlors (oder
HOCl oder ihrer Salze) vgl. WELTER, *Chem. Ztrlbl.* **1928, IX,** 1113.
Über die von OCHI vorgeschlagene Anwendung zur Saftreinigung in
der Zuckerfabrikation vgl. O. SPENGLER und R. WEIDENHAGEN (*Z.*
Ver. D. Zuckerind. **1927,** 119; *Chem. Ztrlbl.* **1927, I,** 2245). Über die
Lackbleichung durch Chlor vgl. VENUGOPALON (*J. Indian Inter.*
Science Serie A. 17, Chem. Ztrlbl. **1928, I,** 2875). Über die Verwendung von verdünntem Chlor als Heilmittel vgl. S. 209. Im Lab- 10
oratorium findet das Chlorgas auch vielfache Verwendung, wie z. B.
zur Aufschliessung von Erzen, für Oxydations- oder Chlorierungs-
zwecke, dann als Bleichmittel (in Form von Chlorwasser) speziell für
Paraffinschnitte auf dem Objektträger.

Nach D. A. PRITCHARD (*Chemische Ind.* **49,** 673 [1926]) betrug die 15
Gesamtleistungsfähigkeit aller Fabriken in den Vereinigten Staaten
und Canada etwa 185 000 t Chlor im Jahre 1925, die aber nicht voll
ausgenutzt wurden. 46 000 t flüssiges Chlor wurden 1925 hergestellt.
Der Verbrauch an Chlor in obigen Ländern verteilt sich auf folgende
Industrien: Papierindustrie 65%, Textilindustrie 22%, sanitäre 20
Zwecke 10%, chemische Industrie 3%. In den Vereinigten Staaten
betrug 1925 der Gesamtverbrauch an Chlor etwa 125 000 t, der Verbrauch an flüssigem Chlor 1926 etwa 65 000 t (MEINGAST. *Chem.-Ztg.*
52; Fortschrittsberichte 49 [1928]).

In Frankreich wurden etwa 25 000 t Chlor elektrolytisch gewonnen 25
(*Chemische Ind.* **38,** 610 [1925]) und 1927 162,8 t im Werte von 200 000
Fr. ausgeführt.

In Deutschland sollen 1913 etwa 20 000 t Chlor in der organisch-
chemischen Industrie benutzt und 1927 etwa 100 000 t Elektrolyt-
Chlor erzeugt worden sein. 30

LITERATUR: G. LUNGE, Handbuch der Sodaindustrie, Bd. **3,**

Mehl (*n.*), flour
Saftreinigung (*f.*), purification of
  juice
Lackbleichung (*f.*), bleaching of
  varnish
Handel (*m.*), commerce
Heilmittel (*n.*), remedy, medicine
Bleichmittel (*n.*), bleaching agent

Objektträger (*m.*) (microscopic)
  slide
Gesamtleistungsfähigkeit (*f.*), total
  output capacity
voll (*adv.*), completely
t = Tonne = 1,000 kilograms
Literatur (*f.*), literature, bibliography

Braunschweig [1909]. — GMELIN FRIEDHEIM, Handbuch der anorganischen Chemie, 7. Aufl., Bd. **2,** Abt. 1; Die Halogene, bearbeitet von HUGO DITZ, Heidelberg [1909] und GMELIN, Handbuch der anorganischen Chemie, 8. Aufl., System-Nummer 6 (Chlor).

HARNSTOFF

Sechster Band [Seite 104–105]

5 HARNSTOFF, Carbamid, Kohlensäurediamid, lateinisch urea, $NH_2 \cdot CO \cdot NH_2$, krystallisiert aus Wasser oder Alkohol in langen, dünnen Prismen. Tetragonalskalenoedrisch.[1] Farb- und geruchlos, von kühlendem, dem Kalisalpeter ähnlichem Geschmack. Schmelzp. 132,3–132,65°; Ep 132,20°; D 1,335. Sublimiert[2] im Vakuum
10 zwischen 120–130° unzersetzt. Das bei 160–190° erhaltene Sublimat besteht dagegen aus Ammoniumcyanat: $CO(NH_2)_2 \rightarrow CN \cdot O \cdot NH_4$. Bei höherem Erhitzen unter gewöhnlichem Druck zerfällt Harnstoff unter Bildung von Ammoniak, Kohlendioxyd, Biuret, Cyanursäure, Cyanursäuretriureid. 100 g Wasser lösen bei 20–25° 79,00 g Harnstoff.
15 Siedendes Wasser nimmt ihn in jeder Menge auf. Bei 19,5° lösen 100 Tl, Alkohol 5,06 Tl., 100 Tl. Methylalkohol 21,8 Tl. Harnstoff (C. A. LOBRY DE BRUYN, *Ztschr. physikal. Chem.* **10,** 784 [1892]). Eine übersättigte methylalkoholische Lösung scheidet bei 0° die Verbindung $CO(NH_2)_2 + CH_3 \cdot OH$ ab, die bei 19,25° in Harnstoff über-
20 geht (J. H. WALTON und R. V. WILSON, *Journ. Amer. Chem. Soc.* **47,** 320 [1925]). Dichte[3] der gesättigten Lösung in Wasser, Alkohol und Methylalkohol bei verschiedenen Temperaturen s. C. L. SPEYERS, *Amer. Journ. Science (Silliman)* [4] **14,** 298, 299 [1902]. Harnstoff ist sehr wenig löslich in Äther und Benzol, unlöslich in Chloroform.
25 Beim Erhitzen mit Säuren oder Alkalien wird er zu Kohlensäure und Ammoniak verseift, jedenfalls nach vorhergehender Umlagerung in Ammoniumcyanat (CH. E. TAWSITT, *Ztschr. physikal. Chem.* **41,** 622

bearbeiten (*v.*), to revise   **übersättigt** (*p.p. adj.*), supersaturated

---

1. **Tetragonal-skalenoedrisch.** This is telegraphic style for: **Er ist tetragonal-skalenoedrisch,** *it is tetragonal scalenohedral.* Notice the omission of subject and verb throughout the selection on "Harnstoff."
2. **sublimiert;** supply **Er** before **sublimiert.**
3. **Dichte;** supply **Für die** before **Dichte.**

[1902]; E. A. WERNER, *Journ. Chem. Soc. London* **111**, 1078 [1902]).
Mit alkoholischem Kali entstehen deshalb auch reichliche Mengen von
Kaliumcyanat (A. HALLER, *Ann. Chim.* [6] **9**, 276 [1886], F. EMICH,
Monatsh. Chem. **10**, 331 [1889]). Beim Eindampfen einer wässerigen
Lösung mit Silbernitrat bildet sich Silbercyanat (FR. WÖHLER und 5
J. LIEBIG, *A.* **26**, 301 [1838]). Auch Enzyme vermögen Harnstoff in
Ammoniak und Kohlensäure zu spalten. Hierauf beruht die durch
Mikroorganismen hervorgerufene „ammoniakalische Gärung" des
Harns. Sojabohnenextrakt enthält beträchtliche Mengen eines
Harnstoff spaltenden Enzyms („Urease"). Salpetrige Säure reagiert 10
mit Harnstoff in heisser wässeriger Lösung unter Bildung von Kohlen-
säure und Stickstoff, ev. auch von Ammoniumcarbonat (A. CLAUS,
B. **4**. 142 [1871]), während in der Kälte unter geeigneten Bedingungen
Ammoniumnitrat und Cyansäure gebildet werden (F. WÖHLER und
J. LIEBIG, *A.* **26**, 261, [1838]). Natriumhypobromit liefert gleichfalls 15
unter Abscheidung von Natriumbromid Kohlensäure und Stickstoff,
daneben auch etwas Natriumcyanat (M. B. DONALD, *Journ. Chem.
Soc. London* **127**, 2255 [1925]). Als Zwischenprodukt entsteht bei
dieser Reaktion Hydrazin, das man bei Verwendung von Natriumhy-
pochlorit in einer Ausbeute bis zu 60 % erhalten kann (P. SCHESTAKOW, 20
Journ. Russ. phys.-chem. Ges. **35**, 858 [1903]; **37**, 5 [1905]; D. R. P.
164 755). Auch Monochlorharnstoff, $NH_2 \cdot CO \cdot NHCl$ (A. BEHAL
und A. DETOEUF, *Compt. rend. Acad. Sciences* **153**, 681, 1229 [1911])
und Dichlorharnstoff, $CO(NHCl)_2$ (F. D. CHATTAWAY. *Amer. Chem.
Journ.* **41**, 83 [1909]; *Journ. Chem. Soc. London* **95**, 235, 464 [1909]; 25
vgl. R. L. DATTA, ebenda **101**, 166 [1912]) können aus Harnstoff
gewonnen werden. Beim Erhitzen mit Kalk (F. EMICH, *Monatsh.
Chem.* **10**, 324 [1889]) oder Natrium (H. J. H. FENTON, *Journ. Chem.
Soc. London* **41**, 262 [1882]) liefert Harnstoff Cyanamid. Mit Hydrazin reagiert er unter Bildung von Hydrazoformamid, $NH_2 \cdot CO \cdot NH \cdot$ 30
$NH \cdot CO \cdot NH_2$, und Semicarbazid, $NH_2 \cdot CO \cdot NH \cdot NH_2$ (TH. CURTIUS
und K. HEIDENRICH, *B.* **27**, 56 [1894]; *Journ. prakt. Chem.* [2] **52**,
465 [1895]). Gegen Permanganat ist Harnstoff recht beständig.

Mit Alkohol erhitzt, geht Harnstoff in Urethan über (A. W. HOF-
MANN, *B.* **4** 267 [1871]). Mit Formaldehyd liefert er bei Gegenwart 35
geeigneter Kondensationsmittel Mono- und Dimethylolharnstoff

Gärung (*f.*), fermentation	**Hydrazoformamid** (*n.*), hydrazo-
ev., eventual, perhaps	formamide
daneben (*adv.*), in addition to this	**Semicarbazid** (*n.*), semicarbazide

$NH_2 \cdot CO \cdot NH \cdot CH_2 \cdot OH$ bzw. $CO(NH \cdot CH_2 \cdot OH)_2$ (A. Einhorn und A. Hamburger, *B.* **41**, 26 [1908]; *A.* **361**, 131 [1908]), den unlöslichen Methylenharnstoff $(C_2H_4ON_2)_x$ sowie amorphe Produkte, die als Kunstharze (*s. d.* und Verwendung, S. 110) gebraucht werden. Mit
5 Natriummalonester kondensiert sich Harnstoff in alkoholischer Lösung zu Barbitursäure

$$CO \underset{NH \cdot CO}{\overset{NH \cdot CO}{\diagup\diagdown}} CH_2$$

(A. Michael, *Journ. prakt. Chem.* [2] **35**, 456 [1887]). Mono- und Dialkylmalonester liefern Mono- bzw. Dialkylbarbitursäuren, ein Verfahren, das zur Fabrikation von Veronal (Bd. **III**, 655) dient. Freie
10 Alkyl- bzw. Dialkylmalonsäuren liefern Alkylbarbitursäuren bzw. Dialkylessigsäureureide. Nur Dimethylmalonsäure gibt Dimethylbarbitursäure. Durch Erhitzen von Harnstoff mit Anilin erhält man Phenyl- und Diphenylharnstoff (A. Fleischer, *B.* **9**, 995 [1876]; A. Banger, *A.* **131**, 252 [1864]; T. L. Davis und H. W. Underwood
15 Jr., *Journ. Amer. Chem. Soc.* **44**, 2595 [1922]). Beim Erhitzen von Harnstoff mit Phenetidinsalzen in wässeriger Lösung erhält man Dulcin (Riedel, D. R. P. 76596). Harnstoff wirkt diuretisch.

[Seite 106–107]

Darstellung im grossen. Zu technischer Ausgestaltung sind [1] z. Z. 2 der angeführten Bildungsweisen gelangt, nämlich die [2] aus Cyanamid
20 durch Anlagerung von Wasser und die aus Ammoniumcarbaminat durch Abspaltung von Wasser.

a) Darstellung aus Cyanamid. Sie ist bereits Bd. **III**, 22, behandelt worden. R. S. Mc Bride (*Chem. Metallurg. Engin.* **32**, 791 [1925])

Kunstharz (*n.*), artificial resin
Dulcin (*n.*), dulcin
im grossen, on a large scale, in mass production
Ausgestaltung (*f.*), development

angeführt (*p. adj.*), quoted, cited
Bildungsweise (*f.*), method of preparation or production, mode of formation
Anlagerung (*f.*), addition

1. **sind ... gelangt,** *have attained* (*reached*). This is the perfect tense of **gelangen** which forms its compound tenses with **sein**. Notice that **gelangen** governs the preposition **zu** before its object. Do not confuse this verb with the impersonal verb **gelingen,** *to succeed.*
2. **die,** *the one;* **die** here is a demonstrative pronoun. What other meanings may **der, die, das** have?

beschreibt das LIDHOLM-Verfahren, wie es von der UNION CARBIDE Co. in Niagara Falls in einer grösseren [1] Versuchsanlage ausgeführt wurde, an der Hand zahlreicher Abbildungen. Der gewonnene Harnstoff enthielt 44% Stickstoff (ber. 46,6%); 1,5% Stickstoff war als Guanylharnstoffsulfat vorhanden, 1% als Dicyandiamid. Der Harn- 5 stoff konnte zu $\frac{2}{3}$ des Preises von Natriumnitrat geliefert werden, bezogen auf gebundenen Stickstoff.

b) Darstellung aus Ammoniumcarbaminat. Die BASAROWsche Reaktion [2] $NH_2 \cdot CO \cdot O \cdot NH_4 = NH_2 \cdot CO \cdot NH_2 + H_2O$ wurde von einer ganzen Anzahl [3] von Forschern untersucht (s. auch G. N. LEWIS und 10 G. H. BURROWS, *Journ. Amer. Chem. Soc.* **34**, 1517 [1912]), ausführlich und nach modernen Methoden aber erst von Fr. FICHTER und B. BECKER (*B.* **44**, 3473 [1911]) und besonders eingehend von C. MATIGNON und M. FRÉJAQUES (*Compt. rend. Acad. Sciences* **170**, 462 [1920]; **171**, 1003 [1921]; **174**, 455, 1747 [1922]; *Ann. Chim.* [9] 15 **17**, 257, 271 [1922]; *Bull. soc. chim. France* [4] **31**, 307, 394 [1922]; *Chim. et Ind.* **7**, 1057 [1922]). Es ist keineswegs allgemein anerkannt, dass sich der Harnstoff direkt durch Wasserabspaltung aus dem Ammoniumcarbaminat bildet, wie es die meisten Autoren annehmen. E. A. WERNER (*Journ. Chem. Soc. London* **117**, 1046 [1920]) und K. C. 20 BAILAY (*Compt. rend. Acad. Sciences* **175**, 279 [1922]) nehmen als primäre Reaktion: $CO_2 + NH_3 = H_2O + (HOCN \rightleftarrows HCNO)$ an, als sekundäre Reaktionen: a) $HOCN + NH_3 = NH_4 \cdot O \cdot CN$, b) $HNCO + NH_3 = CO(NH_2)_2$ (vgl. K. C. BAILAY, *F. P.* 554 520 [1922]). Wahrscheinlicher ist aber unter den üblichen Arbeitsbedingungen die 25

Versuchsanlage (*f.*), experimental plant or works	**ausführlich** (*adv.*), extensively, thoroughly, in great detail
an der Hand, by means	**eingehend** (*adv.*), exhaustively
ber. = berechnet, calculated	**anerkennen** (*v.*), to acknowledge, to accept
Guanylharnstoffsulfat (*n.*), guanylurea sulfate	
gebundener Stickstoff (*m.*), fixed nitrogen	**Arbeitsbedingung** (*f.*), working conditions

1. **in einer grösseren Versuchsanlage,** *in a rather (fairly) large experimental plant.* Notice the translation of the comparative degree of an adjective (**grösser**) when there is no direct comparison. See § 13(4).

2. **Die Basarowsche Reaktion,** *Basarow's reaction.* To form adjectives out of proper names, German adds –**sche** to the proper name.

3. **von einer ganzen Anzahl,** *by quite a number.* Notice translation of **ganz.**

erstgegebene Annahme. Neben der Harnstoffbildung verläuft noch eine Reihe weiterer Reaktionen:

$$NH_2 \cdot CO \cdot O \cdot NH_4 = CO_2 + 2NH_3; \quad NH_2 \cdot CO \cdot O \cdot NH_4 + H_2O =$$
$$CO_3(NH_4)_2; \quad CO_3(NH_4)_2 = HO_3C \cdot NH_4 + NH_3;$$
$$HO_3C \cdot NH_4 = CO_2 + H_2O + NH_3,$$

so dass ein variantes System entsteht. Die Dissoziationsdrucke des Ammoniumcarbaminats betragen bei 100° 6,4 Atm., bei 120° 14,6
5 bei 130° 20,8 bei 140° 28,9 bei 145° 33,8, bei 150° 39,4 Atm. Bei der Harnstoffbildung tritt ein Gleichgewichtszustand ein. Die maximalen Gleichgewichtsdrucke betragen bei 100° 9,03, bei 122° 20,95, bei 135° 33,14 und bei 150° 55,09 Atm. Sie sind höher als die Dissoziationsdrucke, weil die Nebenreaktionen die Harnstoffreaktion überdecken.
10 Stellt man die gebildete Harnstoffmenge bei den verschiedenen Gleichgewichtszuständen fest, so findet man bei 130° (39[h]) 30,2%, bei 134° (40[h]) 39,92%, bei 140° (40[h]) 41,3%, bei 145° (24[h]) 43,3%. Letztere Temperatur gibt die höchste erzielbare Ausbeute an. Die Reaktionsgeschwindigkeit ist in der ersten Stunde des Erhitzens sehr gross; sie
15 verlangsamt sich dann ausserordentlich infolge der katalytischen Wirkung des abgespaltenen Wassers, je [1] mehr man sich dem Gleichgewichtszustande nähert. Die Reaktionsgeschwindigkeit wird zwar durch gewisse Katalysatoren, wie Aluminiumoxyd, Siliciumdioxyd, Kaolin, Calciumsulfat, erhöht, aber nur bei niedrigen Temperaturen,
20 während bei der optimalen Temperatur ihr Einfluss so gering ist, dass ihre Anwendung nicht empfohlen werden kann. Wasserentziehende Mittel, wie Magnesiumsulfat und Calciumchlorid, sind direkt schädlich, weil keines [2] das Wasser binden kann, ohne mit einer Komponente des Systems zu reagieren. Das Verfahren der NORSK HYDRO–ELEK-

erstgegeben (*p. adj.*), first mentioned
Nebenreaktion (*f.*), side reaction
überdecken (*v.*), to cover over, to overlap
h = hora, hour
verlangsamen (*v.*), to retard, to slow down

ausserordentlich (*adv.*), extraordinarily, unusually, very much
nähern (**sich**) (*v.*), to draw near, to approach
Katalysator (*m.*), catalytic agent, catalyser

1. **je mehr man sich ... nähert,** *the nearer one comes to.* Notice the translation of the subordinating conjunction **je.** See §17(3).
2. **keines** here is a pronoun standing for **Mittel.** Translate by *none (of them).*

TRISK KVAELSTOFAKTIESELSKAB, Oslo (*Norw. P.* 39744 [1922]), die
mit solchen Mitteln arbeitet, dürfte [1] nicht zweckmässig sein. Aus
der Untersuchung der Reaktion ergibt sich, dass die Höchstausbeute,
die man, arbeitend unter Druck, erzielen kann, etwa 40 % beträgt, und
dass es keinen Zweck hat, die Temperatur von 140–150° zu überschrei- 5
ten (s. auch N. W. KRASE und V. L. GADDY, *Journ. Ind. Engin. Chem.*
14, 611 [1922]; G. JAKOWKIN, *Chem. Ztrlbl.* **1929**, I, 2875).

KAUTSCHUK

[Seite 491–494]

KAUTSCHUK (Federharz, Gummi elasticum, India Rubber, Rubber)
ist die Bezeichnung für ein durch seine hohen elastischen Eigenschaften
sich vor allen anderen Naturprodukten auszeichnendes Gel, das in der 10
Hauptsache aus den Milchsäften verschiedener in den Tropen be-
heimateter Pflanzen gewonnen wird und in Bezug auf seine mannig-
fache Verwendungsmöglichkeit wohl das wichtigste Naturkolloid ist.
Vereinzelte Kautschukarten finden sich jedoch bereits in der Pflanze
in verfestigter Form vor, so dass ihre Gewinnung nicht durch Ent- 15
nahme des Milchsaftes, sondern durch regelrechte Extraktion der
Pflanzenteile vor sich geht, welche die verfestigte Substanz enthalten.

In der Natur kommt dieser Kohlenwasserstoff, welcher die em-
pirische Formel $(C_5H_8)_x$ aufweist, niemals im reinen Zustande vor,
sondern er ist, je nach der Pflanzengattung, aus der er gewonnen wird, 20
mit den verschiedensten Substanzen vermengt, von denen vornehmlich Eiweiss, Zucker, Harze und Mineralsalze (Magnesium-, Calcium-
salze sowie Phosphate) genannt werden müssen. Wenn auch diese

überschreiten (*v.*), to go beyond, to
   exceed, to step over
Milchsaft (*m.*), milky juice, latex
Tropen (*f. pl.*), tropics
in Bezug auf, with respect to
vereinzelte (*adj.*), isolated; —
   Kautschukarten, individual kinds
   of rubber
sich vorfinden (*v.*), to be found, to
   occur

Entnahme (*f.*), outlet, withdrawal
regelrecht (*adj.*), regular, normal
Pflanzengattung (*f.*), plant species
vermengen (*v.*), to mix, to mingle,
   to blend
vornehmlich (*adv.*), especially, particularly
Eiweiss (*n.*), protein
wenn auch (*conj.*), even though

1. **dürfte ... sein,** *might be.* Notice the translation of the past subjunctive of **dürfen.** See §10(4).

Substanzen bei den Kautschukarten, die industriell besondere Bedeutung gewonnen haben, nur einen geringen Prozentsatz der Gesamttrockensubstanz ausmachen, so ist [1] die Anwesenheit des einen
oder anderen hiervon [2] auch für die weitere Verarbeitung und insbe-
5 sondere für die Qualitäten der daraus hergestellten Kautschukwaren
von Bedeutung.

GESCHICHTLICHES.   Den ersten geschichtlichen Hinweis [3] auf die
Verwendung von Kautschuk verdanken wir den Forschungen über
die Majakultur, welche eindeutig ergeben haben, dass die Maja-
10 Indianer bereits im 11. Jahrhundert Spielbälle aus einer Masse her-
stellten, welche als Kautschuk identifiziert werden konnte.   Die ersten
authentischen Nachrichten über dieses wichtige Naturkolloid entnehmen wir dem im Jahre 1525 erschienenen Buch ,,De Orbo Nuovo" [4]
von PIETRO MARTYRE D'ANGHIERA.   Eine weitere Mitteilung darüber
15 erfolgte von dem Spanier FERNANDÉS D'OVIDEO Y VALDEZ in seiner
1536 zu Madrid erschienenen ,,Historia General y Natural de las
Indias." [5]   Eine genaue Beschreibung der Gewinnung des Kautschuks,
sowie die Übersendung der ersten Proben dieser Substanz an die
französische Akademie [6] der Wissenschaften verdanken wir CHARLES

Prozentsatz *m.*), percentage
Gesamttrockensubstanz (*f.*), total
  dry substance
Majakultur (*f.*), Maya (Indian)
  civilization
Spielball (*m.*), playing ball

Nachricht (*f.*), information
entnehmen (*v.*), to take from, to get
zu Madrid, at Madrid (capital of
  Spain)
Übersendung (*f.*), shipment, transmission

1. **ist,** connect with **von Bedeutung,** at end of sentence.
2. **hiervon** = **davon,** *of these.*   **Hier** often replaces **da** in combination
with prepositions.   See §12(2).
3. **Den ersten geschichtlichen Hinweis** ... verdanken wir den Forschungen über die Majakultur, *we are indebted to the investigations concerning
the Maya civilization for the first historical reference.*   Notice that **verdanken**
governs the dative case.   The Mayas are American Indian people in Central
America.   The fifteenth century, before the Spanish advent, witnessed the
collapse of an advanced Mayan civilization.   It is marked by impressive
architectural remains at Copán, Quiriguá, and Polenque.
4. ,,**De Orbo Nuovo.**"   Italian for " Concerning the New World."
5. Spanish for " General and Natural History of the Indies (i.e., America)."
6. **die französische Akademie der Wissenschaften,** the French Academy
of Sciences.   (*l'Académie des sciences*), a society founded by Colbert in 1666,
composed of 66 members for the study of mathematical, chemical, and
scientific questions.

MARIE DE LA CONDAMINÉ, welcher im Jahre 1735 die Provinzen Quito [1] und Esmeralda bereiste. CONDAMINÉ war auch der erste, welcher mitteilte, dass die Eingeborenen diese Substanz aus dem milchigen Saft eines Baumes gewinnen, den sie „Hévé" [2] nennen. (Der auch heute noch wichtigste Kautschukbaum ist bekanntlich die in Brasilien 5 beheimatete, zu den Euphorbiaceen gehörende Hevea brasiliensis *Müll. Arg.*). CONDAMINÉ berichtet auch, dass die Eingeborenen des Amazonas diesen Baum „Cahutschu" nennen (caa = Holz, o-chu = Rinnen, Tränen), worauf wohl von den Franzosen das Wort „caoutchouc" (Kautschuk) geprägt wurde. 10

Die ersten chemischen Untersuchungen dieses Milchsaftes und des daraus durch Trocknen erzielbaren Produktes verdanken wir FRESNEAU, welcher im Jahre 1751 ebenfalls der Pariser Akademie [3] einen ausführlichen Bericht erstattete. In den deutschsprechenden Ländern wurde auf Grund der ersten Mitteilungen, die von einem elastischen 15 Harz sprachen, diese Substanz mit der Bezeichnung Federharz belegt, ein Ausdruck, der in alten Lehrbüchern und Nachschlagewerken noch häufig zu finden ist. Die Bezeichnung *India rubber* wird dem englischen Chemiker PRIESTLEY [4] zugeschrieben, welcher im Jahre 1770 die Feststellung machte, dass man durch Reiben mit dieser Substanz leicht 20

bereisen (*v.*), to travel over, to journey
Euphorbiacee (*n. pl.*), botanical (Latin) name for the species of trees to which the rubber tree belongs
Träne (*f.*), tear
prägen (*v.*), to coin

Bericht erstatten, to render an account, to report
belegen (*v.*), to give, to label
Nachschlagewerk (*n.*), reference work
zuschreiben (*v.*), to attribute to
Reiben (*n.*), rubbing

1. **Quito** and **Esmeralda,** names of districts in Ecuador (South America). Quito is also the capital of Ecuador, population 92,000, located in the Andes, 9,350 feet above sea level.

2. „**hévé(e)**" name of the rubber tree, derived from the Esmeraldan Indian; *Hevea brasiliensis* is the botanical (Latin) name for the species of South American rubber tree belonging to the family Euphorbiaceae.

3. **Pariser Akademie,** *the Parisian Academy,* i.e., the Academy of Sciences. Note the formation of invariable adjectives from city names by the addition of the invariable ending –er (**Paris–er**).

4. **Priestley, Joseph.** British chemist born in 1733, studied for the Non-conformist ministry, and while a minister published his " History of Electricity " (1767). He discovered oxygen in 1774. Because of his political opinions he emigrated to Pennsylvania in 1794, where he died in 1804. Among his discoveries were nitric oxide, hydrochloric acid, and sulfur dioxide.

Bleistiftstriche vom Papier entfernen kann. (Die Bezeichnung „India" bezieht sich in diesem Falle naturgemäss auf Westindien.) Die von CONDAMINÉ und FRESNEAU übersandten Gegenstände, wie Schuhe, Flaschen u. dgl., stellten die Eingeborenen durch Aufträufeln
5 des Milchsaftes (Latex) auf poröse Tonformen entsprechender Gestalt und Trocknen des erzielten Überzuges her, wobei die gewünschte Schichtdicke durch mehrmaliges Übergiessen oder Tauchen erzielt wurde. Nach Trocknung der letzten Schicht wurde dann die Tonform zerdrückt und der Tonstaub aus der jeweiligen Öffnung entfernt. Viel-
10 fach hat man noch in von Eingeborenen hergestellten Gegenständen das Vorhandensein von Schwefel nachweisen [1] können. Es konnte auch tatsächlich festgestellt werden, dass die Eingeborenen schon vor längerer Zeit [2] dem Latex Schiesspulver (Schwarzpulver) beimengten, da sie gefunden hatten, dass derartige Zusätze sowohl die Klebrigkeit
15 der fertigen Gegenstände beseitigten, als auch Produkte erzielten, die erhöhte Strammheit aufwiesen. In diesem Zusammenhang sei [3] auf die weiter unten zu besprechende [4] Einwirkung des Schwefels und des Russes, letzterer als verstärkender Zusatz, verwiesen.

Bleistiftstrich (*m.*), pencil mark
übersenden (*v.*), to ship, to send
Aufträufeln (*n.*), dripping on, pouring on
Tonform (*f.*), clay shape, clay mold
Überzug (*m.*), coating, covering, coat
Schichtdicke (*f.*), layer thickness
gewünscht (*p. adj.*), desired
mehrmalig (*adj.*), repeated
Tauchen (*n.*), dipping
zerdrücken (*v.*), to crush, to crumple

Tonstaub (*m.*), clay dust
jeweilig (*adj.*), momentary, respective
tatsächlich (*adv.*), actually
Schiesspulver (*n.*), gunpowder
Zusatz (*m.*), admixture
erhöht (*p. adj.*), increased, greater
Strammheit (*f.*), rigidity, toughness
weiter unten, farther down
Russ (*m.*), soot, lamp black
verstärkend (*p. adj.*), strengthening, reinforcing

1. **hat ... nachweisen können,** *one has been able to detect.* Notice the use of the infinitive of a modal auxiliary (**können**) in place of a past participle (in the compound tenses) with a direct complementary infinitive.

2. **schon vor längerer Zeit,** *quite a long time ago.* Notice the translation of the comparative. See §13(4).

3. **sei ... verwiesen auf;** literally, *let it be referred to,* i.e., *you are referred to.* Notice the use of the third person of the subjunctive for the imperative. See §10(2). Also notice that the impersonal **es** has to be supplied as subject of the verb. See §9(2).

4. **die weiter unten zu besprechende Einwirkung,** a participial phrase. How is a present participle, used adjectively and preceded by **zu,** translated? See §1(4).

Der Umstand, dass aber der Latex, wie bereits FRESNEAU festgestellt hatte, ausserordentlich labil ist, verhinderte zur damaligen Zeit seine Versendung nach Europa, so dass die ersten zur Untersuchung gelangten Muster [1] aus bereits eingetrocknetem Milchsaft bestanden. Die damaligen Forscher bemühten sich [2] daher, in erster 5 Linie Wege zu finden, dieses elastische Gel wieder in den flüssigen Zustand überzuführen, um auf diese Weise die verschiedensten Gegenstände herstellen zu können, wobei [3] es vornehmlich auf die Erzeugung wasserdichter Gewebe, Spritzen, Röhrchen u. dgl. ankam.[4]

Kurze Zeit darauf wurde festgestellt,[5] dass sich [6] Kautschuk in 10 verschiedenen organischen Lösungsmitteln zu einer viscosen, zähen Flüssigkeit lösen lässt, und man begann mit der Herstellung der verschiedensten Gegenstände, indem man [7] die mittels Lösungsmittel aus Rohkautschuk gewonnene teigige Masse auf Platten ausgoss und nach Verdunsten des Lösungsmittels sie z. B. über einen Dorn legte, um so 15 schlauchähnliche Gegenstände herzustellen, während wasserdichte Kleidungsstücke einfach durch Auftragen der Teigmasse auf Stoffbahnen angefertigt wurden. Die industrielle Verwertung dieser Sub-

labil (*adj.*), labile, fluid
damalig (*adj.*), of that time
Muster (*n.*), sample
vornehmlich (*adv.*), especially, particularly
Gewebe (*n.*), fabric
Spritze (*f.*), syringe
teigig (*adj.*), doughy, pasty
Platte (*f.*), plate, sheet (of metal), slab
Verdunsten (*n.*), evaporation

Dorn (*m.*), mandrel; über einen —, upon a mandrel
schlaucähnlich (*adj.*), tubelike
Kleidungsstück (*n.*), wearing apparel
Auftragen (auf) (*n.*), carrying (upon), bringing (on)
Stoffbahn (*f.*), breadth (of cloth), cloth fabric
anfertigen (*v.*), to manufacture, to prepare

1. **die ersten zur Untersuchung gelangten Muster,** a participial phrase. See §1.
2. **bemühten sich ... überzuführen,** *concerned themselves with transforming.* Notice the complementary infinitive **überzuführen.** See §18(2).
3. **wobei,** *during which (process),* i.e., *and in so doing,* not *whereby.* See §16(4).
4. **es ... ankam auf die Erzeugung,** *they were chiefly concerned with the production.*
5. **wurde festgestellt,** *it was determined.* The impersonal subject **es** must be supplied. See §9(2).
6. **sich,** connect with **lösen lässt.** See §18(3).
7. **indem man ... ausgoss,** *by pouring out.* The conjunction **indem** is best translated by an English gerundive.

stanz litt aber an dem Umstande, dass so hergestellte Gegenstände eine
sehr kurze Lebensdauer aufwiesen, und ferner darunter,[1] dass ihre
Oberfläche eine starke, kaum zu beseitigende Klebrigkeit besass. Für
wasserdichte Bekleidungsstücke versuchte man damals, diesem
5 Übelstande dadurch abzuhelfen,[2] dass man zwei Stoffbahnen durch
eine Kautschukzwischenschicht verband, wodurch die Wasserdichtigkeit erzielt wurde, ohne dass man eine klebrige Oberfläche erhielt.
(Diese Art der Herstellung wurde von MACINTOSH [3] eingeführt;
deshalb werden auch heute noch vielfach derartig dublierte Regen-
10 mäntelstoffe mit dem Namen „Macintosh" bezeichnet.)
    Die Entwicklung der Kautschukindustrie wäre wohl nicht erheblich
weiter gekommen, wenn nicht [4] im Jahre 1838 GOODYEAR in Amerika
und 1843 unabhängig von ihm TH. HANCOCK in England die Feststellung gemacht hätten, dass Kautschuk, mit Schwefel vermengt und
15 erhitzt, bzw. in ein Bad von flüssigem Schwefel getaucht, seine physikalischen Eigenschaften weitgehend ändert und ein schwefelhaltiges
Produkt liefert, welches gegen Temperaturunterschiede unempfindlich ist, keine klebenden Eigenschaften mehr besitzt und ferner die
elastischen Eigenschaften in erhöhtem Masse zeigt. HANCOCK be-
20 legte die Umwandlung mit dem Ausdruck „Vulcanisation". Diese
Erscheinung hatte bereits im Jahre 1832 F. LUDERSDORFF festgestellt,
ohne sich aber der Tragweite dieser Entdeckung bewusst zu sein.

leiden (an) (v.), to suffer (by)
Lebensdauer (f.), life duration, durability
Kautschukzwischenschicht (f.), intervening layer of rubber
dubliert (p. adj.), doubled
Regenmantelstoff (m.), raincoat material

unempfindlich (gegen) (adj.), not sensitive to
kein . . . mehr, no longer
klebend (adj.), adhesive
belegen (v.), to bestow, to give
Tragweite (f.), extent, significance
sich bewusst sein (+ gen.), to be conscious of, to know

1. **und ferner darunter, dass**, and furthermore from the fact that. Notice the translation of **da(r)** + a preposition and followed by **dass**. See §15(6).
2. **diesem Übelstande dadurch abzuhelfen, dass man . . . verband**, to correct this defect by tying (combining). Notice the dative case after **abhelfen**, and the translation of **da** (+ preposition), **dass**, by an English gerundive.
3. **Macintosh, Charles**, Scotch industrialist.
4. **wäre wohl nicht weiter gekommen, wenn nicht Goodyear . . . und Hancock die Festellung gemacht hätten**, would probably not have progressed much farther if Goodyear and Hancock had not established. Notice use of pluperfect subjunctive in contrary to fact conditions. See §10(3). **Goodyear, Charles** (1800–1860), discovered the secret of vulcanization of rubber which he patented in 1844.

Wenige Jahre später (1846) fand ALEXANDER PARKES, dass man bei
dünnen Kautschukplatten dieselbe Veränderung herbeiführen kann,
wenn man sie in eine Lösung von Chlorschwefel oder in Chlorschwefeldampf bringt. Ähnliche Ergebnisse erzielte im Jahre 1921 PEACHEY
durch Einbringen des Kautschuks in ein Gasgemisch, bestehend 5
aus H_2S und SO_2.

Wir verdanken TH. HANCOCK noch einen weiteren wesentlichen
Fortschritt in der Verarbeitung von Rohkautschuk im grossen. Er
ist es nämlich, der im Jahre 1820 festgestellt hat (im Jahre 1832 be-
kanntgegeben), dass Rohkautschuk, maschinell zerrissen oder zwi- 10
schen Walzen geknetet,[1] plastisch wird, und in diesem Zustande
geeignet ist, verschiedene Füllstoffe, wie vor allem Schwefel, homogen
aufzunehmen. Die bei dem von HANCOCK als Mastikation bezeichneten Vorgang verlorengehende Elastizität [2] wird bei der Vulkanisation wieder zum grossen Teil rückgewonnen. Die von HANCOCK 15
konstruierte Maschine, die er „Pickle" nannte, ist schematisch aus
Abb. 162 ersichtlich. HANCOCK hat auch mehrfach versucht,[3] die
Kautschukmilch (Latex) als solche zur Herstellung verschiedener
Gegenstände in Anlehnung an die von den Eingeborenen übermittelten
Herstellungsmethoden zu verwenden. Doch scheiterten seine ersten 20
Versuche um das Jahr 1824 an der Unbeständigkeit des Milchsaftes.
Er sowie sein Bruder CHARLES stellten dann in der zweiten Hälfte des

Kautschukplatte (*f.*), rubber sheet
Einbringen (*n.*), insertion, introduction
nämlich (*adv.*), namely
bekanntgeben (*v.*), to make known
maschinell (*adv.*), mechanically, by
  machine
kneten (*v.*), to knead
Füllstoff (*m.*), filling material, filler
homogen (*adv.*), homogeneously
verlorengehen (*v.*), to be lost

zum grossen Teil, to a great extent
rückgewinnen (*v.*), to recover
schematisch (*adv.*), diagrammati-
  cally
Anlehnung (*f.*), support; **in — an,**
  depending on, in accordance with
übermitteln (*v.*), to hand over, to
  transmit
scheitern (**an**) (*v.*), to run aground,
  to fail; to miscarry (by or from)
einstellen (*v.*), to stop, to discontinue

1. **zerrissen oder zwischen Walzen geknetet,** *when ripped* (*by machine*)
or kneaded between rollers. Notice the translation of the past participle used
absolutely.
2. **Die . . . bezeichneten . . . verlorengehende Elastizität,** a participial
phrase. See §1.
3. **Hancock hat . . . versucht . . . zu verwenden,** *Hancock tried to use*
(*employ*). Notice the position of the complementary infinitive, and the
intervening participial phrase.

19. Jahrhunderts die Versuche ein, obwohl man inzwischen die Feststellung gemacht hatte, dass der Latex, mit Ammoniak versetzt,
ohne weiteres in flüssigem Zustande transportiert werden kann. Der

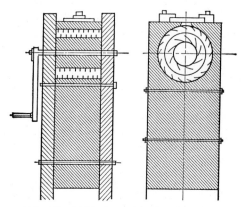

Abb. 162. Pickle (Mastikator) von HANCOCK

Grund hierfür war rein ökonomisch, da nach Ansicht von HANCOCK
5 der Transport von ⅔ des Gesamtvolumens an unnützem Wasser sich
nicht rentieren könne.[1] (Normaler Hevea-Latex enthält durchschnittlich 33% Kautschuksubstanz, 5–7% Nichtkautschukbestandteile,
während der Rest Wasser ist.)

inzwischen (*adv.*), meanwhile, in the
  meantime
weiter (*adj.*), additional; ohne —
  es, without further treatment
  (ado)
ökonomisch (*adj.*), economical (one)

Transport (*m.*) (von), the shipment
  (of)
unnütz (= unnützlich) (*adj.*), useless, unprofitable
rentieren (*v.*), to pay, to yield a profit
durchschnittlich (*adv.*), on the average

1. **sich nicht rentieren könne,** *could not be made profitable.* Notice the
use of the present subjunctive (**könne**) in quoting a statement for which the
author does not wish to assume the responsibility. See §10(1).

HOUBEN: *DIE METHODEN DER ORGANISCHEN CHEMIE*

Dritte Auflage (G. Thieme), Leipzig, 1925
Erster Band, Allgemeiner Teil

Organische Elementaranalyse

BEARBEITET VON

PROFESSOR DR. H. SIMONIS

Honorar Professor an der Technischen Hochschule in Berlin

II. ANLEITUNG ZUM IDENTITÄTSNACHWEIS EINER (HOMOGENEN) ORGANISCHEN SUBSTANZ

[Seite 10–15]

Nachdem man durch die im I. Kapitel beschriebenen Methoden festgestellt hat, welche Elemente anwesend und welche abwesend sind — wobei man bezüglich des Sauerstoffs noch keine Entscheidung treffen kann — geht man entweder zur quantitativen Bestimmung der vorhandenen Elemente über, oder [1] man sucht — falls es sich um den $_5$ Identitätsnachweis einfacher Verbindungen handelt — diesen durch folgende Versuche zu erbringen:

1. Man stellt [2] zunächst das Aussehen, den Aggregatzustand, die Farbe, den Geruch und unter Umständen mit grösster Vorsicht auch

Hochschule: technische —, polytechnic institute or university
Anleitung (*f.*), guide
Identitätsnachweis (*m.*), identification
Entscheidung (*f.*), decision; — **treffen,** to reach a decision

Aggregatzustand (*m.*), state of aggregation
Umstand (*m.*), circumstance; **unter Umständen,** in certain cases
Vorsicht (*f.*), precaution, care; **mit grösster —,** with very great caution

1. **oder man sucht . . . diesen durch folgende Versuche zu erbringen,** *or one tries to bring it (the identification) about by the following experiments.* Notice the distance of the complementary infinitive from **sucht.** See §18(2).
2. **Man stellt . . . fest. Dann führt man . . . aus;** separable prefix verbs. See §8.

27

den Geschmack der fraglichen Substanz fest. Dann führt man folgende Vorproben aus:

    a) Man prüft die Reaktion des Körpers auf Lackmuspapier nach dem Erwärmen mit Wasser oder Alkohol, woraus [1] seine eventuelle 5 saure oder basische Natur erkennbar ist.

    b) Man erhitzt eine Probe im Reagensglas und beobachtet, ob der Körper verpufft, sublimiert oder ob sich bei stärkerem Erhitzen [2] saure oder alkalische Zersetzungsprodukte verflüchtigen.

    c) Erwärmen des Körpers auf Zusatz von Phosphorsäure oder ver-10 dünnter Schwefelsäure in einem Becherglase, über dessen Öffnung angefeuchtetes blaues Lackmuspapier gelegt ist, dient zum Nachweis einer flüchtigen Säure (Ameisensäure, Essigsäure usw.).

    d) Erwärmen mit Alkali unter den gleichen Bedingungen lässt (durch rotes Lackmuspapier) das Vorhandensein einer flüchtigen Base 15 erkennen.[3]

    e) Eine Probe der Substanz wird mit Fehlingscher Lösung auf ihre Reduzierfähigkeit untersucht.

    f) Eine Lösung der Substanz wird im Polarisationsapparat auf ihr optisches Drehungsvermögen geprüft.

20   2. Ist die Substanz fest,[4] so untersucht man dann unter dem Mikroskop ob sie amorph oder krystallisiert oder etwa organisiert ist

---

Geschmack (*m.*), taste
fraglich (*adj.*), in question, under consideration
Vorprobe (*f.*), preliminary test (experiment)
eventuell (*adj.*), eventual, probable
verpuffen (*v.*), to detonate, to explode

auf Zusatz von, with the addition of
Becherglas (*n.*), beaker
untersuchen auf (*v.*), to investigate for
Drehungsvermögen (*n.*), rotatory power, polarization
krystallisiert (*adj.*), crystallized
organisiert (*adj.*), organized

---

    1. **woraus,** *from which fact.* For a translation of the relative pronouns, see §16(4).

    2. **bei stärkerem Erhitzen,** *with more intense heating.* The preposition **bei** hardly ever means *by.* Notice also the many different meanings that **stark** may have according to the context in which it is used. See §20.

    3. **lässt . . . erkennen,** *causes to be known.* Notice that **lassen** + infinitive has a causative force.

    4. **ist die Substanz fest, so untersucht man,** *if the substance is solid, one will investigate.* See §2. Notice the frequency of this construction in this and following pages.

(Cellulose, Stärke), ferner ob sie einheitlich ist oder scheint. Die Krystallform erkennt man am besten bei durchscheinendem Licht,[1] die Farbe bei auffallendem [2] Licht. Zeigte das Verhalten der Substanz auf dem Platinblech, dass sie beim Erhitzen schmilzt oder sich plötzlich zersetzt, so ist nunmehr der Schmelzpunkt bzw. der Zersetzungspunkt 5 festzustellen,[3] der bei einer einheitlichen, reinen Substanz scharf innerhalb eines oder höchstens zweier Temperaturgrade liegen muss. Der Schmelzpunkt ist das gebräuchlichste Mittel zur Identifizierung einer schmelzbaren Substanz, und zwar kann die Identifizierung einer fraglichen Verbindung von bestimmtem Schmelzpunkt mit einer be- 10 kannten [4] sehr leicht durch eine *Mischprobe* erfolgen. Sind die Substanzen identisch, so bleibt auch der Mischschmelzpunkt unverändert, während ein Gemisch nicht identischer Substanzen unscharf und zwar niedriger schmilzt. Zur schnellen und mühelosen Orientierung über Substanzen, von denen der Schmelzpunkt bekannt ist, leisten auch 15 Tabellen wertvolle Dienste, in denen die wichtigsten organischen Körper nach den Schmelzpunkten geordnet sind. Hat man die Zugehörigkeit der Verbindung zu einer bestimmten Körperklasse festgestellt, so gibt es vielfach auch in den Lehrbüchern Schmelzpunktstabellen, die man sich dann zunutze machen kann. Unschmelz- 20 bar oder wenigstens sehr schwer schmelzbar sind im allgemeinen die Salze und Verbindungen von salzartigem Charakter, z. B. Aminosulfosäuren; ferner hochmolekulare Verbindungen wie die Biosen, Polyosen, Polyoxyanthrachinone usw.

3. Ist die Verbindung flüssig, so bestimmt man statt des 25 Schmelzpunktes:

Platinblech (*n.*), platinum foil
plötzlich (*adv.*), suddenly
höchstens (*adv.*), at (the) most
Mischprobe (*f.*), mixed sample
gebräuchlich (*adj.*), usual
unscharf (*adv.*), unevenly, indefinitely
Dienst (*m.*), service; — **leisten**, to perform service, to be of service

mühelos (*adj.*), easy, without trouble or care
ordnen (*v.*), to classify
Zugehörigkeit (*f.*), membership
sich zunutze machen, to make use of, to put into use
wenigstens (*adv.*), at least

1. **bei durchscheinendem Licht,** *with transmitted light.*
2. **bei auffallendem Licht,** *with incident light* (i.e., direct reflected light).
3. **ist... festzustellen,** *is to be ascertained.* See §18(3).
4. **mit einer bekannten,** *with a known one;* **bekannt** is here used pronominally, **Verbindung** being understood.

a) den Siedepunkt,

b) das spezifische Gewicht,

c) den Brechungsexponenten.

Aus dem ersteren erkennt man, ob man es mit einer unzersetzt [1] sie-
5 denden bzw. einer einheitlichen Substanz zu tun hat. Es können [2] allerdings auch konstant siedende Gemische vorliegen oder solche [3] einer
Flüssigkeit mit gleichem Siedepunkt. Man kann auch versuchen,
die Flüssigkeit in einem Kältegemisch zum Erstarren zu bringen, doch
ist hierbei [4] die Feststellung eines genauen Schmelzpunktes selten zu
10 erreichen.

4. Verbrannte die Substanz auf dem Platinblech mit leuchtender,
stark russender Flamme, so liegt vermutlich eine aromatische Verbindung vor. Eine Stütze dieser Annahme kann dadurch [5] erbracht
werden, dass die Substanz beim Vermischen und Erhitzen mit Kalk
15 oft brennbare, aromatisch riechende Dämpfe entwickelt.

5. Weiterhin prüft man die Löslichkeit der Verbindung, und
zwar unterscheidet man zwei Arten von Lösungsmitteln:

a) indifferente, welche die Substanz rein physikalisch lösen, d. h.
ohne sie chemisch zu verändern,

20 *b*) typische Lösungsmittel, welche unter chemischer Veränderung
lösen.

Bei den indifferenten Lösungsmitteln wie Wasser, Alkohol, Äther,
Benzol, Aceton, Chloroform, Schwefelkohlenstoff, Essigäther, Ligroin

Brechungsexponent (*m.*), refractive index, index of refraction
ersterer (**der, die, das erstere**), former
es zu tun haben, to have to do with, to deal with
leuchtend (*adj.*), luminous, shiny, bright
russend (*adj.*), smoky

Stütze (*f.*), support
riechen (*v.*), to smell, to reek; **aromatisch —d,** having an aromatic odor
weiterhin (*adv.*), furthermore
indifferent (*adj.*), passive, inactive
Ligroin (*n.*), petroleum ether, ligroin, benzine

1. **mit einer unzersetzt siedenden** ... **Substanz,** *with a substance that boils without decomposition.*
2. **es können** ... **Gemische vorliegen,** *mixtures may be present.* Notice the use of impersonal **es.** See §9.
3. **solche** is here used pronominally standing for **Gemische;** translate = *such ones.*
4. **hierbei = dabei,** *in this process.* See §12(2).
5. **dadurch** ... **dass,** *by the fact that.* See §15(6).

— hoch und niedrigsiedendem — versucht man die Löslichkeit zunächst in der Kälte. Zu dem Zwecke[1] wird die Substanz vorher feinst pulverisiert, in ein Reagensglas gebracht, mit dem kalten Lösungsmittel übergossen und mit einem Glasstab zerrieben. Ob ein Teil gelöst ist, prüft man dadurch, dass man filtriert[2] und das Filtrat auf einem Uhrglas verdampft, wobei das Gelöste als Rückstand hinterbleibt. Tritt in der Kälte keine oder unvollständige Lösung ein, dann erwärmt bzw. kocht man. Beim Erkalten tritt bei derartig gelösten Verbindungen oft ein Wiederausscheiden in krystallisierter Form ein (Umkrystallisieren!). Man beobachtet dann wiederum genau die Krystallform mittels der Lupe, denn es kann der Fall eintreten,[3] dass die Verbindung in veränderter Form auskrystallisiert (z. B. mit Krystallflüssigkeit). Doch dürfte[4] dies bei indifferenten Lösungsmitteln nur eine Ausnahme sein.

Wasser ist übrigens nicht immer indifferent und wirkt, zumal in der Hitze, oft spaltend (Verseifung!). In Wasser unlöslich sind die meisten organischen Verbindungen, solange sie nicht basischen, sauren oder salzartigen Charakter haben. Bei löslichen ist die Reaktion der Lösung auf Lackmus zu prüfen;[5] Basen müssen Stickstoff oder Phosphor enthalten (Ausnahmen: Sulfonium-, Jodonium- und Oxoniumbasen). Das gleiche gilt von den Salzen einer solchen Base. Salze sind allgemein in Äther unlöslich, während die meisten übrigen organischen Körperklassen sich in der Regel in genügenden Mengen Äther

übergiessen (*v.*), to cover (with a liquid)
Glasstab (*m.*), glass rod
zerreiben (*v.*), to triturate, to pulverize
Uhrglas (*n.*), watch glass
Gelöste (*n.*), dissolved part, solute
hinterbleiben (*v.*), to remain behind
unvollständig (*adj.*), incomplete

Wiederausscheiden (*n.*), reprecipitation
Umkrystallisieren (*n.*), recrystallization
Lupe (*f.*), magnifying glass
Krystallflüssigkeit (*f.*), liquid of crystallization
zumal (*adv.*), especially
spaltend wirken, to hydrolyze
solange (*conj.*), as long as

1. **zu dem Zwecke,** *for this purpose.*
2. **dadurch, dass man filtriert und . . . verdampft,** *by filtering and evaporating.* The verb following **dadurch** (**darin, damit,** etc.) **dass,** is best translated by an English gerundive. See §15(6).
3. **es kann der Fall eintreten;** impersonal **es.** See §9.
4. **dürfte;** for translation of this, see §10(4).
5. **ist . . . zu prüfen.** See §18(3).

lösen. Ein Salz ist dann zur weiteren Untersuchung stets in die Komponenten zu spalten und diese sind getrennt zu behandeln. Wie Salze verhalten sich auch die Zucker: sie sind in Wasser löslich, in Äther unlöslich (vgl. Vorproben *e* und *f*, S. 28). Alkoholische Lösungen
5 können oft durch Wasser oder Äther, Benzollösungen durch Ligroin, Acetonlösungen durch Wasser oder Ligroin wieder ausgefällt werden. Weit wertvoller als die mechanischen Lösungsmittel zur Ermittlung der Natur eines Körpers aber sind die chemischen.[1] Bemerkt man [2] z. B., dass die Substanz zwar nicht in Wasser, wohl aber in ver-
10 dünnter kalter Soda löslich ist, so liegt vermutlich eine Carbonsäure vor. Die wichtigsten charakteristischen Lösungsmittel sind folgende:

> verdünnte Sodalösung,
> verdünnte Schwefelsäure,
> Natronlauge.

15 Verdünnte Sodalösung ist ein Reagens auf Säuren. Diese werden in der Kälte unter Salzbildung und Entwicklung von Kohlendioxyd gelöst. Die chemische Lösung lässt sich daran erkennen,[3] dass [4] die Verbindung mit Äther nicht mehr extrahiert werden kann. Vermutet man das Vorliegen einer einfachen bekannten Carbonsäure, so lassen
20 sich zur Ermittlung derselben [5] die in den anorganisch-analytischen Werken hierüber gemachten Angaben verwerten. Hat man bei der Vorprobe eine anorganische Base gefunden [6] und liegt die Annahme vor, dass man es in der ursprünglichen Substanz mit einem Salz zu tun hat, so setzt man die organische Säure mit Mineralsäure in Frei-
25 heit, isoliert und untersucht sie wie angegeben weiter.

stets (*adv.*), always
getrennt (*adv.*), separately
verhalten (**sich**) (*v.*), to behave, to act
weit (*adv.*), by far
wohl (*adv.*), easily

Reagens (*n.*): — **auf**, reagent for
mehr (*adv.*): **nicht** —, no longer
vermuten (*v.*), to suppose, to presume
wie angegeben, as indicated
in Freiheit setzen, to liberate, to set free

1. **die chemischen,** *the chemical ones.* See §13(6).
2. **Bemerkt man . . . , so liegt . . . vor.** See §2.
3. **lässt sich . . . erkennen.** See §18(3).
4. **daran, dass.** See §15(6).
5. **zur Ermittlung derselben,** *for its determination.* Notice the special meaning of **derselben.**
6. **hat man . . . gefunden und liegt . . . vor.** Two " if " clauses. See §2.

Verdünnte Schwefelsäure (d. h. Mineralsäure) ist ein charakteristisches Reagens auf organische Basen. Auch hier tritt wieder Lösung unter Salzbildung ein, und die Base lässt sich mit Äther nicht mehr extrahieren. Mit Natronlauge dagegen wird die Base wieder in Freiheit gesetzt und fällt aus, falls sie unlöslich ist, oder lässt sich 5 andernfalls mit Äther aufnehmen. Dieser Fall ist dann zu berücksichtigen, wenn bei der Vorprobe die Gegenwart einer Mineralsäure festgestellt war. Sollte die Substanz [1] etwa ein Alkaloid sein (vielfach durch Vorprobe f erkennbar), so sei zur Ermittlung derselben auf die analytischen und speziellen Werke verwiesen. 10

Kalte Natronlauge ist ein Reagens auf Phenole, welche sich in dieser als Phenolate chemisch lösen. Ist die Substanz nur in heisser Natronlauge löslich, so hat vermutlich eine Verseifung stattgefunden, und die Verbindung kann dann einer der verseifbaren Körperklassen — Ester, Säureamide, -chloride, -anhydride, Nitrile, Lactone usw. — angehören. 15 Die Substanz ist dann auf diese Körperklassen hin [2] durch Ausführung von typischen Reaktionen zu untersuchen. Auch sind die bei der Verseifung entstehenden Produkte zu ermitteln.

6. Wenn die bisherigen Ermittlungen noch keinen sicheren Schluss auf die Natur [3] der zu untersuchenden Substanz [4] erlaubten, so muss 20 man weiterhin zur Prüfung auf die einzelnen Atomgruppen übergehen, d. h. auf solche, welche der Verbindung den Charakter als Alkohol, Äther, Ester, Aldehyd, Keton usw. aufprägen.

Hierzu [5] sei noch im Anschluss an die Ergebnisse der Elementarprüfung folgendes bemerkt [6]: 25

andernfalls (*adv.*), otherwise
bisherig (*adj.*), previous

aufprägen (*v.*), to imprint, to stamp upon
im Anschluss an, in connection with

1. **Sollte die Substanz ... sein, so sei ... verwiesen**, *if the substance should be, you are referred;* **sollte** is here the past subjunctive of **sollen**, in a present time contrary to fact condition. See §10(4).
2. **auf diese Körperklassen hin**, *for these classes of substances.* Notice use of **hin** with **auf**.
3. **auf die Natur**, *in respect to the nature.*
4. **der zu untersuchenden Substanz**. How is a participial phrase preceded by **zu** translated? See §1(4).
5. **hierzu** = **dazu**, *to this.*
6. **sei ... bemerkt**. For translation as imperative, see §10(2).

Enthält die Substanz Stickstoff, so kommen folgende Körperklassen in Frage: Nitro- oder Nitrosoverbindungen (diese sind reduzierbar!), Nitrate oder Nitrite — sie sind als Ester verseifbar, als Salze spaltbar — Ammoniakderivate, Verbindungen aus der Diazoreihe, 5 Cyanverbindungen, Pyridinderivate, Eiweisskörper usw. Bei Aminbasen ist zu untersuchen,[1] ob eine primäre, sekundäre, tertiäre oder quaternäre Base vorliegt.

Enthält die Substanz Schwefel, so ist auf Sulfosäuren, Schwefelsäure- oder Schwefligsäure-Ester und Salze (geruchlos), Sulfide, Mer-10 captane, Thioverbindungen, Senföle (am Geruch erkennbar) zu prüfen.[2] Salze geben in wässriger Lösung ohne weiteres die Reaktionen der Schwefelsäure bzw. schwefligen Säure, Ester erst nach dem Verseifen, Thioverbindungen erst nach der völligen Oxydation.

Die Formen, in welchen Halogen in organischen Verbindungen 15 enthalten sein kann, sind äusserst mannigfaltig. Es gibt wohl kaum eine Körperklasse, bei der nicht ein Wasserstoff oder Hydroxyl durch Halogen ersetzt werden könnte.[3]

Es ist zu untersuchen, ob die fragliche Substanz etwa direkt nach Ansäuren mittels Salpetersäure mit Silbernitrat reagiert. In diesem 20 Falle liegt entweder das Halogen als Ion, d. h. also ein halogenwasserstoffsaures Salz vor, oder in einer leicht abspaltbaren Form, z. B. als Säurehalogenid, oder auch als Jodalkyl. Während Äthylbromid sich[4] in alkoholischer Lösung mit Silbernitrat erst in der Siedehitze zu Äthylnitrat und Bromsilber umsetzt, tritt die analoge Reaktion 25 mit Jodäthyl schon in der Kälte ein. Äthylchlorid reagiert ebensowenig wie aromatisch gebundenes Halogen mit Silbernitrat; dieses kann somit in manchen Fällen zur Unterscheidung leicht und schwer beweglichen Halogens dienen. Für denselben Zweck, d. i. Nachweis

---

in Frage kommen, to come in for consideration
spaltbar (*adj.*), capable of being split
Senföl (*n.*), mustard oil

halogenwasserstoffsaures Salz, a salt of hydrohalic acid
in der Siedehitze, at boiling heat
ebensowenig wie, as little as
beweglich (*adj.*), mobile, reactive

---

1. **ist zu untersuchen,** *it is to be investigated.* Supply impersonal **es** as subject. See §9(2).
2. **so . . . zu prüfen.** See previous note.
3. **könnte,** *might.* See §10(4).
4. **sich,** read with **umsetzt.**

austauschfähigen Chlors und Broms lässt sich [1] nach Finkelstein die Umsetzung von Chlor- und Bromkörpern mit Jodnatrium in acetonischer Lösung verwerten: nur das am einfach gebundenen Kohlenstoff sitzende Chlor [2] und Brom wird (ev. beim Kochen) im allgemeinen ausgetauscht. Wertvolle Dienste leistet bei der Prüfung der [5] Halogenverbindungen auch das alkoholische Kali als halogenwasserstoffabspaltendes Agens.

Die Anzahl der vorhandenen Halogenatome kann nur durch die quantitative Bestimmung [3] derselben sicher ermittelt werden.

Die Anwesenheit von Metall ist [4] entweder durch Vorliegen eines [10] Salzes oder des Derivates eines Körpers mit ersetzbarem Wasserstoffatom (beispielsweise einer sauren Methylen- oder einer Methingruppe), oder auch durch Vorliegen einer metallorganischen Verbindung bedingt. In ersterem Falle zersetzt man die Substanz mit Mineralsäuren und sucht die metallfreie Verbindung zwecks weiterer Unter- [15] suchung z. B. durch Abfiltrieren oder Ausäthern zu isolieren.

7. Glaubt man die Körperklasse gefunden zu haben,[5] welcher die zu analysierende Substanz angehört, so sind die physikalischen und chemischen Eigenschaften der letzteren mit jedem Gliede der betreffenden Klasse zu vergleichen. Der endgültige Nachweis der Iden- [20] tität ist dann durch Ausführung aller bekannten Reaktionen der Verbindung zu kontrollieren.

Hat man die Vergleichssubstanz zur Hand und besitzt sie einen

---

austauschfähig (*adj.*), replaceable, interchangeable, that is easily replaced
nach Finkelstein, according to Finkelstein (person's name)
Umsetzung (*f.*), reaction
halogenwasserstoffabspaltend (*adj.*), splitting of hydrogen halide

suchen zu (+ inf.), to attempt to
Ausäthern (*n.*), extraction with ether
Identität (*f.*), identification
kontrollieren (*v.*), to check
Vergleichssubstanz (*f.*), comparison substance, i.e., known substance
zur Hand haben, to have (on hand)

---

1. **lässt sich,** read with **verwerten.**
2. **das am einfach gebundenen Kohlenstoff sitzende Chlor,** *the chlorine attached to the single-bonded carbon.*
3. **die quantitative Bestimmung derselben,** *their quantitative determination.* Note meaning of **derselben.**
4. **ist** read with **bedingt,** *is dependent, due to, based on.*
5. **Glaubt man die Körperklasse gefunden zu haben,** *if one believes that he has discovered.* Notice the use of the perfect infinitive (**gefunden zu haben**) for an English noun clause.

Schmelzpunkt, so muss dieser [1] in einem Gemisch der beiden vermutlich identischen Substanzen [2] den gleichen Wert behalten (Bestimmung des Mischschmelzpunktes s. S. 11).

8. Die Zahl der gasförmigen organischen Verbindungen ist eine
5 beschränkte.[3] Die Anfangsglieder einiger aliphatischer Körperklassen sind gasförmig und durch charakteristische Reaktionen, Geruch, Brennbarkeit und Absorption unschwer erkennbar. Die sogenannten „schweren Kohlenwasserstoffe" Äthylen usw. lassen sich von den leichten durch ihre Fähigkeit, von konzentrierter Schwefelsäure ab-
10 sorbiert zu werden, unterscheiden. Auch ist das Verhalten gegen Brom zu untersuchen. In zweifelhaften Fällen kann nur die quantitative Analyse eine Entscheidung herbeiführen.

Destillation

BEARBEITET VON

Dr. Christian J. Hansen in Leverkusen bei Köln
(Mit 76 Abbildungen)

I. DESTILLATION UNTER GEWÖHNLICHEM LUFTDRUCK

[Seite 581–587]

Das historische Destillationsgefäss ist die Retorte, von deren Verwendung man im Laboratorium fast völlig abgekommen ist.
15 Lediglich bei der Destillation besonders hochsiedender Substanzen wird sie noch gelegentlich verwandt. Ihr Hauptfehler ist die zu geringe Steighöhe [4] für den Destillatdampf; denn es gehen fast unvermeidlich

Mischschmelzpunkt (*m.*), mixed melting point	**abkommen (von)** (*v.*), to discontinue
	Hauptfehler (*m.*), main defect
unschwer (*adv.*), without difficulty, easily	**Steighöhe** (*f.*), height of ascent
	unvermeidlich (*adv.*), unavoidably

1. **dieser,** *it* (i.e., der Schmelzpunkt).
2. **der beiden vermutlich identischen Substanzen,** *of the two substances that are supposedly identical.* See §1(5).
3. **eine beschränkte,** *a limited one.* See §13(6).
4. **ist die zu geringe Steighöhe,** *is its too (slight) small height of ascent.*

Flüssigkeitsnebel,[1] von dem Zerplatzen der Dampfblasen herrührend,
in das Destillat mit über, so dass sogar anorga-
nische Salze darin gefunden werden können, worauf [2] zuerst Berzelius aufmerksam gemacht hat.
Neuerdings wurden darüber Versuche angestellt 5
durch v. Rechenberg, die zwar noch nicht vollständig veröffentlicht worden sind, jedoch bereits
bestimmtere Angaben enthalten.

Es [3] werden daher allgemein entweder mehr
oder weniger langhalsige Kolben verwendet, die 10
wie in Abb. 483 mit einem doppelt durchbohrten
Stopfen versehen werden, durch den man Thermometer und Destillierrohr einführt, oder weit häufiger die sogenannten Fraktionierkolben (Abb.
484–487), die auch eine sichere Bestimmung des 15
Siedepunktes zulassen.

Das Destillierrohr ist unten schräg abgeschnit-

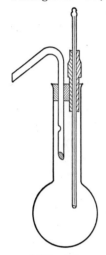

Abb. 483.

Kolben mit Destil-
lierrohr und Ther-
mometerbefestigung
nach Lassar-Cohn.

ten und mit einem seitlichen Loch versehen. Da-
durch wird das Überreissen von Flüssigkeitstropfen
verhindert, da der Dampfstrom ungehindert seinen 20
Weg durch das seitliche Loch nehmen kann.
Lassar-Cohn empfiehlt, das Thermometer nicht direkt durch den
Kork hindurchzuführen,[4] sondern es mit Hilfe der aus Abb. 483 zu

Flüssigkeitsnebel (*m.*), mist
Zerplatzen (*n.*), bursting
Dampfblase (*f.*), vapor bubble
aufmerksam (*adj.*), attentive; —
  auf etwas machen, to call one's
  attention to
langhalsig (*adj.*), long-necked
durchbohren (*v.*), to bore through;

mit einem doppelt durchbohrten
  Stopfen, with a two-hole stopper
zulassen (*v.*), to permit, to allow
Überreissen (*n.*), carrying over
Dampfstrom (*m.*), vapor stream
ungehindert (*adj.*), unhindered, un-
  checked
Weg (*m.*), course

1. **es gehen fast unvermeidlich Flüssigkeitsnebel ... in das Destillat
mit über**, *liquid vapors go along unavoidably into the distillate*. Notice the
impersonal **es**. See §9.

2. **worauf zuerst Berzelius aufmerksam gemacht hat**, *a fact to which
Berzelius first called attention.*

3. **Es werden ... langhalsige Kolben verwendet**; impersonal **es.**
See §9.

4. **hindurchzuführen** and **zu befestigen**, complementary infinitives
governed by **empfiehlt**. See §18(2).

ersehenden Anordnung zu befestigen.   Diese besteht aus einem Stück
ausreichend weiten Glasrohres, durch das das Thermometer hindurch-
gesteckt und in dem es mit einem
Stückchen starken Gummischlau-
5 ches festgehalten wird.   Sehr
kurze Thermometer kann man
bei weiten Apparaturen auch einfach an einem Draht- oder Glashäkchen anhängen.

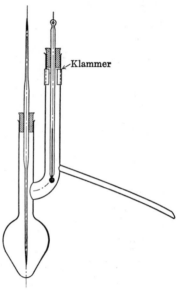

Klammer

10   Die gebräuchlichsten Destilliergefässe sind die in Abb. 484
und 485 wiedergegebenen Fraktionierkolben.   Der Dampf fliesst
hier durch das seitlich ange-
15 schmolzene, am besten,[1] wie aus
Abb. 486 ersichtlich, schräg abge-
schliffene Glasrohr ab, ohne mit
dem Stopfen in Berührung zu
kommen.   Die Höhe der An-
20 schmelzstelle des Abflussrohres
richtet sich nach der Höhe des
Siedepunktes der verarbeiteten
Substanz.

Abb. 486.   Fraktionierkolben nach J.
Houben.

Besonders vorteilhaft sind die von Houben [2] für Vakuum-Destil-
25 lationen (s. a. S. 619–24) empfohlenen zweihalsigen Kolben (Abb.
486) mit einem längeren [3] Hals, bei denen die Destillatdämpfe in der

ausreichend (*adv.*), sufficiently
hindurchstecken (*v.*), to stick (place)
   through
festhalten (*v.*), to hold fast
Glashäkchen (*n.*), small glass hook,
   clasp
anhängen (*v.*), to hang or fasten to,
   to attach to
angeschmolzen (*adj.*), fused (on)

abgeschliffen (*adj.*), ground off
Anschmelzstelle (*f.*), point of fusion,
   i.e., point where it is fused onto
   the tube
(sich) richten (nach) (*v.*), to be
   governed (calculated) (by), to
   depend on   [vorable
vorteilhaft (*adj.*), advantageous, fa-
zweihalsig (*adj.*), two-necked

1. **am besten,** superlative adverb.   See §13(5).
2. **die von Houben empfohlenen zweihalsigen Kolben,** a participial
phrase.   See §1.
3. **längeren ... weiteren ... grösseren ... oberen** are all compara-
tives.   See §13.

Regel nicht bis an [1] den Stopfen gelangen können und die den weiteren [2] Vorteil besitzen, dass man die ganze Thermometerskala stets
innerhalb des Gefässes unterbringen kann. Sie sind eine Modifikation des Claisen-Kolbens (s. S. 623, Abb. 530). Für leicht stossende
Körper ist die von Emery empfohlene Form (Abb. 487), für solche 5

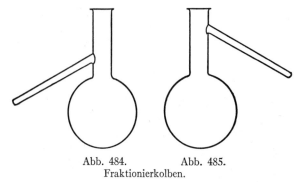

Abb. 484. Abb. 485.
Fraktionierkolben.

mit sehr hohem Siedepunkt der Kragenkolben (s. Abb. 529 auf S.
623) anzuwenden.

Die Weiten der Hälse und Dampfabflussröhren sind bei den meisten
im Handel befindlichen [3] Kolben viel zu klein, was vor allem für die
grösseren [2] Formen gilt. Am besten [4] hält man sich an die vom Aus- 10
schuss für Laboratoriumsapparate des Vereins Deutscher Chemiker
vorgeschlagenen Normen. Die Weite der Abflussröhren darf [5] vor

unterbringen (v.), to place   **Kragenkolben** (m.), collared flask,
stossen (v.), to bump; **leicht**   flanged flask
 —**de Körper,** substances that   **Ausschuss** (m.), committee
 bump easily   **Norm** (f.), standard, model

1. **bis an,** *up to;* **bis** is frequently used with another preposition. See
§13(4).
2. See note 3, page 38.
3. **im Handel befindlichen Kolben,** *the flasks (that are) on the market.*
This is an adjective used as a participle. See §1(5). Note, however, that
befindlich is best left untranslated.
4. **am besten hält man sich an die ... Normen,** *one best follows (" sticks
to ") the models,* or *it is best to follow,* etc. Notice the superlative absolute
[§13(5)], the special meaning assumed by certain reflexive verbs (§7),
and the participial phrase.
5. **darf ... nicht,** *must not.* **Dürfen** in the negative, generally has this
meaning.

allem dann nicht zu klein sein, falls [1] es sich bei der Destillation um eine gleichzeitige genauere Siedepunktsbestimmung handelt.   Vielfach wird auch der Kolbenhals in seinem oberen [2] Ende stark verengt, was [3] den Vorteil bietet, dass keine grossen
5 Gummistopfen erforderlich sind (siehe auch Seite 623, Abb. 530).

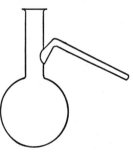

Oft muss [4] man einen noch [5] von der Gewinnung her in einer grösseren Menge eines leichter flüchtigen Lösungsmittels auf-
10 gelösten Körper zwecks Reinigung destillieren. Um Substanzverlust durch Umfüllen zu vermeiden, verdampft man das Lösungsmittel am zweckmässigsten direkt aus [6] dem später zu benutzenden [6] Destillierkolben,
15 indem [7] man durch einen Tropftrichter im selben Masse, wie das Lösungsmittel ab-

Abb. 487
Fraktionierkolben nach Emery.

destilliert, von der Lösung nachtropfen lässt.   Meistens kann man hier das Thermometer fortlassen, wenn man für nicht zu hohe Badtemperatur sorgt und so ein Überdestillieren der Körper mit dem
20 Lösungsmittel verhindert.

Zur Erzielung eines gleichmässigen Siedens benutzt man [8] eines

verengen (*v.*), to (make) narrow
Substanzverlust (*m.*), loss of material
Umfüllen (*n.*), transferring
Tropftrichter (*m.*), dropping funnel

Mass (*n.*): **im selben —e**, in the same degree (quantity)
nachtropfen (*v.*), to drop in (after)
fortlassen (*v.*), to dispense with, to omit

1. **falls es sich . . . handelt (um),** *in case we are dealing (have to do) with.* Notice the meanings of this very common idiomatic reflexive verb.

2. See note 3, page 38.

3. **was,** *a fact that.* **Was** has this meaning when its antecedent is a whole clause.

4. **muss man einen . . . Körper . . . destillieren.** Modal auxiliaries govern a complementary infinitive directly. See §18(1). Notice the intervening participial phrase.

5. **noch von der Gewinnung her,** *from the very beginning of the production.* Notice the idiomatic use of **her.**

6. **aus dem später zu benutzenden Destillierkolben,** *from the distilling flask (retort) to be used later.* See §1(4).

7. **indem man . . . von der Lösung nachtropfen lässt,** *by allowing the solution to drop in.*

8. **benutzt man eines der . . . angegebenen Mittel,** *one uses one of the agents given,* etc., a participial phrase.   Note also the use of **eines.**

der unten bei dem Abschnitt zur Bestimmung des Siedepunktes angegebenen Mittel; meistens genügen Tonscherben, durch Zerbrechen eines unglasierten Tontellers gewonnen.[1]

Die im Laboratorium verwendeten Destilliergefässe stellt man fast ausschliesslich aus Glas her. Nur bei Destillation grösserer Flüssig- 5 keitsmengen werden Metall- oder Prozellangefässe benutzt, die in den Instituten zur allgemeinen Benutzung aufgestellt sind und deren[2] Beschreibung erspart werden kann.

Über das Erhitzen der Siedegefässe wird unten bei Besprechung der Siedepunktsbestimmung unter gewöhnlichem Druck das Wesent- 10 liche angegeben. Meistens kann man hier mit freier Flamme auskommen. Sie direkt unter das Gefäss zu stellen ist[3] gefährlich und deshalb nur mit untergelegtem Drahtnetz auszuführen, und zwar möglichst nur bei ausreichend gefülltem Destilliergefäss. Im allgemeinen lässt es sich kaum vermeiden, dass gegen Ende der Destilla- 15 tion, wenn nur noch sehr wenig Flüssigkeit im Gefäss vorhanden ist, Überhitzung eintritt. Man kann deshalb bei präparativen Arbeiten ruhig gegen Ende des Prozesses die einige Grade höher siedenden Bestandteile mit der Hauptmenge vereinigen.

Die gewöhnlichste Kühlvorrichtung ist der bekannte „Liebigsche 20 Kühler" (Abb. 488), der unten abgebildet ist und dessen Beschreibung sich erübrigt. Nur soll man darauf achten,[4] dass die Kühlröhren eini-

Tonscherbe (*f.*), pottery fragment, piece of pottery
Zerbrechen (*n.*), breaking to pieces
unglasiert (*adj.*), unglazed
Tonteller (*m.*), pottery plate
Prozellangefäss (*n.*), porcelain vessel
aufstellen (*v.*), to set up
ersparen (*v.*), to spare
Wesentliche (*n.*), the essentials
frei (*adj.*), free; —e **Flamme**, (open) direct flame

auskommen, to manage
gefährlich (*adj.*), dangerous
untergelegt (*adj.*), placed beneath
Drahtnetz (*n.*), wire gauze, wire net
abbilden (*v.*), to illustrate, to portray
(sich) erübrigen (+ *gen.*) (*v.*), to be superfluous
einigermassen (*adv.*), to a certain extent

1. **gewonnen** is a past participle used absolutely; read with **Tonscherben** and translated by: *pieces of pottery that have been obtained.*
2. **und deren Beschreibung erspart werden kann;** supply impersonal **es** as subject. See §9(2). What case is **deren**? See §16(3).
3. **ist gefährlich.** Supply impersonal **es** as subject. See §9(2).
4. **Nur soll man darauf achten,** *however, one must see to it.* Notice omission of impersonal **es**, and use of **darauf** as **achten** governs **auf**.

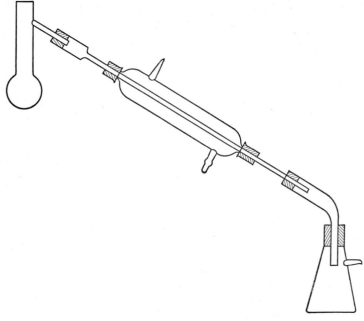

Abb. 488.
Liebigsche Kühler mit Vorstoss und Vorlage.

germassen weit und vor allem recht dünn sind. Sie werden jetzt viel
mit ganz engem Wassermantel angefertigt, was neben raschem Wechsel des Kühlwassers eine wesentliche Gewichtsverringerung bedingt
(s. u. Abkühlen Abb. 264, S. 348). Nach der Höhe des Siedepunktes
5 der zu destillierenden Substanz richtet sich auch die Länge des Kühlers.
Seine Wirksamkeit kann man noch erhöhen, wenn man,[1] besonders bei
sehr flüchtigen Substanzen, dafür sorgt, dass die Dämpfe [2] durch [3]

eng (*adj.*), narrow
anfertigen (*v.*), to manufacture, to
  prepare

Gewichtsverringerung (*f.*), weight
  decrease
Wirksamkeit (*f.*), efficiency

1. **wenn man** ... **dafür sorgt dass,** *if one sees to it that.*
2. **die Dämpfe** ... **an die Wand des Kühlrohres gepresst werden,**
the vapors are pressed against the wall of the condenser. Notice the meaning of
the preposition **an** in the context.
3. **durch ein in das Kühlrohr gelegtes** ... **zugeschmolzenes Glasrohr,** a
participial phrase. See §1(3).

ein in das Kühlrohr gelegtes, an beiden Seiten zugeschmolzenes Glasrohr an die Wand des Kühlrohres gepresst werden. Das Kühlwasser soll stets an dem dem Dampfeintritt entgegengesetzten Kühlerende eingeleitet werden, also die Kühlung nach dem Gegenstromprinzip erfolgen. Zu lange Kühler sind unbequem. Man verwendet anstatt 5 dessen [1] solche, deren Kühlfläche bei gleichen Abmessungen des Apparates wesentlich vergrössert ist. Die für den Laboratoriumsgebrauch erforderlichen [2] Kühler sind der Schlangenkühler oder der Schraubenkühler nach Friedrichs, oder auch der Stoltzenbergkühler, ferner der [3] mit mehrfach kugelig erweitertem Kühlrohr versehene 10 „Rückflusskühler."

Letzterer (Abb. 489) wird angewandt, um bei längerem [4] Erhitzen von Substanzen auf ihren Siedepunkt das Abdestillieren zu vermeiden; die kondensierten Dämpfe fliessen dann dauernd in das Kochgefäss zurück. Das Kühlrohr sei [5] genügend weit, schräg abgeschnitten und 15 am besten am unteren Ende mit einem oder zwei seitlichen Löchern versehen (siehe Abb. 482, S. 579, das Dampfrohr).

Bei sehr flüchtigen und besonders bei brennbaren Substanzen ist es strenge Regel, das Erwärmen, selbst nur auf kurze Zeit, ausschliesslich bei [6] aufgesetztem Rückflusskühler vorzunehmen. Dagegen ge- 20

Seite (*f.*), side, end; **an beiden —n,** on both ends, on either end

Dampfeintritt (*m.*), entrance of vapor

entgegengesetzt (*adj.*), opposite

Gegenstromprinzip (*m.*), countercurrent principle

unbequem (*adj.*), inconvenient, clumsy

Abmessung (*f.*), dimension

vergrössert (*p.p.*), increased

Stoltzenbergkühler (*m.*), Stoltzenberg condenser

kugelig (*adj.*), spherical

erweitern (*v.*), to broaden, to increase

dauernd (*adv.*), lastingly, while this lasts

streng (*adj.*), strict; **—e Regel,** stringent (inviolate) rule

Rückflusskühler (*m.*), reflux condenser

---

1. **anstatt dessen,** *in their stead;* **dessen** is here a demonstrative pronoun.

2. **Die ... erforderlichen Kühler,** an adjective translated like a participle. See §1(5).

3. **der mit mehrfach kugelig erweitertem Kühlrohr versehene „Rückflusskühler,"** *the reflux condenser that is provided with a cooling tube that is broadened spherically (like a ball) at intervals.*

4. **bei längerem Erhitzen,** *with quite prolonged heating.* See §13(4).

5. **Das Kühlrohr sei ... versehen,** *let the condenser be provided;* i.e., *the condenser should be provided.* See §10(2).

6. **bei aufgesetztem Rückflusskühler,** *with a reflux condenser that has been set on top.*

nügt bei oberhalb 150° siedenden Substanzen als Rückflusskühler ein einfaches luftgekühltes Glasrohr, das sogenannte „Steigrohr", etwa der Einsatz eines Liebig-Kühlers.

Kühler aus gewöhnlichem Glas mit eingeschmolzenem Kühlmantel
5 springen bei grösseren [1] Temperaturunterschieden
sehr leicht an der Stelle, wo der Wassermantel mit
dem heissen Dampf in Berührung kommt, besonders leicht bei hochsiedenden Substanzen. Man
kann diesem Übelstande [2] etwas abhelfen, wenn
10 man ein längeres Stück des Kühlers als Luftkühler
vorarbeiten lässt.[3] Bei höher siedenden Substanzen
kann, falls nicht infolge Entweichens grosser Mengen von Gasen eine intensive Kühlung nötig ist,
auch so verfahren werden,[4] dass man das Kühl-
15 wasser so langsam strömen lässt, dass es warm
abläuft. Freilich ist es bei Rückflusskühlern erforderlich, das Kühlwasser nicht, wie man es meistens sieht, unten, sondern oben in den Kühlmantel
einströmen zu lassen,[3] man muss dabei aber Sorge
20 tragen, dass der Kühler stets gefüllt bleibt, ihn also
zu Beginn zunächst durch Aufsaugen mit Wasser
füllen und den Ablaufschlauch in ein mit Wasser gefülltes Gefäss eintauchen lassen.[3]

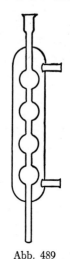

Abb. 489
Kugelkühler
(Rückflusskühler).

Gelegentlich kommt es vor, dass Substanzen im Rückflusskühler
25 erstarren. Dies kann durch Einbringen eines [5] für den betreffenden

Stück (*n.*), part	**Sorge** (*f.*), care
vorarbeiten (*v.*), to do preliminary work	**Aufsaugen** (*n.*), sucking up, suction
ablaufen (*v.*), to run (flow) off	**Ablaufschlauch** (*m.*), discharge tube
	Einbringen (*n.*), insertion

1. **bei grösseren Temperaturunterschieden.** See §13(4).
2. **diesem Übelstande** is in the dative case governed by **abhelfen.** See §11(3).
3. **vorarbeiten lässt** ... **einströmen zu lassen** ... **eintauchen lassen.** Notice that **lassen** + infinitive means to let, allow, or cause (something to be done); do not confuse with **sich lassen** + infinitive. See §18(1, 3).
4. **kann** ... **verfahren werden.** Supply impersonal **es** as subject, §9(2).
5. **eines für den betreffenden Prozess indifferenten Lösungsmittels,** *one of the solvents that is inert towards the process in question.* Notice the use of the adjective as a participle. See §1(5).

Prozess indifferenten Lösungsmittels, welches das Erstarrte aus dem
Kühler herauswäscht, meist [1] wirksam verhindert werden. Gegen die
Einwirkung der Luftfeuchtigkeit oder der Kohlensäure schützt man
sich durch Chlorcalcium- oder Natronkalkröhrchen, die oben auf den
Kühler aufgesetzt werden. Gasförmige Körper werden durch ein 5

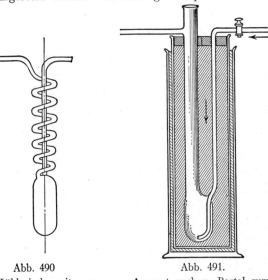

Abb. 490
Kühlspirale mit
Auffangegefäss.

Abb. 491.
Apparat nach v. Bartal zum
Verflüssigen und Destillieren
leicht verdichtbarer Gase.

neben oder auch direkt durch den Kühler eingeführtes Glasrohr eingeleitet. Flüssige Substanzen werden während der Operation, besonders, wenn es sich um flüchtige und brennbare Körper handelt,
am einfachsten [2] mittels eines Tropftrichters, in den man die Substanz
fern vom Apparat eingefüllt hat, durch den Kühler zugeführt. Beim 10
Zulaufenlassen ist [3] bei sehr leichtsiedenden Körpern Vorsicht zu
üben, um zu stürmische Dampfentwicklung zu vermeiden. Feste

(das) Erstarrte (*n.*), (the) solidified
  substance
herauswaschen (*v.*), to wash out
Zulaufenlassen (*n.*), period of flow;

beim —, upon allowing (the solution) to flow in; during the period
of flow
stürmisch (*adj.*), stormy, violent

  1. **meist** = **meistens**, *generally*.
  2. **am einfachsten.** See §13(5).
  3. **ist . . . zu üben**, *is to be exercised*. See §18(3).

Substanzen kann man ebenfalls durch den Kühler nachführen. Entweder spült man mit dem verwendeten Lösungsmittel nach oder [1] lässt durch vorübergehendes Abstellen des Kühlwasserstromes die siedende Flüssigkeit das Auflösen besorgen.

5   Zum Kühlen mittels Kältemischung verwendet man eine Spiralröhre aus Metall oder Glas, die in ein mit der Kältemischung zu füllendes Gefäss gelegt wird. In diesem Fall ist [2] zur besseren Ausnutzung des Kühlmittels mit Leitungswasser in einem gewöhnlichen Kühler vorzukühlen. Eine Kühlspirale mit Auffangegefäss ist in Abb. 490
10 wiedergegeben. Sehr hübsch ist auch ein von A. von Bartal angegebener Apparat zum Verflüssigen und Destillieren leicht verdichtbarer Gase (Abb. 491).

Gewöhnlich wird [3] man die Abflussröhre des Siedegefässes mittels Kork oder Gummistopfens mit der Kühlvorrichtung verbinden (Abb.
15 488). Greifen [4] die Dämpfe den Kork an, so wird [2] es oft genügen, das Kühlrohr einzuschieben; um das Zurückfliessen des Dampfes zu verhindern, kann das Kühlrohr eine Einschnürung erhalten. Sonst dichtet man mit einigen Wicklungen von Asbestschnur. Soll [4] gasdichter Abschluss erzielt werden, dann verfährt man entweder wie
20 Vorländer und Schilling, indem [5] man eine Dichtung aus Asbestpapier, besser Asbestschnur und Wasserglaslösung, oder nach Hensgen eine solche aus Asbest und Gipslösung herstellt. Auch Leimlösung und Gips, Mennige und Glycerin, oder Bleiglätte und Leinöl ergeben gute

nachführen (*v.*), to introduce (afterwards)
nachspülen (*v.*), to rinse, to wash afterwards (later)
vorübergehend (*p.p. adj.*), temporary, transitory
Ausnutzung (*f.*), utilization
vorkühlen (*v.*), to precool
einschieben (*v.*), to push in, to insert
Einschnürung (*f.*), constriction, binding up
Wicklung (*f.*), winding
Abschluss (*m.*), closing device, occlusion
Dichtung (*f.*), packing
Gipslösung (*f.*), gypsum solution
Leimlösung (*f.*), glue solution
Gips (*m.*), gypsum, plaster of Paris
Mennige (*f.*), minium, red lead
Bleiglätte (*f.*), litharge — lead oxide
Leinöl (*n.*), linseed oil

1. **oder lässt ... das Auflösen besorgen,** *or one allows the boiling liquid to take care of the dissolving by temporary stopping of the current (stream) of cooling water.*
2. **ist ... vorzukühlen;** supply es as subject. See §18.
3. **wird ... verbinden; wird ... genügen.** What tense is this?
4. **Greifen ... an, so. Soll ... erzielt werden, dann.** See §2.
5. **indem man ... herstellt,** *by making.*

Dichtungsmittel. Sie lassen sich jedoch schlecht ohne Zerspringen der Apparate entfernen. Sehr häufig muss man die Kühlvorrichtung mit dem Destillierrohr zusammenschmelzen; Schliffe vermeidet man besser, weil sie beim Erwärmen zu leicht springen.

Körper, die nicht luft- oder feuchtigkeitsempfindlich sind, lassen 5 sich ohne weiteres in einem unter das Kühlerende gestellten Gefäss auffangen; oft benutzt man Rundkolben, die man über das Kühlerende schiebt. Will [1] man ein Destillat noch einer zweiten Destillation unterwerfen, dann fängt man es sogleich in einem passenden Fraktionierkolben auf; im allgemeinen kann man in solchen Fällen 10 also besondere Vorlagen entbehren. Anders ist dagegen zu verfahren, wenn man die gewonnenen Präparate vor Feuchtigkeit, Oxydation usw. schützen muss; auch leichtentzündliche oder unerträgliche Gerüche verbreitende [2] Körper müssen in besonders gedichteten Gefässen aufgefangen werden. Man verfährt dann so,[3] dass man zu- 15 nächst das Kühlerende — beim aufrechtstehenden Schlangenkühler erübrigt sich das — mittels Korkes mit einem Vorstoss, einem unter [4] einem stumpfen Winkel entsprechend gebogenen, konisch verjüngten Glasrohr (siehe Abb. 488) verbindet und dann das senkrecht stehende, spitze Ende wiederum durch einen Kork in eine mit zwei Öffnungen 20 versehene Vorlage einführt. Fraktionierkolben, besser [5] noch die bekannten Saugflaschen, lassen sich hierzu vorzüglich verwenden. Eine Vorlage zum Fraktionieren im Gasstrom und unter vermindertem

Dichtungsmittel (*n.*), packing (agent) material, sealing agent
Schliffe (*m. pl.*), grindings, i.e., ground-glass joints
springen (*v.*), to crack
luftempfindlich (*adj.*), sensitive to air
unterwerfen (+ *dat.*) (*v.*), to subject to
entbehren (*v.*), to dispense with

leichtentzündlich (*adj.*), easily inflammable
unerträglich (*adj.*), unbearable, intolerable
stumpf (*adj.*), obtuse
gebogen (*p.p. of* biegen), bent
verjüngt (*adj.*), constricted
senkrecht (*adj.*), perpendicular
spitz (*adj.*), sharp, pointed

1. will man . . . unterwerfen, *if one wants to subject*, etc. See §2.
2. verbreitende Körper, a participial phrase. See §1.
3. so, dass man . . . verbindet, *in such a way that one connects*.
4. unter einem stumpfen Winkel entspechend gebogenen . . . Glasrohr; participial phrase; stumpfen Winkel is in the dative case governed by entsprechend.
5. besser noch, *or still better*.

Druck beschreiben Wheeler und Blair. An das seitliche Ansatzrohr des Gefässes kann z. B. zwecks Ausschluss von Luftfeuchtigkeit — wie bei organischen Säurechloriden usw. — einfach vermittels Schlauchstückchens ein Chlorcalciumrohr befestigt werden; selbst-
5 verständlich müssen die Gefässe vorher vorzüglich getrocknet sein. Bei Verarbeitung übelriechender oder giftiger Substanzen ist natürlich zunächst für möglichst gute Kondensation zu sorgen — Anwendung eines Schlangen- oder Schraubenkühlers nach Friedrichs und Einstellen der Vorlage in eine Kältemischung, auch Verwendung des
10 in Abb. 490 angegebenen Apparates. Den Tubus des Gefässes verbindet man mit einer Schlauchleitung, die man in den Kamin oder ins Freie endigen lässt; in den Kapellen befinden sich für solche Zwecke gewöhnlich kleine Öffnungen in den Zugschornsteinen. Für diese Zwecke eignet sich auch der Berieselungskühler von Stoltzenberg
15 (Abb. 492). Die einfachste Methode zum Auffangen und Festhalten derartiger Substanzen aus Gas- oder Luftströmen ist jedoch die sogenannte A-Kohle, die man in Absorptionsröhren oder -türmen einfüllt und hinter die Apparate schaltet. Liegen[1] oxydable oder gegen[2] Kohlensäure empfindliche Körper vor, dann leitet man einen
20 passenden Gasstrom vermittels eines in den Kolben eingeführten Rohres durch den Apparat, also von Kohlensäure durch Waschen mit Kalilauge und Überleiten über Natronkalk befreite Luft, die man auch von der Vorlage aus vorsichtig durch eine Wasserstrahlpumpe ansaugen kann — die Vorlage selbst schliesst man mittels Natronkalk-
25 rohres von der Luft ab — oder trockene Kohlensäure, Wasserstoffgas, sorgfältig gereinigtes Leuchtgas. Hierbei muss man sich aber durch

Ansatzrohr (*n.*), addition (pipe) tube, connecting pipe
selbstverständlich (*adv.*), naturally, of course
übelriechend (*adj.*), ill-smelling, malodorous
Einstellen (*n.*), introduction, placing, insertion
Tubus (*m.*), tube
Schlauchleitung (*f.*), rubber connecting tube, hose line
Kamin (*m.*), chimney

(das) Freie, (open) air
Kapelle (*f.*), cupel
Zugschornstein (*m.*), draft chimney
Berieselungskühler (*m.*), trickle or spray cooler
Absorptionsturm (*m.*), absorption tower
schalten (*v.*), to insert, to connect
Wasserstrahlpumpe (*f.*), water jet pump
ansaugen (*v.*), to suck

1. Liegen ... vor. See §2.
2. gegen Kohlensäure empfindliche Körper. See §1(5).

die bekannte Explosionsprobe im Reagensglase vorerst vor Beginn der Destillation überzeugen, ob der Apparat mit Gas völlig angefüllt ist; auch darf [1] der Gasstrom nicht gar zu langsam genommen werden. Man ist [2] dann im Falle des Zerspringens des Apparates vor Explosionen ziemlich geschützt, selbst [3] wenn sich das ausströmende Gas entzünden sollte; in diesem Falle suche [4] man zuerst das brennende Gas durch Bedecken mit einem feuchten Tuch auszulöschen, bevor man den Gasstrom abstellt. Sollte [5] der Apparat dagegen springen, ohne dass sich das Gas entzündet, dann stellt man zuerst die Heizflamme ab. Bei Destillation feuergefährlicher Flüssigkeiten, die stets auf dem Sicherheitswasserbad oder am besten mit einem an die Dampfleitung angeschlossenen Dampf- oder Wasserbad vorzunehmen sind, z..B. von Äther, Schwefelkohlenstoff u. s. f., leitet man einen mit der Vorlage verbundenen Schlauch auf den Fussboden; etwa entweichende Dämpfe verbreiten sich dann wegen ihres hohen spezifischen Gewichtes unschädlich am Boden.

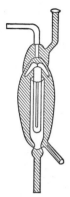

Abb. 492
Berieselungskühler
nach Stolzenberg.

sich überzeugen (v.), to convince oneself, to make sure
vorerst (adv.), from the very first
anfüllen (v.), to fill up
ausströmend (adj.), rushing out, escaping
Tuch (n.), cloth

abstellen (v.), to turn off, to shut off
Heizflamme (f.), heating flame
feuergefährlich (adj.), inflammable, danger in catching fire
Sicherheitswasserbad (n.), safety water bath
Fussboden (m.), floor, ground

1. **darf ... nicht,** *must not.*
2. **Man ist ... vor Explosionen ziemlich geschützt,** *one is fairly well protected from explosions.* Notice meaning of **vor** when governed by **schützen.**
3. **selbst wenn sich ... entzünden sollte,** *even if the escaping gas should catch fire;* **sich entzünden** is always reflexive. See §7; **sollte** is here the past subjunctive of **sollen.** See §10(4).
4. **suche man ... auszulöschen,** *let one try to extinguish;* **suche** here is the third person subjunctive. See §10(2).
5. **Sollte ... springen.** See §2 and §10(4).

MEYER UND JACOBSON: *LEHRBUCH DER ORGANISCHEN CHEMIE*

Zweiter Band, Dritter Teil

HETEROCYCLISCHE VERBINDUNGEN

Erste und Zweite Auflage, 1923

[Seite 280–301]

Kondensierte Pyrrol-Systeme. II. Das Indigblau und die ihm nachststehenden Indol-Derivate

(Diindolyl. — Indigblau. — Derivate, Homologe und Substitutions-Produkte des Indigblaus. — Weitere indigoide Körper mit Indol-Komplexen.)

In dem vorangehenden Kapitel ist [1] an vielen Stellen hervorgetreten, dass die Erforschung der Indol-Gruppe ihren wesentlichsten Antrieb dem Problem verdankte, für den Indigo-Farbstoff, der aus gewissen Pflanzen gewonnen werden kann und schon [2] seit alten
5 Zeiten in der Färberei eine hervorragende Rolle spielt, die Struktur zu ermitteln und zu seiner synthetischen Gewinnung zu gelangen. Die Formel, zu welcher BAEYERS klassische Untersuchungen geführt haben:

$$\text{I)} \quad C_6H_4 \underset{NH}{\overset{CO}{\diagup\diagdown}} C = C \underset{NH}{\overset{CO}{\diagdown\diagup}} C_6H_4$$

wurde ebenfalls schon mehrfach benutzt. Nach ihr leitet sich [3] das

nachststehend (*adj.*), most closely related
vorangehend (*adj.*), preceding, foregoing

Erforschung (*f.*), investigation
Antrieb (*m.*), motive, instigation

1. **ist . . . hervorgetreten,** *it has been emphasized.* Notice omission of impersonal **es.**
2. **schon seit . . . spielt,** *and has been playing a prominent rôle.* Notice idiomatic use of the present tense in German with **seit.**
3. **leitet sich . . . ab,** *is derived.* Notice separable prefix and passive force of **sich.**

Indigblau von einem aus zwei Indol-Kernen zusammengefügten System [1] ab.

Die „nächste" Stammsubstanz des Indigblaus wäre [2] eine Verbindung von der Formel II, welche die Pyrrol-Kerne in hydriertem Zustand aufweist;   5

$$\text{II)}\ C_6H_4{<}^{CH_2}_{NH}{>}C{=}C{<}^{CH_2}_{NH}{>}C_6H_4,$$

$$\text{III)}\ C_6H_4{<}^{CH}_{NH}{>}C{=}C{<}^{CH}_{NH}{>}C_6H_4$$

sie ist bisher noch nicht bekannt. Als „nächste Stammsubstanz von aromatischem Sättigungszustand" aber kann man das kürzlich entdeckte $\alpha \cdot \alpha'$-DIINDOLYL (Diindyl) der Formel III bezeichnen; MADELUNG erhielt diese Verbindung, indem er Oxal-o-toluidid mit Natriumamylat erhitzte: 10

$$C_6H_4{<}^{CH_3}_{NH}{>}CO\cdot CO{<}^{CH_3}_{NH}{>}C_6H_4\ -\ 2H_2O \rightarrow$$

$$C_6H_4{<}^{CH}_{NH}{>}C\ -\ C{<}^{CH}_{NH}{>}C_6H_4$$

(vgl. S. 230 und S. 272 die ähnlichen Synthesen des α-Methyl-indols und der Indol-α-carbonsäure.)

Das Diindolyl ist eine fein krystallierte, gelbliche, in den meisten Lösungsmitteln sehr schwer lösliche Substanz, die gegen 300° unter vorher beginnender Zersetzung schmilzt. Ein [3] mit ihrer Lösung 15 getränkter Fichtenspan färbt sich im Salzsäure-Dampf sofort blauschwarz; beim Versetzen der Eisessig-Lösung mit etwas Wasserstoffsuperoxyd tritt Rotfärbung ein. Das Perchlorat $C_{16}H_{12}N_2 + HClO_4$

zusammenfügen (aus) (v.), to join (with), combine, construct (of)
Sättigungszustand (m.), saturation state
tränken (v.), to steep, to soak, to saturate
Fichtenspan (m.), pine chip

1. von einem aus zwei Indol-Kernen zusammengefügten System, a participial phrase. See §1.
2. wäre, would (might) be. The imperfect subjunctive often stands for a present conditional.
3. Ein ... getränkter Fichtenspan, a participial phrase. See §1.

bildet orangegelbe Nädelchen, das Pikrat $C_{16}H_{12}N_2 + 2C_6H_3O_7N_3$ krystallisiert in dunkelbraunen violettschimmernden Nädelchen. Das Diindolyl wird durch Chlor leicht substituiert. Einwirkung [1] von salpetriger Säure s. S. 308–309.

5   Es ist die Aufgabe dieses Kapitels, das Indigblau und andere Derivate der Diindolyle zu schildern. Daran [2] schliessen sich ferner Verbindungen, welche dem Indigblau in ihrem molekularen Bau ähneln, aber nur einen Indol-Komplex enthalten, während der zweite durch einen isocyclischen oder durch einen anderen heterocyclischen Kom-
10 plex vertreten ist.

Geschichtliches über das Indigblau

Schon im Altertume wurde der [3] aus Indien stammende, aus gewissen Pflanzen erzeugte Indigo als Farbe benutzt, wie wir besonders aus einer von PLINIUS [4] gegebenen Beschreibung wissen. Zu [5] seiner beherrschenden Stellung in der Färberei — er wurde der „König der
15 Farbstoffe" genannt — gelangte er, als seit dem Anfange des sechzehnten Jahrhunderts infolge der Entdeckung des Seeweges nach Indien grössere [6] Mengen nach Europa eingeführt wurden.

Die Erkenntnis der Konstitution entwickelte sich aus Untersuchungen über die chemischen Umwandlungen des natürlichen
20 Farbmaterials, denen [7] dann seine Synthese aus den gewonnenen Abbauprodukten, sowie aus anderen Stoffen folgte.

violettschimmernd (*p.p. adj.*), violet gleaming
schildern (*v.*), to depict, to describe

Altertum (*n.*), antiquity
Seeweg (*m.*), sea route

1. **Einwirkung,** supply **für** before this word.
2. **Daran schliessen sich ferner Verbindungen,** *furthermore, compounds are included in this.*
3. **der aus Indien stammende ... erzeugte Indigo,** two participial phrases. See §1.
4. **Plinius** (Gaius Secundus) = Pliny, Roman writer, known as the Elder (A. D. 23–79). An indefatigable student; author of " Natural History "; is said to have read 2000 works in compiling this treatise of 37 books. He lost his life when he went to investigate the eruption of Vesuvius which buried Herculaneum and Pompeii.
5. **Zu,** object of **gelangte.**
6. **grössere,** See §13(4).
7. **denen dann seine Synthese ... folgte,** *which were followed then by its synthesis.* **Denen** is in the dative governed by **folgen.** See §11(3).

Als das erste Ergebnis der analytischen Untersuchungen, das sich
in der Folgezeit als bedeutungsvoll für das Problem herausstellte, darf
man wohl die Entdeckung des Isatins (1841) durch O. L. ERDMANN
und LAURENT (vgl. S. 257) bezeichnen.

An dieses Oxydationsprodukt knüpfen ein Vierteljahrhundert 5
nach seiner Entdeckung die planmässigen Untersuchungen an, die
BAEYER von 1865–1870 anstellte und nach einer achtjährigen Pause
in den Jahren 1878–1883 zu Ende führte. Seine Arbeiten haben eine
vollständige Lösung der Frage gebracht; aber damit [1] ist ihr Inhalt
keineswegs erschöpft. Durch die Methoden, welche in ihrem Verlaufe 10
ersonnen wurden, durch die Erscheinungen, welche das Studium der
Abbau-Produkte aufdeckte, haben sie ganz allgemein die Entwickelung
der organischen Chemie in experimenteller wie in theoretischer Richtung ausserordentlich gefördert. Erinnert sei [2] z. B. an die Auffindung
der „Zinkstaub-Methode" (vgl. S. 214), deren erste Anwendung in 15
der Gewinnung des Indols aus dem Oxindol bestand. Hervorgehoben
muss [3] ferner ihr Einfluss auf die Lehre von der Ringschliessung
werden; denn aus den Untersuchungen über die Struktur der Indol-
Körper und damit [4] zusammenhängenden Forschungen über Chinolin-
Körper ergab sich die Erkenntnis, welche Bedeutung die Fünf- und 20
Sechszahl der Ringglieder für das Zustandekommen cyclischer Atom-
gruppierungen besitzen.

Im Verlaufe dieser denkwürdigen Untersuchungen gelang es

Folgezeit (f.): **in der** —, afterwards
herausstellen (sich) (v.), to show
(prove) itself
anknüpfen (**an**) (v.), to join, to
unite (to)
Vierteljahrhundert (n.), quarter of
a century
planmässig (adj.), systematic
achtjährig (adj.), of eight years
Ende (n.), end; **zu** — **führen**, to
bring to an end, to complete

erschöpfen (v.), to exhaust
ersinnen (v.), to devise
aufdecken (v.), to disclose
Auffindung (f.), discovery
Ringschliessung (f.), ring closure,
cyclization
Fünfzahl (f.), five number (of links)
Sechszahl (f.), six number (of links)
Zustandekommen (n.), occurrence
denkwürdig (adj.), notable

1. **damit** = *therewith.* See §14(2).
2. **erinnert sei.** See §10(2).
3. **hervorgehoben muss . . . werden.** Supply **es** as subject. See §9(2).
4. **damit zusammenhängenden Forschungen,** *of the researches connected with them;* a participial phrase. See §1.

BAEYER zuerst 1870, einen Rückweg von den Abbauprodukten zu dem
Indigo aufzufinden: die S. 253 schon erwähnte Bildung des Indigblaus
aus dem Isatinchlorid.   Die erste ergiebige Synthese aus einem nicht
vom Indigo abstammenden Material wurde 10 Jahre später von ihm
5 entdeckt und bestand darin, dass [1] eine alkalische Lösung von o-
Nitrophenyl-propiolsäure mit Zucker, der als Reduktionsmittel wirkt,
gekocht wird (Näheres vgl. S. 291–292).

   Mit dieser Entdeckung beginnen die Bemühungen der Industrie,
durch synthetische Darstellung aus Rohstoffen, welche der Stein-
10 kohlenteer bietet, den „natürlichen" Indigo zu verdrängen.   Allein
die Preisverhältnisse der Ausgangsmaterialien und die Schwierigkeiten,
die sich der technischen Ausgestaltung des BAEYERschen Verfahrens
entgegenstellten, verhinderten zunächst einen durchschlagenden Erfolg.   Erst 1897 wurde ein solcher von der Badischen Anilin- und Soda-
15 fabrik errungen, in der unter Führung von H. BRUNCK ein Stab
ausgezeichneter Chemiker mit grösster Energie ihre wissenschaftliche
Begabung und technische Kunst der Lösung des Problems zuwandten.
Das Verfahren, welches schliesslich zum Siege führte, weil es ein bil-
liges Ausgangsmaterial — das Naphthalin — durch eine Reihe von
20 glatt verlaufenden Operationen in Indigblau zu verwandeln gestattete
(Näheres vgl. S. 294), beruht in seinen beiden letzten Phasen auf einer
von HEUMANN entdeckten Bildungsweise des Indigos; sie ist schon
S. 245 u. 278 besprochen worden und besteht darin, dass man N-
Phenylglycin-o-carbonsäure

$$25 \; C_6H_4 \begin{cases} CO \cdot OH \\ NH \cdot CH_2 \cdot CO \cdot OH \end{cases} \text{—ein Derivat der Anthranilsäure—mit Al-}$$

kali schmilzt, wobei sich Indoxyl-α-carbonsäure bildet, die dann mit
Luft oxydiert Indigblau liefert.   Allein um das für diese letzten Phasen

---

Bemühung (f.), effort	**durchschlagend** (p.p. adj.), conclu-
Preisverhältnis (n.), price ratio	sive
Ausgangsmaterial (n.), initial or raw	**errungen** (p.p. of **erringen**, a, u),
material	won
Ausgestaltung (f.), development	**Begabung** (f.), talent
entgegenstellen (v.), to obstruct, to	**zuwenden** (v.), to turn to, to apply
be in the way	**Sieg** (m.), victory

   1. **bestand darin, dass.** How is **da(r)** + prep. + **dass** usually translated? See §15(6).

benötigte Anthranilsäure-Derivat herbeizuschaffen, bedurfte es der
technischen Lösung einer Reihe von anderen Aufgaben, um die sich
KNIETSCH und SAPPER in der Badischen Anilin- und Sodafabrik die
grössten Verdienste erworben haben. SAPPER entdeckte das Verfahren,
die Phthalsäure aus Naphthalin durch Erhitzen mit hochkonzentrier-   5
ter Schwefelsäure unter Zusatz von etwas Quecksilber zu bereiten.
KNIETSCH lehrte durch seine glänzende Ausarbeitung des Schwefel-
säure-Kontakt-verfahrens, die bei der Oxydation des Naphthalins
frei werdende schweflige Säure auf billigste Weise wieder in konzentrierte Schwefelsäure überzuführen, so dass der Sauerstoff der Luft 10
das eigentliche Oxydationsmittel wurde,[1] das bei der Umwandlung von
Naphthalin in Phthalsäure verbraucht wird. Wie man von der Phthalsäure weiter über die Anthranilsäure zur Phenyl-glycin-o-carbonsäure
gelangt, wird S. 294 erläutert werden.[2] Aber man erkennt aus obigen
Angaben schon, dass die technische Ausarbeitung des Indigo-Pro-   15
blems — ebenso wie die wissenschaftliche — weit[3] über die gestellte
Aufgabe hinaus für die verschiedensten Gebiete Früchte gezeitigt hat.

Im Jahre 1901 — vier Jahre nachdem die Badische Anilin- und
Sodafabrik den synthetischen Indigo auf den Markt gebracht hatte —
erlangte ein weiteres Verfahren die technische Durchbildung, die es zur 20
Konkurrenz befähigte. Es beruht ebenfalls auf einem schon 1890 von
HEUMANN entdeckten Prozess: der S. 245 formulierten Umwandlung
von N-Phenyl-glycin (Anilino-essigsäure) $C_6H_5 \cdot NH \cdot CH_2 \cdot CO \cdot OH$
in Indoxyl, das dann zu Indigblau oxydiert wird. Allein das technisch
Entscheidende war die 1900 von PFLEGER in der Deutschen Gold- und 25
Silber-Scheideanstalt gefundene Modifikation, Natriumamid[4] an die
Stelle des von HEUMANN für die Umwandlung benutzten schmelzenden

1. **wurde,** *became;* **werden** when used by itself means *to become.*
2. **wird . . . erläutert werden,** *will be explained.* **Werden** followed by an
infinitive expresses the future tense; followed by the past participle, it
forms the passive voice.
3. **weit über . . . hinaus,** *far beyond.*
4. **Natriumamid an die Stelle des . . . Alkalis zu setzen,** *to put sodium
amide in the place of alkali.* Notice intervening participial phrase.

Alkalis zu setzen. Erst hierdurch wurde die Ausbeute an Indoxyl auf eine Höhe gebracht, welche die ökonomische Durchführung des Verfahrens ermöglichte. Es wurde von den Höchster Farbwerken (vorm. MEISTER, LUCIÜS u. BRÜNING) in Betrieb gesetzt, welche erkannten,
5 dass an Stelle des Natriumamids auch Natrium und seine Legierungen mit dem gleichen Erfolge angewandt werden können. Die Badische Anilin- und Sodafabrik bildete ein Verfahren technisch aus, um aus Phenyl-glycin ohne Anwendung von Natriumamid Indigo herzustellen, nämlich durch Benutzung von wasserfreiem Ätzalkali bei
10 gleichzeitiger Gegenwart von Calcium-, Strontium- oder Bariumoxyd.

Durch die Verfahren der Badischen Anilin- und Sodafabrik und der Höchster Farbwerke wird heute der Weltbedarf an Indigo grösstenteils gedeckt; der „natürliche" Indigo ist fast verdrängt worden [1] (Statistische Angaben s. S. 301).

15 Der Teerbestandteil, welcher für das Höchster Verfahren gebraucht wird, ist das Benzol, das in Anilin und dann in Anilino-essigsäure (Phenyl-glycin) verwandelt wird. Bei dem Verfahren der „Badischen," das vom Naphthalin ausgeht, ist die Anthranilsäure ein Zwischenprodukt. Das Anilin ist 1826 von UNVERDORBEN bei der Destil-
20 lation von Indigo zuerst erhalten worden [1]; die Anthranilsäure wurde 1841 von FRITZSCHE ebenfalls durch eine Umwandlung des Indigos (mittels kochender Kalilauge) entdeckt. Beide Stoffe haben ihre Namen von dem spanischen Ausdruck für Indigo („añil") erhalten. Einst in winzigen Mengen durch Zerfall des Naturstoffs gewonnen,[2]
25 dienen sie heute, zentnerweise aus Teer bereitet,[2] zu seinem künstlichen Aufbau.

Die wissenschaftliche und technische Eroberung des Indigos gehören zu den grössten Erfolgen der organischen Chemie. Als um den Beginn des neuen Jahrhunderts die Deutsche Chemische Gesell-
30 schaft ihr eigenes Heim begründen konnte, war die Eröffnungs-Sitzung

vorm. = vormals, formerly
Weltbedarf (an) (m.), world need or demand (for)
decken (v.), to cover, i.e., satisfy
einst (adv.), once, formerly
winzig (adj.), tiny, small

zentnerweise (adv.), by the hundredweight
Eroberung (f.), conquest
begründen (v.), to establish
Eröffnungs-Sitzung (f.), opening session

1. ist verdrängt worden; ist erhalten worden. What voice are these? See §5.
2. gewonnen; bereitet, past participles used absolutely.

der Rückschau auf die Etappen, in denen dieser Siegeszug sich voll-
zogen hatte, gewidmet.

Die Konstitution des Indigblaus

Im vorigen Abschnitt wurde hervorgehoben, dass wir BAEYER die
Aufklärung der Indigblau-Konstitution verdanken. Den einzelnen [1]
Schritten, in denen das Ziel erreicht wurde, können wir hier nicht 5
folgen. Aber die Momente seien zusammengestellt,[2] aus welchen sich
heute am einfachsten das geltende Formelbild ableiten lässt.

Durch die Elementaranalyse im Verein mit vaporimetrischen,
kryoskopischen und ebullioskopischen Molekulargewichts-Bestim-
mungen ergibt sich die Formel $C_{16}H_{10}O_2N_2$ als empirischer Ausdruck 10
für die Zusammensetzung des Indigblaus.

Andererseits haben wir im vorhergehenden Kapitel unter den
Verbindungen mit einem Indol-Komplex eine ganze Reihe von Ver-
tretern — Isatin, Oxindol, Dioxindol, Indol selbst — kennen gelernt,
die aus dem Indigblau durch direkten oder indirekten Abbau hervor- 15
gehen, und für die es nach ihren synthetischen Bildungsweisen sowie
ihrem Verhalten nicht zweifelhaft sein kann, dass ihre Moleküle acht
Kohlenstoffatome und ein Stickstoffatom in der Gruppierung:

enthalten.

Rückschau (auf) (*f.*), review (of)	**Formelbild** (*n.*), structural formula
Etappe (*f.*), steps; stage	**im Verein mit,** together with
Siegeszug (*m.*), triumphal train, progress	**Ausdruck** (*m.*), expression
widmen (+ *dat.*), to devote to	**Vertreter** (*m.*), representative
Schritt (*m.*), step, stride	**kennen** (*v.*), to know; — **lernen,** to get to know, become acquainted with
Ziel (*n.*), goal, aim	
Moment (*n.*), factor	**zweifelhaft** (*adj.*), dubious

1. **Den einzelnen Schritten** is in the dative case, object of **folgen.**
2. **seien zusammengestellt.** See §10(2).

Wir [1] haben uns ferner der [2] in grosser Zahl bekannten Vorgänge zu erinnern, in denen aus Derivaten dieses Indol-Komplexes Indigblau entsteht, z. B. besonders der [3] fast quantitativ verlaufenden Oxydation von Indoxyl zu Indigblau.

5 Es ist hiernach [4] klar, dass das Molekül des Indigblaus sich aus zwei Indol-Komplexen zusammenfügt, und es [5] ergibt sich als nächste Frage: „an welcher Stelle findet die Verknüpfung statt ?"

Hierauf [6] wurde 1882 eine unzweideutige Antwort durch BAEYERS Entdeckung eines Prozesses gegeben, in welchem das Indigblau aus 10 einem Körper der Benzolreihe mit 16 C-Atomen gebildet wird. Das o, o'-Dinitro-diphenyl-butadiin:

geht nämlich durch konzentrierte Schwefelsäure in eine isomere Verbindung $C_{16}H_8O_4N_2$ („Diisatogen") über, die von Schwefelammonium in der Kälte quantitativ zu Indigblau reduziert wird (vgl. dazu S. 15 285). Das Molekül des Indigblaus muss also zwischen den beiden Benzolkernen eine fortlaufende Kette von 4 Kohlenstoffatomen enthalten, eine Forderung, die nur erfüllt wird, wenn man sich die beiden Indol-Komplexe vermittelst ihrer α-C-Atome miteinander verbunden denkt.

20 Dem [7] sich hiernach ergebenden Formel-Rudiment:

1. **Wir haben uns ... zu erinnern,** *we have to (must) remember.*
2. **der in grosser Zahl bekannten Vorgänge,** a participial phrase in the genitive case, object of **sich erinnern.**
3. **der fast quantitativ verlaufenden Oxydation,** a participial phrase, object of **sich erinnern.**
4. **hiernach = danach.** See §14(2).
5. **es,** impersonal. See §9.
6. **hierauf,** *to this.*
7. **Dem sich hiernach ergebenden Formel-Rudiment,** *to the basic formula obtained according to this,* a participial phrase in the dative. Object of **hinzufügt.**

müssen noch zwei Wasserstoff- und zwei Sauerstoffatome hinzugefügt werden, um es zur Indigo-Formel $C_{16}H_{10}O_2N_2$ zu vervollständigen.

Da es Dialkyl-Derivate des Indigblaus gibt, welche zufolge ihrer synthetischen Bildungsweisen zwei Alkyle an [1] Stickstoff gebunden enthalten (vgl. S. 301–302) und dem Indigo in ihrer Farbe und ihrem 5 Absorptionsspektrum sehr ähnlich sind, darf man schliessen, dass die beiden Wasserstoffatome an Stickstoff gebunden sind.

Die beiden Sauerstoffatome müssen, da das Indigblau durch Oxydation des Indoxyls $C_6H_4\underset{NH}{\overset{CO}{\diagdown\diagup}}CH_2$ bzw. $C_6H_4\underset{NH}{\overset{C(OH)}{\diagdown\diagup}}CH$ entsteht, an den beiden β-Kohlenstoffatomen der beiden Indol-Komplexe 10 haften. Bezüglich ihrer Bindungsform bietet das Verhalten des Indigblaus einige Anhaltspunkte dafür,[2] dass sie als Carbonyl-Sauerstoff zugegen sind. So entsteht mit Hydroxylamin ein Monoxim (S. 304), und mit Chlorzink-Ammoniak ein Diimid (S. 303), das von Säuren wieder in Indigblau zurückgeführt wird. Besonders aber spricht für diese 15 Annahme eine grosse Zahl von Synthesen, in denen indigo-ähnliche Körper durch Kondensation von 2 Molekülen carbonylhaltiger Verbindungen hervorgehen (vgl. S. 141, 142 die indigoiden Verbindungen der Thionaphthen-Reihe, S. 317 ff. Indirubin und andere Indigoide).

Mit diesem letztangeführten Schluss sind allen Atomen ihre 20 Plätze zugewiesen, und es ergibt sich die Formel:

$$C_6H_4\underset{NH}{\overset{CO}{\diagdown\diagup}}C = C\underset{NH}{\overset{CO}{\diagdown\diagup}}C_6H_4,$$

nach welcher das Molekül des Indigblaus aus zwei miteinander ver- 25 bundenen [3] zweiwertigen Radikalen $C_6H_4\underset{NH}{\overset{CO}{\diagdown\diagup}}C$ — von BAEYER „Indogen" genannt — besteht.

zufolge (adv.), owing to, according to
gebunden (p.p.), bound; an Stickstoff —, (when) attached to nitrogen
schliessen (v.), to conclude

Anhaltspunkt (m.), indication, criterion [tioned
letztangeführt (p.p. adj.), last mentioned
Schluss (m.), conclusion, statement
zuweisen (+ dat.), to assign, to allot

1. an, prep. governed by gebunden.
2. dafür, dass, *for the assumption that*. See §15(6).
3. aus zwei miteinander verbundenen ... Radikalen ... besteht, *consists of two bivalent radicals that have combined with each other*.

Immerhin dürften [1] auch Symbole mit andersartig gebundenem Sauerstoff, z. B.

$$C_6H_4 \diagdown \overset{C}{\underset{NH}{\diagup}} \overset{O-O}{\diagdown} \overset{C}{\underset{C-C}{\diagup}} \diagdown \overset{C}{\underset{NH}{\diagdown}} \diagup C_6H_4 \quad \text{und} \quad C_6H_4 \diagdown\diagup \overset{C}{\underset{\underset{H}{N}}{\overset{\cdot}{O}}} \diagdown C = C \diagdown \overset{C}{\underset{\underset{H}{N}}{\overset{\cdot}{O}}} \diagup\diagdown C_6H_4$$

nicht ganz ausgeschlossen sein.

Jene Formel enthält ein System von drei benachbarten Doppel-
5 bindungen:

$$- C \overset{\diagup O}{\underset{\diagdown C}{=}} \overset{O \diagdown}{\underset{C}{=}} C -$$

wie es [2] auch für das Benzochinon:

$$O = C \overset{\diagup CH = CH \diagdown}{\underset{CH = CH}{\diagdown\diagup}} C = O$$

und andere Parachinone charakteristisch ist. In dieser Konstellation erblickt man die Ursache für die tiefe Färbung des Indigblaus: seine „chromophore Gruppe".

10 Wir [3] haben bereits an früherer Stelle erfahren (vgl. S. 141) und werden später noch eingehender darauf zurückkommen, dass es viele indigo-ähnliche Körper gibt, in denen die gleiche Gruppe auf mannig-fache Weise cyclische [4] Komplexe aneinander schliesst. Da [5] man auf alle diese Körper den Namen „Indigo" als Klassenbezeichnung anwen-

andersartig (adv.), in a different way, differently
benachbart (adj.), neighboring, adjacent

erblicken (v.), to see
auf mannigfache Weise, in many ways

1. dürften . . . nicht ganz ausgeschlossen sein, *would not have to be entirely excluded.* The past subjunctive is often used for the present conditional.
2. wie es auch, *just the same as.*
3. wir haben . . . an früherer Stelle erfahren, *we have learned before* (literally, *from an earlier* [*place, i.e.*] *statement*).
4. cyclische Komplexe aneinander schliesst, *combines cyclic complexes* (ring structures).
5. Da man auf alle diese Körper . . . anwendet, *since one uses for all these substances.*

det, muss das alte Indigblau noch eine speziellere Benennung erhalten.
Als solche ergibt sich aus der später (S. 316) zu erklärenden Nomenklatur der Name:

Bis-indol-(2.2′)-indigo.

Die Gewinnung des „natürlichen Indigos"

Das Indigblau kommt nicht als solches fertig [1] gebildet in der 5
Natur vor. Die Pflanzen, aus denen es gewonnen wird, enthalten
vielmehr als indigolieferndem Bestandteil ein Glykosid — das schon
S. 249 besprochene Indican —, welches durch Hydrolyse in Zucker
und Indoxyl zerfällt; das in diesem Spaltungsprozess erzeugte Indoxyl
geht dann durch Oxydation in Indigo über. 10

Diejenigen Pflanzen, welche reichlich Indigo liefern (ca. 1 ½–2 %
der getrockneten Pflanzen), gedeihen nur in tropischen Ländern. Es
sind dies [2] verschiedene Species der Gattung Indigofera, unter denen
als besonders wichtig Indigofera [3] tinctoria und pseudotinctoria zu
nennen sind; von den verschiedenen Teilen der Pflanzen sind die 15
Blätter am [4] reichsten an Indican.

Zur Gewinnung des Indigos lässt man die Pflanzen zunächst in
Kufen mit Wasser übergossen einige Zeit „gären"; hierbei erfolgt die
Extraktion des Indicans und seine Hydrolyse durch ein in den Pflanzenzellen vorhandenes Enzym. Die gewonnene Lösung wird dann in 20
andere Kufen abgelassen, in denen man sie durch Schlagen oder mit
Hilfe von rotierenden Schaufelrädern möglichst in Berührung mit der
Luft bringt; der Sauerstoff der Luft bewirkt hierbei die Oxydation
des Indoxyls zum Farbstoff, der sich als Niederschlag absetzt und
gesammelt wird. 25

In Europa wurde seit alten Zeiten der Waid — Isatis tinctoria —
zum Zwecke der Indigo-Färberei kultiviert. Er liefert aber viel

gedeihen (v.), to thrive	gären (v.), to ferment
Gattung (f.), genus	Schlagen (n.), beating, agitation
Blatt (n.), leaf	rotierend (adj.), rotating
mit Wasser übergossen, covered with water	Schaufelrad (n.), paddlewheel
	Waid (m.), woad

1. **fertig gebildet,** *completely formed.*
2. **es sind dies,** *these are.* §9(1) and §14(3).
3. **Indigofera tinctoria und pseudotinctoria,** Latin botanical names for the indigo plant species; same in English.
4. **am reichsten an,** *richest in;* superlative absolute. See §13(5).

weniger Farbstoff als die Indigofera-Arten. Sein früher sehr ausge-
dehnter Anbau wurde daher durch den Import des Indigos aus Indien
stark zurückgedrängt; doch bedurfte es hierzu eines ausserordentlich
langen Kampfes. Den Färbeknöterich (Polygonum tinctorium),
5 der etwa ¾ % Indigo liefert und in China zu dessen Gewinnung dient,
kann man auch in Europa kultivieren.

Der in dieser Weise erhaltene „natürliche Indigo" enthält als
wesentlichen und wertvollen Bestandteil das Indigblau oder Indigotin
(Eigenschaften s. S. 296 ff.), als Beimengungen aber andere Stoffe —
10 Indigoleim, Indigobraun, Indirubin (S. 319). Die Begleitstoffe rühren teils daher, dass das aus dem Indican abgespaltene Indoxyl neben
seiner Überführung in Indigblau noch andere Veränderungen erleidet
(vgl. S. 296–297); teils entstammen sie nicht dem Indican, sondern
anderen Bestandteilen der Pflanzen.

15   Um das reine Indigotin zu gewinnen, reduziert man die natürlichen
Indigo zu Indigweiss (S. 304), was z. B. mit Hilfe von Traubenzucker
in alkalischweingeistiger Lösung geschehen kann, und reoxydiert die
Indigweiss-Lösung mit Luft.

Zu erinnern ist hier noch an die natürliche Bildung eines indigolie-
20 fernden Stoffs — des Harn-Indicans (S. 247–248) — im tierischen
Organismus, die aber als Indigo-Quelle keine praktische Bedeutung
hat.

Die Gewinnung des „synthetischen Indigos"

Prozesse, in welchen sich Indigblau aus synthetisch herstellbaren
Materialien bildet, sind in sehr grosser Zahl bekannt geworden.
25 Mehrere von ihnen wurden bereits im vorhergehenden Kapitel bei
Besprechung der Verbindungen mit einem Indol-Komplex und in dem
geschichtlichen Abschnitt dieses Kapitels (S. 282–283) erwähnt.

Wir haben nunmehr diese Vorgänge zusammenzufassen, wobei [1] es
sich weniger um eine vollständige Aufzählung, als um eine Hervorhe-

---

ausgedehnt (adj.), extensive
Anbau (m.), cultivation, culture
Färbeknöterich (m.), colored knot
grass
Indigoleim (m.), indigo gelatin

herrühren (v.), to be due to
geschehen (v.), to take place
Quelle (f.), source
zusammenfassen (v.), to collect together, to sum up

1. wobei es sich weniger um ... handeln soll, in which it must treat
less with, etc.

bung des praktisch, theoretisch oder historisch Bedeutsamen [1] handeln soll. Erleichtert wird die Übersicht durch eine Einteilung des Stoffs nach folgenden Gesichtspunkten:

1. Synthesen, in denen sich Indigblau durch Zusammentritt zweier Indol-Komplexe bildet, und zwar

    a) ausgehend von Indol-Körpern,
    b)   ”   ” Anilin-Derivaten,
    c)   ”   ” Anthranilsäure-Derivaten,
    d)   ”   ” orthonitrierten Benzol-Abkömmlingen mit einer Seitenkette.

2. Synthesen, in denen sich Indigblau aus Diindolyl-Derivaten bildet.

Die Synthesen der Gruppen 1b, 1c und 1d sind eigentlich Wiederholungen von solchen der Gruppe 1a, denn bei ihnen sind stets Indol-Körper als Zwischenprodukte anzunehmen. Da diese Zwischenprodukte indes nicht immer isoliert worden sind, da ferner für die Beurteilung vom praktischen Gesichtspunkt aus besonders die Natur der [2] zur Benzol-Reihe gehörigen Ausgangsmaterialien ins Gewicht fällt, empfiehlt sich die obige Gliederung.

1a) *Synthesen des Indigblaus aus Verbindungen mit einem Indol-Komplex.* Die Mittel, durch welche Indol selbst zu Indigblau oxydiert werden kann, wurden schon S. 225 genannt; verhältnismässig reichlich (höchstens indes 40 %) ist die Ausbeute bei Anwendung von Jod und Natriumbicarbonat. — Als historisch wichtig wurde S. 282 die Bildung durch Reduktion von Isatinchlorid (vgl. S. 253) hervorgehoben. Erinnert [3] sei ferner an die Bildungen aus Isatin-α-oxim durch Schwefelammonium (S. 266), aus Indol-β-carbonsäure durch

Zusammentritt (*m.*), “going together,” combination
Gesichtspunkt (*m.*), viewpoint
vom praktischen Gesichtspunkt aus, from a (the) practical point of view
Ausgangsmaterial (*n.*), initial material
Gewicht (*n.*), weight, importance; **ins — fallen,** to be of importance
Gliederung (*f.*), division

1. **des praktisch . . . oder historisch Bedeutsamen,** *of what is of practical or historical importance.* Note use of the adjective **bedeutsam,** *significant,* as a noun. See §13(6).
2. **der . . . gehörigen Ausgangsmaterialien.** See §1(5).
3. **Erinnert sei . . . an.** See §10(2).

Ozon (S. 272) und aus N-Oxy-indol-α-carbonsäure durch konzentrierte Schwefelsäure (S. 272).

Fast quantitativ kann das Indigblau durch Oxydation des Indoxyls (S. 246) oder seiner α-Carbonsäure (der Indoxylsäure, S. 277) in der Kälte gewonnen werden. Auf diesem Vorgang:

$$2C_6H_4{<}{\overset{CO}{\underset{NH}{}}}{>}CH_2 - 2H_2 \rightarrow C_6H_4{<}{\overset{CO}{\underset{NH}{}}}{>}C{=}C{<}{\overset{CO}{\underset{NH}{}}}{>}C_6H_4$$

beruht die letzte Phase der [1] heute industriell ausgeführten Indigo-Synthesen (s. S. 294). Dass [2] dabei ein kleiner Teil des Indoxyls zu Isatin oxydiert wird, und dass sich daher dem Indigblau etwas Indirubin infolge von Kondensation des Isatins mit unverändertem Indoxyl beimengt, wurde schon S. 246 erwähnt.

Glatt und ohne Beimengung von Indirubin entsteht das Indigblau aus dem Isatin-α-anil (S. 264) durch Reduktion mit Schwefelammonium und aus dem α-Thioisatin (S. 267) durch Einwirkung schwach alkalischer Agenzien:

$$2C_6H_4{<}{\overset{CO}{\underset{NH}{}}}{>}CS \rightarrow C_6H_4{<}{\overset{CO}{\underset{NH}{}}}{>}C{=}C{<}{\overset{CO}{\underset{NH}{}}}{>}C_6H_4 + 2S.$$

Endlich ist [3] die Bildung von Indigblau durch Kondensation von Isatinchlorid mit Indoxyl in Pyridin-Lösung:

$$C_6H_4{<}{\overset{CO}{\underset{N}{}}}{>}CCl + CH_2{<}{\overset{CO}{\underset{NH}{}}}{>}C_6H_4 \rightarrow$$

$$HCl + C_6H_4{<}{\overset{CO}{\underset{NH}{}}}{>}C{=}C{<}{\overset{CO}{\underset{NH}{}}}{>}C_6H_4$$

zu erwähnen.

1b) *Synthesen aus Anilin-Derivaten, bei welchen Indoxyl als Zwischenprodukt anzunehmen ist.* Die erste Beobachtung einer Indigo-Bildung auf solchem Wege rührt von FLIMM her, welcher zeigte, dass beim Schmelzen von Bromacetanilid $C_6H_5 \cdot NH \cdot CO \cdot CH_2Br$ mit Ätzkali eine Schmelze entsteht, deren wässrige Lösung an der Luft

Agenzien (*pl.* of **Agens**), reagents

1. **der ... ausgeführten Indigo-Synthesen.** See §1.
2. **Dass,** *the fact that.*
3. **ist,** connect with **zu erwähnen.** See §18(3).

Indigblau abscheidet. Bei ihr dürfte [1] ebenso wie bei der Heumann-schen Synthese aus N-Phenyl-glycin $C_6H_5 \cdot NH \cdot CH_2 \cdot CO \cdot OH$ (durch Schmelzen mit Alkali und nachfolgende Oxydation) das Indoxyl (s. Gleichung A auf S. 245) das in der Alkali-Schmelze vorhandene Produkt sein, dessen Oxydation den Indigo liefert. Dass diese letztere 5 Synthese zu einem [2] technisch ausführbaren Prozess wurde, als man das Alkali durch Natriumamid ersetzte, wurde schon S. 245 und S. 283 hervorgehoben; vgl. ferner S. 294.

Durch Einwirkung von rauchender Schwefelsäure liefert das Phenylglycin die Indigo-disulfonsäure; vgl. S. 313–314. 10

Wahrscheinlich gehört in diese Gruppe auch die Synthese aus Dianilino-maleinsäure durch Schmelzen mit Natriumamid. Freilich könnte [3] sich aus der Dianilino-maleinsäure Indigblau direkt durch Wasserabspaltung bilden:

$$C_6H_4 \underset{NH}{\overset{H}{<}} \overset{CO \cdot OH}{\underset{}{C}} = \overset{CO \cdot OH}{\underset{NH}{C}} \overset{H}{\underset{}{>}} C_6H_4 - 2H_2O \rightarrow$$

$$C_6H_4 \underset{NH}{\overset{CO}{<}} C = C \underset{NH}{\overset{CO}{>}} C_6H_4,$$

und ein solcher Vorgang würde [4] ein besonderes Interesse bieten, weil 15 er ein wertvolles Argument für die Annahme der Doppelbindung zwischen den beiden Indol-Komplexen des Indigo-Moleküls bietet. Aber das Schmelzprodukt enthält noch nicht das Indigblau selbst, liefert dieses vielmehr erst beim Auflösen durch Luft-Oxydation.

1c) *Synthesen aus Anthranilsäure-Derivaten, bei welchen Indoxyl* 20 *bzw. Indoxylsäure als Zwischenprodukte anzunehmen sind.* Dass durch Schmelzen mit Alkalien aus N-Methyl-anthranilsäure $C_6H_4 \cdot$ $(CO_2H) \cdot NH \cdot CH_3$ das Indoxyl, aus N-Phenyl-glycin-o-carbonsäure (N-Carboxymethyl-anthranilsäure) $C_6H_4(CO_2H) \cdot NH \cdot CH_2 \cdot CO_2H$ die Indoxylsäure hervorgeht, wurde schon S. 245 und 278 mitgeteilt und 25 durch Gleichungen erläutert. Die Lösungen dieser Schmelzen liefern

ausführbar (*adj.*), practicable
Doppelbindung (*f.*), double bond

Wasserabspaltung (*f.*), splitting off of water

1. **dürfte ... sein.** See §10(3).
2. **zu einem technisch ausführbaren Prozess wurde,** *was transformed into a process that was capable of being carried out industrially.*
3. **könnte sich ... bilden,** *might be formed.* See §10(3).
4. **würde ... bieten.** What tense is this?

durch Oxydation Indigblau. Die auf solchem Wege aus der Phenyl-
glycin-*o*-carbonsäure erfolgende,[1] von HEUMANN entdeckte Bildung
des Indigblaus bildet die Grundlage des ersten der „Badischen" Verfahren für die technische Herstellung des Farbstoffs; die historische
5 Bedeutung dieses Verfahrens wurde S. 282–283 gewürdigt, die industrielle Durchführung wird noch S. 294 näher erläutert.

An Stelle der Phenyl-glycin-*o*-carbonsäure sind mehrere nahestehende Derivate der Anthranilsäure vorgeschlagen worden; bei manchen lässt sich der Ringschluss auch durch saure Kondensationsmittel
10 bewirken. Auch findet man in der Literatur Vorschläge, nach [2] denen
man die geeigneten Abkömmlinge der Anthranilsäure in der Alkali-
schmelze erst entstehen lassen soll, indem man z. B. Anthranilsäure
mit mehrwertigen Alkoholen (Glycerin usw.) und Alkali verschmilzt.

1d) *Synthesen aus orthonitrierten Benzol-Abkömmlingen mit einer*
15 *Seitenkette, bei welchen Verbindungen mit einem Indol-Komplex als*
Zwischenprodukte anzunehmen sind. Die Synthesen dieser Gruppe
sind von grossem historischen und theoretischen Interesse. Zu ihnen
gehört der Vorgang, nach dem EMMERLING u. ENGLER im Jahre 1870
zum ersten Mal Indigo — wenn auch in sehr kleinen Mengen und
20 nach [3] einem nicht sicher zu wiederholenden Verfahren — synthetisch
erhalten haben. Sie erhitzten ein durch Nitrieren von Acetophenon
bereitetes Rohprodukt mit Zinkstaub und Natronkalk. Später zeigte
es sich, dass der Versuch sicher gelingt, wenn man reines *o*-Nitro-
acetophenon anwendet. Die Erklärung der eigentümlichen Reaktion
25 erfolgte dann durch Versuche von CAMPS und besonders von BAM-

$$C_6H_4\!\!<\!\!{}^{CO \cdot CH_3}_{NO_2} \quad \xrightarrow{\text{Reduktion}} \quad C_6H_4\!\!<\!\!{}^{CO \cdot CH_3}_{NH \cdot OH} \quad \xrightarrow{-H_2O} \quad C_6H_4\!\!<\!\!{}^{C \cdot CH_3}_{N}\!\!>\!\!O$$

o-Hydroxylamino-acetophenon   C-Methyl-anthranil

würdigen (*v.*), to mention duly	**mehrwertig** (*adj.*), polyvalent
nahestehend (*adj.*), closely related	(polyhydroxy)
Ringschluss (*m.*), ring closure	**eigentümlich** (*adj.*), peculiar (to)
Abkömmling (*m.*), derivative	

1. **Die ... erfolgende ... entdeckte Bildung;** two participial phrases.
See §1.

2. **nach denen man ... entstehen lassen soll,** *according to which one is
supposed to cause ... derivatives to be formed.*

3. **nach einem nicht sicher zu wiederholenden Verfahren,** *according to a
procedure that is not to be repeated with certainty.*

BERGER u. ELGER. Aus ihnen ergab sich, dass sie die folgenden Zwischenphasen durchläuft:

$$\xrightarrow{\substack{\text{Umlagerung durch}\\ \text{Überhitzung (vgl. S. 246)}}} C_6H_4\diagdown\hspace{-0.2em}\begin{smallmatrix}CO\\ \\ NH\end{smallmatrix}\hspace{-0.2em}\diagup CH_2 \xrightarrow{\substack{\text{Oxyda-}\\ \text{tion}}}$$

Indoxyl

$$C_6H_4\diagdown\hspace{-0.2em}\begin{smallmatrix}CO\\ \\ NH\end{smallmatrix}\hspace{-0.2em}\diagup C{=}C\diagdown\hspace{-0.2em}\begin{smallmatrix}CO\\ \\ NH\end{smallmatrix}\hspace{-0.2em}\diagup C_6H_4$$

Indigblau

Im Zusammenhang hiermit sei [1] erwähnt, dass sich Indigblau aus
o-Amino-acetophenon beim Erhitzen mit Schwefel auf 210–230°
bildet. 5

Bei anderen Synthesen aus o-Nitro-Derivaten der Benzol-Reihe
sind [2] als Zwischenprodukte wahrscheinlich „Isatogen"-Körper, d. h.
Verbindungen mit dem Komplex:

$$C_6H_4\diagdown\hspace{-0.2em}\begin{smallmatrix}CO\\ \\ N\end{smallmatrix}\hspace{-0.2em}\diagup C{-} \quad\text{oder}\quad C_6H_4\diagdown\hspace{-0.2em}\begin{smallmatrix}CO\\ \\ N\end{smallmatrix}\hspace{-0.2em}\diagup C{-} \quad\text{(vgl. S. 279 Isatogensäure),}$$

anzunehmen. Hierher gehört die erste glatte Indigo-Synthese aus
o-Nitrophenyl-propiolsäure durch Kochen in alkalischer Lösung mit 10
Traubenzucker (vgl. S. 282), die man sich etwa in folgenden Phasen
verlaufend denken kann:

$$C_6H_4\diagdown\hspace{-0.2em}\begin{smallmatrix}C{:}C\cdot CO_2H\\ \\ NO_2\end{smallmatrix} \xrightarrow{+H_2O} C_6H_4\diagdown\hspace{-0.2em}\begin{smallmatrix}CO\cdot CH_2\cdot CO_2H\\ \\ NO_2\end{smallmatrix} \xrightarrow{-H_2O}$$

o-Nitrophenyl-propiolsäure $\qquad$ o-Nitrobenzoyl-essigsäure $\quad C_6H_4\diagdown\hspace{-0.2em}\begin{smallmatrix}CO\\ \\ N\end{smallmatrix}\hspace{-0.2em}\diagup C\cdot CO_2H$

Isatogensäure

$$\xrightarrow{-CO_2} C_6H_4\diagdown\hspace{-0.2em}\begin{smallmatrix}CO\\ \\ N\end{smallmatrix}\hspace{-0.2em}\diagup CH \xrightarrow{\text{Reduktion}} C_6H_4\diagdown\hspace{-0.2em}\begin{smallmatrix}CO\\ \\ NH\end{smallmatrix}\hspace{-0.2em}\diagup C{=}C\diagdown\hspace{-0.2em}\begin{smallmatrix}CO\\ \\ NH\end{smallmatrix}\hspace{-0.2em}\diagup C_6H_4.$$

$C_8H_5O_2N$ $\qquad\qquad\qquad C_{16}H_{10}O_2N_2(= 2C_8H_5ON)$

Zwischenphase (f.), intermediate stage

1. sei ... erwähnt. See §10(2).
2. sind ... anzunehmen. See §18(3).

Einer der überraschendsten Vorgänge dieser Art ist die von BAEYER und DREWSEN aufgefundene, äusserst glatt in der Kälte erfolgende Bildung von Indigo beim Versetzen einer Lösung von *o*-Nitrobenzaldehyd in Aceton mit wässrigen Alkalien. In erster Phase findet hierbei
5 Aldol-Kondensation zu „*o*-Nitrophenyl-milch-säure-keton" statt:

$$C_6H_4\!\!<^{CHO}_{NO_2} + CH_3 \cdot CO \cdot CH_3 \rightarrow C_6H_4\!\!<^{CH(OH) \cdot CH_2 \cdot CO \cdot CH_3}_{NO_2}$$

Isoliert man dieses Kondensationsprodukt und zersetzt es dann erst mit Natronlauge, so wird die Ausbeute an Indigo noch beträchtlicher. Die Zersetzung verläuft unter Abspaltung von Essigsäure und kann vielleicht in folgender Weise erklärt werden:

$$C_6H_4\!\!<^{CH(OH)}_{NO_2}\!\!\!>\!\!CH_2 \cdot CO \cdot CH_3 \xrightarrow{-H_2O} C_6H_4\!\!<^{CH(OH)}_{-N=}\!\!\!>\!\!C \cdot CO \cdot CH_3$$

$$\text{Hydrolyse} \rightarrow C_6H_4\!\!<^{CH(OH)}_{-N=}\!\!\!>\!\!CH \ (+ HO \cdot CO \cdot CH_3) \xrightarrow{-H_2O}$$

$$C_6H_4\!\!<^{CO}_{N}\!\!\!>\!\!CH$$

$$\xrightarrow{\text{Polymerisation}} C_6H_4\!\!<^{CO}_{NH}\!\!\!>\!\!C\!=\!C\!\!<^{CO}_{NH}\!\!\!>\!\!C_6H_4.$$

10   Interessant ist auch die Umwandlung von Benzal-*o*-nitroacetophenon unter der Einwirkung des Sonnenlichts, wobei der Benzal-Rest durch den Sauerstoff der Nitro-Gruppe oxydiert und in Form von Benzoesäure abgespalten wird:

$$C_6H_4\!\!<^{CO \cdot CH}_{N \ \ O_2}\!\! = CH \cdot C_6H_5$$

Mehrere Synthesen dieser Art haben [1] grosszügigen Versuchen der
15 Farbstoff-Fabriken zugrunde gelegen, die sich darauf richteten, sie zu

überraschend (*adj.*), surprising
Versetzen (*n.*), mixing, treatment
„*o*-Nitrophenyl-milchsäure-keton"

(*n.*), β-hydroxy-β-(*o*-nitro-phenyl)-ethyl methyl ketone
grosszügig (*adj.*), on a large scale, elaborate

1. haben grosszügigen Versuchen ... zugrunde gelegen, *have been the basis for elaborate experiments.*

technischen Verfahren der Herstellung von künstlichem Indigo auszubilden. Trotz des recht glatten Verlaufs der Indigo-Bildung wurde ein dauernder Erfolg hierbei nicht erzielt. Die Schwierigkeit lag [1] grösstenteils darin, die als Ausgangsmaterialien benötigten ortho-Nitroverbindungen zu einem genügend billigen Preise herzustellen, 5 und wurde [2] dadurch bedingt, dass bei ihrer Bildung stets auch entsprechende meta- oder para-Nitroverbindungen in beträchtlicher Menge entstehen, welche für die Indigo-Fabrikation nutzlos sind. Aber [3] selbst wenn diese Schwierigkeit behoben worden wäre, hätte man nicht erwarten dürfen, dass durch Verfahren solcher Art der 10 natürliche Indigo verdrängt werden würde. Denn sie gehen sämtlich auf das Toluol des Teers als Rohstoff zurück; das Toluol steht aber nicht in solchen Mengen zur Verfügung, dass man aus dieser Quelle den Weltkonsum an Indigo decken könnte.[4]

2. *Synthesen, in denen sich Indigblau aus Diindolyl-Derivaten* 15 *bildet.* Die erste hierher gehörige Synthese wurde schon S. 285 unter den Tatsachen, aus denen sich die Struktur des Indigos ableiten lässt, mitgeteilt. Das [5] „Diisatogen", dessen Bildung aus *o,o'*-Dinitrodiphenylbutadiin durch konzentrierte Schwefelsäure man analog der S. 292 für die Bildung der „Isatogensäure" gegebenen Interpretation 20 folgendermassen deuten kann:

$$C_6H_4 \begin{array}{c} C \\ \diagdown \\ NO_2 \end{array} \!\!\! C\!\!-\!\!C \begin{array}{c} C \\ \diagup \\ O_2N \end{array} \!\!\! C_6H_4 \xrightarrow{\; + \, 2H_2O \;}$$

$$C_6H_4 \begin{array}{c} CO \\ \diagdown \\ NO_2 \end{array} \!\!\! CH_2\!\!-\!\!CH_2 \begin{array}{c} CO \\ \diagup \\ O_2N \end{array} \!\!\! C_6H_4 \xrightarrow{\; - \, 2H_2O \;}$$

nutzlos (*adj.*), useless, unprofitable
beheben (*v.*), to remove
Verfügung (*f.*), disposal; **zur —**
  stehen, to be available, be at
  one's disposal

Weltkonsum (an) (*m.*), world consumption (of)
folgendermassen (*adv.*), as follows

1. **lag ... darin ... herzustellen,** *lay (was) ... in producing.*
2. **wurde dadurch bedingt, dass,** *was caused by the fact that.*
3. **Aber selbst wenn diese Schwierigkeit behoben werden wäre, hätte man nicht erwarten dürfen,** *however, even if this difficulty had been removed, one should not have expected.* See §10(3).
4. **könnte,** *would be able.* The past subjunctive often stands for the present conditional.
5. **Das „Diisatogen"** is the subject of **liefert.**

$$C_6H_4 \diagup_{\substack{N \\ \cdot\cdot \\ O}}^{CO} C - C \diagup_{\substack{N \\ \cdot\cdot \\ O}}^{CO} C_6H_4,$$

liefert durch Reduktion mit Schwefelammonium schon in der Kälte quantitativ Indigblau.

Diese Synthese blieb lange vereinzelt. Erst [1] ganz kürzlich erhielt sie ein Seitenstück in einer höchst interessanten Indigo-Bildung, welche 5 MADELUNG im Anschluss an seine S. 280 schon besprochene Entdeckung des α, α'-Diindolyls (s. Formel I,[2] S. 294) auffand. Behandelt man diese „nächste aromatische Stammsubstanz" des Indigos in Eisessig mit Natriumnitrit-Lösung, so wird sie zu Diisonitroso-α,α'-diindolenyl (II) nitrosiert, das in alkalisch-alkoholischer Lösung zu 10 Diamino-α, α'-diindolyl (III) reduziert wird. Das Diamino-diindolyl nun wird von schwachen Oxydationsmitteln glatt in das Indigo-diimid (IV) übergeführt, dessen salzsaures Salz beim Kochen mit Wasser oder beim Schmelzen mit Oxalsäure unter Bildung von Indigblau (V) hydrolysiert wird:

$$\text{I) } C_6H_4 \diagup_{NH}^{CH} C-C \diagup_{NH}^{CH} C_6H_4$$

$$\longrightarrow \text{ II) } C_6H_4 \diagup_{N=}^{C(:N\cdot OH)} C-C \diagup_{=N}^{C(:N\cdot OH)} C_6H_4$$

$$\longrightarrow \text{ III) } C_6H_4 \diagup_{NH}^{C(NH_2)} C-C \diagup_{NH}^{C(NH_2)} C_6H_4$$

$$\longrightarrow \text{ IV) } C_6H_4 \diagup_{NH}^{C(:NH)} C=C \diagup_{NH}^{C(:NH)} C_6H_4$$

$$\longrightarrow \text{ V) } C_6H_4 \diagup_{NH}^{CO} C=C \diagup_{NH}^{CO} C_6H_4.$$

lange (adv.), for a long time
vereinzelt (adj.), isolated, solitary
Seitenstück (n.), counterpart, parallel

im Anschluss an, in connection with
glatt (adv.), smoothly, readily
Salz (n.), salt; **salzsaures —,** hydrochloric acid salt

1. **Erst ganz kürzlich,** it wasn't until very recently that.
2. **Formel I,** referred to, is that designated I) on this page, etc.

In der voranstehenden Übersicht sind sub 1b und 1c (S. 290) auch die letzten Phasen der Prozesse enthalten, auf denen die heutige Fabrikation des künstlichen Indigos beruht. Diese Fabrikation aber ist von einer so ausserordentlichen wirtschaftlichen Bedeutung, dass es angezeigt erscheint,[1] ihren Gang durch eine Zusammenstellung aller Zwischenphasen zu erläutern, über welche sie von den Teer-Bestandteilen, die als Rohstoffe dienen, bis zu dem Endprodukte führt. ₅

Das [2] vom Naphthalin ausgehende Verfahren der Badischen Anilin- und Soda-Fabrik durchläuft die folgenden Stadien:

$Naphthalin$ $C_{10}H_8$ $\longrightarrow$ (Erhitzen mit rauchender Schwefelsäure u. Quecksilber) $\longrightarrow$

$Phthalsäure$ $C_6H_4{<}^{CO_2H}_{CO_2H}$

$\longrightarrow$ (Behandlung des geschmolzenen Phthalsäureanhydrids mit NH_3) $\longrightarrow$ $Phthalimid$

$C_6H_4{<}^{CO}_{CO}{>}NH$

$\longrightarrow$ (Einwirkung von Chlor und Natronlange) $\longrightarrow$ $Anthranilsäure$ $C_6H_4{<}^{CO\cdot OH}_{NH_2}$

$\longrightarrow$ (Einwirkung von Chlor-essigsäure) $\longrightarrow$ $Phenylglycin\text{-}o\text{-}carbonsäure$

$C_6H_4{<}^{CO\cdot OH}_{NH\cdot CH_2\cdot CO\cdot OH}$

$\longrightarrow$ (Schmelzen mit Ätznatron im Vakuum) $\longrightarrow$ $Indoxylsäure$

$C_6H_4{<}^{CO}_{NH}{>}CH\cdot CO\cdot OH$

$\longrightarrow$ (Oxydation der gelösten Schmelze mit Luft) $\longrightarrow$ $Indigblau$

$C_6H_4{<}^{CO}_{NH}{>}C{=}C{<}^{CO}_{NH}{>}C_6H_4.$

voranstehend (*adj.*), preceding, previous

sub (Latin), under
angezeigt (*adj.*), advisable

1. **es erscheint ... zu erläutern.** Notice use of complementary infinitive. See §18.

2. **Das ... ausgehende Verfahren,** present participial phrase. See §1.

Für das Verfahren der Höchster Farbwerke bildet das Benzol den Ausgangspunkt:

Benzol C_6H_6 ⟶ (Nitrierung) ⟶ *Nitrobenzol* $C_6H_5 \cdot NO_2$

⟶ (Reduktion) ⟶ *Anilin* $C_6H_5 \cdot NH_2$

⟶ (Einwirkung von Chlor-essigsäure) ⟶ *Phenyl-glycin*

$C_6H_5 \cdot NH \cdot CH_2 \cdot CO \cdot OH$

⟶ (Schmelzen mit Natriumamid, vgl. S. 283) ⟶ *Indoxyl*

$$C_6H_4 \underset{NH}{\overset{CO}{<\quad>}} CH_2$$

⟶ (Oxydation der gelösten Schmelze mit Luft) ⟶ *Indigblau*

$$C_6H_4 \underset{NH}{\overset{CO}{<\quad>}} C = C \underset{NH}{\overset{CO}{<\quad>}} C_6H_4.$$

Ausser den Teerkohlenwasserstoffen ist [1] es in beiden Fällen die Chlor-essigsäure (vgl. Bd. **I**, Tl. II, S. 494), welche die [2] zum Aufbau
5 des Indigo-Moleküls notwendigen Kohlenstoffatome liefert. Bei einem anderen, sehr ingeniösen Verfahren, das von SANDMEYER in den Farbenfabriken, R. GEIGY u. Co. ausgearbeitet ist und gleich dem Höchster Verfahren vom [3] Benzol über das Anilin führt, werden die nicht zu den Benzolkernen gehörigen Kohlenstoffatome des Indigblaus dem
10 Schwefelkohlenstoff und dem Cyankalium entnommen. Trotzdem diese Materialien gegenüber der Chlor-essigsäure vom technischen Standpunkt aus wohl verlockender erscheinen dürften,[4] hat sich [5] herausgestellt, dass das SANDMEYERsche Verfahren für die Gewinnung des Indigblaus selbst nicht mit dem „Badischen" und dem „Höchster"

ausarbeiten (*v.*), to work out, to develop, to perfect
entnehmen (*v.*), to extract, take (from)

Standpunkt (*m.*): **vom — aus,** from a point of view
verlockend (*p.p. adj.*), enticing, desirable

1. **ist es ... die Chlor-essigsäure,** *it is the chloroacetic acid.* Notice use of **es ist** for emphasis.
2. **die zum Aufbau ... notwendigen Kohlenstoffatome,** an adjectival phrase. See §1(5).
3. **(das) vom Benzol über das Anilin führt,** *which leads from benzene via aniline.*
4. **dürften.** See §10(4).
5. **hat sich;** supply **es** as subject.

Verfahren konkurrieren kann. Da aber das bei ihm als Zwischenprodukt auftretende Isatin-α-anil (S. 264) bzw. das daraus durch
Säuren leicht gewinnbare Isatin ein vielgebrauchtes Material zur Gewinnung anderer, dem Indigo nahestehender Küpenfarbstoffe geworden ist (vgl. S. 317 ff.), so seien [1] hier auch die Phasen des [5]
SANDMEYERschen Prozesses zusammengestellt:

Benzol C_6H_6 ⟶ (Nitrierung) ⟶ *Nitrobenzol* $C_6H_5 \cdot NO_2$

⟶ (Reduktion) ⟶ *Anilin* $C_6H_5 \cdot NH_2$

⟶ (Einwirkung von CS_2) ⟶ *Sulfocarbanilid* $(C_6H_5 \cdot NH)_2CS$

⟶ (Kochen mit Bleicarbonat ⟶ *Hydrocyan-carbo-*
u. Cyankalium in Wasser) *diphenylimid*

$$C_6H_5 \underset{\text{NH}}{\overset{\text{NC}}{\diagup\hspace{-0.3em}\diagdown}} C:N \cdot C_6H_5$$

⟶ (Behandlung mit Schwefel- ⟶ *Oxalsäure-diphenyl-*
ammonium-Lösung) *amidin-thioamid*

$$C_6H_5 \underset{\text{NH}}{\overset{H_2N \cdot SC}{\diagup\hspace{-0.3em}\diagdown}} C:N \cdot C_6H_5$$

⟶ (Einwirkung von konz. Schwefel- ⟶ *Isatin-α-anil*
säure, vgl. S. 264 sub a)

$$C_6H_4 \underset{\text{NH}}{\overset{\text{CO}}{\diagup\hspace{-0.3em}\diagdown}} C:N \cdot C_6H_5$$

⟶ (Einwirkung von H_2S) ⟶ *α-Thio-isatin* $C_6H_4 \underset{\text{NH}}{\overset{\text{CO}}{\diagup\hspace{-0.3em}\diagdown}} CS$

⟶ (Behandlung mit schwachem ⟶ *Indigblau*
Alkali, vgl. S. 289)

$$C_6H_4 \underset{\text{NH}}{\overset{\text{CO}}{\diagup\hspace{-0.3em}\diagdown}} C{=}C \underset{\text{NH}}{\overset{\text{CO}}{\diagdown\hspace{-0.3em}\diagup}} C_6H_4.$$

Bei den Verfahren der Badischen Anilin- und Sodafabrik und der
Höchster Farbwerke — den Prozessen,[2] denen heute der [3] am Markt

konkurrieren (*v.*), to compete   **nahestehend** (*p.p. adj.*), closely related

1. **seien ... zusammengestellt.** See §10(2).
2. **den Prozessen,** is in apposition with **Verfahren; denen** is in the dative
with **entstammt.**
3. **der ... befindliche ... Indigo,** an adjectival phrase. See §1(5).

befindliche künstliche Indigo entstammt, — ist die allerletzte Phase
die Oxydation der „Indoxyl-Schmelzen" in wässriger Lösung mit Luft.
Es wurde nun schon an mehreren Stellen erwähnt (vgl. S. 246), dass
diese Oxydation nicht ganz einheitlich verläuft, dass [1] sich vielmehr
5 dem als Hauptprodukt gebildeten Indigblau braunrote und rote Stoffe
— besonders das durch Kondensation von Indoxyl mit Isatin entstehende Indirubin (S. 319, vgl. auch S. 321 Indoxylrot) — beimengen.
Diese Nebenprodukte sind unerwünscht, und man bemüht sich, ihre
Bildung möglichst einzuschränken. Damit [2] sich nicht schon während
10 der Alkalischmelze Isatin durch Oxydation von Indoxyl bildet, führt
man sie bei Luftabschluss aus. Bei der Oxydation der gelösten
Schmelze mit Luft wirkt ein Zusatz von Alkalinitraten der Bildung
der roten Oxydationsprodukte entgegen. Endlich nimmt man eine
Reinigung des Oxydationsproduktes durch Anwendung von Lösungs-
15 mitteln vor; da die roten Nebenprodukte stärker basisch als das
Indigblau sind, kann man sie z. B. durch passende Behandlung mit
Säuren entfernen.

Das [3] schliesslich an den Markt gelangende Produkt — „Indigo
rein" — übertrifft den natürlichen Indigo an Reinheit. Über die
20 Verwendung in der Färberei und den Umfang der Fabrikation s. S.
299–301.

Eigenschaften und Verhalten des Indigblaus

Das INDIGBLAU — Indigotin, Bis-indol-(2,2′)-indigo — ist ein
dunkelblaues Pulver, das in den gewöhnlichen Lösungsmitteln, wie
Alkohol, Äther, Benzol, so gut wie unlöslich ist. Beim Reiben nimmt
25 das Pulver einen kupferroten, metallglänzenden Schiller an; auf diese
charakteristische Eigenschaft ist es wohl zurückzuführen, dass der [4]

allerletzt (*adj.*), very last	**entfernen** (*v.*), to remove
unerwünscht (*adj.*), undesirable, un- welcome	**Reiben** (*n.*), rubbing; **beim —**, upon being rubbed
einschränken (*v.*), to cut down, to limit, to suppress	**Schiller** (*m.*), iridescence, (metallic) color

1. **dass sich dem . . . Indigblau . . . beimengen.** Notice the dative case
after **beimengen** and the intervening participial phrase.
2. **Damit sich nicht Isatin . . . bildet,** *in order that isatin may not be
formed.* Notice special meaning of **damit.** See §14(2).
3. **Das . . . gelangende Produkt,** a participial phrase. See §1.
4. **der aus Indien nach Europa importierte Indigo,** *the indigo imported
from India to Europe.*

aus Indien nach Europa importierte Indigo anfänglich für ein Mineral oder gar ein Metall gehalten wurde. Aus Chloroform, Nitrobenzol (Löslichkeit beim Siedepunkt: 0.5 — 1g in 100 ccm), Anilin, Phenol, Terpentinöl, Paraffin, Phthalsäureanhydrid und anderen hochsiedenden Lösungsmitteln lässt sich das Indigblau umkrystallisieren; 5 die Lösung in Anilin ist blau, in Paraffin rot. Auch durch Sublimation kann es in Krystallen erhalten werden. Die Krystalle gehören dem rhombischen System an und zeigen starken *Dichroismus*. In zugeschmolzenen Röhrchen schmilzt Indigblau bei 390–392° zu einer purpurroten Flüssigkeit, indem zugleich Zersetzung stattfindet. Die 10 Farbe seines Dampfes ist feurig rot mit violettem Stich, etwa [1] die Mitte haltend zwischen der Farbe des Brom- und Jod-Dampfes.

Wenn man das Indigblau aus der Lösung seines Reduktionsprodukts (dem Indigweiss, S. 304) durch Oxydation in Gegenwart von Lysalbinsäure und Protalbinsäure (Produkte der alkalischen Spaltung 15 von Eieralbumin) wiedererzeugt, so entsteht eine klare blaue Flüssigkeit, welche [2] das Indigblau kolloidal gelöst enthält.

Das Indigblau verbindet sich mit Mineralsäuren zu Salzen, die von Wasser sofort in ihre Komponenten zerlegt werden. Infolge dieser Salzbildung wird es von Eisessig, Benzol und Chloroform schon in der 20 Kälte mit Leichtigkeit aufgenommen, wenn man Salzsäure-Gas einleitet. Aus der so gewonnenen Eisessig-Lösung wird das Hydrochlorid $C_{16}H_{10}O_2N_2$, HCl durch Äther in glänzenden dunkelblauen Flittern ausgefällt. Beim Digerieren von Indigblau mit konzentrierter Schwefelsäure in Eisessig auf dem Wasserbade erhält man eine Lösung, aus 25 der sich beim Erkalten das Monosulfat $C_{16}H_{10}O_2N_2,H_2SO_4$ in sehr feinen dunkelblauen Nadeln abscheidet. Durch Behandlung mit Schwefelsäure von 60° Bé.[3] aber verwandelt sich das Indigblau in ein dunkelgrünes krystallinisches Disulfat $C_{16}H_{10}O_2N_2,2H_2SO_4$, bei dessen Zersetzung durch Wasser es in äusserst fein verteilter, für die 30 Küpenfärberei besonders geeigneter Form („Indigo S") wieder abgeschieden wird.

Dichroismus (*m.*), dichroism
Lysalbinsäure (*f.*), lysalbinic acid
(cleavage product from alkaline hydrolysis of albumen)

Protalbinsäure (*f.*), protalbinic acid
Flitter (*m.*), spangle, tinsel
Digerieren (*n.*), digestion

1. etwa die **Mitte haltend**, *halfway, intermediate.*
2. welche das **Indigblau kolloidal gelöst enthält**, *which contains the indigo blue dissolved as a colloid.*
3. Bé. = *Baumé.*

Wichtig ist das Verhalten des Indigos gegen Alkalihydroxyde. Die erste Phase besteht in einer Addition. Schüttelt [1] man Indigo mit warmer alkoholischer Natronlauge etwa eine halbe Stunde, so verwandelt er sich in ein grünes Pulver, welches die Zusammensetzung 5 $C_{16}H_{10}O_2N_2$, NaOH zeigt und durch Wasser wieder in Indigblau und Natron gespalten wird; lässt man die alkoholische Natronlauge viele Tage wirken, so wird noch ein zweites Molekül Natriumhydroxyd aufgenommen. Der Natron-Indigo besitzt wahrscheinlich die Strukturformel:

$$C_6H_4 \underset{NH}{\overset{C(ONa)}{<}} C - \overset{OH}{\underset{NH}{C}} \overset{CO}{\underset{}{>}} C_6H_4,$$

10 zu der man von der Indigo-Formel gelangt, wenn man annimmt, dass die Addition an den Enden des konjugierten Systems $\overset{O}{\overset{||}{C \cdot C{:}C}}$

erfolgt. Beim Kochen mit starkem Alkali tritt dann die schon S. 251 formulierte Spaltung in Anthranilsäure und Indoxyl-aldehyd ein; in der Kalischmelze bildet sich durch weitere Zersetzung des Indoxyl- 15 aldehyds etwas [2] Indoxyl (vgl. S. 246).

Für die praktische Verwendung des Indigblaus ist die leicht eintretende Reduktion zu einer alkalilöslichen „Leukoverbindung" — dem Indigweiss:

$$C_6H_4 \underset{NH}{\overset{C(OH)}{<}} C - C \underset{NH}{\overset{C(OH)}{>}} C_6H_4$$

von grösster Bedeutung. Dieser Vorgang wird in praktischer Hin- 20 sicht S. 299–300, in [3] theoretischer S. 305 näher besprochen.

Die kräftige Oxydation mit Salpetersäure oder Chromsäure bewirkt, wie wir schon aus früheren Stellen (S. 253, 257, 281) wissen, Trennung der beiden Indol-Komplexe unter Bildung von Isatin:

$$C_6H_4 \underset{NH}{\overset{CO}{<}} C = C \underset{NH}{\overset{CO}{>}} C_6H_4 + 2O \rightarrow C_6H_4 \underset{NH}{\overset{CO}{<}} CO.$$

bestehen (in) (v.), to consist in   **Hinsicht** (f.), view; **in praktischer**
          —, from a practical viewpoint

1. **Schüttelt man** ... , so etc. See §2.
2. **etwas Indoxyl**, *some* (*a little*) *indoxyl.*
3. **in theoretischer** (**Hinsicht**), *from a theoretical point of view.*

Unter [1] der Einwirkung von Chlor- und Bromwasser erhält man
Halogen-Derivate des Isatins. Die Oxydation lässt [2] sich indes auch
derart leiten, dass der Zusammenhang der Indol-Komplexe gewahrt
bleibt und unter einfacher Abspaltung von zwei Wasserstoff-Atomen
der „Dehydro-indigo" (Näheres [3] s. S. 307):   5

$$C_6H_4 \underset{N}{\overset{CO}{\diagup\diagdown}} C - C \underset{N}{\overset{CO}{\diagup\diagdown}} C_6H_4$$

gebildet wird; dies erfolgt, wenn man Indigblau, in siedendem Benzol
suspendiert, mit Bleidioxyd unter Zusatz von etwas Eisessig behandelt,
oder wenn man Chlor auf eine Suspension von Indigblau in Tetrachlormethan einwirken lässt und die entstandene schwach bräunliche
Lösung mit Calciumhydroxyd versetzt. Eine Essigsäure-Verbindung 10
des Dehydro-indigos bildet sich beim Schütteln von Indigo, der in
Eisessig suspendiert ist, mit trockenem Kaliumpermanganat.

Durch Schmelzen von Indigo mit Chlorzink-Ammoniak werden
die Sauerstoff-Atome gegen Imino-Gruppen ausgetauscht, indem
Indigo-monimid und -diimid (S. 303) entstehen. Beim Erhitzen mit 15
siedenden Arylaminen unter Zusatz von wasserfreier Borsäure bilden
sich *bis*-Arylimide (vgl. S. 304 das Dianil). Beim Behandeln mit
alkalischer Hydroxylamin-Lösung geht Indigo leicht in Lösung, indem
das Monoxim (S. 304) entsteht. Auch durch ätherische Lösungen
von Alkyl- oder Arylmagnesiumhaloiden $R \cdot MgHlg$ [4] wird Indigo 20
leicht in Lösung gebracht; die nach dem Zersetzen mit Wasser erhaltenen [5] Produkte besitzen die Zusammensetzung $C_{16}H_{11}(R)O_2N_2$.

Die Benzolkerne des Indigblaus sind der Substitution zugänglich.
Besonders leicht und glatt lässt sich die Halogenierung und Sulfurierung ausführen (vgl. S. 311, 313).   25

gewahrt (*p.p. of* **wahren**), protected, preserved, maintained
austauschen (**gegen**) (*v.*), to exchange (for)

Dianil (*n.*), dianil (derivative of
indigo)
zugänglich (*adj.*), accessible to

1. **Unter der Einwirkung von,** *under the action of.*
2. **lässt sich . . . derart leiten, dass,** *may be carried out in such a way that.*
3. **Näheres** (= **für Näheres**), *for further details.*
4. **Hlg = Halogen,** *haloid.*
5. **die . . . erhaltenen Produkte.** See §1.

Die Verwendung des Indigblaus in der Färberei

Das Indigblau ist der älteste „Küpenfarbstoff" und war bis zum Anfang des zwanzigsten Jahrhunderts der einzige Farbstoff solcher Art, der technische Bedeutung besass. Unter „Küpenfarbstoffen" verstehen wir Pigmente, welche an sich [1] in Wasser unlöslich sind,
5 aber durch alkalische Reduktionsmittel in lösliche Reduktionsstufen übergehen und in Form dieser Reduktionsprodukte von den pflanzlichen und tierischen Fasern derart [2] aufgenommen werden, dass [3] sie sich durch Oxydation mit Luft auf der Faser wiedererzeugen lassen und [4] diese nunmehr echt anfärben.
10 Die Reduktionsstufe des Indigblaus, welche in solcher Weise benutzt wird, ist das Indigweiss:

$$C_6H_4 \begin{array}{c} C(OH) \\ \diagdown \\ NH \end{array} C \cdot C \begin{array}{c} C(OH) \\ \diagup \\ NH \end{array} C_6H_4 \quad \text{bzw.}$$

$$C_6H_4 \begin{array}{c} CO \\ \diagdown \\ NH \end{array} CH \cdot CH \begin{array}{c} CO \\ \diagup \\ NH \end{array} C_6H_4$$

dessen Eigenschaften S. 305 näher beschrieben werden. Beim Färben mit Indigo handelt [5] es sich also zuerst darum, aus dem unlöslichen Indigo eine alkalische Lösung von Indigweiss herzustellen: die „Küpe"
15 zu bereiten.

Hierfür gibt es eine grosse Anzahl verschiedener Verfahren, unter denen man besonders die „kalten" und die „warmen" Küpen unterscheidet. Für die kalten Küpen benutzt man als Reduktionsmittel Eisenvitriol oder Zinkstaub bei Gegenwart von gelöschtem
20 Kalk; die warmen Küpen wurden früher durch Gärungsvorgänge unter Benutzung von Waid (mit Krapp, Kleie, Sirup, Kalk und Soda) oder von Krapp (mit Kleie und Alkalicarbonat) oder auch von Urin

---

anfärben (*v.*), to dye, to color; **echt**
—, to color fast
echt (*adj.*), fast (of colors), firm, genuine, real

gelöscht (*adj.*), slaked; —**er Kalk**, slaked lime
Kleie (*f.*), bran

1. **an sich**, *by* or *of themselves.*
2. **derart aufgenommen werden, dass**, *are absorbed in such a way that.*
3. **dass sie sich . . . wiedererzeugen lassen**, *that they can be reproduced.*
4. **und diese nunmehr echt anfärben**, *and now color the latter fast.*
5. **handelt es sich . . . darum . . . herzustellen**, *we are concerned with producing.*

(mit Krapp und Kochsalz) bereitet. Gegenwärtig aber ist sowohl zum Ansatz von kalten wie von warmen Küpen das Natriumhydrosulfit $Na_2S_2O_4$ — meist „Hydrosulfit" schlechthin genannt — ein besonders wichtiges Reduktionsmittel. Eine Lösung dieses Salzes erhält man durch Einwirkung von Zink auf eine Lösung von Natriumbisulfit 5 $NaHSO_3$; auch wird das Salz in fester Form von der Badischen Anilin- und Sodafabrik geliefert. Man verwendet das Hydrosulfit im Gemisch mit Kalk, Ammoniak, Soda oder Ätznatron.

Die kalten Küpen dienen zur Färberei von Baumwolle und Leinen; zum Färben von Wolle bedarf man der warmen Küpen, die auch für 10 Baumwolle verwendet werden können. Die mit der Küpe imprägnierte Ware setzt man der Luft aus, wobei sich die Farbe entwickelt.

Will [1] man gemusterte Färbungen erzielen, so imprägniert man das Gewebe mit einer Traubenzucker-Lösung und bedruckt es mit einer aus feinverteiltem Indigo, Natronlauge und einem Verdickungsmittel 15 bestehenden Indigo-Druckfarbe („direkter Druck"); die Ware wird nun gedämpft, wobei die Reduktion des Indigblaus durch Zucker und Alkali und die Aufnahme der alkalischen Indigweiss-Lösung durch die Faser erfolgt, dann gespült und der Luft behufs Reoxydation des Indigweiss ausgesetzt. Oder man färbt den Stoff zunächst gleich- 20 mässig blau und entfernt den Farbstoff nachträglich an bestimmten Stellen („Ätzdruck"). Dies geschah früher ausschliesslich durch Zerstören mit Oxydationsmitteln (Chromate, Chlorate, Ferricyankalium, Nitrate), welche den Farbstoff bei geeigneter Behandlung in das wasserlösliche Isatin verwandeln, neuerdings hauptsächlich durch 25 Überführung in ein lösliches und luftbeständiges, sulfiertes Benzylindigweiss mit Hilfe eines Gemisches von Natrium-formaldehydsulfoxylat (vgl. Bd. I, Tl. I, S. 706) und [2] einer benzylierend wirkenden Ammoniumbase (Leukotrop-Verfahren B.A.S.F.).

Man hat früher angenommen, dass das Indigblau auf der Faser 30

Ansatz (*m.*), preparation
schlechthin (*adv.*), merely, plainly, simply
bedrucken (*v.*), to print (upon)
dämpfen (*v.*), to steam, to treat with steam

spülen (*v.*), to rinse, to wash
behufs (*prep.* with gen.), for (the purpose of)
nachträglich (*adv.*), later, subsequently
benzylierend (*adv.*), benzylating

1. **Will man . . . erzielen,** *if one wants to obtain.*
2. **und einer benzylierend wirkenden Ammoniumbase,** *and a benzylating ammonium base.*

lediglich durch mechanische Einlagerung fixiert ist. Diese Auffassung aber wird durch die interessante Beobachtung widerlegt, dass die in der Küpe gefärbten Stoffe beim Behandeln mit Natriumalkoholat-Lösung ihre blaue Farbe behalten, während Indigo selbst bei solcher
5 Behandlung in den grünen „Natron-Indigo" (S. 297) übergeht. Wenn dagegen Indigblau ohne vorherige Reduktion zu Indigweiss (durch ein besonderes Druckverfahren oder als „kolloidaler" Indigo) (vgl. S. 297) auf die Faser aufgezogen wird, oder wenn man küpengefärbte Stoffe sehr lange dämpft — wobei sie an Reibechtheit verlieren —,
10 oder wenn man Färbungen mit alkoholischer Indigweiss-Lösung ohne Alkali hervorbringt, so beobachtet man an diesen Färbungen Veränderung durch Natriumalkoholat.

Die mit Indigblau erzielten Färbungen sind von grosser Schönheit und hervorragender Echtheit. Namentlich die Färbung auf Wolle
15 besitzt eine ausserordentliche Lichtechtheit. Dagegen leiden die Färbungen auf den Pflanzenfasern an geringer Festigkeit („Reibunechtheit"). Trotzdem die stetige Arbeit der Teerfarben-Industrie zur Entdeckung einer ganzen Reihe von blauen Farbstoffen geführt hat, welche — wenn auch meist bei höherem Preise — ihn in gewissen
20 Eigenschaften übertreffen, ist auch heute noch der Indigo der wichtigste aller Farbstoffe.

Durch den Kampf des synthetischen Indigos mit dem Natur-Indigo ist sein Preis ausserordentlich gesunken; während er 1897 pro Kilogramm noch über 16 Mk. betrug, ist er gegenwärtig auf 7 Mk.
25 und weniger herabgegangen. Die Produktion von Natur-Indigo — 1897 noch 6 Millionen Kilogramm — ist auf etwa ein Sechstel verringert. Die deutsche Ausfuhr an synthetischem Indigo dagegen betrug 1913 8 Millionen Kilogramm im Wert von etwa 53 Millionen Mark.

fixieren (*v.*), to fix
Einlagerung (*f.*), deposit, intercalation, infiltration
Auffassung (*f.*), conception, view
widerlegen (*v.*), to disprove, to refute
Druckverfahren (*n.*), printing process
aufziehen (**auf**) (*v.*), to be absorbed, to go on (of dyes)
küpengefärbt (*adj.*), vat-dyed

Echtheit (*f.*), fastness
Lichtechtheit (*f.*), fastness to light
leiden (**litt, gelitten**) (**an**), (*v.*), to suffer (from)
Reibunechtheit (*f.*), lack of fastness to rubbing
stetig (*adj.*), continuous, constant
verringern (**auf**) (*v.*), to reduce (to), to diminish (to)
Sechstel (*n.*), sixth
Ausfuhr (**an**) (*f.*), exportation (of)

Zur Anwendung in der Kunstmalerei eignet sich der Indigo nicht, da er bei [1] längerer Berührung mit trocknenden Ölen entfärbt wird.

Der natürliche Indigo wird in Form von Stücken in den Handel gebracht, der synthetische Indigo meist in Form einer etwa 20-prozentigen Paste, welche den Farbstoff in sehr fein verteilter und für 5 die Färberei viel bequemerer Form enthält. Während der natürliche Indigo des Handels höchstens etwa 90 % Indigotin enthält (vgl. über die Verunreinigungen S. 287–288), ist das synthetisch hergestellte Handelsprodukt ein fast chemisch reiner Körper.

Zur Wertbestimmung dienen Methoden, welche teils auf vergleich- 10 ender Ausfärbung, teils auf chemischen Vorgängen beruhen. So kann man den Indigo nach erfolgter Sulfurierung (vgl. S. 313) titrimetrisch durch Reduktion mit Natriumhydrosulfit oder durch Oxydation mit Permanganat bestimmen. Auch kann man ihn durch Reduktion zu Indigweiss in Lösung bringen, aus der Lösung 15 durch Luft-Oxydation wieder abscheiden und dann wägen. Auf der Faser bestimmt man ihn durch Extraktion — am besten mit siedendem Eisessig — und Wägung des aus dem Extraktionsmittel in der Kälte sich [2] abscheidenden Farbstoffs.

Kunstmalerei (*f.*), art painting	**Wertbestimmung** (*f.*), valuation,
entfärben (*v.*), to deprive of color, to decolorize	determination of value
Handel (*m.*), commerce; **des —s,** commercial	**teils ... teils** (*conj.*), partly ... partly
	Ausfärbung (*f.*), exhaust dyeing
	erfolgt (*adj.*), accomplished

1. **bei längerer Berührung,** *on a fairly long contact.* See §13 (4).
2. **des ... sich abscheidenden Farbstoffs,** a participial phrase. See §1.

BEILSTEINS *HANDBUCH DER ORGANISCHEN CHEMIE*

Vierte Auflage

Band VI, System-Nummer 499–608

Isocyclische Reihe: Oxy-Verbindungen

[Seite 110–121]

Oxybenzol, Phenol, Carbolsäure

Geschichtliches

RUNGE erhielt 1834 Phenol, verunreinigt mit Kresolen, aus dem Steinkohlenteer und gab ihm den Namen Carbolsäure (*Ann. d. Physik* **31**, 75; **32**, 308). 1841 stellte LAURENT die Verbindung in reiner Form aus dem Teer dar, analysierte sie und nannte sie Phenolsäure
5 (acide phénique) oder Phenylhydrat (*A. ch.* [3] **3**, 198; *A.* **43**, 203). Der Name Phenol rührt von GERHARDT her (*Revue scientifique* **10**, 210 [1841]; zitiert nach *Grh.*[1] **3**, 16). Die erste vom Benzol ausgehende künstliche Darstellung des Phenols stammt von HUNT (*J.* **1849**, 391), der es 1849 durch Einw. von Silbernitrit auf salzsaures Anilin
10 erhielt; 1867 folgte die Darstellung durch Verschmelzen von benzolsulfonsaurem Kalium mit Ätzkali (WURTZ, *C. r.* **64**, 749; *A.* **144**, 121; KEKULÉ, *C. r.* **64**, 753; *Z.* **1867**, 300). Seit[2] etwa 1860 wird krystallisiertes Phenol grosstechnisch hergestellt (G. LUNGE, H. KÖHLER, Die Industrie des Steinkohlenteers und des Ammoniaks, Bd. I[Braun-
15 schweig 1912], S. 21, 22; vgl. Bericht über die Pariser Ausstellung von 1867, *Chem. N.* **16**, 57).

verunreinigt (mit) (*adj.*), contaminated (with)
zitieren (*v.*), to cite, to quote (from)
salzsaures Anilin, hydrochloride of aniline, aniline hydrochloride

grosstechnisch (*adv.*), on a large scale
Ausstellung (*f.*), exhibition; **die Pariser** —, Paris World's Fair (of 1867)

1. **Grh.** = **Gerhardt**, *Traité de chimie organique* (" Treatise on Organic Chemistry ") 4 vols. Paris, 1853–1856.
2. **Seit etwa 1860 wird ... hergestellt**, *since about 1860 ... has been produced.* Notice idiomatic use of present tense with **seit** for an English perfect.

Vorkommen

Im [1] kaukasischen Erdöl, und zwar in dessen Destillationsrückständen (MARKOWNIKOW OGLOBLIN, Ж[2] 13, 180). — Im Bibergeil (Castorium) in sehr kleiner Menge (WOHLER, A. 67, 360). — Im Holz, in den Nadeln und Zapfen der Kiefer (pinus silvestris) (GRIFFITHS, Chem. N. 49, 95). — Im Pferdeharn findet sich Phenol in Form des Kalium- 5 salzes des Schwefelsäuremonophenylesters $C_6H_5 \cdot O \cdot SO_3K$ (BAUMANN, B. 9, 55, 1389; H. 2, 335). In geringerer Menge kommt dieses Salz im Harn von Mensch und Hund vor (BAUMANN, H. 2, 335). Über die Mengen von Phenol, die im normalen Harn des Menschen täglich ausgeschieden werden, s.: MUNCK, Pflügers Arch. d. Physiol. 12, 144; 10 E. SALKOWSKI, B. 9, 1596; 10, 842; BRIEGER, H. 2, 243; NEUBERG, H. 27, 133. Eine geringe Menge Phenol findet sich im menschlichen Harn auch an d-Glykuronsäure gebunden (P. MAYER, NEUBERG, H. 29, 271). Phenol findet sich als konstanter Bestandteil in den menschlichen Faeces (BRIEGER, B. 10, 1032; J. pr. [2] 17, 134). Ausführliche 15 Literatur über die Phenolausscheidung des normalen und kranken Organismus findet man bei EINBECK in ABDERHALDEN, Biochemisches Handlexikon, Bd. I [Berlin, 1911], S. 531.

Bildungen

Phenol entsteht neben Indol und anderen Produkten bei der Fäulnis von Eiweisskörpern mit Pankreas (BAUMANN, B. 10, 685; 20 H. 1, 63; BAUMANN, BRIEGER, H. 3, 152; vgl. ODERMATT, J. pr. [2] 18, 249). Bei der Fäulnis von Fibrin und Leberamyloid, neben Indol (WEYL, H. 1, 339). — Bei der Destillation der Steinkohle, daher im Steinkohlenteer enthalten (RUNGE, Ann. d. Physik 31, 69; 32,

---

kaukasisch, Caucasian, in Caucasus (Asia Minor)
Erdöl (n.), petroleum
Destillationsrückstand (m.), residue left after distillation
Bibergeil (n.), castoreum beaver oil

Zapfen (m.) (= Tannenzapfen), (fir) cone
Kiefer (f.), fir, pine
Pferdeharn (m.), horse urine
gebunden (an) (adj.), combined, attached (to)

---

1. **Im kaukasischen Erdöl**, *it occurs (is found) in the petroleum of the Caucasus.* Notice the omission of verbs and other easily understood words in this article. This telegraphic style is characteristic of Beilstein's famous work.
2. For meaning of this Russian symbol see abbreviations of periodicals.

308; LAURENT, A. ch. [3] 3, 195; J. pr. [1] 25, 401; A. 43, 203). Bei der Destillation der Braunkohle, daher im Braunkohlenteer enthalten (ROSENTHAL, Ch. Z. 14, 870). Bei der Destillation des Torbanits von Neu-Südwales (PETRIE, Journ. Soc. Chem. Ind. 24, 1002; C.

5 1905 II, 1510). Bei der Destillation von bituminösen Schiefern, daher im Kreosot des Schieferöls („Green-Naphtha") enthalten (GRAY, Journ. Soc. Chem. Ind. 21, 845). Bei der trocknen Destillation von Holz, findet sich daher im Holzteer (DUCLOS, A. 109, 136; MARASSE, A. 152, 63). Bei der Destillation der Gelatine (WEIDEL, CLAMICIAN,

10 M. 1, 279, 293).

Leitet [1] man Acetylen in [2] eine ca. 30% ige rauchende Schwefelsäure, so gewinnt man nach dem Verdünnen mit Wasser durch Neutralisation mit Kalilauge ausser dem Kaliumsalz der Acetaldehyddisulfonsäure eine Substanz $(C_2H_2)_3(SO_4KH)_4$ (Kaliumsalz der „Tri-

15 acetylentetrasulfonsäure", Bd. I, S. 244), die beim Erhitzen, am besten mit Ätzkali, Phenol liefert (BERTHELOT, C. r. 68, 540; A. 154, 133; C. r. 127, 908; 128, 334; A. ch. [7] 17, 289). SCHRÖTER (B. 31, 2189; A. 303, 115, 132) konnte nach diesem Verfahren kein Phenol erhalten. — Phenol entsteht neben vielen anderen Produkten bei der De-

20 stillation von 20 Tln. Glycerin mit 3 Tln. Calciumchlorid (LINNE-MANN, ZOTTA, A. Spl. 8, 254).

Beim Einleiten von Luft in siedendes Benzol in Gegenwart von AlCl₃ (FRIEDEL, CRAFTS, C. r. 86, 885; A. ch: [6] 14, 435). Geringe Mengen Phenol entstehen, wenn man Benzoldämpfe mit ozonisiertem

25 Sauerstoff behandelt und das in einem Kühler kondensierte Produkt in 1% ige wässr. Kalilauge gelangen lässt (NENCKI, GIACOSA, H. 4, 339). Bei Behandlung von Benzol mit Luft und Wasser in Gegenwart von Phosphor am Sonnenlicht, neben Oxalsäure (LEEDS, B. 14, 975). Beim Kochen von Benzol mit 1,2% igem Wasserstoffsuperoxyd, neben

30 Oxalsäure (LEEDS, B. 14, 976). Durch Einwirkung von Wasserstoffsuperoxyd in Gegenwart von Ferrosulfat auf Benzol bei 45°, neben Brenzcatechin, Hydrochinon und einem amorphen Produkt (CROSS, BEVAN, HEIBERG, B. 33, 2018). Beim Schütteln von Benzol mit Palladiumwasserstoff und Wasser unter Luftzutritt (HOPPE-

35 SEYLER, B. 12, 1552). Benzol wird vom Hund als Phenol ausge-

---

Torbanit (*m.*), torbanite (an organic mineral)   Schiefer (*m.*), shale, slate

1. Leitet man ... , so. See §2.
2. in eine ... rauchende Schwefelsäure. See §1(5).

schieden, das als Schwefelsäuremonophenylester (BAUMANN, HERTER, *H*. 1, 264), z. T. auch in Bindung mit *d*-Glykuronsäure (SCHMIEDE- BERG, *A. Pth.* 14, 306) auftritt. — Phenol entsteht aus Brombenzol beim Erhitzen mit Natriummethylat in Methylalkohol auf 220° neben Anisol und etwas Benzol (BLAU, *M.* 7, 622, 625). — Beim Schmelzen 5 von benzolsulfonsaurem Kalium mit Ätzkali (WURTZ, *C. r.* 64, 749; *A*. 144, 121; KEKULÉ, *C. r.* 64, 753; *Z*. 1867, 300) oder Ätznatron. Nach DEGENER (*J. pr.* [2] 17, 402) ist unter sonst gleichen Versuchs- bedingungen die Menge des entstandenen Phenols bei der Verwendung von Ätznatron bedeutend geringer als bei der [1] von Ätzkali. — Phenol 10 entsteht bei der Oxydation von Phenylhydrazin mit Arsensäure (OECHSNER DE CONINCK, *C. r.* 126, 1043), desgleichen mit Chromsäure oder Dichromatlösung (OE, DE Co., *C. r.* 127, 1028). Bei Einw. von Silbernitrit auf salzsaures Anilin in heisser wässr. Lösung (HUNT, *J*. 1849, 391; A. W. HOFMANN, *A*. 75, 359). Beim Kochen von Ben- 15 zoldiazonium-nitrat (GRIESS, *A*. 137, 46), -bromid oder -sulfat (GRIESS, *A*. 137, 67) mit Wasser. Aus Benzoldiazoniumhydroxyd in Wasser mit Kupferpulver bei 0° (HANTZSCH, *B*. 31. 344). Aus *o*-, *m*- und *p*- Oxy-benzoldiazonium-chlorid beim Erwärmen mit Alkohol oder Methylalkohol (CAMERON, *Am.* 20, 229, 233, 234). — Durch Einw. 20 von Sauerstoff auf eine ätherische Lösung von Phenylmagnesium- bromid (BODROUX, *C. r.* 136, 158), neben anderen Produkten (WUYTS, *C. r.* 148, 930). — Phenol entsteht, wenn man Cyclohexen-(1)-on-(3) in CS₂ mit 2 At.-Gew. Brom in CS₂ behandelt, das Lösungsmittel verdampft und den Rückstand mit Eisessig kocht (KOETZ, GÖTZ, 25 *A*. 358, 197). — Phenol entsteht beim Leiten von Dämpfen des Brenzcatechins, Resorcins oder Hydrochinons mit Wasserstoff über Nickel bei 250° (Sabatier, SENDERENS, *A. ch.* [8] 4, 428). Aus Quercit bei längerem [2] Kochen mit Jodwasserstoffsäure (Kp: 127°), neben anderen Produkten (PRUNIER, *A. ch.* [5] 15, 75). 30

Aus Salicylsäure beim Erhitzen im Rohr auf 250–260° (KLEPE, *J. pr.* [2] 25, 464; vgl. GRAEBE, *A*. 139, 143), beim Erhitzen mit Wasser im Rohr auf 220–230° (GRAEBE, *A*. 139, 143), beim Erhitzen

---

Anisol (*n*.), anisole, phenyl methyl ether **desgleichen** (*adv*.), likewise, similarly

Resorcin (*n*.), resorcinol **Rohr** (*n*.): **im Rohr**, in a tube

1. **der**, *that;* a demonstrative pronoun.
2. **bei längerem**. See §13(4).

mit konz. Jodwasserstoffsäure, Chlorwasserstoffsäure oder verd.
Schwefelsäure im Rohr auf 140–150° GRAEBE, *A*. **139**, 143), beim Erhitzen mit 8–10 Tln. Ätznatron auf 340–350° (BARTH, SCHREDER,
B. **12**, 1257), bei der Destillation mit Kalk (GERHARDT, *A*. **45**, 21;
5 *A. ch.* [3] **7**, 221). Aus *m*-Oxy-benzoesäure beim Erhitzen mit 8 bis
10 Tln. Ätznatron auf [1] eine 360° übersteigende Temperatur (BARTH,
SCHREDER, *B*. **12**, 1257; vgl. KUPFERBERG, *J. pr.* [2] **16**, 433). Aus
m-Oxy-benzoesäure bei der Destillation mit Kalk (ROSENTHAL, *Z*.
1869, 627; LADENBURG, *B*. **7**, 1686) oder aus ihrem Calciumsalz bei
10 der Destillation (GOLDSCHMIEDT, HERZIG, *M*. **3**, 134). Aus *m*-Oxy-
benzoesäure beim Erhitzen mit 3½ Mol.-Gew. Baryt auf 350° (KLEPL,
J. pr. [2] **27**, 160). Aus *p*-Oxy-benzoesäure beim Erhitzen (G. FI-
SCHER, *A*. **127**, 147; GRAEBE, *A*. **139**, 145; KLEPL, *J. pr.* [2] **25**, 464;
28, 194), beim Erhitzen mit Wasser im Rohr auf 200–210° (GRAEBE,
15 *A*. **139**, 145), beim Erwärmen mit konz. Jodwasserstoffsäure oder
verd. Schwefelsäure im Rohr auf 135–140° (GRAEBE, *A*. **139**, 145).
Aus *p*-Oxy-benzoesäure beim Erhitzen mit 8–10 Tln. Ätznatron auf
eine 355° übersteigende Temperatur (BARTH, SCHREDER, *B*. **12**,
1257), oder aus ihrem Natrium- oder Kaliumsalz beim Erhitzen auf
20 240–250° (KUPFERBERG, *J. pr.* [2] **16**, 425, 431), sowie aus ihrem
Calciumsalz bei der Destillation (GOLDSCHMIEDT, HERZIG, *M*. **3**, 132).
Aus *p*-Oxy-benzoesäure bei der Fäulnis mit Pankreas (BAUMANN,
B. **10**, 686; *H*. **1**, 65). Phenol bezw. Schwefelsäuremonophenylester
findet sich nach der Verfütterung von *p*-Oxy-benzoesäure an Hunde
25 im Harn dieser Tiere (BAUMANN, HERTER, *H*. **1**, 262; BAUMANN,
H. **3**, 252). — Bei der Destillation von Chinasäure (WÖHLER, *A*. **45**,
25). Phenol entsteht beim Behandeln von *p*-Hydrocumarsäure mit
faulendem Pankreas, neben *p*-Kresol und *p*-Oxy-phenylessigsäure
(*B*., *H*. **4**, 312). — *p*-Äthylphenol zerfällt beim Erhitzen mit P_2O_5
30 in Phenol und Äthylen (CHRUSCHTSCHOW, *B*. **7**, 1166). In analoger
Weise entstehen aus *p-tert*.[2]-Butyl-phenol Phenol und Isobutylen
(STUDER, *A*. **211**. 248). Phenol entsteht beim Destillieren von Paracumaron $(C_8H_6O)_4$ (Syst. No. 2367) (KRAEMER, SPILKER, *B*. **33**, 3259).

Verfütterung (*f*.), feeding	**Hydrocumarsäure** (*f*.), *p*-hydrocu-
Chinasäure (*f*.), quinic acid	maric acid
	faulend (*adj*.), rotting, decaying

1. **auf eine . . . Temperatur.** See §1(5).
2. *p-tert*., para tertiary (Chemical arrangement).

Darstellung

Darstellung im grossen. a) *Aus Steinkohlenteer.* Zur Fabrikation des Phenols dient das sog. „Carbolöl", das zur Hauptsache aus dem „Mittelöl" des Steinkohlenteers herausfraktioniert und mit entsprechenden Fraktionen des „Leichtöls" und „Schweröls" vereinigt, zwischen 160° und 250° siedet. Es enthält 25–40% Phenole, unter 5 denen Phenol überwiegt, neben 25–40% Naphthalin und 7% Basen. In Kühlhäusern wird das Naphthalin möglichst zur Ausscheidung gebracht. Das abgetropfte Carbolöl liefert nunmehr eine Fraktion 160–205° mit 35–40% Phenolen. Diese werden [1] ihr durch Schütteln mit Natronlauge entzogen (vgl. LAURENT, *A. ch.* [3] **3**, 197). Wen- 10 det [2] man hierbei eine zur Aufnahme aller vorhandenen Phenole unzureichende [3] Menge Lauge an, so wird von dieser zunächst nur das Phenol selbst aufgenommen, während die Kresole erst bei erneuter Behandlung mit Lauge gelöst werden (BEHRENS, *D.* **208**, 367; DAVIS, *Journ. Soc. Chem. Ind.* **12**, 233; *B.* **26** Ref., 595). Durch längeres [4] 15 Einleiten von Dampf treibt man aus der alkal. Flüssigkeit die [5] in ihr gelösten Kohlenwasserstoffe und Pyridinbasen über; man filtriert dann von ausgeschiedenen harzigen Bestandteilen ab und fällt durch Einleiten von Kohlendioxyd (LUNGE, *Ch. Z.* **7**, 29) die Phenole aus. Sie geben bei der fraktionierten Destillation krystallisierendes Phenol. 20 Die Ausbeute beträgt 0,3–0,5% des Teers (G. LUNGE, H. KÖHLER, „Die Industrie des Steinkohlenteers und des Ammoniaks", Bd. **I** [Braunschweig 1912], S. 724,772). — Zum Extrahieren der Phenole ist auch Kalkmilch vorgeschlagen worden (Chem. Fabr. Ladenburg, D. R. P. 147999; *C.* **1904, I**, 134). Zur Zersetzung der alkal. Lösung 25 der Phenole ist früher auch Mineralsäure (Schwefelsäure, Salzsäure, schweflige Säure) oder Natriumdisulfat verwendet worden (vgl. LUNGE, KÖHLER, S. 742). Durch fraktionierten Zusatz von Säure zur alkal. Lösung kann man zuerst die Kresole zur Abscheidung bringen, darauf [6]

Kühlhaus (*n.*), refrigerator   **erneuen** (*v.*), to renew
abgetropft (*adj.*), drained   **übertreiben** (*v.*), to drive over
unzureichend (*adj.*), insufficient

1. **werden ihr ... entzogen,** *are extracted from it.*
2. **wendet man ... an, so.** See §2.
3. **eine ... unzureichende Menge.** See §1(5).
4. **längeres.** See §13(4).
5. **die ... Kohlenwasserstoffe.** See §1.
6. **darauf,** *after that.*

das Phenol selbst (H. Müller, Z. **1865**, 271). Trennung des Phenols von den Kresolen durch fraktionierte Neutralisation des Phenolgemisches mit heissem Barytwasser und Krystallisation oder durch Überführung des Phenolgemisches in die Bariumsalze und fraktio-
5 nierte Lösung des Salzgemisches: Riehm, D. R. P. 53307; *Frdl.* **2,** 9.

Nach A. Friedländer (D. R. P. 181288; *C.* **1907 I,** 1650) kann eine Trennung des Phenols von seinen Homologen darauf [1] gegründet werden, dass es sich [2] im Gegensatz zu seinen Homologen in verd. wässr. Lösungen von benzolsulfonsaurem Natrium oder ähnlichen Salzen
10 sehr leicht löst.

Zur Reingewinnung kann die Überführung in das krystallisierte Phenolhydrat dienen, das beim Schütteln des Rohphenols mit 5–10% Wasser entsteht, durch Zentrifugieren abgetrennt und durch Destillation wieder zerlegt wird (Calvert, *Chem. N.* **11,** 114; **16,** 57, 298;
15 *Z.* **1865**, 530; Marcell, *Chem. N.* **37,** 105; Lunge, Köhler, S. 754).

b) *Aus benzolsulfonsaurem Natrium.* Man verschmilzt benzolsulfonsaures Natrium mit überschüssigem Ätznatron bei 340° in [3] eisernen, mit Rührwerk versehenen Kesseln, gibt zur Schmelze so viel Wasser, dass der grösste Teil des entstandenen Natriumsulfits unge-
20 löst bleibt und fällt aus dem Filtrat mit Schwefelsäure oder Schwefeldioxyd das Phenol aus (vgl. G. Cohn in F. Ullmanns „Enzyklopädie der technischen Chemie", Bd. **IX** [Berlin-Wien 1921], S. 35).

Darstellung im kleinen aus Anilin. Zu einer noch heissen Mischung von 50 g Wasser und 20 g konz. Schwefelsäure gibt man 10 g Anilin,
25 fügt 100 g Wasser hinzu, lässt unter Kühlung mit kaltem Wasser eine Lösung von 8,5 g $NaNO_2$ in 40 g Wasser zufliessen, erwärmt ½ Stde. auf 40–50° und destilliert das Phenol mit Wasserdampf über. Man sättigt das Destillat mit NaCl und äthert das Phenol aus (Gatter-

---

Barytwasser (*n.*), solution of barium hydroxide, baryta water
gründen (auf) (*v.*), to base, to establish (on)
Zentrifugieren (*n.*) centrifuging
verschmelzen (*v.*), to melt, to fuse

Rührwerk (*n.*) = Rührapparat (*m.*), stirring apparatus, stirrer, agitator
geben (*v.*), to add
hinzufügen (*v.*), to add to
überdestillieren (*v.*), to distil over
ausäthern (*v.*), to extract with ether

---

1. darauf..., dass. See §15(6).
2. sich, read with löst.
3. in eisernen...Kesseln. Notice intervening participial phrase. See §1.

MANN, „Die Praxis des organischen Chemikers", 12. Aufl. [Leipzig 1914], S. 228).

Physikalische Eigenschaften
(auch Allgemeines über Salzbildung)

Farblose Nadeln von charakteristischem Geruch (LAURENT, *A. ch.* [3] **3**, 198). Chemisch reines Phenol zerfliesst nicht und bleibt an der Luft dauernd farblos (WEGER, *Z. Ang.* **22**, 393). Krystallo- 5 graphisches:[1] GROTH, *Ch. Kr.* **4**, 72. Über zwei Krystallarten des Phenols und ihre gegenseitige Umwandlung vgl.: TAMMANN, *Ann. d. Physik* [4] **9**, 250; *Ph. Ch.* **69**, 571; BECK, EBBINGHAUS, *B.* **39**, 3872. — F.[2] 43° (SCHOORL, *C.* **1903** II, 449), 42,5–43° (BÉHAL, CHOAY, *C. r.* **118**, 1211; *Bl.* [3] **11**, 603), 42,25° (LOWE, *Chem. N.* **16**, 57). 10 Erhöhung des Schmelzpunktes durch Druck: HULETT, *Ph. Ch.* **28**, 663. Erstarrungspunkt: 40,9° (EGER, *Pharm. Ztg.* **48**, 210), 40,5° (WEGER, *Z. Ang.* **22**, 393). Der Erstarrungspunkt wird durch Spuren von Wasser stark erniedrigt (WEGER, *Z. Ang.* **22**, 393). — Kp$_{770}$: 183° (SCHOORL, *C.* **1903** II, 459); Kp$_{761,3}$: 182,3–182,5°(LADENBURG, 15 *B.* **7**, 1687); Kp$_{760}$: 181,4° (KAHLBAUM, *Ph. Ch.* **26**, 603), 181,3° (korr.) WUYTS, *Bl.* [4] **5**, 409); Kp$_{743,19}$: 178,8° (CALVERT, *Chem. N.* **16**, 57); Dampfdrucke bei verschiedenen Temperaturen: KAHLBAUM, *Ph. Ch.* **26**, 603. — D$_{20}^{20}$: 1,0722[3] (berechnet für flüssiges Phenol aus dem bei 40° ermittelten spez. Gewicht) (LANDOLT, *Ann. d. Physik* **122**, 20 559); D^{21}: 1,0598 (GLADSTONE, *Soc.* **45**, 245); D^{32,9}: (1,0597 (KOPP, *A.* **95**, 313); D ^{56}: 1,0469 (LADENBURG, *B.* **7**, 1687); D$_{35}^{35}$: 1,0677; D$_{40}^{40}$: 1,0656; D$_{50}^{50}$: 1,0616; D$_{60}^{60}$: 1,0580; D$_{70}^{70}$: 1,0546; D$_{80}^{80}$: 1,0516; D$_{90}^{90}$: 1,0492; D$_{100}^{100}$: 1,0479 (PERKIN, *Soc.* **69**, 1182); D$_{4}^{40}$: 1,0591; D$_{4}^{45}$: 1,0545 (BEDSON, WILLIAMS, *B.* **14**, 2551); D^{54,8}: 1,0452; 25 D^{108,2}: 0,9972; D^{150}: 0,9891 (BOLIE, GUYE, *C.* **1905** I, 868); D^{58,5}: 1,0387 (PINETTE, *A.* **243**, 33); D$_{4}^{82,7}$: 1,0213 (EIJKMAN, *R.* **12**, 177); D$_{100}^{100}$: 1,0532 (THÖRNER, *C.* **1908** I, 2002). Ausdehnungskoeffizient:

Praxis (*f.*), practice   **dauernd** (*adv.*), permanently
zerfliessen (*v.*), to deliquesce, to melt

1. **Krystallographisches:**, *concerning its crystallography see:*. Notice the telegraphic style. The student of chemistry consulting Beilstein should refer to the bibliography after each statement.
2. **F. = Fusionspunkt** (*m.*), *melting point*.
3. **D$_{20}^{20}$: 1,0722**, *Density at 20° referred to water at 20°: 1.0722.*

PINETTE, *A.* **243**, 33; KREMANN, EHRLICH, *M.* **28**, 851. Ausdehnung zwischen 0–100°: THÖRNER, *C.* **1908 I**, 2002.

n_α^{20}: 1,54447; n_β^{20}: 1,56357; n_γ^{20}: 1,57555 (im unterkühlten Zustande) (LANDOLT, *Ann. d. Physik* **122**, 559); n_α^{40}: 1,53618; n_β^{40}: 1,55496; n_α^{45}

5 1,0545; n_β^{45}: 1,53386 (BEDSON, WILLIAMS, *B.* **14**, 2551); $n_\alpha^{82,7}$: 1,51739; $n_\beta^{82,7}$: 1,53565 (EIJKMAN, *R.* **12**, 177); n_D^{21}: 1,5509 (GLADSTONE, *Soc.* **45**, 245). — Absorptionsspektrum im Ultraviolett: BALY, EWBANK, *Soc.* **87**, 1351. Fluorescenz im Ultraviolett: BA., EW., *Soc.* **87**, 1351; LEY, V. ENGELHARDT, *B.* **41**, 2990. Die alkoh. Lösung des Phenols

10 zeigt bei der Temperatur der flüssigen Luft blauviolette Phosphorescenz (DZIERZBICKI, KOWALSKI, *C.* **1909 II**, 959, 1618; vgl. KOW., *C. r.* **148**, 280).

Capillaritätskonstante bei verschiedenen Temperaturen: FEUSTEL, *Ann. d. Physik* [4] **16**, 82. Oberflächenspannung: KREMANN, EHR-

15 LICH, *M.* **28**, 868; BOLIE, GUYE, *C.* **1905 I**, 868; HEWITT, WINMILL, *Soc.* **91**, 441. Oberflächenspannung und Binnendruck: WALDEN, *Ph. Ch.* **66**, 395. Innere Reibung: KREMANN, EHRLICH, *M.* **28**, 877. Latente Schmelzwärme: PETTERSSON, *J. pr.* [2] **24**, 161. Molekulare Verbrennungswärme bei konstantem Vol.: 734,2 Cal. (BER-

20 THELOT, LUGININ, *A. ch.* [6] **13**, 329), bei konstantem Vol.: 731,9 Cal., bei konstantem Druck: 732,5 Cal. (STOHMANN, LANGBEIN, *J. pr.* [2] **45**, 333). Molekulare Verbrennungswärme für dampfförmiges Phenol bei konstantem Druck: 768,76 Cal. (THOMSEN, *Ph. Ch.* **52**, 343).

25 Magnetische Susceptibilität: MESLIN, *C. r.* **140**, 237; PASCAL, *Bl.* [4] **5**, 118. Magnetische Drehung: PERKIN, *Soc.* **69**, 1239. — Dielektrizitätskonstante: DRUDE, *Ph. Ch.* **23**, 298, 310. Dielektrizitätskonstante bei −185°: DEWAR, FLEMING, *C.* **1897 II**, 564. Dielektrizitätskonstante in Benzol und *m*-Xylol: PHILIP, HAYNES, *Soc.*

30 **87**, 1001. Elektrische Absorption: DRUDE, *Ph. Ch.* **23**, 310. Elektrocapillare Funktion: GOUY, *C. r.* **132**, 823; *A. ch.* [8] **8**, 316; **9**, 133, 135, 137. — Elektrisches Leitvermögen: BARTOLI, *G.* **15**, 401. Elektrolytische Dissoziationskonstante *k* bei 18°: 1,3 × 10^{-10} (WALKER, CORMACK, *Soc.* **77**, 18, 20; *Ph. Ch.* **32**, 137; vgl. HANTZSCH, BARTH,

35 *B.* **35**, 224). Dissoziationswärme; v. STEINWEHR, *Ph. Ch.* **38**, 198.

unterkühlt (*adj.*), supercooled
Oberflächenspannung (*f.*), surface tension
Binnendruck (*m.*), internal pressure

dampfförmig (*adj.*), gaseous
Drehung (*f.*), rotation
elektrocapillar (*adj.*), electrocapillary

Elektrisches Leitvermögen in flüssiger Bromwasserstoffsäure: ARCHI-
BALD, *Am. Soc.* **29**, 665. — Phenol verhält sich gegen Helianthin und
Phenolphthalein neutral, gegen Wasserblau (Poirierblau) aber einbasisch (ENGEL, *A. ch.* [6] **8**, 568; IMBERT, ASTRUC, *C. r.* 130, 36).
Reagiert [1] bei ziemlicher Verdünnung [2] noch deutlich sauer auf emp- 5
findliches Lakmuspapier (HANTZSCH, BARTH, *B.* **35**, 213). Phenol
verbindet sich mit Alkalien und Erdalkalien zu salzartigen Verbin-
dungen (LAURENT, *A. ch.* [3] **3**, 202; *A.* **43**, 206). Wärmetönung bei
Neutralisation mit Natronlauge: WERNER, *A. ch.* [6] **3**, 574; Ж.
18, 27; vgl. PLOTNIKOW, Ж. **33**, 51; *C.* **1901** I, 1003. Kryoskopischer 10
Nachweis der Hydrolyse des Natriumphenolats in wässr. Lösung:
GOLDSCHMIDT, GIRARD, *B.* **29**, 1224. Messung der Hydrolyse des
Natriumphenolats durch Bestimmung der elektrischen Leitfähigkeit:
HAN., *B.* **32**, 3077; WALKER, CORMACK, *Soc.* **77**, 18, 20; *Ph. Ch.* **32**,
137; HAN., BARTH, *B.* **35**, 224. Messung der Hydrolyse des Na- 15
triumphenolats durch Verseifung von Methylacetat: HAN., *B.* **32**,
3081. Bestimmung der Hydrolyse des Natriumsalzes auf Grund der
fraktionierten Destillation einer wässr. Lösung: NAUMANN, MÜLLER,
LANTELME, *J. pr.* [2] **75**, 65. Hydrolyse des Kaliumsalzes, bestimmt
durch Verseifung von Äthylacetat: SCHIELDS, *Ph. Ch.* **12**, 175. Wird 20
aus der alkal. Lösung bei Zimmertemperatur durch CO_2 ausgefällt
(LUNGE, *Ch. Z.* **7**, 29), treibt aber aus Kaliumcarbonat beim Kochen
mit Wasser CO_2 aus (BAUMANN, *B.* **10**, 686). Phenol löst sich bei
40° in 2 Vol. Ammoniak (D: 0,96) zu einer klaren Flüssigkeit, die sich
bei 17–18° trübt (HAMBERG, *B.* **4**, 751). Salzbildung mit Ammoniak: 25
HANTZSCH, DOLLFUS, *B.* **35**, 241, 2725; BUCH, *B.* **41**, 692. Absorptionsgeschwindigkeit für gasförmiges Ammoniak: HANTZSCH, *Ph.*
Ch. **48**, 314. Über die Acidität des Phenols vgl. ferner: RAIKOW,
Ch. Z. **27**, 781; THIEL, ROEMER, *Ph. Ch.* **63**, 731. Phenol steht hinsichtlich des Säurecharakters zwischen Malonester und Acetessigester 30
(VORLÄNDER, *B.* **36**, 281).

Helianthin (*n.*), helianthine	**austreiben** (*v.*), to drive out, to ex-
Wasserblau (*n.*), marine blue	pel, to set free
auf Grund (+ *gen.*), on the basis of	**(sich) trüben** (*v.*) to become (cloudy)
	turbid

1. **Reagiert**, supply **Phenol** as subject. Nouns or pronouns as well as
verbs and prepositions easily understood from the context are omitted by
Beilstein.
2. **bei ziemlicher Verdünnung**, *with considerable dilution.*

Phenol in Mischung und als Lösungsmittel

Gegenseitige Löslichkeit von Phenol und Wasser: ALEXEJEW, *Ann. d. Physik* [N. F.] **28**, 308; ROTHMUND, *Ph. Ch.* **26**, 452; SCHREINE-MAKERS, *Ph. Ch.* **29**, 579; TIMMERMANS, *Ph. Ch.* **58**, 184. 100 Tle. Wasser lösen bei 15° 8,2 Tle. Phenol, 100 Tle. Phenol lösen bei 15°
5 37,4 Tle. Wasser (SCHOORL, *C.* **1903 II**, 459). Phenol löst sich bei 16–17° in 15 Tln. Wasser (HAMBERG, *B.*, **4**, 751). Ist [1] in Wasser von 20° zu 8,40 Gewichtsprozent löslich (FÜHNER, *B.* **42**, 888). Die Temperatur, oberhalb welcher [2] Phenol mit Wasser in jedem Ver-hältnis mischbar ist (obere kritische Lösungstemperatur) liegt bei
10 65,3° (TIMMERMANS, *Ph. Ch.* **58**, 184). Erstarrungspunkt von Phenol-Wasser-Gemischen: PATERNÒ, AMPOLA, *G.* **27 I**, 523. Dampfdrucke der Gemische von Phenol und Wasser: SCHREINEMAKERS, *Ph. Ch.* **35**, 461; **39**, 485; VAN DER LEE, *Ph. Ch.* **33**, 628. Regelmässigkeiten beim Destillieren verd.[3] wässr. Phenollösungen: NAUMANN, MÜLLER,
15 *B.* **34**, 225. Viscosität der wässr. Lösungen des Phenols: SCARPA, *C.* **1904 II**, 953. Veränderung der kritischen Lösungstemperatur durch Zusätze: TIMMERMANS, *Ph. Ch.* **58**, 186. Beeinflussung der Wasserlöslichkeit des Phenols durch andere Verbindungen: FÜHNER, *B.* **42**, 887. Durch einen Zusatz von benzolsulfonsaurem Natrium wird
20 Phenol in Wasser sehr leicht löslich (A. FRIEDLÄNDER, *D. R. P.* 181288; *C.* **1907 I**, 1650). Bildung von Phenol-Hydrat s. S. 136 bei addi-tionellen Verbindungen. — Phenol mischt sich mit verflüssigtem Ammoniak in jedem Verhältnis (BUCH, *B.* **41**, 692). In verflüssigter schwefliger Säure ist es mit gelber Farbe leicht löslich (WALDEN, *B.*
25 **32**, 2864). Verhalten zu flüssigem Kohlendioxyd s. S. 128. — Phenol mischt sich in jedem Verhältnis mit Äther und Alkohol (LAURENT, *A. ch.* [3] **3**, 199; *A.* **43**, 204). Wärmetönung beim Mischen mit Al-kohol: TIMOFEJEW, *C.* **1905 II**, 436. 1 Tl. Phenol löst sich bei 16° in 40 Tln. Benzin (D: 0,659), bei 41° in 3 Tln., bei 42° in 2 Tln., bei 43°
30 in 1 Tl. Benzin (SCHWEISSINGER, *Pharm. Ztg.* **30**, 259). Löslichkeit

mischbar (*adj.*), miscible, mixable
Lösungstemperatur (*f.*): **kritische —**, critical solution temperature

ober(e) (*adj.*), upper
Beeinflussung (*f.*), exertion of in-fluence

1. **Ist,** supply subject (**Phenol** or **es**).
2. **oberhalb welcher,** *above which;* **welcher** here is in the genitive case, object of **oberhalb**.
3. **verd. wässr.** = **verdünnter, wässeriger.**

von Phenol in Paraffinum liquidum zwischen 17° und 44°: SCHWEIS-
SINGER. Wärmetönung beim Mischen von Phenol mit Chloroform,
Benzol und Pyridin: TIMOFEJEW, C. 1905 II, 436. Dichte der Mi-
schungen von Phenol und Trimethylcarbinol: PATERNÒ, MIELI,
R. A. L. [5] 17 I, 397; G. 38 II, 137. Dampfdrucke und Siedepunkte 5
von Gemischen von Phenol und Aceton: SCHREINEMAKERS, Ph. Ch.
39, 500, 507. Über die Bildung fester Lösungen mit Cyclohexanol
vgl.: MASCARELLI, PESTALOZZA, R. A. L. [5] 17 I, 601; G. 39 I, 218.
Gleichgewicht von Phenol und Anilin: SCHREINEMAKERS, Ph. Ch. 29,
581, 583, 584, 585; vgl. LIDBURY, Ph. Ch. 39, 460. Gleichgewicht 10
zwischen Phenol und p-Toluidin, o-Toluidin, m-Xylidin, β-Naph-
thylamin und Dimethylanilin: KREMANN, M. 27, 98.—Verteilung von
Phenol zwischen Wasser und Chloroform, zwischen Wasser und Bromoform, zwischen Wasser und Tetrachlorkohlenstoff: HERZ, LEWY, C.
1906 I, 1728, zwischen Wasser und Amylalkohol: HERZ, FISCHER, 15
B. 37, 4747, zwischen Wasser und Aceton: SCHREINEMAKERS, Ph.
Ch. 33, 78, 88. Dampfdrucke und Siedepunkte der Gemische von
Phenol, Aceton und Wasser: SCHR., Ph. Ch. 39, 491, 507; 40, 440;
41, 331. Verteilung von Phenol zwischen Wasser und Schwefelkohlenstoff: HERZ, LEWY, C. 1906 I, 1728, zwischen Wasser und 20
Benzol: NERNST, Ph. Ch. 8, 117; ROTHMUND, WILSMORE, Ph. Ch.
40, 623, zwischen Wasser und Toluol, Wasser und m-Xylol: HERZ,
FISCHER, B. 38, 1143. Gleichgewicht zwischen Phenol, Wasser und
Triäthylamin: MEERBURG, Ph. Ch. 40, 673, zwischen Phenol, Wasser
und Anilin: SCHR., Ph. Ch. 29, 577; 30, 460. Dampfdrucke der Ge- 25
mische von Phenol, Anilin und Wasser: SCHR., Ph. Ch. 35, 477.

Additionelle Verbindungen des Phenols mit solchen Komponenten,
welche in diesem Handbuch vor [1] Phenol behandelt sind, s. S. 136 und
137; additionelle Verbindungen mit anderen Komponenten sind bei
diesen [2] angeordnet. 30

Molekulare Gefrierpunktserniedrigung: 72 (EIJKMAN, Ph. Ch. 4,
515). Kryoskopisches Verhalten verschiedener Kohlenwasserstoffe in
Phenollösung: ROBERTSON, Soc. 89, 567. Kryoskopisches Verhalten
von Thiophenol in Phenol: BRUNI, TROVANELLI, R. A. L. [5] 13 II,
181; G. 34 II, 355. Assoziation verschiedener Säuren in Phenollösung: 35

Assoziation (f.), (molecular) aggregate or association
1. vor, before.
2. bei diesen, with these.

Rob., *Soc.* **83**, 1425; **85**, 1617, verschiedener Ester in Phenollösung: Rob., *Soc.* **87**, 1574. Kryoskopisches Verhalten von Phenol in Eisessig: Beckmann, *Ph. Ch.* **2**, 732, in Benzol: Beck., *Ph. Ch.* **2**, 728; Paternò, *G.* **19**, 649, 651; Auwers, *Ph. Ch.* **12**, 696; Bruni, *G.* **28** 5 I, 249, in *p*-Xylol: Bruni, *G.* **28** I, 249, in Naphthalin: Au., *Ph. Ch.* **18**, 599; Au., Orton, *Ph. Ch.* **21**, 345, in Anilin (Ampola, Rimatori, *G.* **27** I, 45), in Dimethylanilin (Am., Ri., *G.* **27** I, 65). — Molekulare Siedepunktserhöhung: 34,40 (Beckmann, Gabel, *B.* **39**, 2613). Ebullioskopisches Verhalten von Phenol in Benzollösung: Bruni, 10 *G.* **28** I, 251; Mameli, *G.* **33** I, 468.

Phenol löst in der Wärme Schwefel (Laurent, *A. ch.* [3] **3**, 199; *A.* **43**, 204). Löst in der Hitze Indigotin, das beim Erkalten auskrystallisiert (Méhu, *J.* **1872**, 682). Lösungsvermögen der Lösung von Phenol in wässr. Alkalien für wasserunlösliche Substanzen (z. B. Hep-15 tan, Toluol): Scheuble, *A.* **351**, 476.

Chemisches Verhalten

Einwirkung der Wärme und der Elektrizität. Phenol liefert beim Durchleiten durch ein [1] eisernes, auf 700–800° erhitztes Rohr als wesentliche Zersetzungsprodukte Kohlenoxyd, Wasserstoff, Kohle und Teer, während Benzol und aliphatische Kohlenwasserstoffe (Me-20 than und Äthylen) nur in untergeordneter Menge gebildet werden (Müller, *J. pr.* [2] **58**, 27). Zersetzung von Metallphenolaten durch Wärme s. S. 121. — Bei [2] der Elektrolyse einer Lösung von Phenol in mit etwas Wasser versetztem Ätzkali bei 200° mit Wechselströmen entstehen Salicylsäure und wenig Xanthon (Syst. No. 2467) [3] (Bam-25 berger, Strasser, *B.* **24**, 3212). Bei der Elektrolyse einer mit überschüssigem MgSO₄ und Mg(HCO₃)₂ versetzten wässr. Lösung von Phenol mit Wechselströmen entstehen Schwefelsäuremonophenylester,

untergeordnet (*p. adj.*), subordinate, minor; **in —er Menge,** to a lesser degree

Wechselstrom (*m.*), alternating current

1. **ein eisernes . . . erhitztes Rohr,** a participial phrase. See §1.
2. **Bei der Elektrolyse . . . mit Wechselströmen,** *During the electrolysis with alternating currents at 200° of a solution of phenol in caustic potash that has been treated with a little water.* Notice the participial phrase, as well as the meaning of **etwas.**
3. **Syst. No. 2467.** This refers to Beilstein's classification of organic compounds by system numbers.

Brenzcatechin, Hydrochinon, 4.4'-Dioxy-diphenyl (Syst. No. 563), Ameisensäure, Buttersäure (?), n-Valeriansäure (?), Oxalsäure, Malonsäure (?) und Bernsteinsäure (DRECHSEL, J. pr. [2] 29, 235) und etwas Cyclohexanon (D., J. pr. [2] 38, 67). Über die Elektrolyse einer Lösung von Phenol in Kalilauge an Kohlenelektroden [1] s. BAR- 5
TOLI, PAPASOGLI, G. 14, 103. Zersetzung von Phenol durch schwache elektrische Schwingungen: v. HEMPTINNE, Ph. Ch. 25, 298. Verhalten gegen Teslaströme: KAUFFMANN, Ph. Ch. 26, 723; 28, 694. Verhalten bei Einw. der dunklen elektrischen Entladung in Gegenwart von Stickstoff: BERTHELOT, C. r. 126, 622.   10

Oxydation. Die meisten Phenolsorten färben sich an Licht und Luft mehr oder weniger rot. Während nach WEGER (Z. Ang. 22, 393) reines Phenol an der Luft dauernd farblos bleibt, nach KERN (Ch. Z. 17, 707) auch das aus Braunkohlenkreosot isolierte Phenol sich an der Luft nicht verändert, kann nach SCHNEIDER (P. C. H. 31, 68) und 15
FABINI (Ch. I. 15, 148; B. 25 Ref., 386) auch bei reinstem, synthetisch erhaltenem Phenol die Färbung eintreten. Nach BIDET (C. r. 108, 521) bleibt Phenol, das aus thiophenfreiem Material hergestellt ist, farblos. Ammoniak und Ammoniumverbindungen beschleunigen den Rötungs-prozess (HAGER, P. C. H. 24, 447; HANKÓ, Ch. Z. 19, 1143; B. 25 20
Ref., 386; MYLIUS, P. C. H. 28, 73), desgl. Spuren gewisser Metalle, namentlich Kupfer (SCHNEIDER, P. C. H. 31, 68; KREMEL, Ch. I. 9, 84; HANKÓ, B. 25 Ref., 386; KOHN, FRYER, Journ. Soc. Chem. Ind. 12, 107; Ch. Z. Rep. 17, 98), ferner Eisen (FAHLBUSCH, P. C. H. 26, 6; WALTER, Ch. Z. 23 Rep., 47); auch der Bleigehalt der Glasgefässe 25
wird für das Auftreten der Färbung verantwortlich gemacht (MEYKE, B. 16, 2513). Aber auch Phenolsorten, die völlig metallfrei sind, nehmen die Rotfärbung an (FABINI, Ch. I. 15, 148; EBELL, B. 17 Ref., 69). Das Entstehen der Rotfärbung wird als ein Oxydationsvorgang angesehen (HANKÓ, Ch. Z. 19, 1143; B. 25 Ref., 386; KOHN, FRYER, 30
Journ. Soc. Chem. Ind. 12, 107; Ch. Z. 17 Rep., 98), weil Luft und Feuchtigkeit auch im Dunkeln die Rötung erzeugen, während Licht ohne diese beiden Faktoren wirkungslos ist (KOHN, FRYER) und auch keine Färbung hervorruft, wenn man das Phenol in Wasserstoff-, Stickstoff- oder Kohlendioxyd- Atmosphäre schüttelt (GIBBS, C. 1909 35

Bernsteinsäure (f.), succinic acid   Entladung (f.), discharge
Schwingung (f.), oscillation   wirkungslos (adj.), inactive

1. **an Kohleneletroden,** *with carbon electrodes.*

I, 1092; *Chem. N.* **100**, 96). Als Oxydationsprodukte treten Chinon, Brenzcatechin und andere Produkte auf; giesst man Phenol, das längere Zeit [1] gestanden und sich gerötet hat, in Wasser, so entsteht ein roter Niederschlag; in Lösung lässt sich Brenzcatechin nachweisen
5 (GIBBS, *C.* **1909 I**, 1092; **II**, 597). Zur Frage des Auftretens von Wasserstoffsuperoxyd bei der Färbung des Phenols vgl. RICHARDSON, *Journ. Soc. Chem. Ind.* **12**, 415; vgl. dagegen BACH, *B.* **27** Ref., 790. Phenol kann durch Zusatz geringer Mengen SO_2 farblos erhalten werden (REUTER, *C.* **1905 I**, 1012). Zinn und Zinnoxydulsalze hindern das
10 Entstehen der Färbung bezw. zerstören sie (HANKÓ, *Ch. Z.* **19**, 1143; *B.* **25** Ref., 386; vgl. HOFMANN, *D. R. P.* 67693, 67696). In innen paraffinierten Glasflaschen [2] bleibt Phenol farblos (WALTER, *Ch. Z.* **23** Rep., 47). Rot gewordenes Phenol kann durch Destillation wieder farblos erhalten werden; der Farbstoff bleibt im Rückstand als rot-
15 braune oder violettrote Masse (HAGER, *P. C. H.* **26**, 7; KÜHL, *C.* **1906 I**, 345). Auch durch Gefrierenlassen des [3] mit etwas Alkohol vermischten Phenols, wobei der Farbstoff im Alkohol gelöst bleibt, kann Phenol wieder farblos erhalten werden (DEMANT, *Ch. Z.* **11** Rep., 78). Weiteres über die Rotfärbung des Phenols s. G. LUNGE, H. KÖHLER, Die
20 Industrie des Steinkohlenteers und des Ammoniaks, Bd. **I** [Braunschweig 1912], S. 757.

Phenol brennt an der Luft mit russender Flamme (LAURENT, *A. ch.* [3] **3**, 199).

Elektrochemische Oxydation des Phenols s. S. 115. — Phenol
25 wird durch Ozon zu Hydrochinon, Chinon, Brenzcatechin, CO_2 und Glyoxylsäure oxydiert (GIBBS, *Chem. N.* **100**, 68, 81, 94; *C.* **1909 II**, 597; vgl. OTTO, *A. ch.* [7] **13**, 135). Bei der Oxydation mit Wasserstoffperoxyd in warmer neutraler oder schwach saurer Lösung entsteht Brenzcatechin neben Hydrochinon (MARTINON, *Bl.* [2] **43**, 156).
30 Oxydiert man mit Wasserstoffperoxyd in Gegenwart eines Eisensalzes, so erhält man Brenzcatechin, Hydrochinon und Chinon (MARTINON).

(sich) **röten** (*v.*), to be reddened, to assume a red color

Zinnoxydulsalz (*n.*), stannous salt

hindern (*v.*), to prevent

Gefrierenlassen (*n.*), allowing to freeze

---

1. **Längere Zeit.** See §13(4).
2. **in innen paraffinierten Glasflaschen,** *in glass flasks that have been coated with paraffin on the inside.*
3. **des ... Phenols.** See §1.

Phenol zersetzt in Gegenwart von Wasser Bariumsuperoxyd unter Sauerstoffentwicklung (TANATAR, *B.* **36**, 1895). Bei der Oxydation von Phenol sowohl mittels neutralisierter als auch mittels schwefelsäurehaltiger Sulfomonopersäurelösung entstehen Brenzcatechin und Chinhydron (BAMBERGER, CZERKIS, *J. pr.* [2] **68**, 486). Phenol wird 5 in wässr. Natronlauge von Kaliumpersulfat zu dem Kaliumsalz des Schwefelsäuremono-[*p*-oxy-phenyl]-esters (Syst. No. 555) oxydiert (Chem. Fabr. SCHERING, *D. R. P.* 81068; *Frdl.* **4**, 126). — Einw. von Kaliumchlorat und Salzsäure auf Phenol s. S. 117. — Bei der Oxydation von Phenol mit Chromsäure erhält man Phenochinon $C_{18}H_{16}O_4$ 10 (Syst. No. 671) (WICHELHAUS, *B.* **5**, 248). Phenol reagiert mit CrO_2Cl_2 unter Bildung eines braunen chromhaltigen Produktes, das bei der Behandlung mit Wasser 4.4'-Dioxy-diphenyläther liefert (ÉTARD, *Bl.* [2] **28**, 276; *A. ch.* [5] **22**, 283). — Bei der Destillation von Phenol mit Bleioxyd entstehen Diphenylenoxyd und Xanthon 15 (GRAEBE, *B.* **7**, 397; *A.* **174**, 191; *A.* **254**, 279; BEHR, VAN DORP, *B.* **7**, 398; vgl. MERZ, WEITH, *B.* **14**, 192). — Phenol gibt beim Schmelzen mit Ätzkali Salicylsäure, *m*-Oxybenzoesäure, 3.3'-Dioxydiphenyl, β-Diphenol und ein Harz, das beim Glühen mit Zinkstaub 1.4-Diphenyl-benzol liefert (BARTH, *A.* **156**, 93; *B.* **11**, 1332). Beim 20 Schmelzen von Phenol mit Ätznatron werden Brenzcatechin, Resorcin und Phloroglucin gebildet (BARTH, SCHREDER, *B.* **12**, 417; vgl. dazu GAUTIER, *Bl.* [2] **33**, 585). Beim Schmelzen von Phenol mit Ätzkali und Bleidioxyd bei 330° entsteht — wohl aus sich zunächst bildenden Diphenolen — nur Salicylsäure (GRAEBE, KRAFT, *B.* **39**, 801). — Bei 25 der Oxydation von Phenol mit wässr. Permanganatlösung entsteht viel Oxalsäure neben etwas Salicylsäure (HENRIQUES, *B.* **21**, 1620). Beim Behandeln von Phenol mit schwefelsaurer Permanganatlösung bildet sich 4.4'-Dioxy-diphenyl (DIANIN, Ж. **23**, 508; *B.* **25** Ref., 335). Bei der Oxydation mit Permanganat in alkal. Lösung bei 0° entstehen 30 Mesoweinsäure, Oxalsäure und CO_2 (DÖBNER, *B.* **24**, 1755). — Phenol reduziert ammoniakalische Silbernitratlösung unter Spiegelbildung (MORGAN, MICKLETHWAIT, *Journ. Soc. Chem. Ind.* **21**, 1374; *C.* **1903** I, 72). Reduziert [1] verd. Goldchloridchlorwasserstoff-Lösung lang-

---

Mesoweinsäure (*f.*), mesotartaric acid   **Spiegelbildung** (*f.*): **unter** —, accompanied by mirror formation

1. **Reduziert;** supply **Phenol** as subject.

sam unter Dunkelrosafärbung (GARBOWSKI, *B.* **36**, 1216). — Beim Erhitzen einer alkal. Phenollösung mit Nitrobenzol auf 150° wird Oxalsäure gebildet, während das Nitrobenzol zu Azobenzol reduziert wird (SIEGFRIED, *J. pr.* [2] **31**, 542).

5 Oxydation [1] des Phenols im Organismus s. S. 133.

Reduktion. Beim Erhitzen von Phenol mit Kalium auf 240° entsteht Diphenyl (CHRISTOMANOS, *B.* **9**, 83). — Beim Überleiten von Phenoldämpfen über erhitzten Zinkstaub erhält man Benzol (BAEYER, *A.* **140**, 295). Benzol bildet sich auch beim Durchleiten von Phenol

10 durch [2] ein rotglühendes, mit Holzkohle oder Eisenfeile gefülltes Glasrohr (SMITH, *Journ. Soc. Chem. Ind.* **9**, 447; *Ch. I.* **14**, 77), beim Erhitzen von Phenol mit Phosphortrisulfid (GEUTHER, *A.* **221**, 56), beim Verschmelzen von Phenol mit Natriumamid (SACHS, *B.* **39**, 3023). — Lässt man [3] geschmolzenes Phenol unter gleichzeitigem

15 Einleiten von Wasserstoff zu feinverteiltem Nickel, das auf 160° erhitzt wird, tropfen, so erhält man Cyclohexanol in nahezu theoretischer Ausbeute (BRUNEL, *C. r.* **137**, 1269; *Bl.* [3] **33**, 268). Leitet man Phenoldämpfe im Gemisch mit Wasserstoff über feinverteiltes Nickel bei 140–150°, so erhält man ein Gemisch von Cyclohexanol mit wenig

20 Cyclohexanon neben Spuren Benzol (HOLLEMAN, VAN DER LAAN, SLIJPER, *R.* **24**, 19; vgl. HOLL., *C.* **1904** I, 727). Führt man die Reaktion bei 180–210° aus, so erhält man ein Gemisch von Cyclohexanol mit wechselnden Mengen Cyclohexanon (SABATIER, SENDERENS, *C. r.* **137**, 1025; *A. ch.* [8] **4**, 371). Phenol wird beim

25 Erhitzen mit komprimiertem Wasserstoff auf 245° in Gegenwart von Nickeloxyd zu Cyclohexanol reduziert (IPATJEW, *B.* **40**, 1286; Ж. **39**, 698). Reduktion zu Cyclohexanol erfolgt auch beim Erhitzen von Phenol mit komprimierten Wasserstoff in Gegenwart von Nickel auf 235–240°; wird die Reaktionstemperatur unter 220° gehalten, so wird [4]

30 ein Gemisch von Cyclohexanol und Cyclohexanon erhalten (IPATJEW, Ж. **38**, 89; *C.* **1906** II, 86).

Dunkelrosafärbung (*f.*): unter —, accompanied by a dark rose coloration

Durchleiten (*n.*): beim —, on

passing through, on being conducted

rotglühend (*adj.*), red glowing, red hot

1. **Oxydation;** supply **für** before **Oxydation.**
2. **durch ein ... gefülltes Glasrohr.** See §1.
3. **Lässt man ... tropfen.** See §2. What does **lassen** mean here?
4. **so wird ... erhalten;** what tense is this? **werden** + infinitive = future; **werden** + past participle = passive voice.

Halogenierung. Lässt man auf Phenol die 2 Atomgewichten entsprechende Menge Chlor einwirken, so erhält man *o-* und *p-*Chlorphenol (DUBOIS, *Z.* **1867**, 205; *J.* **1867**, 613; FAUST, MÜLLER, *B.* **5**, 777; *A.* **173**, 303; VARNHOLT, *J. pr.* [2] **36**, 17, 22). *o-*Chlor-phenol entsteht fast ausschliesslich, wenn man bei 150–180° in ein Mol.-Gew. 5 Phenol 2 Atomgewichte Chlor einleitet (MERCK, *D. R. P.* 76597; *Frdl.* **3**, 845). Bei 2-tägiger Einw. von Chlor auf (500 g) geschmolzenes Phenol entstehen 2.4-Dichlor-phenol und wenig 2.6-Dichlor-phenol (F. FISCHER, *A. Spl.* **7**, 181). Behandelt man Phenol anhaltend, zuletzt unter Erwärmen, mit Chlor (bis der Schmelzpunkt des Chlo- 10 rierungsproduktes 67° erreicht) so entsteht 2.4.6-Trichlor-phenol (FAUST, *A.* **149**, 149; vgl. LAURENT, *A. ch.* [3] **3**, 206; *A.* **43**, 209). Durch 14-tägige Einw. von Chlor auf Phenol bei 80° erhält man 2.3.4.6-Tetrachlor-phenol (BARRAL, GROSFILLEX, *Bl.* [3] **27**, 1176). In einem indifferenten Lösungsmittel, z. B. Tetrachlorkohlenstoff, 15 liefert Phenol mit der berechneten Menge Chlor in Lösung oder als Gas unter Kühlung *o-*Chlor-phenol (LOSSEN, *D. R. P.* 155631; *C.* **1904 II**, 1486). Chloriert man Phenol, bis es zum grössten Teil in Trichlorphenol übergegangen [1] ist, setzt dann 4–5 % SbCl₃ oder 2–3 % Jod oder 5–6 % FeCl₃ zu und behandelt bei 70–75° weiter mit Chlor, 20 bis die berechnete Gewichtszunahme erfolgt ist, so erhält man 2.3.4.6-Tetrachlor-phenol (BARRAL, GRO., *Bl.* [3] **27**, 1175); führt man die Weiterchlorierung in Gegenwart eines der Chlorüberträger unter allmählichem Erwärmen auf eine 135–140° nicht übersteigende Temperatur aus, so erhält man Pentachlorphenol (BARRAL, JAMBON, *Bl.* [3] 25 **23**, 822; vgl. MERZ, WEITH, *B.* **5**, 458). Erfolgt die Weiterchlorierung des Phenols in Gegenwart von SbCl₅ bei einer 130° nicht übersteigenden Temperatur, so entstehen Hexachlorcyclohexadienon (Syst. No. 620) (BARRAL, *Bl.* [3] **11**, 559) und drei Oktachlorcyclohexenone (Syst. No. 616) (BARRAL, *Bl.* [3] **13**, 490). Behandelt man eine Lösung 30 von Phenol in verd. Natronlauge mit Natriumhypochloritlösung, so erhält man je nach der Menge des angewandten Hypochlorites *o-*Chlor-phenol, 2.4- und 2.6-Dichlor-phenol und 2.4.6-Trichlor-phenol (CHANDELON, *Bl.* [2] **38**, 116; *B.* **16**, 1749). Leitet man Chlor in eine

anhaltend (*adv.*), continuously
zuletzt (*adv.*), finally
Chlorüberträger (*m.*), chlorine carrier

Hexachlorcyclohexadienon (*n.*), hexachlorocyclohexadienone
Oktachlorcyclohexenon (*n.*), octachlorocyclohexenone

1. **übergegangen ist.** What tense is this?

eisgekühlte Lösung von Phenol in verd. Natronlauge, bis die dauernd
alkal. gehaltene Flüssigkeit,[1] die sich zunächst braun und dann schwarz
färbt, wieder eine hellbraune Färbung annimmt, so erhält man 2.2.4-
Trichlor-cyclopentanol-(1)-on-(3)-carbonsäure-(1) (?) (Syst. No. 1397)
5 neben 2.4.6-Trichlor-phenol (HANTZSCH, *B.* **20**, 2781; *B.* **22**, 1238,
1246; HOFFMANN, *B.* **22**, 1264). Die Einw. von $KClO_3$ und Salzsäure
auf Phenol liefert 2.4.6-Trichlor-phenol, Trichlorchinon und Tetrachlorchinon (A. W. HOFFMANN, *A.* **52**, 57, 60; GRAEBE, *A.* **146**, 8, 12).
Phenol bildet mit Sulfurylchlorid *p*-Chlor-phenol (Dubois, *Z.* **1866**,
10 706; PERATONER, CONDORELLI, *G.* **28 I**, 210). — Lässt man auf Phenol
2 Atomgewichte Brom in Dampfform oder in Lösung (Eisessig, Schwefelkohlenstoff) einwirken, so entstehen *o*- und *p*-Brom-phenol (KÖRNER,
A. **137**, 205; *G.* **4**, 387, 389; *J.* 1875, 335; HÜBNER, BRENKEN, *B.* **6**,
171, 172; WERNER, *A. ch.* [6] **3**, 567; MELDOLA, STREATFIELD, *Soc.*
15 **73**, 681) neben etwas 2.4-Dibrom-phenol (MEL., STREAT.). Nach
HANTZSCH, MAI (*B.* **28**, 978) wird beim Bromieren in Schwefelkohlenstofflösung vorwiegend die *p*-Verbindung erhalten. *o*-Brom-phenol
entsteht fast ausschliesslich, wenn in 1 Mol.-Gew. Phenol bei 150–180°
2 At.-Gew. Brom in Dampfform geleitet werden (MERCK, *D. R. P.*
20 76597; *Frdl.* **3**, 845). Phenol gibt mit 2 At.-Gew. Brom in Dampfform
oder in Lösung 2.4-Dibrom-phenol (KÖRNER, *A.* **137**, 205; WERNER,
A. ch. [6] **3**, 571) und mit 6 Atomgewichten Brom ohne oder mit
Lösungsmittel 2.4.6-Tribrom-phenol (LAURENT, *A. ch.* [3] **3**, 211;
A. **43**, 212; KÖRNER, *A.* **137**, 208; WERNER, *A. ch.* [6] **3**, 572). Bei
25 der Monobromierung von Phenol durch 2 Atomgewichte Brom in
Eisessig lässt sich durch Zusatz von konz. Schwefelsäure die Entstehung von *p*-Brom-phenol begünstigen. Bromierung von Phenol durch
Bromcyan s. S. 129. Bei Einw. einer Lösung von Phenol in 4 At.-Gew. Brom in
Eisessig auf eine Lösung von Phenol in überschüssiger 73 % iger Schwe-
30 felsäure entsteht fast quantitativ 2.4-Dibrom-phenol (HEWITT, KEN-
NER, SILK, *Soc.* **85**, 1227). In sehr verd. wässr. Lösung gibt Phenol
mit überschüssigem Bromwasser 2.4.6.6-Tetrabrom-cyclohexadien-
(1.4)-on-(3) („Tribromphenolbrom") (Syst. No. 620) (BENEDIKT, *A.*

eisgekühlt (*p. adj.*), ice-cooled
vorwiegend (*adv.*), predominantly,
above all

begünstigen (*v.*), to favor
Tetrabrom-cyclohexadienon   (*n.*),
tetrabromocyclohexadienone

1. **bis die dauernd alkal. gehaltene Flüssigkeit,** *until the liquid that
is kept permanently alkaline.*

199, 128; THIELE, EICHWEDE, *B.* **33,** 673). Über die Bromierungsgeschwindigkeit des Phenols vgl. BRUNER, *Ph. Ch.* **41,** 535. Bei Einw. freies Alkali [1] enthaltender Kaliumhypobromitlösung auf Phenol entsteht 2.4.6-Tribrom-phenol (CHANDELON, *Bl.* [2] **38,** 71). Lässt man auf Phenol die 10-fache Menge Brom in Gegenwart von Jod und Wasser einwirken, so entsteht Bromanil (Syst. No. 671) (STENHOUSE, *A. Spl.* **8,** 19). Behandelt man Phenol zunächst bei gewöhnlicher Temperatur mit reinem, dann jodhaltigem Brom, erhitzt darauf das Reaktionsprodukt mit überschüssigem Brom in geschlossenem Rohr 20–25 Stunden auf 50–70° und schliesslich bis 350°, so entsteht Hexabrombenzol (GESSNER, *B.* **9,** 1509). Phenol liefert mit überschüssigem Brom, das 1 % Aluminium gelöst enthält, Pentabromphenol (BODROUX, *C. r.* **126,** 1283). — Jod wirkt nicht direkt auf Phenol ein (LAURENT, *A.* **43,** 204). Behandelt man Phenol in alkoh. Lösung mit Jod und Quecksilberoxyd, so erhält man als Hauptprodukt ein bei [2] 150° schmelzendes Dijodphenol (?) neben einem Gemisch von Monojodphenolen (WESELSKY, HLASIWETZ, *B.* **2,** 523). Trägt man Phenol in eine Lösung von Jod und Jodsäure in verd. Kalilauge ein und säuert mit verd. Salzsäure an, so erhält man ein Gemisch von *o*-Jod-phenol und *p*-Jod-phenol, sowie 2.4.6-Trijod-phenol (KÖRNER, *A.* **137,** 213, 214; *Z.* **1868,** 322; *G.* **4,** 429; *J.* **1875,** 356). Bei der Einw. von Jod (in Kaliumjodidlösung) auf eine alkal. Phenollösung entstehen 2.4-Dijod-phenol (BRENANS, *C. r.* **132,** 831; *Bl.* [3] **25,** 630), 2.4.6-Trijodphenol (BRE., *C. r.* **132,** 833; *Bl.* [3] **25,** 630; CARRASCO, *C.* **1908 I,**

1735) und die Verbindung $O=\langle\!=\!\rangle=\langle\!=\!\rangle=O$ (Syst. No. 675)

(KÄMMERER, BENZINGER, *B.* **11,** 557; BOUGAULT, *C. r.* **146,** 1403; vgl. MESSINGER, VORTAMANN, *B.* **22,** 2313; BAYER AND CO., *D. R. P.* 49739; *Frdl.* **2,** 507). Über die Jodierung des Phenols in alkal. Lösung s. auch CARSWELL, *Chem. N.* **68,** 87, 99, 131; über die Jodierung in Dicarbonatlösung vgl. VAUBEL, *Ch. Z.* **24,** 1060, 1077. 1 Mol.-Gew.

10-fach (*adj.*), tenfold; **die 10 —e**
Menge Brom, the tenfold quantity
of bromine

Bromanil (*n.*), bromanil = tetrabromoquinone, $O{:}C_6Br_4{:}O$
Kaliumjodidlösung (*f.*), potassium
iodide solution

1. **freies Alkali** is the object of the present participle **enthaltender.**
2. **bei 150° schmelzendes Dijodphenol,** participial phrase. See §1.

Phenol verbraucht beim Jodieren in wässr. Boraxlösung 2 At.-Gew. Jod; es entsteht eine Verbindung ($C_6H_4OI_2$)$_3$ (?) (gelbliche Schuppen, F: 144–145°) (E. ORLOW ЖК. 38, 1205; C. 1907 I, 1194). Beim Eintragen von (45 g) trocknem Jod in [1] mit CS_2 übergossenes Natrium-
5 phenolat (20 g, bei 300° getrocknet) entsteht wesentlich o-Jod-phenol neben 2.6-Dijod-phenol und wenig 2.4.6-Trijod-phenol (SCHALL, B. 16, 1897, 1902; 20, 3363; BRENANS, C. r. 134, 347; Bl. [3] 27, 398). Phenol liefert bei längerer Einw.[2] von Chlorjod 2.4.6-Trijod-phenol (SCHÜTZENBERGER, Bl. [2] 4, 102; J. 1865, 524; vgl. auch SCHÜTZEN-
10 BERGER, SENGENWALD, J. 1862, 413). Auch beim Eintragen von Jodstickstoff in eine Lösung von Phenol in Natronlauge entsteht 2.4.6-Trijod-phenol (LEPETIT, G. 20, 105). Verhalten von Phenol gegen WIJssche Jodlösung [3]: WAKE, INGLE, Journ. Soc. Chem. Ind. 27, 315; C. 1908 I, 2060.
15   *Nitrosierung und Nitrierung.* Beim Erwärmen einer wässr. Phenollösung mit Wasserstoffsuperoxyd und einem Hydroxylaminsalz auf 40° erhält man p-Nitroso-phenol (Chinonoxim) (WURSTER, B. 20, 2632). Phenol gibt mit Alkalinitrit und verd. Säuren (Schwefelsäure, Essigsäure) p-Nitroso-phenol (BAEYER, CARO, B. 7, 967; vgl. BRIDGE,
20 A. 277, 85). Auch die Einw. von Nitrosylschwefelsäure auf Phenol in wässr. Lösung führt zu p-Nitroso-phenol (STENHOUSE, GROVES, A. 188, 360). Phenol reagiert mit salpetrigsäurehaltiger konz. Schwefelsäure unter Bildung von $C_{18}H_{15}O_3N$ (?) (S. 137) (LIEBERMANN, B. 7, 247, 1099; vgl.: KRAEMER, B. 17, 1877; BRUNNER, CHUIT, B. 21,
25 249). Bei der Einw. nitroser Gase, aus Salpetersäure und Stärke gewonnen, auf eine eisgekühlte äther. Phenollösung entstehen o- und p-Nitro-phenol, sowie p-Oxy-benzoldiazoniumnitrat (WESELSKY, B. 8, 98; WES., SCHULER, B. 9, 1159; vgl. JÄGER, B. 8, 894). Lässt man auf eine Benzollösung des Phenols Stickstoffdioxyd (aus Bleini-

beim Jodieren, upon iodization	**salpetrigsäurehaltig** (*adj.*), contain-
Schuppe (*f.*), scale, flake	ing nitrous acid
F =Fusionspunkt (*m.*), melting point	**nitros** (*adj.*), nitrous
beim Eintragen, on introduction	

1. **in mit** CS_2 **übergossenes Natriumphenolat,** participial phrase. See §1.
2. **bei längerer Einw.** See §13(4).
3. **WIJssche Jodlösung,** *Wijs' iodine solution.* Notice the formation of adjectives derived from names of persons; addition of **sch** and the use of capital letters of a person's name.

trat) oder die aus arseniger Säure und Salpetersäure entwickelten Stickstoffoxyde einwirken, so erhält man *o*- und *p*-Nitro-phenol (AUWERS, *B*. **35**, 456). Diese Verbindungen entstehen auch bei der Einw. von Stickstoffdioxyd (aus Bleinitrat) auf trocknes Natrium-phenolat in Schwefelkohlenstoff-Suspension (SCHALL, *B*. **16**, 1901). Die Einw. von verd. Salpetersäure auf Phenol führt zu *o*- und *p*-Nitro-phenol und harzigen Produkten (A. W. HOFFMANN, *A*. **103**, 348; *Soc.* **10**, 204; FRITZSCHE, *J. pr.* [1] **73**, 296; *A*. **110**, 151). Bei niedriger [1] Temperatur entsteht vorzugsweise die *p*-Verbindung, bei höherer [1] Temperatur die *o*-Verbindung (GOLDSTEIN, Ж. **10**, 353; *B*. **11**. 1943; vgl. PICTET, *C. r.* **116**, 817). Geschwindigkeit der Nitrierung von Phe-nol in wässr. Lösung: MARTINSEN, *Ph. Ch.* **50**, 421. Bei energische-rer [1] Einw. von Salpetersäure auf Phenol entstehen 2.4-Dinitro-phenol und 2.4.6-Trinitro-phenol (Pikrinsäure) (LAURENT, *A*. **43**, 204, 213, 219; KOLBE, *A*. **147**, 67). Zweckmässig ist es, das Phenol erst mit konz. Schwefelsäure zu sulfurieren und dann mit Salpetersäure zu nitrieren (SCHMITT, GLUTZ, *B*. **2**, 52; REVERDIN, DE LA HARPE, *Ch. Z*. **16**, 45; MARZELL, *Chem. N*. **37**, 145); auch kann man das Phenol erst in Nitrophenoldisulfonsäure oder Dinitrophenolsulfonsäure über-führen und diese nach Wasserzusatz mit $NaNO_3$ auf 140° erhitzen, um 2.4.6-Trinitro-phenol zu erhalten (KÖHLER, *D. R. P.* 67074; *Frdl.* **3**, 804). Zur Darstellung von Pikrinsäure kann man auch eine Lösung von Phenol in Paraffinöl nitrieren (GUTENSOHN, *D. R. P.* 121197; *C.* **1901 II**, 1373). Über Bildung von Cyanwasserstoff bei der Ni-trierung des Phenols s. SEYEWETZ, POIZAT, *Bl.* [4] **5**, 490. — Phenol gibt beim Erwärmen mit Äthylnitrat und ca. 66% iger Schwefelsäure auf 50° *o*-Nitro-phenol und sehr wenig *p*-Nitro-phenol (NATANSON, *B*. **13**, 416). Phenol liefert auch mit Acetylnitrat (PICTET, KHOTINSKY, *B*. **40**, 1165) oder mit Benzoylnitrat (FRANCIS, *B*. **39**, 3801) *o*- und *p*-Nitro-phenol.

Einwirkung von Schwefel, von Halogeniden und Oxyden des Schwefels, Selens und Tellurs. Beim Erhitzen von 2 Mol.-Gew. Phenolnatrium mit 1 At.-Gew. Schwefel auf 180–200° wird 2.2′-Dioxy-diphenyldi-sulfid $HO \cdot C_6H_4 \cdot S_2 \cdot C_6H_4 \cdot OH$ gebildet (HAITINGER, *M*. **4**, 166).

---

harzig (*adj.*), resinous   **Dioxy-diphenyldisulfid** (*n.*), dihy-
                                        droxydiphenyl disulfide

1. **niedrigerer; hörerer; energischerer.** What is the force of the –er ending here? See §13(2).

Chlorschwefel SCl_2 gibt, in CS_2-Lösung unter guter Kühlung mit Phenol zusammengebracht, 4.4′-Dioxy-diphenylsulfid $HO \cdot C_6H_4 \cdot S \cdot C_6H_4 \cdot OH$ (TASSINARI, *G.* **17**, 83). Das Produkt, das aus Phenol und Chlorschwefel bei 150–160° erhalten wird, kann zur Darstellung von
5 Schwefelfarbstoffen verwendet werden (*Soc. St. Denis, D. R. P.* 113 893, 120467, 131 567; *C.* **1900 II**, 797; **1901 I**, 1130; **1902 I**, 1384).
— Phenol liefert bei Behandlung mit SO_2 eine unbeständige Verbindung 5 (?) $C_6H_6O + SO_2$ (S. 136) (HÖLZER, *J. pr.* [2] **25**, 463). Beim Überleiten von SO_2 über Natriumphenolat entsteht phenylschweflig-
10 saures Natrium $C_6H_5 \cdot O \cdot SO_2Na$ (SCHALL, *J. pr.* [2] **48**, 243). Thionylchlorid liefert mit Phenol 4.4′-Dioxy-diphenylsulfid (TASSINARI, *G.* **20**, 363). Behandelt man Phenol in CS_2-Lösung bei 0° in Gegenwart von $AlCl_3$ mit Thionylchlorid, so erhält man 4.4′-Dioxy-diphenyl-sulfoxyd (SMILES, BAIN, *Soc.* **91**, 1119). — Geschwindigkeit der
15 Sulfurierung des Phenols durch eine Schwefelsäure der Zusammensetzung $H_2SO_4 + H_2O$ bei 50°: FULDA, *Ph. Ch.* **6**, 503. Behandelt man Phenol mit etwa der gleichen Menge konz. Schwefelsäure oder mit ca. 1,1–1,5 Tln. Schwefelsäuremonohydrat bei mässiger Temperatur (15–20°, 35–40°), so erhält man ein Gemisch von *o*- und *p*-Phenol-
20 sulfonsäure (KEKULÉ, *Z.* **1867**, 199; *J.* **1867**, 637; POST, *A.* **205**, 64; *B.* **8**, 1548; SCHULTZ, ICHENHÄUSER, *J. pr.* [2] **77**, 113; OBERMILLER, *B.* **40**, 3637; **41**, 696), während bei höherer Temperatur (90–100°) ganz überwiegend *p*-Phenolsulfonsäure entsteht (KEK., *B.* **2**, 331; POST, *A.* **205**, 65; SCHULTZ, ICH., *J. pr.* [2] **77**, 114; PAUL, *Z. Ang.*
25 **9**, 590; OBERM., *B.* **41**, 701; vgl. HAZARD-FLAMAND, *D. R. P.* 141751; *C.* **1903 I**, 1324). Mit überschüssiger 95 % iger Schwefelsäure (4 Tle.) erhält man bei 90–100° (in 6–8 Stdn.) vorwiegend Phenoldisulfon-säure-(2.4), vielleicht daneben noch eine isomere Disulfonsäure (OBERM., *B.* **40**, 3631, 3640). Mit 4 Tln. einer Schwefelsäure, welche
30 2 Moleküle SO_3 enthält, erzielt man bei 6–8-stdg. Rühren bei 20–30° befriedigende Ausbeute an Phenol-disulfonsäure-(2.4) (OBERM., *B.* **40**, 3641; **41**, 701; vgl. KEK., *Z.* **1866**, 693; ENGELHARDT, LATSCHI-NOW, *Z.* **1868**, 270). Erhitzt man Phenol mit etwa der halben Menge rauchender Schwefelsäure 3–5 Stdn. auf 180–190°, so erhält man be-
35 trächtliche Mengen 4.4′-Dioxy-diphenylsulfon (ANNAHEIM, *A.* **172**,

---

zusammenbringen (*v.*), to bring together

beim Überleiten, on the passing over

phenylschwefligsaures Natrium, sodium phenylsulfite   [factory

befriedigend (*adj.*), satisfying, satis-

36; vgl. GLUTZ, *A.* **147**, 53). Erhitzt man Phenol mit 5 Tln. konz.
Schwefelsäure und 2½ Tln. P_2O_5 auf 180° (SENHOFER, *A.* **170**, 110)
oder mit etwa der berechneten Menge Pyroschwefelsäure auf 100–110°
(ARCHE, EISENMANN, *D. R. P.* 51321; *Frdl.* **2**, 218), so erhält man
Phenol-trisulfonsäure-(2.4.6). Bei 2–3-stdg. Erhitzen von Phenol mit 5
4 Tln. rauchender Schwefelsäure auf 190° bis 200° entsteht Phenoltetrasulfonsäure (ANNAHEIM, *A.* **172**, 33 Anm.). Durch Einw. von
$K_2S_2O_7$ auf Kaliumphenolat bei 60–70° entsteht das Kaliumsalz des
Schwefelsäuremonophenylesters $C_6H_5 \cdot O \cdot SO_3K$ (BAUMANN, *B.* **9**,
1716; **11**, 1907; *H.* **2**, 336). Über Einw. von Chlorsulfonsäure auf 10
Phenol vgl.: ENG., LA., ЖK. **1**, 131; *Z.* **1869**, 297; MAZUROWSKA, *J.*
pr. [2] **13**, 169; KLASON, *J. pr.* [2] **19**, 236. Einw. von Sulfurylchlorid auf Phenol s. S. 117. Einw. von Sulfomonopersäure und von
Kaliumpersulfat s. S. 116.

Die Einw. von $SeOCl_2$ auf Phenol liefert Dioxydiphenylselenid 15
$HO \cdot C_6H_4 \ Se \cdot C_6H_4 \cdot OH$ (Syst. No. 555a) (MICHAELIS, KUNCKELL,
B. **30**, 2824). — Mit $TeCl_4$ gibt Phenol ein Additionsprodukt $2C_6H_6O$
+ $TeCl_4$ (S. 136) (RUST, *B.* **30**, 2832).

Einwirkung von Ammoniak und anorganischen Ammoniakderivaten.
Phenol gibt beim Erhitzen mit Ammoniak auf ca. 220–280° Anilin 20
(LETHEBY, *Chem. N.* **16**, 55). Beim Erhitzen von Phenol mit Chlorzinkammoniak auf ca. 300° entstehen Anilin, Diphenylamin und
Diphenyläther (MERZ, WEITH, *B.* **13**, 1299; vgl. MERZ, MÜLLER, *B.*
19, 2902); Zusatz von Salmiak und Erhöhung der Temperatur (auf
ca. 330°) steigert die Ausbeute an Anilin (MERZ, MÜLLER, *B.* **19**, 25
2916). Einw. von Natriumamid auf Phenol s. S. 116. Schüttelt man
Phenol in Wasser bei Gegenwart von Ammoniak und etwas Sodalösung,
unter Zusatz von etwas Hydroxylaminsalz als reaktionsbeförderndem
Mittel, mit Wasserstoffsuperoxyd, so erhält man eine [1] tiefblaue, das
Indophenol $HO \cdot C_6H_4 \cdot N:C_6H_4:O$ (Syst. No. 1846) enthaltende Lösung 30
(WURSTER, *B.* **20**, 2935; vgl. PHIPSON, *B.* **6**, 823). Das Indophenol
entsteht auch durch Zusatz von Ammoniak zu einer wässr. Lösung von
Chinon und überschüssigem Phenol und Schütteln mit Luft (WUR.).
Über gemeinsame Oxydation von Phenol mit Aminen s. S. 131. — Phe-

---

Dioxydiphenylselenid (*n.*), dihý-
droxydiphenyl selenide

reaktionsbefördernd (*adj.*), reaction-promoting
gemeinsam (*adj.*), common, joint

1. **eine ... enthaltende Lösung.** See §1.

nol gibt mit Chloramin ClNH₂ wenig *p*-Amino-phenol, das sich weiter in Indophenol umwandelt (Ursache der Blaufärbung phenolhaltiger Flüssigkeiten mit NH₃ und Chlorkalklösung) (RASCHIG, *Z. Ang.* **20,** 2069). Reaktion zwischen Chinon-chlorimid und Phenol s. S. 125.
5 Einw. von Jodstickstoff auf Phenol s. S. 118. Einw. von Hydroxylamin und H₂O₂ auf Phenol s. S. 118. Einw. von Phospham auf Phenol s. S. 120. — Hydrazinhydrat gibt mit Phenol bei gewöhnlicher Temperatur und auch bei 130° eine unbeständige Doppelverbindung (CURTIUS, THUN, *J. pr.* [2] **44,** 190). Beim Erhitzen von Phenol
10 mit Hydrazinhydrat auf 220° bildet sich wenig Phenylhydrazin (L. HOFFMANN, *B.* **31,** 2910).

Einwirkung von Phosphor, von Halogeniden, Oxyden, Sulfiden usw. des Phosphors, Arsens und Antimons. Über das Verhalten des Phenols beim Erhitzen mit rotem Phosphor vgl. WICHELHAUS, *B.* **36,** 2944; **38,**
15 1727. — Beim Erhitzen von Phenol mit Phospham auf 400° entsteht Diphenylamin (VIDAL, *C.* **1897 II,** 517; *D. R. P.* 64346; *Frdl.* **3,** 13). — Beim Erwärmen von Phenol mit etwas mehr als der gleichmolekularen Menge PCl₃ auf 140° entsteht als Hauptprodukt Phosphorigsäurephenylesterdichlorid, als Nebenprodukt Phosphorigsäurediphe-
20 nylesterchlorid (NOACK, *A.* **218,** 87, 90, 91; ANSCHÜTZ, EMERY, *A.* **239,** 310). Beim Erhitzen von PCl₃ mit 3 Mol.-Gew. Phenol bildet sich als Hauptprodukt Phosphorigsäuretriphenylester (No., *A.* **218,** 96; AN., EM., *A.* **239,** 311). — Phenol gibt beim Erhitzen mit „Phosphortrisulfid" Benzol neben wenig Diphenylsulfid und einem Phos-
25 phorsäurephenylester (Phosphorsäuretriphenylester?) (GEUTHER, *A.* **221,** 56). — Beim Lösen von Phenol in Phosphorsäure (D: 1,75–1,76) entsteht eine Verbindung C₆H₆O + H₃PO₄ (S. 136) (HOOGEWERFF, VAN DORP, *R.* **21,** 354). Phosphorpentoxyd und Phenol reagieren unter Bildung von Phosphorsäuremonophenylester und -diphenylester
30 (REMBOLD, *Z.* **1866,** 651; vgl. GENVRESSE, *C. r.* **127,** 522). — Erwärmt man Phosphorpentachlorid mit Phenol und destilliert das Reaktionsprodukt, so erhält man Chlorbenzol und Phosphorsäuretriphenylester (WILLIAMSON, SCRUGHAM, *A.* **92,** 317; RICHE, *A.* **121,** 358; GLUTZ, *A.* **143,** 183), und zwar entsteht als erstes Einwirkungs-

Chloramin (*n.*), chloroamine
Chlorkalklösung (*f.*), solution of chlorinated lime (bleaching-powder solution)
Phospham (*n.*), phospham, PN₂H

gleichmolekular (*adj.*), equal molekular
Phosphorigsäurephenylesterdichlorid (*n.*), phosphorous acid phenyl ester dichloride

produkt von Phosphorpentachlorid auf (3 Mol.-Gew.) Phenol Phosphorsäuretriphenylesterdichlorid, wenn man nicht höher als 140° erhitzt; bei höherer Temperatur (200° bis 210°) tritt dann Zersetzung unter Bildung von Chlorbenzol ein (AUTENRIETH, GEYER, B. 41, 151, 153). — Beim Erwärmen gleichmolekularer Mengen Phenol und Phosphoroxychlorid entsteht als Hauptprodukt Phosphorsäurephenylesterdichlorid, mit dem mehrfachen Mol.-Gew. an Phenol Phosphorsäurediphenylesterchlorid; gleichzeitig bildet sich bei der Reaktion Phosphorsäuretriphenylester (JACOBSEN, B. 8, 1521). Letzterer ist das Hauptprodukt, wenn man Phosphoroxychlorid mit etwas mehr als 3 Mol.-Gew. Phenol längere Zeit [1] erhitzt (HEIM, B. 16, 1765; vgl. SCHIAPARELLI, G. 11, 69). Beim Schütteln von Phenol in 10% iger Natronlauge mit $POCl_3$ entstehen Phosphorsäurediphenylester und Phosphorsäuretriphenylester (AUTENRIETH, B. 30, 2372). — Durch Destillation von Phenol mit PBr_5 erhält man Brombenzol (RICHE, A. 121, 359). — Erhitzt man Phenol mit 1½ Mol.-Gew. Phosphorsulfochlorid, so erhält man Thiophosphorsäurephenylesterdichlorid $C_6H_5O \cdot PSCl_2$ (MICHAELIS, SCHRÖMGENS, A. 326, 206). Beim Kochen von Phosphorsulfochlorid mit 3 Mol.-Gew. Phenol entsteht Thiophosphorsäuretriphenylester (SCHWARZE, J. pr. [2] 10, 227). Schüttelt man eine Lösung von 3 Mol.-Gew. Phenol in überschüssiger 10% iger Natronlauge unter guter Kühlung mit 2 Mol.-Gew. Phosphorsulfochlorid, so gewinnt man Thiophosphorsäurephenylesterdichlorid und Thiophosphorsäurediphenylesterchlorid (AUTENRIETH, HILDEBRAND, B. 31, 1100). Bei 2-stdg. Erwärmen einer Lösung von 3 Mol.-Gew. Phenol in 15 bis 20% iger Natronlauge mit 1 Mol.-Gew. Phosphorsulfochlorid auf dem Wasserbade, erhält man Thiophosphorsäuretriphenylester (AUTENRIETH, HILDEBRAND, B. 31, 1100). Als Nebenprodukt entsteht bei der Einw. von Phosphorsulfochlorid auf wässr.-alkal. Phenollösungen Thiophosphorsäurediphenylester (AU., HI., B. 31, 1104). Bei der Destillation von Phenol mit Phosphorpentasulfid werden neben anderen Produkten Thiophenol, Diphenylsulfid (KEKULÉ, SZUCH, Z. 1867, 194; J. 1867, 628) und Thianthren (GRAEBE, A. 179, 179), aber kein Benzol (GEUTHER, A. 221, 57) erhalten.

Beim Eintropfen von $AsCl_3$ in eine äther. Suspension von Natrium-

Eintropfen (n.), dropping in, instilling

1. längere Zeit. See §13(4).

phenolat entsteht Arsenigsäuretriphenylester (FROMM, *B.* **28**, 621).
Erhitzt man 140 Tle. Phenol mit 80 Tln. Arsentrioxyd unter Entfernung des Reaktionswassers, so entsteht Arsenigsäuretriphenylester (AUGER, *C. r.* **143**, 909; LANG, MACKEY, GORTNER, *Soc.* **93**, 1369).
5 Phenol geht beim Erwärmen mit Arsensäure in *p*-Oxy-phenylarsinsäure über (*Höchster Farbw.*, *D. R. P.* 205616; *C.* **1909 I**, 807). — Erhitzt man Phenol mit Antimontrioxyd unter Entfernung des Reaktionswassers, so entsteht Antimonigsäuretriphenylester (MACKEY, *Soc.* **95**, 608).

10   *Einwirkung sonstiger anorganischer Reagenzien auf Phenol.* Beim Erhitzen von Phenol mit 10 Tln. Siliciumtetrachlorid auf 220–225° entsteht Orthokieselsäuretetraphenylester (HERTKORN, *B.* **18**, 1679). Gibt man in äther. Lösung 1 Mol.-Gew. Phenol zu 1 Mol.-Gew. $SiCl_4$, dann die Flüssigkeit zu äther. Lösung von 1 Mol.-Gew. Me-
15 thylalkohol, so gewinnt man Orthokieselsäure-methylesterphenylester-dichlorid $SiCl_2(O \cdot CH_3)(O \cdot C_6H_5)$ (KIPPING, LLOYD, *Soc.* **79**, 457). Bei der Umsetzung von Titantetrachlorid mit 4 Mol.-Gew. Phenol in Benzol unter Kühlung entsteht die Verbindung $Ti(O \cdot C_6H_5)_4$ + HCl (SCHUMANN, *B.* **21**, 1079). Durch Zusatz von $SnCl_4$ zu einer
20 Chloroformlösung von 2 Mol.-Gew. Phenol und nachfolgendes Kochen erhält man die Verbindung $(C_6H_5 \cdot O)_2SnCl_2$ + HCl (ROSENHEIM, SCHNABEL, *B.* **38**, 2779). — Beim Erhitzen von Phenol mit geschmolzener Borsäure entstehen die Ester $C_6H_5O_2B$ und $C_6H_5O_5B_3$ (S. 183) (H. SCHIFF, *A. Spl.* **5**, 202). Beim Erhitzen von 3 Mol.-Gew. Phenol
25 mit 1 Mol.-Gew. BCl_3 in Benzollösung im Druckrohr auf Wasserbadtemperatur entsteht Borsäuretriphenylester (S. 183) (MICHAELIS, HILLRINGHAUS, *A.* **315**, 41). — Beim Erwärmen von 2 Tln. Phenol mit 1 Tl. $AlCl_3$ entstehen Benzol, Diphenyläther und Xanthen (Syst. No. 2370) (MERZ, WEITH, *B.* **14**, 189). Bei 1-stdg. Kochen von 10 g
30 Phenol mit 13 g $AlCl_3$ und 100 g Schwefelkohlenstoff erhält man eine Verbindung $C_6H_5 \cdot O \cdot AlCl_2$ (PERRIER, *C. r.* **122**, 196; *Bl.* [3] **15**, 1181; vgl. CLAUS, MERCKLIN, *B.* **18**, 2932). Durch Eintröpfeln von 5 g geschmolzenem Phenol in 10 g $AlBr_3$ und Waschen des Produkts mit CS_2 erhält man eine Verbindung $Al(O \cdot C_6H_5)_3$ + $AlBr_3$ (GUSTAVSON,
35 *Ж.* **16**, 242). Aluminiumphenolat zerfällt bei der Destillation in Tonerde, Phenol, Diphenyläther und wenig Xanthen) (Vgl. hierzu die

---

sonstig (*adj.*), other
Tonerde (*f.*), alumina

Eintröpfeln (*n.*), dropping in, instilling

Arbeiten von Möhlau (*B.* 49, 168 [1916], und von Russig (*Z. Ang.*
32, 37 [1919]), die nach dem Literatur-Schlusstermin der 4. Aufl.
dieses Handbuchs [1. I. 1910] erschienen sind.) (Gladstone, Tribe,
Soc. 41, 7; Cook, *Am. Soc.* 28, 615). — Bei der trocknen Destillation
von Calciumphenolat entstehen Diphenylenoxyd und etwas Benzol 5
(v. Niederhäusern, *B.* 15, 1120). Beim Erhitzen von Phenol mit
überschüssigem $ZnCl_2$ auf 350–400° unter Druck gibt Phenol Diphenyläther (Merz, Weith, *B.* 12, 1925; 14, 187). Bei der Destillation
eines Gemenges von Natriumphenolat mit Natriummetaphosphat erhält man Diphenyläther, Phenol und etwas Xanthen (v. Nie., *B.* 15, 10
1123). — Aus konz. wässr. Lösung von Phenol und Quecksilberacetat
scheidet sich Oxyphenylen-bis-quecksilberacetat $(HO)C_6H_3(Hg \cdot O \cdot$
$CO \cdot CH_3)_2$ ab, in der Flüssigkeit bleiben *o*- und *p*-Oxy-phenyl-queck-
silberacetat (Dimroth, *B.* 31, 2154; 32, 762; *C.* 1901 I, 451). Die
Mercurierung des Phenols in demselben Sinne erfolgt auch bei der 15
Einw. von HgO oder $HgCl_2$ auf wässr. Phenolnatrium-Lösungen
(Dim., *B.* 31, 2155; *B.* 32, 762; *C.* 1901 I, 453; vgl. Grützner, *Ar.*
236, 623). Über Einw. von „Millonschem Reagens" auf Phenol vgl.
Vaubel, *Z. Ang.* 13, 1125.

Schlusstermin (*m.*), term; Literatur   Mercurierung (*f.*), mercurization
—, final bibliography list

GMELINS *HANDBUCH DER ANORGANISCHEN*
CHEMIE

(8. Auflage)

HERAUSGEGEBEN VON DER DEUTSCHEN CHEMISCHEN
GESELLSCHAFT

System-Nummer 59

Eisen

Teil A — Lieferung 3

1930

CHEMISCHE PASSIVIERUNG

Durch Säuren und Salzlösungen

[Seite 315–319]

Nur solche Säuren und Salzlsgg. erzeugen im allgemeinen ohne
Anwendung des elektr. Stromes Passivität, die zugleich starke *Oxydationsmittel* sind; der Eintritt der Passivität hängt bei den passivierenden Säuren von der Konz., bei den Salzlsgg. von dem Gehalt an
5 freier Säure und der Konz. ab. Auch die Temp. ist von grossem
Einfluss.

Durch Salpetersäure

Einfluss der Konzentration und Temperatur. *Konzentrierte
Salpetersäure* erzeugt Passivität, R. KIRWAN („Essay on Phlogiston
and the Constitution of Acids", London 1787, S. 244; „Essai sur le
10 phlogistique et sur la constitution des acides", Paris 1788, S. 100),
J. KEIR (*Phil. Tran.* **80** [1790] 359; *Schw. J.* **53** [1828] 151), H.
BRACONNOT (*Ann. Chim. Phys.* [2] **52** [1833] 286; *Pogg. Ann.* **29**
[1833] 174), J. F. W. HERSCHEL (*Ann. Chim. Phys.* [2] **54** [1833] 87;
Pogg. Ann. **32** [1834] 211; *Phil. Mag.* [3] **11** [1837] 329), CH. F.
15 SCHÖNBEIN (*Pogg. Ann.* **37** [1836] 390, 590; **38** [1836] 444; *Phil.
Mag.* [3] **9** [1836] 53; *Bibl. univ.* **5** [1836] 177), A. MOUSSON (*Bibl.
univ.* **5** [1836] 165; *Pogg. Ann.* **39** [1836] 330), H. BUFF (*Lieb. Ann.*
34 [1840] 252), W. BEETZ (*Pogg. Ann.* **67** [1846] 186), CH. TOMLINSON
(*J. Chem. Soc.* **22** [1869] 141), L. VARENNE (*C. r.* **89** [1879] 783),

110

E. Ramann (*Ber.* **14** [1881] 1430), H. L. Heathcote (*Z. phys. Ch.* **38** [1901] 368).

Rauchende Salpetersäure erzeugt ebenfalls Passivität, J. Keir (*Phil. Trans.* **80** [1790] 359; *Schw. J.* **53** [1828] 163), G. Wetzlar (*Schw. J.* **49** [1827] 489, **50** [1827] 137), G. Th. Fechner (*Schw. J.* 5 **53** [1828] 129), G. S. Ohm (*Pogg. Ann.* **63** [1844] 398), J. M. Ordway (*Am. J. Sci.* [2] **40** [1865] 316; *J. pr. Ch.* **99** [1866] 366), L. Varenne (*C. r.* **89** [1879] 783); s. auch Tabelle weiter unten.

Verdünnte Salpetersäure. Beim Verd. der HNO_3-Lsg. hört bei einer bestimmten Konz. die passivierende Wrkg. auf. Diese Konzen- 10 trationsgrenze ist bei gegebenem Eisenmaterial stark von der Temp. abhängig. Die Grenzkonz. ist dadurch charakterisiert, dass [1] bei ihr period. Erscheinungen auftreten, derart,[2] dass das Eisen abwechselnd aktives und passives Verh. zeigt. Vgl. auch „Periodische Erscheinungen" S. 342. 15

Dass [3] der Eintritt der Passivität von der Konz. der Säure abhängig ist, beobachteten bereits, ohne die Konz. zu [4] bestimmen, G. Th. Fechner (*Schw. J.* **53** [1828] 129), A. de la Rive (*Schw. J.* **53** [1828] 418).

J. F. W. Herschel (*Ann. Chim. Phys.* [2] **54** [1833] 87; *Pogg.* 20 *Ann.* **32** [1834] 215; *Phil. Mag.* [3] **11** [1837] 329) fand, dass die Passivität in HNO_3-Lsg. (D = 1.399) bei Siedehitze verschwindet. — Ähnlich gibt E. Millon (*C. r.* **14** [1842] 904; *Pogg. Ann.* **57** [1842] 289) an, dass bei Zimmertemp. HNO_3 mit 4, 4½ und mehr Mol H_2O noch passivierend wirkt, während bei Erwärmung energischer Angriff 25 erfolgt. — Nach M. Martens (*Bl. Acad. Belg.* **9 II** [1842] 19; *Pogg. Ann.* **58** [1843] 239) erfolgt bei gewöhnl. Temp. bei D = 1.34 heftiger Angriff.

Exakte Angaben über den Passivierungsvorgang bei der Dichte D und verschiedener Temp.: 30

aufhören (*v.*), to cease, to stop
Grenzkonzentration (*f.*), concentration limit
abwechselnd (*adv.*), alternately, intermittently

Siedehitze (*f.*): bei —, at boiling heat
Passivierungsvorgang (*m.*), passivation process

1. dadurch ... dass. See §15(6).
2. derart, dass, *in such a way that.*
3. Dass, *the fact that.*
4. ohne ... zu bestimmen. See §18(4).

D	Temp.	Vorgang	Autor und Literatur
1.38	31°	Passivität tritt nach kurzer Zeit ein	J. M. Ordway
1.38	32°	Passivität tritt nicht mehr ein	(Am. J. Sci.
1.42	55°	Passivität tritt nach kurzer Zeit ein	[2] 40 [1865]
1.42	56°	Passivität tritt nicht mehr ein	416; J. pr. Ch.
1.42*	82°	Passivität tritt nach kurzer Zeit ein	99 [1866] 366)
1.42*	83°	Passivität tritt nicht mehr ein	
1.319	Zimmertemp.	Perioden	L. Varenne
1.409	"	Passivierung	(Ann. Chim.
			Phys. [5] 20
			[1880] 240; C.
			r. 90 [1880]
			998)
1.21	15°	Aktivität	H. Gautier,
1.38	60°	"	G. Charpy (C.
			r. 112 [1891]
			1452)
1.40	Zimmertemp.	Passivierung	H. L. Heath-
1.25	"	Kann bereits passivieren	cote (Z. phys.
1.20	"	Aktivität	Ch. 37 [1901]
			368)

* In rauchender Salpetersäure.

Die tabellarisch gebrachten Angaben [1] beziehen sich auf gewöhnl. Eisen (Flusseisen). — Auch für Elektrolyteisen geben H. L. Heath-cote (J. Soc. Chem. Ind. 26 [1907] 901), U. R. Evans (J. Chem. Soc. 1927 1036) die gleichen Grenzdichten 1.40 und 1.20 für den Eintritt der
5 Passivität bezw. Aktivität an.

A. Renard (C. r. 79 [1874] 159) stellt fest, dass der Eintritt der Passivität durch Herabgehen zu tieferen Tempp. erleichtert wird. — Über den Einfluss von Konz. und Temp. s. auch T. Andrews (Pr. Roy. Soc. 49 [1891] 120; Nature 43 [1891] 358).

10   E. S. Hedges (J. Chem. Soc. 1928 972) bestimmt, ähnlich wie J. M. Ordway (l.c.), den Einfluss der Temp. auf den Eintritt der Aktivität. t_1 bedeutet die Temp., bei der Gasentw. einsetzt, sie beträgt 74.5°

Periode (f.), period; —n, (in) $t_1 = t$ sub one (temperature)
periods   Gasentw. = Gasentwickelung (f.),
Grenzdichte (f.), density limit   evolution of gas
Herabgehen (n.), going down

1. Die tabellarisch gebrachten Angaben, the data that have been brought together in the table.

bis 75.5° und ist von der HNO_3-Konz. unabhängig. Bei der Temp. t_2 geht Eisen in Lsg.:

HNO_3-Konz. in %	100	99	98	95	90
t_1	74.5°	74.5°	75.5°	74.5°	75.0°
t_2	86.5°	85.0°	83.0°	77.5°	75.0°

Nach W. A. HOLLIS (*Pr. Cambridge Soc.* **12** [1904] 462) macht es einen Unterschied, ob das Eisen und die Säure getrennt erhitzt werden, oder ob das Eisenblech in der Säure erhitzt wird; in letzterem Falle 5 erfolgt [1] ein Umschlag zur Aktivität erst bei etwa 94°, während im ersten Falle schon bei 74° heftige Gasentw. einsetzt; auch besteht eine Abhängigkeit der krit. Temp. von der Reinheit des Materials.

Zur Best. der richtigen Konzentrationsgrenzen ist [2] auf ein schnelles Einführen des Probekörpers in die Säure zu achten, E. S. HEDGES 10 (*J. Chem. Soc.* **1928**, 970). Ein vorheriges Abspülen mit Wasser ist zu vermeiden, da hierdurch der Eintritt der Passivität erschwert wird, H. M. NOAD (*Phil. Mag.* [3] **10** [1837] 276).

Einfluss des Materials. Die Art des Materials ist für das Auftreten der Passivität nicht ohne Bedeutung. Die ursprüngliche 15 Ansicht von T. BERGMAN („Opuscula Physica et Chemica", Upsala 1783, *Bd.* **3**, S. 140; „Kleine Physische und chymische Werke", übersetzt von H. TABOR, Frankfurt a. M. 1785, *Bd.* 3, S. 169), dass nur die Sorte des Eisens für das Auftreten der Passivitätserscheinungen verantwortlich sei,[3] hat sich in der Folge als unrichtig erwiesen. Das [4] 20 von R. KIRWAN („Essay on Phlogiston and the Constitution of Acids", London 1787, S. 244) beobachtete Ausbleiben eines Angriffs von konz. HNO_3-Lsg. auf Eisenspäne wurde noch von BERTHOLLET in: R. KIRWAN („Essai sur le phlogistique et sur la constitution des acides", Paris 1788, S. 140) als eine Besonderheit des Stahls angesehen. Das 25

Eisenblech (*n.*), sheet iron, iron plate	**erweisen** (*v.*), to prove; **sich — als,**
Umschlag (*m.*), sudden change, transition	to be found
Abspülen (*n.*), rinsing	**Ausbleiben** (*n.*), absence
unrichtig (*adj.*), incorrect	**Eisenspäne** (*m. pl.*), iron filings
	Besonderheit (*f.*), peculiarity

1. **erfolgt ... erst,** *does not take place until.* Note meaning of **erst** as an adverb. See §20.

2. **ist (es) auf ... zu achten,** *care is to be taken for a quick insertion of the testing substance (sample) into the acid.*

3. **verantwortlich sei,** *was responsible.* Notice use of subjunctive in quoting statements. See §10(1).

4. **Das ... Ausbleiben.** See §1.

Unzutreffende dieser Ansicht geht bereits aus der Arbeit von J. KEIR (*Phil. Trans.* **80** [1790] 359; *Schw. J.* **53** [1828] 154) hervor.[1] Eine Abhängigkeit von der Art des Materials stellte bereits J. F. W. HERSCHEL (*Ann. Chim. Phys.* [2] **54** [1833] 87; *Pogg. Ann.* **32** [1834] 215)
5 fest [1]: Angelassener Stahl wird von kalter und heisser HNO_3-Lsg. (D = 1.399) nicht angegriffen, sehr harter Stahl dagegen wird angegriffen; vgl. auch J. P. JOULE (*Phil. Mag.* [3] **24** [1844] 106), J. B. SENDERENES (*Bl. Soc. chim.* [3] **15** [1896] 691, **17** [1897] 279); weitere Arbeiten über den Einfluss des Materials s. E. SAINT-EDME
10 (*C. r.* **52** [1861] 930), J. M. ORDWAY (*Am. J. Sci.* [2] **40** [1865] 416; *J. pr. Ch.* **99** [1866] 366), L. VARENNE (*Ann. Chim. Phys.* [5] **19** [1880] 251, **20** [1880] 240), M. CORSEPIUS (Dissert. München 1887; *Wied. Ann. Beibl.* **1887**, 272), T. ANDREWS (*Pr. Roy. Soc.* **49** [1891] 122), H. G. BYERS, A. F. MORGAN (*J. Am. Soc.* **33** [1911] 1757). —
15 Das Verh. verschiedener Eisensorten ist nie ganz einheitlich, H. L. HEATHCOTE (*J. Soc. Chem. Ind.* **26** [1907] 900).

Fein verteiltes Fe wird schwerer passiv als kompaktes, W. HELDT (*J. pr. Ch.* **90** [1863] 266).

Einfluss der Bewegung. Nach C. W. BENNETT, W. S. BURN-
20 HAM (*Trans. Am. Electrochem. Soc.* **29** [1916] 217; *Z. Elektroch.* **22** [1916] 390) wird rotierendes Eisen in HNO_3-Lsg. (D = 1.40) nicht passiv, während es in Ruhe passiv wird. Nach W. KISTIAKOWSKY (*Nernst-Festschrift*, Halle a. S. 1912, S. 215) dagegen beeinflusst Bewegung das Potential in einem [2] für den Eintritt der Passivität
25 günstigen Sinne. — Passives Eisen wird durch Rotieren in konz. HNO_3-Lsg. (86 % ig) aktiv. Bei 3000 Umdrehungen/min tritt nach 30 Sek. Aktivität ein, E. S. HEDGES (*J. Chem. Soc.* **1928**, 671). — Nach Z. C. MUTAFTSCHIEW (*Z. Elektroch.* **35** [1929] 861) ergibt sich aus [3] den in der Arbeit angeführten Zahlen, dass Rühren in HNO_3-Lsg.
30 von D = 1.2 ein rascheres Inlösunggehen des Eisens bis zu 5 Std.

Unzutreffende (*n.*), incorrectness
angelassen (*p. adj.*), annealed
nie (*adv.*), never
rotierend (*adj.*), rotating
günstig (*adj.*), favorable, beneficial

Umdrehungen/min = Umdrehungen
je Minute, revolutions per minute
anführen (*v.*), to quote, to cite, to mention

---

1. **hervor**, read with **geht**; **fest**, read with **stellte**. See §8.
2. **in einem ... günstigen Sinne.** See §1(5).
3. **aus den ... angeführten Zahlen.** See §1.

bewirkt, von[1] 5 Std. ab bis 24 Std. ergibt sich kein Unterschied mehr zwischen gerührter und nicht gerührter HNO₃-Lsg.

Nach P. DE REGNON (C. r. **79** [1874] 299) ist es zweckmässig, das Eisen am Flüssigkeitsspiegel abzudecken, da sonst der eingetauchte Teil durch elektrolyt. Kurzschluss mit noch nicht passiven Eisen- 5 flächen beim Rühren aktiviert werden kann; vgl. hierzu auch G. WIEDEMANN („Lehrbuch der Elektrizität", Braunschweig 1883, Bd. 2, S. 819), H. L. HEATHCOTE (J. Soc. Chem. Ind. **26** [1907] 899).

Chemischer Angriff vor und während der Passivität. Dem Eintritt[2] der Passivität geht stets ein chem. Angriff voraus. Es[3] liegen 10 hierüber Beobachtungen vor von A. J. MAASS (Bl. Acad. Belg. **6** II [1839] 438), von A. RENARD (C. r. **79** [1874] 159) für HNO₃-Lsgg. von D = 1.35 bis D = 1.38; von L. VARENNE (Ann. Chim. Phys. [5] **20** [1880] 240; C. r. **90** [1880] 998), der zugleich findet, dass die[4] bis zum Eintritt der Passivität erforderliche Zeit mit zunehmender 15 Konz. abnimmt und bei[5] stärker konz. HNO₃-Lsg. kaum merklich wird; s. weiterhin E. RAMANN (Ber. **14** [1881] 1431), H. GAUTIER, G. CHARPY (C. r. **112** [1891] 1451), H. L. HEATHCOTE (Z. phys. Ch. **37** [1901] 368; J. Soc. Chem. Ind. **26** [1907] 902).

Auch im passiven Zustande selbst ist noch eine geringe Auflösung 20 nachweisbar: A. SCHEURER-KESTNER (Répert. Chim. pure **4** [1862] 161) beobachtete bei längerem Stehenlassen[6] von Eisen in rauchender Salpetersäure die Entstehung von Fe-Nitraten; E. L. NICHOLS, W. S. FRANKLIN (Am. J. Sci. [3] **34** [1887] 420) finden, dass sich das Fe trotz des passiven Zustandes langsam löst; s. ferner W. BELCK (Dis- 25 sert. München 1888), H. L. HEATHCOTE (J. Soc. Chem. Ind. **26** [1907] 907).

Nach H. GAUTIER, G. CHARPY (l.c.) finden bei der Dichte D der HNO₃-Lsg. die im folgenden angegebenen durchschnittlichen Gewichtsverluste für je 24 Std. in Prozenten des ursprünglichen Gewichts statt, 30

Kurzschluss (m.), short circuit
Eisenfläche (f.), iron surface

durchschnittlich (adj.), average
Gewichtsverlust (m.), loss in weight

1. **von 5 Std. ab,** *from five hours.*
2. **Dem Eintritt,** governed by **vorausgeht.**
3. **Es liegen ... vor.** See §9.
4. **die ... erforderliche Zeit.** See §1(5).
5. **bei stärker konz.** HNO₃-Lsg., *with an HNO₃ solution that is more (strongly) highly concentrated.* Notice that **stärker** here is used adverbially.
6. **bei längerem Stehenlassen,** *on fairly long immersion.*

wobei a den Durchschnitt der ersten 2 Tage, b den der ersten 10 Tage
bedeutet:

D	1.28	1.34	1.38	1.48	1.53
a	0.82	0.75	0.29	0.34	5.80
b	0.59	0.45	0.25	0.33	5.75

Für 0.23 g Fe in 10 cm³ HNO_3-Lsg. verschiedener Dichte D für
zwei verschieden reine Eisensorten im passiven Zustande, und zwar für
5 das mit e_1 bezeichnete reduzierte Eisen und das mit e_2 bezeichnete
Eisenpulver von KAHLBAUM, ergeben sich folgende Gewichtsverluste
in g:

Zeit in Min.	10	120	300	600	900	1440
e_1 (D = 1.39)	0.00005	0.0015	0.0035	0.0065	0.0090	0.0196
e_1 (D = 1.42)	0.00000	0.0014	0.0034	0.0050	0.0093	0.0160
e_2 (D = 1.42)	0.00000	0.0012	0.0032	0.0050	0.0093	0.0162

Z. C. MUTAFTSCHIEW (*Z. Elektroch.* **35** [1929] 861).

Nachträgliches Anhalten der Passivität. Der passive Zustand
10 bleibt, wenn das Eisen nachträglich in Säure von einer solchen Verd.
gebracht wird, die den passiven Zustand an sich nicht hervorzubringen
in der Lage ist, noch eine gewisse Zeitlang erhalten. — Nach L. VA-
RENNE (*Ann. Chim. Phys.* [5] **20** [1880] 245; *C. r.* **90** [1880] 1000)
bleibt die in HNO_3-Lsg. von D = 1,42 erzeugte Passivität in Prüflsgg.
15 verschiedener Dichte verschieden lange erhalten; Abhängigkeit der
Passivitätsdauer t in Std. von der Dichte D der HNO_3-Lsg.:

D	1.3	1.28	1.26	1.16
t	264	120	32	12

Nach M. MUGDAN (*Z. Elektroch.* **9** [1903] 452) bleibt in konz.
HNO_3-Lsg. passiviertes Eisen in HNO_3-Lsg. von D = 1.2 wochenlang
blank. — Die Beständigkeit der Passivität wird durch wiederholtes
20 Herausziehen aus der passivierenden Säure und Wiedereintauchen erhöht, J. F. W. HERSCHEL (*Ann. Chim. Phys.* [2] **54** [1833] 87; *Pogg.*

Anhalten (*n.*), endurance, continuation
Lage (*f.*): **in der — sein (zu)**, to be
in a position (to)
Zeitlang (*f.*): **eine —**, a while, for a
time
lange (*adv.*), a long while; **verschieden —**, a different length of time

wochenlang (*adv.*), for weeks
blank (*adj.*), shining, bright
Beständigkeit (*f.*), continuance, constancy, permanency
Herausziehen (*n.*), removal
Wiedereintauchen (*n.*), redipping,
re-immersion

Ann. **32** [1834] 214; *Phil. Mag.* [3] **11** [1837] 329), Ch. F. Schönbeim (*Pogg. Ann.* **38** [1836] 444), W. Heldt (*J. pr. Ch.* **90** [1863] 274); vgl. hierzu H. L. Heathcote (*Z. phys. Ch.* **37** [1901] 368). — Nach E. Saint-Edme (*C. r.* **51** [1860] 507) kann durch das Antrocknen in Luft auch nach Eintauchen in noch nicht passivierende HNO₃-Lsg. 5 das Fe für diese Säure passiv werden, wobei[1] es die für die Passivität charakteristische[2] mattweisse Farbe annimmt. In HNO₃-Lsg. (D = 1.4) passiviertes Eisen wird in Luft wieder aktiv, wobei[1] die hierzu erforderlichen Zeiten stark variieren, H. L. Heathcote (*J. Soc. Chem. Ind.* **26** [1907] 907). Auch nach U. R. Evans (*Techn.* 10 *Publ. Am. Inst. Min. Metallurg. Eng.* **1929** Nr. 205) wird das in konz. HNO₃-Lsg. passivierte Eisen beim Antrocknen in Luft wieder aktiv; s. auch U. R. Evans (*J. Chem. Soc.* **1927** 1036).

Elektrolyt-bezw. Armco-Eisen, das 30 Min. lang[3] in 5% iger alkohol. Salpetersäurelsg. geätzt wurde, wird nach T. Fujihara (*Chem.* 15 *Met. Eng.* **32** [1925] 810; *J. Ind. Eng. Chem.* **18** [1926] 62) von dest. Wasser in CO₂-freier Atmosphäre nicht mehr angegriffen, während bei Anwesenheit von CO₂ sich in 10 bis 20 Min. Rost bildet.

Über die mitunter gleichzeitig auftretende mechanische aktivierende Wrkg. beim Einblasen von Luft und anderen Gasen oder bei 20 plötzlicher Entfernung des Fe aus der passivierenden Säure s. unter Aktivierung „Auf mechanischem Wege" S. 332.

Einfluss von Zusätzen.   Anwesenheit von HNO₂ bezw. NO₂ in verd. HNO₃-Lsg. erschwert bezw. verhindert den Eintritt der Passivität, J. F. W. Herschel (*Ann. Chim. Phys.* [2] **54** [1833] 87; *Pogg.* 25 *Ann.* **32** [1834] 211; *Phil. Mag.* [3] **11** [1837] 329), W. Beetz (*Pogg. Ann.* **67** [1846] 186), W. Heldt (*J. pr. Ch.* **90** [1863] 284); vgl. auch M. le Blanc (*Z. Elektroch.* **6** [1899–1900] 476), A. Klemenc (*Z. Elektroch.* **32** [1926] 150).

In Gemischen von HNO₃ und H₂SO₄ kann Passivität eintreten, 30 J. F. Daniell (*Phil. Trans.* **126** [1836] 114), Boutmy, Chateau (*Cosmos* **19** [1861] 117). — Nach W. Heldt (l.c.) kann die aktivierende Wrkg. von NO₂ durch Beigabe von FeSO₄, das NO₂ absorbiert, auf-

---

mattweiss (*adj.*), dull white   ätzen (*v.*), to corrode
Antrocknen (*n.*): beim —, on drying   Beigabe (*f.*), addition

1. wobei. See §16(4).
2. charakeristische. See §1(5).
3. **30 Min. lang,** *for 30 minutes.*

gehoben werden. — W. BEETZ (l.c. S. 189) sieht die Wrkg. konz. H₂SO₄-Lsg. darin, dass [1] sie der HNO₃-Lsg. Wasser entzieht, so dass infolge der stärkeren Konzentrierung der HNO₃-Lsg. die Passivität leichter eintritt. — Über die schützende Wrkg. von Nitriersäure vgl. 5 A. VOIGT („Die Herstellung der Sprengstoffe" in: *Monographien über chemisch-technische Fabrikationsmethoden*, Halle a. S. 1913, *Bd. 32*, S. 139), R. ESCALES („Nitro-Sprengstoffe", Leipzig 1915, S. 92, 93), P. GUNTHER („Laboratoriumsbuch für die Sprengstoffindustrie" in: *Laboratoriumsbücher für die chemische und verwandte Industrie*, Halle 10 a. S. 1923, *Bd.* 24, S. 10). HNO₃-Lsg. von D = 1.4 greift auf Zusatz von festem KNO₂ oder Fe(NO₃)₃ Elektrolyteisen nicht an, U. R. EVANS (*J. Chem. Soc.* **1927**, 1037). Über das Auftreten von Passivität in verd. alkohol. Lsg. von HNO₃ 15 s. T. FUJIHARA (*Chem. Met. Eng.* **32** [1925] 810; *J. Ind. Eng. Chem.* **18** [1926] 62). Nach C. BENEDICKS, P. SEDERHOLM (*Z. phys. Ch.* A 138 [1928] 124) kann auch sehr verd. HNO₃-Lsg. passivierend wirken, wenn durch Zusatz einer organ. Fl., wie Äthylalkohol, der Dissozia-tionsgrad der HNO₃-Lsg. genügend stark zurückgedrängt wird; s. 20 hierzu auch U. R. EVANS (*J. Chem. Soc.* **1930**, 478).

VERHALTEN VON EISEN GEGEN WASSER
UNTERWASSER-KORROSION

Reines Wasser

[Seite 385–388]

Die Ansichten über die Frage, ob Eisen in luftfreiem reinem Wasser rostet, sind vielfach geteilt. Das Urteil hierüber war früher meist dadurch beeinflusst, dass [2] man nicht streng zwischen dem primären Vorgang der Auflösung unter Bildg. von lösl. Eisen (II)-hydroxyd und 25 dem sekundären [3] unterschied, der unter der Einw. des Sauerstoffs

---

Nitriersäure (*f.*), nitric sulfuric acid
 (a mixture of concentrated H₂SO₄
 and HNO₃)
Sprengstoff (*m.*), explosive
Fl. = **Flüssigkeit** (*f.*), fluid, liquid

Unterwasser-Korrosion (*f.*), underwater corrosion
streng (*adv.*), strictly, sharply,
 closely

1. **darin, dass.** See §15(6).
2. **dadurch ..., dass.** See §15(6).
3. **dem sekundären,** supply **Vorgang,** *the secondary one.*

zur eigentlichen Rostbildg., d. h. zur sichtbaren Abscheidung von unlösl. Eisen (III)-hydroxyd führt. Ausserdem wurde fast immer der Einfluss der Begleitstoffe des Eisens vernachlässigt; eine Schwierigkeit liegt auch in der Beseitigung der letzten Spuren von O, gegen den das von Wasser bedeckte Fe überaus empfindlich ist, E. HEYN, 5 O. BAUER (*Mitt. Materialpr.* **26** [1908] 6). In der ältesten Literatur findet sich vorwiegend die Meinung vertreten, Eisen werde[1] durch Wasser allein nicht angegriffen, HALL (*J. Roy. Inst.* **7** [1881] 55), M. MEYER (*Erdmann J. techn. ökonom. Ch.* **10** [1831] 233), R. MALLET (*Rop. 8th Brit. Assoc.* **1838** 253), R. ADIE (*Minutes Pr. Inst. Civil Eng.* **4** [1845] 10 323), M. TRAUBE (*Ber.* **18** [1885] 1877), I. SPENNRATH (*Verh. Gewerbefl.* **74** [1895] 245).

Viel später hat W. R. WHITNEY (*J. Am. Soc.* **25** [1903] 394) zuerst festgestellt, dass zwar ein sichtbarer Angriff nicht festzustellen ist, solange die Luft fernbleibt, dass aber dann beim Zutritt von Luft die 15 Fl. durch Rostbildg. getrübt wird. W. R. DUNSTAN, H. A. D. JOWETT, E. GOULDING (*J. Chem. Soc.* **87** [1905] 1557) konnten diese Beobachtung nicht bestätigen, dagegen stellten[2] W. H. WALKER, A. M. CEDERHOLM, L. N. BENT (*J. Am. Soc.* **29** [1907] 1251) die Löslichkeit des Fe in reinem Wasser schon nach kurzer Einw. unzwei- 20 deutig fest, ebenso A. CUSHMAN (*Electrochem. Met. Ind.* **5** [1907] 257, 365). Auch die Verss. von E. HEYN, O. BAUER (l. c.) zeigten, dass Eisen bei Ausschluss des Sauerstoffs von dest. Wasser gelöst wird. Nach V. ANDSTRÖM (*Z. anorg. Ch.* **69** [1911] 15) zeigt von allen gelösten Gasen sorgfältig befreites dest. Wasser einen qualitativ nachweisbaren, 25 wenn auch sehr geringen Angriff, der sich bei Anwendung von Leitungswasser nicht verstärkt. Ebenso J. W. SHIPLEY, I. R. McHAFFIE (*Canad. Chem. Metallurg.* **8** [1924] 121) und K. INAMURA (*Sci. Rep. Tôhoku* **16** [1927] 981).

Der Angriff des Metalls auch bei Luftabschluss durch Entsendung 30 von Fe··-Ionen in die Lsg. unter Bildg. von Fe (II)-hydroxyd wird jedenfalls infolge der geringen H·-Konz. des Wassers sehr langsam vor

---

fernbleiben (*v.*), to remain away, to be absent
Zutritt (*m.*), entry, access

verstärken (*v.*), to strengthen, to increase, to augment
Entsendung (*f.*), sending off

---

1. **werde ... nicht angegriffen.** Why is the subjunctive used here? See §10(1).

2. **stellten** read with **fest.** See §8.

sich gehen. Im übrigen ist die Lösungsgeschwindigkeit abhängig von dem Grade der Reinheit des Eisens und von der Löslichkeit des gebildeten $Fe(OH)_2$.

Beim Inlösunggehen des Eisens nach

$$Fe + 2H^{\cdot} \rightarrow Fe^{\cdot\cdot} + H_2$$

5 unter Bildg. des [1] praktisch in der Lsg. vollständig dissoziierten Hydroxyds wird das Gleichgewichtspotential des Fe gegen die Lsg. edler, das des H unedler, und der Vorgang kommt zum Stillstand, wenn beide EK den gleichen Wert haben, E. HEYN, O. BAUER (*Mitt. Materialpr.* **28** [1910] 62). — F. FOERSTER (*Z. Elektroch.* **16** [1910] 982, Anmer-
10 kung 1) berechnet aus der Löslichkeit des $Fe(OH)_2$ die EK von kompaktem Eisen gegen eine gesätt. Lsg. von $Fe(OH)_2$ zu -0.54 V und die EK des Wasserstoffs gegen eine solche Lsg. zu -0.57 V. Die Triebkraft der Rk. ist also jedenfalls sehr gering. Neuerdings hat W. PALMAER (*Korrosion Metallschutz* **2** [1926] 58) die Rechnung mit
15 Hilfe genauer Löslichkeitsbestst. durchgeführt. Die Löslichkeit von $Fe(OH)_2$ in Wasser beträgt bei $18°$: 1.3×10^{-5} Mol/l, die EK des Eisens gegen die gesätt. Lsg. beträgt dann -0.57 V, während die EK, die erforderlich ist, um H aus der Lsg. auf Fe abzuscheiden, unter Berücksichtigung der Überspannung des H, 0.63 V beträgt. Die [2]
20 für das Inlösunggehen des Metalls geltende Grundbedingung: $\varepsilon Fe > \varepsilon H$ ist also nicht erfüllt. Das so gewonnene Ergebnis, nach dem Eisen von Wasser bei gewöhnl. Temp. nicht angegriffen wird, kann aber nur für den praktisch kaum realisierbaren Grenzfall eines chemisch und mechanisch vollkommen homogenen Metalls Geltung haben,
25 so dass eine vollkommene Unangreifbarkeit nicht behauptet werden kann. Über den Einfluss der Oberflächenbeschaffenheit s. S. 392, über die Wrkg. von Begleitstoffen den Abschnitt: „Einfluss der Zusammensetzung des Eisens" S. 391.

Einfluss des Verteilungszustandes. Ein besonderes Verh. zeigt
30 feinverteiltes, insbesondere pyrophores Eisen gegen Wasser. Die

im übrigen, moreover	**Oberflächenbeschaffenheit** (*f.*), surface condition
Überspannung (*f.*), overvoltage	
Grenzfall (*m.*), limiting case	**Verteilungszustand** (*m.*), condition of dispersion (division)
Geltung (*f.*): — **haben,** to be valid	
Unangreifbarkeit (*f.*), resistance to attack or corrosion	**pyrophor** (*adj.*), pyrophoric

1. des ... dissoziierten Hydroxyds. See §1.
2. Die ... geltende Grundbedingung. See §1.

hohe Aktivität, die es auch bei gewöhnl. Temp. betätigt, indem es mehr oder weniger lebhaft H entwickelt, ist wahrscheinlich auf die grosse freie Oberfläche solcher Pulver zurückzuführen. Inwieweit auch eine Adsorption von Sauerstoff an der Oberfläche mitwirkt, ist aus den Angaben der Literatur nicht mit Sicherheit zu erkennen. 5 Vgl. hierzu S. 219, 220. — Nach L. TROOST, P. HAUTEFEUILLE (*C. r.* 80 [1875] 791) zersetzt Eisenpulver, wie man es durch Red. von Fe(OH)$_3$ bei niedriger Temp. erhält, Wasser ziemlich schnell bei gewöhnl. Temp., schnell bei 100°. Diese Rk. wird bei Ggw. von Hg sehr stark beschleunigt, W. VAN RIJN (*Chem. Weekbl.* 5 [1908] 1). 10 Eine H-Entw. lässt sich nach S. BIRNIE (*Chem. Weekbl.* 4 [1907] 291) sogar noch beim Behandeln von Blumendraht mit sd. Wasser beobachten.

Natürliche Wässer

Unter „natürliche Wässer" werden alle [1] in der Natur vorkommenden Wässer verstanden, die in Berührung mit Eisen Korrosion verur- 15 sachen können, also vorwiegend die Gebrauchswässer, wie Brunnen und Leitungswasser, Trinkwasser usw., während Meerwasser als ausgesprochenes Salzwasser im Abschnitt: „Verhalten von Eisen gegen wässrige Lösungen von Salzen" S. 395 berücksichtigt wird.

Die natürlichen Wässer umfassen, entsprechend ihrer schwach 20 alkalischen, neutralen bis schwach sauren Rk., ein ziemlich weites Gebiet verschiedener H·-Konzz., das etwa zwischen den Grenzen der p$_H$-Zahlen 9 nach der alkalischen und 4.5 nach der sauren Seite liegt. Das Verh. solcher Wässer gegen Eisen wird wesentlich bestimmt durch die Konz. des im Wasser gelösten Sauerstoffs und der freien und ge- 25 bundenen Kohlensäure. — Ist [2] dagegen der Zutritt von Sauerstoff ausgeschlossen, so wächst die Angriffsgeschwindigkeit direkt proportional der H·-Konz., J. TILLMANS, B. KLARMANN (*Z. ang. Ch.* 36 [1923] 94), J. W. SHIPLEY, I. R. McHAFFIE (*Canad. Chem. Metallurg.* 8 [1924] 121; *J. Soc. Chem. Ind. Trans.* 43 [1924] 599). 30

betätigen (*v.*), to manifest	**Brunnen** (*m.*), well, spring
inwieweit (*conj.*), how far	**Meerwasser** (*n.*), sea water
mitwirken (*v.*), to take place simultaneously	**ausgesprochen** (*adj.*), pronounced
	Zutritt (*m.*), access, entry

1. **alle ... vorkommenden Wässer.** See §1.
2. **Ist ..., so ...** See §2.

Einfluss des Sauerstoffs. Der [1] im Wasser gelöste oder hinein-
diffundierende Sauerstoff ist der eigentliche Träger der Rostwirkung.
Seine Einw. führt zur Oxydation des zweiwertig gelösten Fe zu drei-
wertigem und zur Abscheidung von Eisen (III)-verbb., die als Rost
5 auf dem Metall als gleichmässige Deckschicht haften oder ungleichmässig auf der Oberfläche verteilt sind, zum Teil auch sich als Nd.
in der Fl. absetzen. Dass die typische Rostwirkung durchaus an
die Ggw. von O gebunden ist, wird jetzt allgemein anerkannt. S. die
älteren Arbeiten von M. TRAUBE (*Ber.* 18 [1885] 1877), I. SPENNRATH
10 (*Verh. Gewerbfl.* 74 [1895] 245) und insbesondere E. HEYN (*Mitt.*
techn. Versuchsanst. Berlin 18 [1900] 38), E. HEYN, O. BAUER (*Mitt.*
Materialpr. 26 [1908] 1). Für die Geschwindigkeit des Rostens und
seinen Verlauf sind massgebend die Konz. des Wassers an Sauerstoff
und die Art der Zufuhr.
15   Die H˙-Konz. der natürlichen Wässer, p_H = 9 bis 4.5, spielt nach
R. E. WILSON (*Ind. Eng. Chem.* 15 [1923] 127) und nach G. W. WHIT-
MAN, R. P. RUSSELL, V. J. ALTIERI (*Ind. Eng. Chem.* 16 [1924] 665)
keine wesentliche Rolle, wenn der Sauerstoffgehalt konstant bleibt.
Vgl. S. 379. — Nach J. R. BAYLIS (*Chem. Met. Eng.* 32 [1925] 874)
20 verläuft die Oxydation bei p_H = 6 langsam, und der Rost wird in das
Wasser diffundiert, während er bei p_H = 8.5 auf der Oberfläche des
Eisens abgeschieden wird und dort eine Deckschicht bildet. Dass die
H˙-Konz. in sauerstoffhaltigen Wässern im Gegensatz zu dem Verh.
der Sauerstofffreien [2] nicht direkt von Einfluss auf die Rostgeschwin-
25 digkeit ist, stellen auch J. TILLMANS, P. HIRSCH, W. WEINTRAUD
(*Gas.-Wasserfach* 70 [1927] 845, 877, 898, 919) fest. Ist Sauerstoff im
Überschuss vorhanden, kann er die Korrosion vollständig verhindern.
Diese Passivierung ist von der H˙-Konz. in dem Sinne abhängig, dass
sie bei alkal. Rk. leichter eintritt und beständiger ist als bei saurer.[3]
30 Vgl. auch unter „Passivität" S. 324.
     Einen typischen und besonders anschaulichen Fall der Wrkg. des

hineindiffundieren (*v.*), to diffuse into	**Zufuhr** (*f.*), supply, addition
massgebend (*adj.*), determinative, decisive	**anschaulich** (*adj.*), plain, clear, visible

1. **Der . . . Sauerstoff.** See §1.
2. **der Sauerstofffreien**, *of those (the waters) free from oxygen.*
3. **als bei saurer (Rk.)**, *than with an acid one (reaction).*

O beschreibt E. Heyn (l.c.) gelegentlich der Unters. einer [1] durch den
Rost zerstörten Heizschlange in einem Warmwassererzeuger: Das
Eisen wird an den Stellen besonders stark angegriffen und mit einer
schwammigen Rostschicht überzogen, an denen sich vorzugsweise
Luftblasen ansammeln. Die Möglichkeit hierzu hängt von der Art   5
der Apparatur und der Art der Luftzuführung ab. Taucht [2] das Fe
nur teilweise in das Wasser ein, so ist die unmittelbare Einw. des
atmosphär. O an der Berührungsstelle Wasser/Luft/Fe von grosser
Bedeutung. Nach W. H. Walker, A. M. Cederholm, L. N. Bent
(*J. Am. Soc.* **29** [1907] 1251) ist die Geschwindigkeit der Korrosion 10
proportional dem Partialdruck des O im Gasraume.

Ebenso E. Heyn, O. Bauer (*Mitt. Materialpr.* **26** [1908] 5). Die
Erhöhung des Partialdruckes kann erfolgen durch Druckerhöhung
und durch Erhöhung des O-Gehalts der Luft. Reines O müsste [3] 5
mal so [4] stark angreifen wie Luft. Da sich die Löslichkeiten von N 15
zu O in Wasser verhalten wie 1: 1.9, so wird beim Erhitzen von mit
Luft gesätt. Wasser ein wesentlich O-reicheres Gasgemisch abgegeben,
als der Zus. der atmosphär. Luft entspricht. Sammelt sich dieses
Gasgemisch in Form von Luftsäcken, z. B. in einem unter Druck stehenden Dampfkessel, so kommen die beiden obengenannten Einflüsse 20
für die Erhöhung des O-Partialdruckes und somit für die Verstärkung
des Rostens in Betracht. Die lineare Beziehung zwischen dem O-
Partialdruck und der Rostgeschwindigkeit verwendet V. Duffek
(*Korrosion Metallschutz* **2** [1926] 183) zur Beurteilung der Rostneigung
von Stählen.   25
Zu dem gleichen Ergebnis, dass die Menge des in Wasser abkor-

gelegentlich (*adv.*), on the occasion (of)

Heizschlange (*f.*), heating coil

Warmwassererzeuger (*m.*), hot water heater [like

schwammig (*adj.*), spongy, sponge-

Luftblase (*f.*), air bubble

Apparatur (*f.*), apparatus

Luftzuführung (*f.*), supply (feeding) of air

Berührungsstelle (*f.*), point of contact

Gasraum (*m.*), gas space, gas volume

Luftsack (*m.*), air pocket

Verstärkung (*f.*), strengthening, increase

Rostneigung (*f.*), tendency to rust, propensity to rust

abkorrodiert (*p. adj.*), corroded

1. **einer ... Heizschlange.** See §1.
2. **Taucht ..., so ...** See §2.
3. **müsste.** See §10(4).
4. **so stark ... wie;** what does so + *adj.* + wie mean?

rodierten Fe in einem bestimmten Verhältnis zu dem Gehalt des Wassers an gelöstem O steht, kommt V. ANDSTRÖM (*Z. anorg. Ch.* **69** [1910] 10), indem [1] er Eisenplatten von bekannter Oberfläche unter Ausschluss von Luft in Wasser von bekanntem O-Gehalt bringt.

5 — Auch beim Rosten von mit heissem, O-haltigem Wasser gefüllten Rohren, kommt dem O-Gehalt die Hauptwrkg. zu, denn das ursprünglich im Wasser vorhandene O wird beim Rostprozess vollkommen vom Eisen absorbiert, J. W. COBB, G. DONZILL (*J. Soc. Chem. Ind.* **33** [1914] 403).

10   G. SCHIKORR (*Korrosion Metallschutz* **4** [1928] 244) findet, dass die Rostgeschwindigkeit im Gebiete von 0.2 bis 5 Atm. ein Maximum bei etwa 1 Atm. zeigt.

Über Korrosion an einer Kühlanlage, verursacht durch hohen O-Gehalt des Kühlwassers berichtet L. E. JACKSON (*Chem. Met. Eng.* 15 **26** [1922] 60).

Sehr bedeutsam ist die *Verteilung des Sauerstoffs* im Wasser, insofern zwischen den verschieden belüfteten Stellen des Fe elektrische Spannungsunterschiede auftreten, wobei die weniger mit O in Berührung kommenden Stellen der Fe-Oberfläche anodisch werden und 20 infolgedessen sich lösen, während die [2] stärker belüfteten als Kathoden vor dem Angriff geschützt werden.   Verschiedenartige Belüftung ist gegeben, wenn Fremdkörper (Sand, Kesselstein) auf der Eisenoberfläche haften, wenn sich Flüssigkeitstropfen darauf befinden, oder wenn die Oberfläche uneben ist.   Schon durch Schmirgeln entstandene 25 Kratzstellen vermögen in diesem Sinne zu wirken.   Auf diese Weise können örtliche Anfressungen bis zur Entstehung von Löchern zustande kommen, U. R. EVANS (*Met. Ind. London* **23** [1923] 248; *Pr. Cambridge Soc.* **22** [1924] 54; *Ind. Eng. Chem.* **17** [1925] 363; *J. Inst. Met.* **30** [1923] 230). — Der Einfluss der Verteilung des O zeigt sich

Eisenplatte (*f.*), iron slab, iron plate
zukommen (*v.* + dat.), to be due to
Gebiet (*n.*), region
Kühlanlage (*f.*), condensing (refrigeration) plant
belüftet (*p. adj.*), ventilated, exposed to the atmosphere
anodisch (*adj.*): — **werden**, to become anodic

infolgedessen (*prep.*), consequently
Schmirgeln (*n.*), rubbing, polishing with emery
Kratzstelle (*f.*), scratched place
örtlich (*adj.*), local
Anfressung (*f.*), corrosion
zustande (*adv.*): — **kommen**, to come about, to take place

1. **indem er ... bringt,** *by bringing.*
2. **die stärker belüfteten,** *the ones exposed more to the atmosphere.*

auch darin, dass [1] beim tiefen Eintauchen von Eisen in die korrodie-
rende Fl., so dass die Luftzufuhr beschränkt ist, das Metall sich unedler
verhält als solche Zonen, die bei der Korrosion mit viel Luft in Berührung kommen, A. L. MACAULAY, F. P. BOWDEN (*J. Chem. Soc.* **127**
[1925] 2605). Haben sich [2] einmal bei verschiedener Belüftung anod. 5
und kathod. Bezirke auf einer Eisenoberfläche ausgebildet, so genügt
schon die geringe Leitfähigkeit des dest. Wassers, um einen Strom zu
erzeugen, U. R. EVANS (*Trans. Faraday Soc.* **19** [1923] 206). Vgl. S.
380. — Nach F. TÖDT (*Z. Elektroch.* **34** [1928] 586; *Korrosion Metallschutz* **5** [1929] 169; *Z. phys. Ch.* **148** A [1930] 434) ist der grösste 10
Teil der Oberfläche des Eisens mit einer Oxydhaut bedeckt, die als
kathodische Fläche gegenüber den freiliegenden *anodischen* Metall-
flächen wirkt. Der an die kathod. Gebiete herandiffundierende,
depolarisierende Sauerstoff ist für den Fortgang der Korrosion im
Gebiete der natürlichen Wässer (schwach alkalisch, neutral bis schwach 15
sauer) in erster Linie bestimmend, insofern die Stromintensität der
Lokalmomente von [3] der an den Kathodenflächen wirksamen O-
Menge abhängt. Hieraus ergibt sich die Möglichkeit, durch Messung
der Stromstärke zwischen Eisen und einem edleren Metall in der
gleichen Lsg. den Korrosionszustand des Eisens zu bestimmen. 20

korrodierend (*adj.*), corroding
Luftzufuhr (*f.*), introduction (con-
   veyance) of air
Bezirk (*m.*), region
Oxydhaut (*f.*), film of oxide

freiliegend (*p.p. adj.*), uncovered
herandiffundieren (*v.*), to diffuse
Fortgang (*m.*), continuance, progress
Lokalmoment (*n.*), local force, local
   moment

1. **darin, dass.** See §15(6).
2. **Haben sich ... ausgebildet, so ...** See §2.
3. **von der ... wirksamen O-Menge abhängt.** See §1(5).

GMELINS *HANDBUCH DER ANORGANISCHEN CHEMIE*

(8. *Auflage*)

HERAUSGEGEBEN VON DER DEUTSCHEN CHEMISCHEN GESELLSCHAFT

System-Nummer 59

Eisen

Teil A — Lieferung 1

1929

EISEN

Ordnungszahl 26, Atomgewicht 55.84

Geschichtliches

Quellensammlung zur Geschichte des Eisens

[Seite 1]

Die Quellensammlung zur Geschichte des Eisens zerfällt in zwei grosse Abschnitte. In dem ersten, der rein geschichtlicher Natur ist, haben die historisch bedeutsamen älteren Werke zur Eisenhüttenkunde, die Abhandlungen über Verhüttung und Verwendung des Eisens in 5 vorgeschichtlicher Zeit sowie bei den alten Kulturvölkern und den Naturvölkern Aufnahme gefunden. Daran [1] schliesst sich ein Kapitel, in dem Nachweise zur Entwicklungsgeschichte der Eisenindustrien in den Kulturstaaten der Neuzeit zusammengestellt sind.

In dem zweiten Hauptabschnitt werden Veröffentlichungen auf-10 geführt, die für die ältere Entwicklung einer Reihe wichtiger Zweige

Eisenhüttenkunde (*f.*), iron metallurgy, ferrous metallurgy

Verhüttung (*f.*), smelting, treatment of ores

Kulturvolk (*n.*), civilized race, people

Aufnahme (*f.*): — finden, to be listed, to be considered

Nachweise (*m. pl.*), references

Entwicklungsgeschichte (*f.*), history of development

Kulturstaat (*m.*), civilized country

Hauptabschnitt (*m.*), main section (of a book)

Veröffentlichung (*f.*), publication

aufführen (*v.*), to quote, to cite

1. **Daran schliesst sich ein Kapitel,** *to this we add a chapter.*

126

der Eisenhüttenkunde und der Eisenindustrie, so für die Roheisendarstellung, unter besonderer Berücksichtigung des Hochofenprozesses,
ferner für die Stahlerzeugung, für das Giessereiwesen und für die Eisen-
und Stahldrahterzeugung von Bedeutung sind. Die zeitliche Abgrenzung gegen die Neuzeit erfolgt in diesem Abschnitt etwa mit der 5
Mitte des 19. Jahrhunderts, in der die ersten Arbeiten zum Bessemer-
Prozess erscheinen, durch die eine direkte Umwandlung von geschmolzenem Gusseisen in Stahl durch Einblasen von Luft ermöglicht
und im eigentlichen Sinne die moderne Eisenhüttenkunde eingeleitet
wurde. Die Literatur hierüber findet sich daher nicht mehr in diesem 10
historisch-bibliographischen Abschnitte, sondern in den einzelnen
Spezialkapiteln des Buches.

In dem Kapitel „Eisen in vorgeschichtlicher Zeit" konnte es sich
nicht darum handeln,[1] jeden einzelnen Eisenfund zu registrieren; die
Auswahl ist[2] in diesem Kapitel vielmehr so erfolgt, dass im wesent- 15
lichen nur bedeutendere Funde sowie solche Aufnahme gefunden
haben, die für die Zuordnung irgendeiner[3] Fundstätte zu einem
Kulturgebiete von Wichtigkeit sind.

Oxyde

[Seite 143–146]

IOZIT, FeO, soll nach A. BRUN (*Arch. phys. nat.* [5] 6 [1924] 243;
Schweiz. min. petrogr. Mitt. 4 [1924] 355) natürlich in frischen, Fe- 20
reichen Laven vorkommen. Scheidet sich[4] in Körnerform bei Beginn

Giessereiwesen (*n.*), foundry practice, (means of) casting
Stahldrahterzeugung (*f.*), steel-wire
production
zeitlich (*adj.*), temporal
Abgrenzung (*f.*), demarcation, de-
limitation
Neuzeit (*f.*): gegen die —, towards
modern (recent) times
Spezialkapitel (*n.*), special chapter

Eisenfund (*m.*), iron discovery
Auswahl (*f.*), choice, selection
Fund (*m.*), discovery
Zuordnung (*f.*), association, relation
Fundstätte (*f.*), locality where some-
thing is discovered
Kulturgebiet (*n.*), civilized region
Lava (*f.*, *pl.* Laven), lava
Körnerform (*f.*), granular shape

1. konnte es sich . . . darum handeln. See §7.
2. Ist . . . so erfolgt, dass, *has been followed in such a way that.*
3. irgendeiner Fundstätte, *of any locality whatsoever.* Notice translation
of irgendein.
4. Scheidet sich . . . aus; supply es as subject.

der Krystallisation der Feldspäte lagenförmig um deren Keim [1] herum aus.   Die Körner sind $<10\ \mu$, rechteckig, opak, magnetisch und lassen sich [2] von den zusammen vorkommenden Magnetit und Titanomagnetit, mit denen sie bisher verwechselt worden sein sollen, trennen.
5 Iozit soll bis 50% des Fe-Gehaltes der Feldspäte ausmachen.   Von anderen ist „Iozit" noch nicht bestätigt worden.   Vgl. hierzu auch G. PONTE (*Atti Linc.* [6] 1 I [1925] 377).

HÄMATIT, Eisenglanz, Roteisen (wenn feinkörnig), Specularit, [Rötel, Blutstein] Fe_2O_3 mit wechselnden Gehalten an $FeTiO_3$ (s. S.
10 155).   Über die isomorphe Mischbarkeit mit Fe_3O_4 sind die Meinungen geteilt;   nach R. RUER, M. NAKAMOTO (*Rec. Trav. chim.* **42** [1923] 675) ist sie sehr gering, nach R. B. SOSMAN, J. C. HORSTETTER (*Bl. Min. Eng.* **1917** 903; *Trans. Min. Eng.* **58** [1917] 409) gross.   Der Befund im Naturvork. spricht [3] nach T. M. GRODERICK (*Econom.*
15 *Geol.* **14** [1919] 353), J. W. GRUNER (*Econom. Geol.* **17** [1922]1), P. RAMDOHR (*Festschrift der Berg-Akademie Clausthal* 1925, S. 307), G. GILBERT (*Econom. Geol.* **20** [1925] 587) und anderen entschieden für die Ansicht von R. RUER, M. NAKAMOTO (l.c.).   Die [4] in hohem Masse wechselnde, meist kleine, magnet. Suszeptibilität scheint
20 keinerlei sichere Schlüsse zu erlauben.

Krystallographische Eigenschaften.   Ditrigonal-skalenoedrisch. a: $c^5 = 1:1.3658$ (VON KOKSCHAROFF). c mit Ti-Gehalt zunehmend. Der sehr wechselnde Habitus der Krystalle lässt manche Schlüsse auf die Bildungstypen zu.   Oft [6] sehr flächenreich.   Am häufigsten ist

---

lagenförmig (*adv.*), in the form of a layer

Eisenglanz (*m.*), specular iron ore (form of hematite)

Roteisen (*n.*), red iron

Befund (*m.*), state, condition

Festschrift (*f.*), anniversary publication

Berg-Akademie (*f.*), school of mines

keinerlei (*adv.*), by no means, in no way, not any

zunehmend (*p.p. adj.*), increasing, growing

Habitus (*m.*), habit, external form, constitution

zulassen (*v.*), to admit, to allow

Bildungstypus (*m.*), type of formation

flächenreich (*adj.*), rich in surface, polyhedral

---

1. **um deren Keim herum,** *around their nucleus (of crystallization).*
2. **lassen sich,** connect with **trennen.**
3. **spricht,** connect with **für,** *speaks for,* i.e., *is proof for.*
4. **Die . . . Suszeptibilität.** See §1.
5. **a: c,** refer to crystallographic axes.
6. **Oft** etc. Supply **Sie sind.**

taflige Entw. nach (0001).[1] — Zwillinge nach verschiedenen Gesetzen, besonders nach (1011), das auch Gleitfläche ist. Keine Spaltbarkeit, aber oft ähnlich gute Teilbarkeit nach der Gleitfläche (1011), ebenso nach der Translationsfläche (0001).

Gitter: Korundtypus. Kantenlänge des Elementarrhomboeders $a_0 = 5.42$ Å, $\alpha = 55°$ 17′; Parameter $\mu = 0.105$, v $= 0.292$; 2 Molekeln in der Elementarzelle, L. PAULING, S. B. HENDRICKS (*J. Am. Soc.* **47** [1925] 781); E. A. HARRINGTON (*Am. J. Sci.* [5] **13** [1927] 467) gibt $\alpha_0 = 5.406$ Å.

Physikalische Eigenschaften. Härte: 5½ bis 6½ (eher [2] der höhere [2] Wert). D $= 4.9$ bis 5.3 (auch hier ist der höhere [2] Wert wohl zuverlässiger, die niedrigeren von porigem oder einschlussreichem Material).

Stahlblau, oft bunt angelaufen; in Schichten von etwa 0.02 mm zuerst für Rot, dünnere [2] auch für grössere [2] Teile des Spektrums durchsichtig. Beim Erwärmen nimmt die Lichtdurchlässigkeit reversibel stark ab. Strich kirschrot.

Angaben für die spezif. Wärme zwischen 0.1645 und 0.1748. Ausdehnungskoeff. $\alpha = 0.000\ 008\ 29$, $\alpha' = 0.000\ 008\ 36$ nach A. H. L. FIZEAU (*Ann. Chim. Phys.* [4] **8** [1866] 360). — Elastizitätskoeff. gibt W. VOIGT (*Ann. Phys.* [4] **22** [1907] 129).

Pleochroismus [3] merklich O bräunlichrot [4] >E gelblichrot. Lichtbrechung nach E. A. WÜLFING (*Tschermak* [2] **15** [1896] 73):

taflig (*adj.*), tabular
Gleitfläche (*f.*), slip plane
Teilbarkeit (*f.*), divisibility
Translationsfläche (*f.*), translation surface or plane
Korundtypus (*m.*), corundum type
Kantenlänge (*f.*), length of the edge (of a crystal)
eher (*adv.*, compar. of ehe), rather
zuverlässig (*adj.*), reliable, authentic, trustworthy [sions
einschlussreich (*adj.*), rich in inclu-

bunt (*adv.*), colored, gayly, variegated
anlaufen (*v.*), to tarnish, to become coated
Lichtdurchlässigkeit (*f.*), permeability to light, light transmission
reversibel (*adv.*), reversibly
Strich (*m.*), streak
kirschrot (*adj.*), cherry red
Lichtbrechung (*f.*), optical refraction

1. **0001**, etc., refer to mineralogic designations for crystal surfaces.
2. **eher . . . höhere . . . dünnere . . . grössere.** What is the force of the suffix –er here? See §13(2).
3. **Pleochroismus**, *pleochroism* (i.e., property of showing different colors along different axes). *O* = ordinary ray; *E* = extraordinary ray.
4. **O bräunlichrot**, *O brownish red*

	A	B	C	D (extrapoliert)
ω	2.904	2.988	3.042	3.22
ϵ	2.690	2.759	2.797	2.94

Weitere, nach der Meth. wohl ungenauere [1] Angaben bei C. FÖRSTER-LING (*N. Jb. Min. Beilagebd.* **25** [1908] 359).

Magnet. Verh. wechselnd auch bei [2] erzmikroskopisch völlig einwandfreiem Material fast ganz unmagnetisch bis fast magnetitartig.
5 Im allgemeinen schwach ferromagnetisch in (0001), T. T. SMITH (*N. Jb. Min.* **1918,** 249). Bei den bisherigen quantitativen Daten ist nicht sicher, ob sie sich auf absolut einwandfreies Material beziehen, vgl. z. B. R. B. SOSMAN, J. C. HOSTETTER (*Trans. Min. Eng.* **58** [1918] 403). Die Verschiedenheit im magnet. Verh. ist aufberei-
10 tungstechnisch unter Umständen störend. — Hämatit gehört zu den variablen Leitern, J. KOENIGSBERGER, K. SCHILLING (*Ann. Phys.* [4] **32** [1910] 179), vgl. auch H. BÄCKSTRÖM (*Öfvers. Akad. Stockholm* **51** [1894] 552).

Erzmikroskopisches Verhalten. Eisenglanz ist äusserst schwer
15 polierfähig, schliesslich wird aber hochglänzende Fläche erzielt. Härte beträchtlich höher als Magnetit. Reflexionsvormögen ist hoch, wird durch Immersion herabgesetzt. Farbeindruck weiss, bei Immersion und im Kontrast leicht blau. Reflexpleochroismus ist merklich O >E. Die Anisotropie deutlich, bei intensiver Beleuchtung hoch.
20 Innenreflexe häufig; tiefblutrot. Alle gewöhnl. Ätzmittel negativ; HCl gibt nach Stunden gute Strukturätzung.

Vor dem Lötrohr Umwandlung in Magnetit unter Schwarzfärbung und Erhöhung der Magnetisierbarkeit.

Natürliche Umbildungen sind beim Eisenglanz relativ selten. Er
25 ist sehr verwitterungsbeständig, liefert aber schliesslich doch Braun-

---

extrapoliert (*adj.*), extrapolated
einwandfrei (*adj.*), flawless, unobjectionable
magnetitartig (*adv.*), like magnetite
Daten (*n. pl.*) = **Angaben,** data
aufbereitungstechnisch (*adj.*), referring to ore dressing
hochglänzend (*adj.*), highly polished, with high luster

Reflexpleochroismus (*m.*), reflection pleochroism
Innenreflex (*m.*), inner reflection
Ätzmittel (*n.*), etching medium
Lötrohr (*n.*), blowpipe [zability
Magnetisierbarkeit (*f.*), magnetiverwitterungsbeständig (*adj.*), durable against weathering
Brauneisen (*n.*), brown iron ore, limonite

1. See note 2, page 129.
2. **bei . . . einwandfreiem Material.** See §1(5).

eisen. In manchen Lagerstätten ist er nachträglich durch Kontakt oder durch Regionalmetamorphose in Magnetit übergeführt. Seltenere Pseudomorphosierungen in mannigfache andere Mineralien sind ebenfalls bekannt. *Vorkommen.* Hämatit ist in den verschiedenartigsten Lagerstätten verbreitet. Er deutet genetisch auf oxydierende Bedingungen und nicht sehr hohe und niedrige Tempp., ohne dass aber entscheidende Schlüsse aus seinem Auftreten gezogen werden könnten.[1] Grosse Bedeutung hat er in Lagerstätten der Gruppe II A 1 d,[2] doch ist er hier oft, vielleicht immer, durch spätere pneumatolytisch-hydrothermale oder dislokationsmetamorphe Vorgänge aus Magnetit entstanden. In Pegmatiten sind Mischkrystalle mit reichlich FeTiO₃ häufig, aber kaum in bauwürdiger Menge.[3] II A 2 c ist wichtig, hier ist Hämatit oft deutlich als jüngere oder kältere Bildg. neben Magnetit zu erkennen. II A 2 d — wirtschaftlich unbedeutend. In den hydrothermalen Lagerstätten II A 3 a, b, c, d ist Hämatit häufig vorhanden, wirtschaftlich aber meist ganz unbedeutend; gelegentlich im Abbau stehen gewisse Quarz-Pyrit-Eisenglanzgänge aus der Verwandtschaft der Goldquarzgänge, und auch in den Spateisensteingängen kann Hämatit in bauwürdiger Menge beibrechen. Manche Barytgänge (II A 3 e) führen so viel feinkörnigen Roteisenstein oder roten Glaskopf, dass sie früher auf Fe gebaut wurden. In der

nachträglich (*adv.*), subsequently
Regionalmetamorphose (*f.*), regional metamorphosis
Pseudomorphosierung (*f.*), pseudomorphosis, pseudo-transformation
genetisch (*adv.*), genetically
Auftreten (*n.*), occurrence
pneumatolytisch (*adj.*), pneumatolytic, i.e., formed by vapors or superheated liquids under pressure (geology)
dislokationsmetamorph (*adj.*), structurally changing
Pegmatit (*m.*), pegmatite (granite

with large crystals of constituent minerals)
Quarz-Pyrit-Eisenglanzgänge (*m. pl.*), veins of quartz, pyrite, and specular iron ores
Verwandtschaft (*f.*), affinity, relationship
Goldquarzgänge (*m. pl.*), veins of auriferous quartz
Spateisensteingang (*m.*), siderite vein
beibrechen (*v.*), to break out, to occur
Barytgang (*m.*), vein of barite
bauen (auf) (*v.*), to mine (for)

1. könnten. See §10(4).
2. II A 1 d refers to Gmelin's classification under Lagerstätten, S. 64.
3. in bauwürdiger Menge, *occurring in paying quantity.*
4. Abbau, *working (of a mine), separation (of the unstable materials).*

Ergussgesteinsfolge ist Hämatit in pneumatolyt. Bildgg. in schönen Krystallen, aber wirtschaftlich ohne Bedeutung verbreitet, ebenso in hydrothermalen Gängen. Grössere wirtschaftliche Wichtigkeit besitzt er in submarinen Exhalationen. In [1] den im Lagerstättensystem
5 schwer unterzubringenden, den [2] physikal.-chem. Bildungsbedingungen nach am ehesten [3] an II A 3 anzuschliessenden alpinen Klüften ist Hämatit oft in vorzüglichen Krystallen in geringer Menge vorhanden. Hämatit ist das verbreitetste rote Pigment in der Gesteinswelt. In der sedimentären Folge ist die Stellung des Hämatits nicht
10 immer eindeutig festzulegen, da die überaus feinschuppigen oder glaskopf- oder oolithförmigen Eisenglanze sehr leicht mit ähnlichen Gliedern der Goethit-Turgit-Familie verwechselt werden und worden sind. Der hier häufige grobstrahlige „rote Glaskopf" ist aber röntgenographisch zweifellos zum Eisenglanz zu rechnen, J. A. HEDVALL (Z. anorg. Ch.
15 121 [1922] 217); ähnliche Ergebnisse haben Arbeiten von J. BÖHM (Z. Kryst. 68 [1928] 567; Koll. Z. 42 [1927] 279) und F. RINNE (Z. Kryst. 60 [1924] 62). Der rote Glaskopf ist wie viele „Roteisensteine" sicher durch Diagenese erstausgeschiedener Gele entstanden. Sicher nachgewiesen in grösserer Menge III A; III B 1 a; III B 1
20 b α, III B 2, III B 3 (Glasköpfe).

Ergussgesteinsfolge (f.), igneous rock series
submarin (adj.), under water (sea)
Exhalation (f.), exhalation
Lagerstättensystem (n.), deposit system
unterbringen (v.), to place
Bildungsbedingung (f.), condition of formation
alpin (adj.), Alpine, mountainous
Kluft (f. pl. Klüfte), cleft, gap, ravine
vorzüglich (adj.), excellent
Gesteinswelt (f.), rock world, lithosphere
festlegen (v.), to fix, to define

feinschuppig (adj.), fine-flaky, scaly
glaskopfförmig (adj.), hematite shaped
oolithförmig (adj.), oölitic shaped
Goethit-Turgit-Familie (f.), goethite-turgite family
grobstrahlig (adj.), rough-(ray), fibrous
röntgenographisch (adv.), Roentgenographically, by X-rays
rechnen (zu) (v.), to classify (as)
Diagenese (f.), diagenesis, reformation
erstausgeschiedener (p.p. adj.), (which) separated first
Gel (n.), gel

1. In den ... schwer unterzubringenden ... alpinen Klüften, in the Alpine fissures that are difficult to place.
2. den physikal.-chem. Bildungsbedingungen nach, according to the physical-chemical conditions of formation. Note position of nach.
3. am ehesten, most nearly. Read am ehesten ... anzuschliessenden.

In der metamorphen Folge ist Hämatit enorm häufig, die Eisenglimmerschiefer und die Itabirite Brasiliens, die grössten Eisenerzlagerstätten der Welt überhaupt, gehören hierher. Der Hämatit entsteht bei Epi- und Mesometamorphose aus Brauneisen, Goethit, Magnetit und anderen; er selbst bildet sich in der Katazone (bei 5 Anwesenheit reduzierender Substst. schon in der Mesozone) zu Magnetit um. Die Kontaktmetamorphose liefert im allgemeinen keinen Hämatit.

„NATÜRLICHES FERROMAGNETISCHES EISENOXYD", als Mineral noch unbenannt. P. A. WAGNER (*Econom. Geol.* **22** [1927] 845) 10 schlägt für eine nicht ganz zweifelsfrei hierher gehörende Subst. den Namen „Maghemit" vor. — Vgl. auch S. 143.

Das leicht künstlich herzustellende ferromagnet. Fe_2O_3 ist als Seltenheit auch in der Natur gefunden, R. B. SOSMAN, E. POSNJAK (*J. Washington Acad.* **15** [1925] 329), J. HESEMANN (*Dissert. Hannover* 15 *T. H.* 1927, S. 38). Über seine Eigenschaften und sein Vork. ist bisher nur ganz wenig bekannt. Regulär, Gitter des Magnetits, pulverige Massen. — In der Hauptsache isotrop, Brechungszahl für Rot 2.52 (unter Vorbehalt!), Farbe schokoladenbraun, Anschliffarbe entschieden blauer als Hämatit. Magnet. Suszeptibilität innerhalb 20 der für Magnetit gefundenen Werte. Geht bei Erhitzung in paramagnet. Fe_2O_3 über.

Vorkommen. Von einem eisernen Hut (III B 3 a) von Iron Mountains, Shasta Co., Californien; in devonischen Eisenerzlagern des Mittelharzes, wo es wohl aus Rubinglimmer durch Wasserverlust 25 entstanden ist.

MAGNETIT, Magneteisenstein, Fe_3O_4 oder $FeO \cdot Fe_2O_3$ mit einer bei einem Glied der Spinellgruppe verständlichen, meist geringen, isomorphen Vertretung des FeO durch MgO, MnO auch NiO, des Fe_2O_3

enorm (*adv.*), enormously
Eisenglimmerschiefer (*m.*), hematite (slate) schist
Itabirite Brasiliens (Latin), Brazilian itabirite, a quartzite containing micaceous hematite
Epimetamorphose (*f.*), epimetamorphosis
zweifelsfrei (*adj.*), free of doubt
Vorbehalt (*m.*): **unter —** with reservations

schokoladebraun (*adj.*), chocolate brown [cut surface
Anschliffarbe (*f.*), color of a fresh
Hut (*m.*), top
devonisch (*adj.*), Devonian
Mittelharz, name of range of mountains in Germany
Rubinglimmer (*m.*), goethite
Wasserverlust (*m.*), loss of water
Spinellgruppe (*f.*), spinel group
Vertretung (*f.*), substitution

durch Al_2O_3 auch Cr_2O_3 und andere. Bei hoher Temp. besteht eine, durch Unterkühlung in manchen „schlackigen Magneteisen" aus Basalten noch erhaltene Mischbarkeit mit $FeTiO_3$ bezw. spinellartigen Verbb. wie $FeTi_2O_4$ oder Fe_2TiO_4 oder beiden zugleich, V. M. GOLD-
5 SCHMIDT (*Skr. Akad. Oslo* **1926** Nr. 2, S. 82). Bei langsamer Abkühlung entmischen sich diese „Titanomagnetite" weitgehend, P. RAMDOHR (*N. Jb. Min. Beilagebd.* **54** A [1926] 335), indem sich Ilmenit in Täfelchen nach (0001) ‖ (111) [1] des Magnetits einlagert. Auch Al_2O_3 entmischt sich zusammen mit MgO oder FeO als Spinell. Über [2]
10 das stöchiometr. Verhältnis hinaus wird FeO bis zu mehreren Prozenten aufgenommen, M. K. PALMUNEN (*Fennia* **45** Nr. 9 [1925] 18). Behauptete völlige Mischbarkeit ist hier aber wegen Verschiedenheit der Gitter unwahrscheinlich, vgl. H. GROEBLER, P. OBERHOFFER (*Stahl Eisen* **47** [1927] 1988). — Manche Magnetite magmat. Her-
15 kunft weisen merkbare V-Gehalte auf. Dieses ist wohl ebenfalls in spinellartiger Bindung beigemengt.

.   *Krystallographische Eigenschaften.* Regulär, hexakisoktaedrisch. Gitter: Spinelltyp. Genauere Darstellung der Verhältnisse bei P. NIGGLI, Bd. **2**, S. 135. Kantenlänge des Elementarkörpers: $a =$
20 8.37 ± 0.01 Å, R. W. G. WYCKOFF, E. D. CRITTENDEN (*J. Am. Soc.* **47** [1925] 2866). Die Krystalle sind meist vorwiegend oktaedrisch, besonders in kontaktmetosomat. Lagerstätten auch Rhombendodekaeder. Es sind sehr flächenreiche Kombinationen bekannt, die dann oft rundlich erscheinen. Zwillinge nach (111), dem Spinellge-
25 setz, sind sehr häufig. In Gesteinen oft idiomorph, in Ergussgesteinen auch oft Skelette. Spaltbarkeit nach (111) beruht wohl nur auf Abtrennung nach den Zwillingslamellen nach (111) oder nach den ‖ (111) eingelagerten Ilmenitentmischungstafeln. (111) ist Gleitfläche $k_1 = (111)$, $k_2 = (111)$, A. GRÜHN (*N. Jb. Min.* **1918**, 99).

Unterkühlung (*f.*), supercooling
schlackig (*adj.*), scoriaceous, clinkery
Täfelchen (*n.*), platelet, little table
einlagern (sich) (*v.*), to be intercalated, imbedded
Herkunft (*f.*), origin, source

rundlich (*adj.*), roundish
idiomorph (*adj.*), idiomorphous
Zwillingslamelle (*f.*), twinning laminae
Ilmenitentmischungstafel (*f.*), ilmenite disintegration flakes

---

1. ‖ (111). Many mineralogical expressions are used in this paragraph. This one means parallel to crystal face 111.
2. **über . . . hinaus,** *over and beyond, beyond.*

Physikalische Eigenschaften. Bruch muschelig. — Härte: 5½ bis 6, D = 4.9 bis 5.2, rein etwa 5.17.

Schwacher Metallglanz, eisenschwarz mit Stich nach blau, gelegentlich bei höherem Ti-Gehalt auch nach rotbraun. Völlig opak; nur allerfeinste Häutchen und Skelette im Muskovit rauchgrau 5 durchscheinend. Strich schwarz. Brechungszahl bestimmt durch Reflexion 2.42 für Gelb, St. Loria, C. Zakrzewski (*Anz. Krakau. Akad.* A 1910 284), Extinktionskoeff.: 0.55. Danach wäre [1] das Reflexvermögen etwa 0.28.

Spezif. Wärme: 0.17. Kub. Ausdehnungskoeff. zwischen 16° bis 10 47°: 0.000029, P. Niggli, *Bd.* 2, S. 138.

Magnet. Eigenschaften sind von B. Bavink (*N. Jb. Min. Beilagebd.* 19 [1904] 425), V. Quittner (*Ann. Phys.* [4] 30 [1911] 289), J. Beckenkamp (*Z.* Kryst. 36 [1902] 102) studiert. — Magnetit ist ferromagnetisch. Oft ist er auch polarmagnetisch, aber anscheinend 15 fast stets nur in angewitterten Stücken. Der Magnetismus verschwindet bei etwa 570°, was aber nicht mit einer Modifikationsänderung zusammenhängt. Magnet. Anisotropie wurde von P. Weiss (*Eclairage électrique* 7 [1896] 487, 8 [1896] 56, 105; *J. Phys. théor.* [3] 5 [1896] 435) festgestellt. 20

Magnetit gehört zu den variablen Leitern, J. Koenigsberger (*Z. Elektroch.* 15 [1909] 97), J. Koenigsberger, K. Schilling (*Ann. Phys.* [4] 32 [1910] 179), vgl. auch H. Bäckström (*Öfvers. Akad. Stockholm* 45 [1888] 544).

Erzmikroskopisches Verhalten. H. Schneiderhöhn (*Anleitung* 25 *zur mikroskopischen Untersuchung der Erze,* Berlin 1922, S. 255), P. Ramdohr (*N. Jb. Min. Beilagebd.* 54 A [1926] 320). Polierfähigkeit gut, zeitraubend. Reflexvermögen mässig, bei Immersion stark

muschelig (*adj.*), conchoidal, shelly, flinty
allerfeinst (*adj.*), very fine
Häutchen (*n.*), thin skin, film
Muskovit (*m.*), muscovite, potassium mica
rauchgrau (*adj.*), smoky gray
polarmagnetisch (*adj.*), polar magnetic
anscheinend (*adv.*), apparently

angewittert (*p. adj.*), weathered, efflorescent
Modifikationsänderung (*f.*), variation (change) in modification
zusammenhängen (*v.*) to be connected with
Polierfähigkeit (*f.*), capacity for taking a high polish
zeitraubend (*p.p. adj.*), time-consuming

1. wäre = würde sein; the imperfect subjunctive is often used for the present conditional.

abnehmend. Farbe grauweiss mit deutlichem Stich nach gelblich-braun, der bei Immersion nach mattrosa übergeht. Isotrop. Gegen Eisenglanz deutlich weicher. Ausgezeichnete Strukturätzung mit rauchender Salzsäure macht [1] oft massenhafte Zwillingslamellierung nach (111) und auch bei chemisch fast genau reinen Magnetiten deutlichen Zonenbau erkennbar. Besonders auffallend ist die [2] in allen Stadien zu verfolgende Martitisierung, die sehr viele Magnetite zeigen. Die Deutung der Martitisierung durch J. W. GRUNER, G. GILBERT, P. RAMDOHR und andere, Literatur bei P. RAMDOHR (*N. Jb. Min. Beilagebd.* **54** A [1926] 332), hat auch die von O. MÜGGE (*N. Jb. Min. Beilagebd.* **32** [1911] 215) beschriebenen Struktureigentümlichkeiten geklärt. Sehr hübsch sind auch die Strukturen der entmischten Titanomagnetite. Weitere Angaben in der erzmikroskop. Literatur.

Beim Erhitzen bildet sich aus Magnetit in Luft ab etwa 150° ein ferromagnet. Eisenoxyd, das etwa von 500° an in normalen Eisenglanz übergeht. Bei noch weiterer Erhitzung geht dieser dann, etwa von 1200° an, wieder in Magnetit über. Genaueres vgl. in „Eisen" Tl. B unter „Eisen und Sauerstoff". Als geolog. Thermometer sind diese Angaben wegen der starken Abhängigkeit der Rkk. von der Anwesenheit reduzierender Stoffe und anderem nicht brauchbar.

In der Natur tritt neben der gewöhnlichen schon erwähnten Umbildung in Hämatit (Martitisierung) im eisernen Hut eine solche in Limonit häufig auf. In der Nachbarschaft von Erzgängen und auch weiter verbreitet in grösseren Massiven sind gesteinsbildende Magnetite oft in Pyrit verwandelt. Pseudomorphosierung in eine ganze Anzahl weiterer Minerale ist bekannt.

---

mattrosa (*adj.*), dull pink, dull rose
massenhaft (*adj.*), numerous, abundant
Zwillingslamellierung (*f.*), twinning laminae
Zonenbau (*m.*), zonal structure
Stadien (*n. pl.*), stages
Martitisierung (*f.*), martitization, conversion of magnetite into martite (martite is a form of hematite)
Deutung (*f.*), explanation

Struktureigentümlichkeit (*f.*), structural peculiarity
brauchbar (*adj.*), useful, usable
Nachbarschaft (*f.*), neighborhood
gesteinsbildend (*pr. p.* and *adj.*), rock-making
Massive (= **massive Gesteine**) (*n. pl.*), massive rocks
Pseudomorphosierung (*f.*), pseudomorphosis

---

1. **macht,** read with **erkennbar.**
2. **die ... zu verfolgende.** See §1(4).

Vorkommen. Magnetit ist ungemein verbreitet in Lagerstätten verschiedenster Art. Er gibt im allgemeinen einen Hinweis auf hohe Bildungstempp., doch fehlt er auch in [1] sicher bei niedriger Temp. gebildeten Lagerstätten keineswegs.

Er steckt in vielen Steinmeteoriten, auch in Meteoreisen (I). In den durch liquidmagmat. Differentiation gebildeten Nickelmagnetkieslagerstätten ist er als frühe Ausscheidung reichlich verbreitet, aber wirtschaftlich unbedeutend. Riesige Anreicherungen sind durch Krystallisationsdifferentiation entstanden; sie sind wegen des sehr hohen Ti- und Mg-Gehalts zur Zeit nicht bauwürdig (II A 1 b), aber für die Zukunft von Bedeutung. In den normalen Tiefengesteinen, besonders den SiO_2-ärmeren, ist Magnetit als frühe Ausscheidung verbreitet, durch natürliche Aufbereitung in Flüssen oder an der Meeresküste kann dieser Magnetit bis zur Bauwürdigkeitsgrenze angereichert sein. Von grosser wirtschaftlicher Bedeutung sind die sehr hochwertigen Lagerstätten des Typus II A 1 d; sie liefern zum Teil Fördererze, die fast ausschliesslich aus Magnetit bestehen.

In den Gruppen pegmatitisch-pneumatolytischer Entstehung ist Magnetit überall vorhanden, bauwürdig im allgemeinen aber nur in den oft sehr reines Erz führenden [2] kontaktmetasomatischen Bildgg. an Kalken (II A 2 c). Wegen der reinen Erze haben diese Lagerstätten früher eine grosse Rolle gespielt und sind in zahlreichen Gruben gewonnen worden; jetzt treten sie wegen der Unregelmässigkeit der Erzkörper wirtschaftlich zurück.

Den Lagerstätten der hydrothermalen Phase ist Magnetit im all-

ungemein (*adv.*), extraordinarily, exceedingly
fehlen (*v.*), to fail, to lack; **fehlt er keineswegs,** it is by no means absent
stecken (*v.*), to occur
Steinmeteorit (*m.*), stone meteorite
Meteoreisen (*n.*), meteoric iron
Nickelmagnetkieslagerstätten (*f. pl.*), nickeliferous magnetic pyrite deposits, nickelous pyrrhotite deposits
riesig (*adj.*), gigantic

zur Zeit, at present, for the time being
bauwürdig (*adj.*), workable
Zukunft (*f.*), future
Tiefengestein (*n.*), plutonic rock
Fluss (*m.*), stream, river
Meeresküste (*f.*), seacoast
Bauwürdigkeitsgrenze (*f.*), point of profitable working
anreichern (*v.*), to concentrate
Fördererz (*n.*), pit ore
Grube (*f.*), pit, hole, mine
Unregelmässigkeit (*f.*), irregularity

1. **in . . . gebildeten Lagerstätten.** See §1.
2. **führenden,** *containing.*

gemeinen fremd, wenn auch von „völligem Fehlen" nicht gesprochen
werden kann; abgebaut wird er aber nirgends.

Auch in der Ergussgesteinsreihe ist Magnetit überall vorhanden,
er gehört zu den stets vorhandenen Nebengemengteilen aller Er-
5 gussgesteine, ist als pneumatolyt. Prod., oft in schönen Krystallen
in den Dampfabzugsspalten der Vulkane häufig und ist schliesslich
auch in den hydrothermalen Gängen als Seltenheit bekannt, aber
nirgends bauwürdig. — In den submarinen Exhalationslagerstätten
(II B 3 b) ist er neben vorherrschendem Hämatit und anderen häufig,
10 aber leicht zu übersehen.

In Seifenbildgg. ist Magnetit häufig; da diese Magneteisensande
meist magmat. Magnetiten entstammen, ist der Ti-Gehalt meist zu
hoch.

Grosse wirtschaftliche Bedeutung hat Magnetit in der Lagerstät-
15 tengruppe III B 1 b α, wo er neben Siderit, Greenalit, Hämatit und
anderen wesentlich am Aufbau, z. B. der reichen Lagerstätten des
Lake Superior Gebiets, oft allerdings übersehen, beteiligt ist. Es ist
hier vielfach unklar, ob er durch Vorgänge von Diagenese oder Metamorphose aus anderen Erzen entstanden ist oder unmittelbar aus
20 der Lsg., wenn auch zunächst kolloidal, gefällt ist. Letzteres ist
durch K. C. BERZ (C. Min. 1922, 569) und andere durchaus wahrscheinlich gemacht. In III B 1 b β ist er selten und unwichtig, häufiger
in III B 2, wo er offenbar intermediär sich bei Verwitterung eisenreicher
Silicate bildet.

25 Gross ist die Verbreitung des Magnetits wieder in der metamorphen
Folge. Durch Erwärmung am Kontakt von Tiefen- oder Ergussge-
steinen werden viele Eisenmineralien in Magnetit übergeführt, z. B.
Hämatit, Siderit und Limonit. In allen Füllen bedeutet [1] das eine

fremd (*adj.*), foreign	**Magneteisensand** (*m.*), magnetite
Fehlen (*n.*), absence; „völliges —"	sand
complete absence	**Greenalit** (*m.*), greenalite
nirgends (*adv.*), nowhere	**beteiligen** (**sich**) (**an**) (*v.*), to take
Ergussgesteinsreihe (*f.*), igneous	part in, to participate (in)
rock series	**offenbar** (*adv.*), obviously, appar-
Nebengemengteil (*n.*), secondary	ently
constituent (of a mineral)	**Verwitterung** (*f.*), weathering
Dampfabzugsspalte (*f.*), vapor fissure	**metamorph** (*adj.*), metamorphous
Seifenbildgg. = **Seifenbildungen** (*f.*	**Siderit** (*m.*), siderite (ferrous car-
pl.), alluvial formations	bonate)

1. **bedeutet das,** *this signifies.*

relative Fe-Anreicherung, zudem werden die Erze der magnet. Aufbereitung zugänglich. In den Kontakten an eisenarmen Gesteinen ist die Magnetitbildg. oft mit einer Entfärbung verbunden, da er eine geringere färbende Kraft besitzt als Roteisen- oder Brauneisenstein. Die Dislokationsmetamorphose liefert aus Fe-haltigen Silicaten, z. B. 5 Olivin, schon in der Epizone Magnetit, aus sehr vielen anderen Eisenmineralien besonders in der Meso- und Katazone. Warum hier einmal Magnetit, einmal Hämatit entsteht, ist nicht immer klar. Auch der Magnetit mancher morphosierten Lagerstätten wird abgebaut.

DARSTELLUNG (VON EISEN) AUF CHEMISCHEM WEGE

Darstellung durch Reduktion des Oxyds

Reduktion mit Wasserstoff

[Seite 212–215]

Allgemeines. Im Gegensatz zu den Beobachtungen früherer 10 Forscher, namentlich von H. MOISSAN (*C. r.* **84** [1877] 1298; *Ann. Chim. Phys.* [5] **21** [1880] 201), F. GLASER (*Z. anorg. Ch.* **36** [1903] 21), haben neuere Verss., insbesondere von S. HILPERT (*Ber.* **42** [1909] 4575), L. MATHESIUS (*Dissert. Berlin T. H.* 1913, S. 15; *Stahl Eisen* **34** [1914] 872), K. HOFMANN (*Z. ang. Ch.* **38** [1925] 715) ergeben, dass 15 die Red. des Fe_2O_3 in strömenden Gasen nicht stufenweise erfolgt, sondern dass im Reaktionsprod. Gemische aller Phasen vom Oxyd bis zum metall. Fe vorliegen können. — Die Angaben über den Beginn der Red. des Oxyds und über die [1] zur Herst. des metall. Fe erforderliche Minimaltemp. gehen weit auseinander; jedoch besteht Überein- 20

zudem (*adv.*), besides, in addition, moreover	**einmal ... einmal,** at one time... at another time
zugänglich (*adj.*), accessible	**morphosiert** (*p. adj.*) morphous
eisenarm (*adj.*), poor in iron	**strömende Gase,** (streaming) flowing gases
Kraft (*f.*), power or strength	
Epizone (*f.*), epizone	**auseinandergehen** (*v.*), to differ;
Mesozone (*f.*), mesozone	**weit —,** to differ greatly from each
Katazone (*f.*), catazone (zone of artificial weathering and formation of sediments)	other

1. **die ... erforderliche Minimaltemp.** See §1(5).

stimmung darin, dass [1] Red. des Oxyds mit H oberhalb 350° mit Sicherheit nachweisbar ist, vgl. F. Wüst, P. Rütten (*Mitt. Kaiser Wilhelm
Inst. Eisenforschung* 5 [1924] 6). S. Hilpert (l.c.) stellte Abhängigkeit des Reduktionsbeginns von der Art der Herst. des Oxyds und
5 seiner Erzeugungstemp. fest. — Für die Herst. von ganz reinem Fe
empfiehlt sich [2] die Anwendung hoher Tempp., s. G. P. Baxter, Ch.
R. Hoover (*J. Am. Soc.* 34 [1912] 1668; *Z. anorg. Ch.* 80 [1913] 214).
— Nach H. Moissan (*C. r.* 84 [1877] 1298) sind zur vollständigen
Red. bei 350° 36 Std., bei 440° 12 Std. erforderlich, während von
10 500° an die Red. sehr schnell verläuft. — Die [3] von S. Hilpert (l.c.)
hauptsächlich an künstlichem Fe_2O_3, von K. Hoffman (l.c.) grösstenteils an natürlichem Material angestellten Verss. haben die
Abhängigkeit der Reduktionsgeschwindigkeit von der physikal. Beschaffenheit der Oxyde, besonders von der Gestaltung der Oberfläche
15 ergeben. Vgl. auch die Resultate von F. Wüst, P. Rütten (l.c. S. 1)
über die Abhängigkeit der Reduktionsgeschwindigkeit von Eisenerzen
von ihrer Porosität und Gasdurchlässigkeit. Näheres über den Verlauf der Red. im strömenden H s.[4] unter Eisen (III)-oxyd: „Verhalten
gegen Wasserstoff" in „Eisen" Teil B. Über die bei Einw. von H
20 auftretenden Gleichgewichte s. „Das System Eisen-Sauerstoff-Was-
serstoff" in Teil B.

Verfahren. Über ·die Darst. von pyrophorem Eisen durch Red.
des Oxyds mit H bei niedriger Temp. s. unter „Besondere Formen des
reinen Eisens" S. 219.

25 Laut F. Wöhler (*Lieb. Ann.* 94 [1855] 125) schlugen Quevenne,
Miquelard 1840 vor, Eisen für pharmazeut. Zwecke durch Red.
von Fe_2O_3 herzustellen. — Ältere Angaben über Darst. des „ferrum
reductum" in grösserem Massstabe: [5] E. Soubeiran, J. B. Dublanc
(*J. Pharm. Chim.* [3] 8 [1845] 187), Burin-Duboisson (*Bl. Soc. d'Enc.*
30 57 [1858] 633); vgl. auch A. Thibierge (*J. Pharm. Chim.* [3] 8

Gestaltung (*f.*), form, state
Gasdurchlässigkeit (*f.*), permeability to gas

pyrophor (*adj.*), pyrophoric
laut (*prep.*) according to, in consequence of

1. **darin, dass.** See §15(6).
2. **empfiehlt sich,** *is recommended.*
3. **Die . . . angestellten Verss.** See §1.
4. **H s.** Two abbreviations; see *Chemical Symbols and Abbreviations*
at end of book.
5. **in grösserem Massstabe.** See §13(4).

[1845] 132). — Über die Verunreinigungen des „ferrum reductum" und deren Beseitigung [1] s. auch S. DE LUCA (*C. r.* **51** [1860] 333), DESCHAMPS (*J. Pharm. Chim.* [3] **38** [1860] 250), L. DUSART (*J. Pharm. Chim.* [3] **39** [1861] 415). — Nach A. MATTHIESSEN, S. PRUS-SZCZEPANOWSKI (*Chem. N.* **18** [1868] 114; **20** [1869] 101) gewinnt 5 man ein S-freies Fe, wenn man sorgfältig gereinigtes $FeSO_4 \cdot 7H_2O$ und Na_2SO_4 zu gleichen Teilen im Platintiegel kräftig bis zur Beendigung der SO_2-Entw. glüht. Das [2] durch Ausziehen und Auswaschen mit H_2O fein verteilte, krystalline Oxyd wird im Platintiegel mit H reduziert und der erhaltene Regulus in einem Kalktiegel mit Hilfe 10 eines Knallgasgebläses umgeschmolzen, um H, Si, P, S usw. restlos zu entfernen. — CROLAS (*C. r.* **78** [1874] 977) befreit die zur Verwendung gelangende $FeCl_2$-Lsg. mit $BaCl_2$ von $SO_4^{\cdot\cdot}$, beseitigt einen Überschuss von $BaCl_2$ durch Umkrystallisieren und stellt das zur Red. gelangende Oxyd auf dem Wege über das Hydroxyd [3] her. — H. KREUSLER (*Verh.* 15 *phys. Ges.* [2] **10** [1908] 344) geht von reinstem [4] Mohrschen Salz aus, fällt mit reinster [4] Oxalsäure, verbrennt das Oxalat zu Oxyd, wobei eine Ätherflamme benutzt wird, und reduziert das Oxyd in einem Hartglasrohr mit reinstem [4] elektrolyt. H. Um Spuren von S zu entfernen, wird die Gesamtoperation mehrmals wiederholt und sowohl 20 auf die Benutzung von Porzellanmaterial als auch von Leuchtgas verzichtet, da selbst durch Quarz bei 1000° noch S aus der Leuchtgasflamme aufgenommen werden soll. Zwischen gepressten Stäbchen aus [5] diesem bei möglichst niedriger Temp. hergestellten Eisenpulver wird im Vak. ein Lichtbogen erzeugt und das [6] abschmelzende, H in 25

Beendigung (*f.*), termination
Ausziehen (*n.*), extraction
Kalktiegel (*m.*), lime crucible
Knallgasgebläse (*n.*), oxyhydrogen
  blast
gelangen (zu) (*v.*), to come to; zur
  Verwendung —, to be used; zur
  Reduktion — to be reduced

Ätherflamme (*f.*), ether flame
Gesamtoperation (*f.*), entire operation
verzichten (auf) (*v.*), to renounce
Stäbchen (*n.*), small rod or bar
Lichtbogen (*m.*), electric arc
abschmelzen (*v.*), to fuse, to separate
  by melting

1. **und deren Beseitung**, *and their removal.*
2. **Das ... verteilte ... Oxyd.** See §1.
3. **auf dem Wege über das Hydroxyd,** *by way of the hydroxide.*
4. **reinstem, reinster,** *very pure.*
5. **aus diesem ... hergestellten Eisenpulver.** See §1.
6. **das abschmelzende ... abgebende Eisen.** See §1.

grossen Mengen abgebende Eisen auf Hg aufgefangen; es ist dann sehr duktil, zähe und polierfähig.

A. SANFOURCHE (*Rev. Mêt. Mém.* 16 [1919] 218) löst schwedisches Hufnageleisen in verd. Königswasser, filtriert SiO_2 nach Eindampfen
5 zur Trockne ab und fällt das zur Herst. des Fe_2O_3 dienende $Fe(OH)_3$ mit NH_4OH in geringem Überschuss. Das gleiche Ausgangsmaterial benutzt L. C. TURNOCK (*Met. Chem. Eng.* 15 [1916] 260), der das aus Sulfat hergestellte Oxyd trocknet, in einer eisernen Muffel im H-Strom glüht und schliesslich in H erkalten lässt. S. auch N. PARRAVANO,
10 P. DE CESARIS (*Gazz.* 47 [1917] 144), O. RUFF, E. GERSTEN (*Ber.* 45 [1912] 69).

Die Darst. von Fe-Pulver durch Glühen von Oxalat im H-Strom wurde von F. WÖHLER (*Lieb. Ann.* 95 [1855] 192) angegeben. — G. DRAGENDORFF (*Pharm. J.* [3] 2 [1872] 988) fällt das Oxalat aus
15 salzsaurer Lsg. und glüht es im H-Strom, der mit $Pb(NO_3)_2$ gereinigt ist. — L. MOND, C. LANGER (*J. Chem. Soc.* 59 [1891] 1090) fällen das Oxalat aus heisser $FeSO_4$-Lsg., waschen es durch wiederholte Dekantation mit H_2O und erhitzen das getrocknete Oxalat im langsamen H-Strom bis zum Aufhören der Gasabgabe. Das reduzierte
20 Eisen wird unter Luftausschluss bis zur Beseitigung des Sulfats mit H_2O gekocht, zunächst oberflächlich und dann im H-Strom bei 300° vollständig getrocknet.

Beim Erhitzen von Eisensalzlösungen unter Druck in Wasserstoff bildet sich im allgemeinen kein Metall, sondern es [1] werden nur Oxyde
25 oder bas. Salze abgeschieden; nur aus einer 0.1 n-Eisenacetatlsg. entsteht bei 400° und bei 420 Atm. H-Druck eine sehr geringe Menge schwammförmiges Fe, W. IPATIEW, W. WERCHOWSKY (*Ber.* 42 [1909] 2086), W. IPATIEW (*Ber.* 59 [1926] 1420).

auffangen (*v.*) (**auf**), to catch up (in), to collect (into)
Hufnageleisen (*n.*), horseshoe-nail iron
Eindampfen (*n.*), evaporation; — **zur Trockne**, evaporation to dryness
Muffel (*f.*), muffle
Glühen (*n.*), calcination
salzsaure Lösung (*f.*), solution of hydrochloric acid

reinigen (*v.*), to purify
Aufhören (*n.*), ceasing
Gasabgabe (*f.*), escape of gas
unter Luftausschluss, with exclusion of air
Eisensalzlösung (*f.*), iron salt solution
0.1 n-Eisenacetatlsg. = **0.1 n-Eisenacetatlösung** (*f.*), 0.1 normal iron acetate solution

1. es werden nur Oxyde ... abgeschieden. See §9.

Darstellung von reinstem Eisen für Atomgewichtsbestimmungen.
T. W. Richards, G. P. Baxter (*Pr. Am. Acad.* **35** [1900] 253; *Z. anorg. Ch.* **23** [1900] 247, 251) lösen reines schwedisches Fe in H_2SO_4, schlagen das Fe elektrolytisch aus der mit Ammoniumoxalat versetzten Lsg. nieder, lösen wiederum in reinster, konz. HNO_3, filtrieren das 5 ausgeschiedene C ab und krystallisieren das Nitrat mehrmals um. Das mit NH_4OH gefällte Hydroxyd wird in einer Platinschale getrocknet und schliesslich bei 900° in einem Strom von elektrolytisch hergestelltem, gut gereinigtem H im Porzellanrohr 20 Std. lang reduziert. Ähnlich verfahren F. K. Bell, W. A. Patrick (*J. Am. Soc.* 10 **43** [1921] 453), die das aus Nitrat hergestellte Fe_2O_3 7 Std. bei 600° und darauf 1 Std. bei 1000° im H-Strom erhitzen. Als genaueres Verf. wählen T. W. Richards, G. P. Baxter (l.c. S. 248) vor allem zur Trennung des Fe von den übrigen Metallen folgende Arbeitsweise: Reinste $FeCl_2$-Lsg. wird mit H_2S gesättigt, das Filtrat mit H_2O_2 oxy- 15 diert und Fe als bas. Sulfat gefällt. Nach dem Auswaschen wird dieses in H_2SO_4 gelöst und die Lsg. elektrolytisch reduziert. Das aus dieser Lsg. gewonnene $FeSO_4 \cdot 7H_2O$ wird mehrfach umkrystallisiert, gelöst und unter Zusatz von Cl-freiem Ammoniumoxalat elektrolysiert (Trennung von Mn und Al). Das Elektrolyteisen wird nach dem oben 20 beschriebenen Verf. über das Nitrat und das Hydroxyd in Fe_2O_3 verwandelt und bei 900° im H-Strom bis zur Gewichtskonstanz reduziert. Das so hergestellte Eisen weist nur Spuren von Pt und O auf; s. auch G. P. Baxter (*Pr. Am. Acad.* **39** [1902] 245; *Z. anorg. Ch.* **38** [1904] 237), wonach NH_3 an Stelle von H zur Red. von Fe_2O_3 nicht 25 verwendet werden darf.[1] — T. W. Richards, G. E. Behr Jr. (*Z. Phys. Ch.* **58** [1907] 303) empfehlen,[2] bei der Darst. des Fe nach dem Verf. von T. W. Richards, G. P. Baxter (l.c.) an Stelle von konz. HNO_3 verdünntes zur Lsg. des Eisens anzuwenden, da Si und Fe_2Si

niederschlagen (*v.*), to precipitate	**—**, to proceed similarly or in a like manner
Platinschale (*f.*), platinum dish or basin	**Arbeitsweise** (*f.*), procedure
Porzellanrohr (*n.*), porcelain tube	**Auswaschen** (*n.*), washing out, rinsing
lang (*adv.*), long; **20 Std. lang**, for 20 hours	**wonach** (*conj.*), according to which
verfahren (*v.*), to proceed; **ähnlich**	

1. **nicht verwendet werden darf**, *must not be used.*
2. **empfehlen . . . anzuwenden**, *recommend the use of.*

von diesem nicht angegriffen werden und sich [1] leichter abfiltrieren lassen. Zur Gewinnung des Oxyds wird das Nitrat bei mässiger Temp. stufenweise denitriert; man erhält dann bei der Red. mit H bei 600° ein pulverförmiges Metall ohne Zusammenhalt, während bei 1100°
5 ein hartes, nur schwer zerbrechliches [2] Metall von silbergrauer Färbung entsteht. Vgl. auch G. P. BAXTER, TH. THORVALDSON, V. COBB (*J. Am. Soc.* **33** [1911] 319; *Z. anorg. Ch.* **70** [1911] 329). Auch G. P. BAXTER, C. R. HOOVER (*J. Am. Soc.* **34** [1912] 1657; *Z. anorg. Ch.* **80** [1913] 204) bedienen sich [3] bei der Darst. von reinstem Fe eines aus
10 bas. Nitrat durch Glühen an der Luft hergestellten Fe_2O_3, das bei 1000° in einem mit einer Platinfolie ausgekleideten Quarzrohr bis zur Gewichtskonstanz in einem trockenen Luftstrom erhitzt und anschliessend bei 1100° bis 1150° mit H reduziert wird. — Vgl. auch T. W. RICHARDS, W. T. RICHARDS (*J. Am. Soc.* **46** [1924] 92).
15   Äusserst reines Fe erhalten B. LAMBERT, J. C. THOMSON (*J. Chem. Soc.* **97** [1910] 2429): Sie elektrolysieren eine Lsg. von reinstem $FeCl_3$, frei von S, As und Erdalkali, zwischen Iridiumelektroden, waschen das erzeugte Elektrolyteisen mit reinstem H_2O und lösen es in HNO_3. Das 5- bis 6mal umkrystallisierte Nitrat wird in einem
20 Iridiumtiegel, vor der Flamme geschützt, zu Oxyd verglüht und dieses dann in einem Bergkrystallrohr bei 1000° mit H, der elektrolytisch aus $Ba(OH)_2$ -Lsg. erzeugt wird, reduziert. Die Verwendung von Iridium an Stelle von Platin gestattet [4] im Gegensatz zu T. W. RICHARDS, G. P. BAXTER (l.c.), deren Verf. prinzipiell zugrunde gelegt wird,
25 ein Pt-freies Fe zu erhalten. Auch lassen [5] B. LAMBERT, J. C. THOM-

denitrieren (*v.*), to denitrate	**verglühen** (*v.*), to bake, to ignite, to calcine
Zusammenhalt (*m.*), cohesion	
zerbrechlich (*adj.*), breakable, fragile	**Bergkrystallrohr** (*n.*), rock crystal tube, quartz tube
silbergrau (*adj.*), silver gray	**prinzipiell** (*adv.*), principally mainly
Platinfolie (*f.*), platinum foil	**zugrunde legen** (*v.*), to take as a basis, start out from
auskleiden (*v.*), to line	
Iridiumtiegel (*m.*), iridium crucible	

1. **sich ... abfiltrieren lassen.** See §18(1).
2. **ein ... zerbrechliches Metall.** See §1(5).
3. **bedienen sich ... eines ... hergestellten** Fe_2O_3. Note use of genitive case after **sich bedienen.**
4. **gestattet ... ein Pt-freies Fe zu erhalten,** *permits the obtaining of a Pt-free iron.*
5. **lassen ... fort,** *omit.*

SON (l.c.) das vorhergehende Erhitzen des Oxyds im O-Strom, um Nitratreste zu vertreiben, fort,[1] da sich [2] so vorbehandeltes Eisenoxyd niemals vollständig reduzieren lässt. Das nach diesem Verf. gewonnene Eisen rostet in Ggw. von H_2O und O nicht.

Verunreinigungen. Das aus völlig reinem Eisenoxyd durch Red. 5 bei 900° mit H gewonnene Eisen kann sehr kleine Mengen Sauerstoff enthalten, T. W. RICHARDS, G. P. BAXTER (*Pr. Am. Acad.* **35** [1900] 253; *Z. anorg. Ch.* **23** [1900] 252); besonders gilt dies, wenn das Oxyd durch Zers. des Nitrats hergestellt wird, F. MYLIUS (*Naturw.* **5** [1917] 409); in diesem Falle liegt die Ursache zum Teil wohl in einer nicht 10 ganz vollständigen Red. des Oxyds, T. W. RICHARDS, G. P. BAXTER (l.c.). Auch die reinsten Proben von „ferrum reductum" enthalten nach R. SCHENCK, TH. DINGMANN (*Z. anorg. Ch.* **166** [1927] 146) kleine O-Mengen, wenn sie nicht nach der Red. in mit H gefüllten, zugeschmolzenen Röhren aufbewahrt werden. — Über die nachträg- 15 liche Aufnahme von Luftbestandteilen durch reduziertes Eisen s. die eingehenden Verss. von R. RUER, J. KUSCHMANN (*Z. anorg. Ch.* **173** [1928] 244) und den Abschnitt „Chemisches Verhalten des reinen und technischen Eisens".

Sehr geringe Mengen Wasserstoff enthält das reinste durch H-Red. 20 gewonnene Eisen stets; doch kann man es durch Schmelzen im Vak. vollkommen davon befreien, G. P. BAXTER (*Am. Chem. J.* **22** [1899] 363); nach H. KREUSLER (*Verh. phys. Ges.* [2] **10** [1908] 344) ist einmaliges Umschmelzen nicht ausreichend. — Jedenfalls ist der Betrag an H, den Eisen bei der Red. aufnimmt, auch nach dem Ab- 25 kühlen im H-Strom so gering, dass er auch bei Atomgewichtsbestst. vernachlässigt werden kann, G. P. BAXTER, CH. R. HOOVER (*Z. anorg. ch.* **80** [1913] 213). — Nach A. SIEVERTS (*Z. Elektroch.* **16** [1910] 707) nimmt Fe bei 800° nur 0.0002 % H auf. Vgl. über die Wasserstoffaufnahme „Eisen und Wasserstoff" in „Eisen" Teil B. 30

Nitratrest (*m.*), nitrate residue
vorbehandelt (*p. adj.*), treated beforehand, pretreated
aufbewahren (*v.*), to keep, to preserve
einmalig (*adj.*), one-time, single

Umschmelzen (*n.*), remelting
ausreichend (*adj.*), sufficient
Betrag (an) (*m.*), amount (of)
vernachlässigen (*v.*), to overlook, neglect

---

1. See note 5, page 144.
2. **sich,** read with **lässt.**

Von anderen Fremdstoffen kommen noch Spuren von Platin in
Betracht, die bei der Red. in Platingefässen aufgenommen werden
können, T. W. RICHARDS, G. P. BAXTER (l.c.).

Im Gegensatz zu dem [1] mit allen Vorsichtsmassregeln hergestellten
5 reduzierten Eisen sind käufliche Präparate von „ferrum reductum"
meist unreiner, s. z. B. F. SAUERWALD (Z. anorg. Ch. **122** [1922] 278).

Reduktion mit Kohlenoxyd (Kohlenstoff)

Die Red. des Eisenoxyds mit Wasserstoff lässt sich bei der Darst.
von reinem Eisen nicht ohne weiteres durch die Red. mit Kohlenoxyd
ersetzen, weil C-Abscheidung und Kohlung eintreten kann, K. STAM-
10 MER (Pogg. Ann. **82** [1852] 138), L. GRUNER (Ann. Chim. Phys. [4]
26 [1872] 8; Dingl. J. **202** [1871] 160), R. AKERMAN, C. G. SÄRNSTRÖM
(Jernkontorets Ann. [2] **37** [1882] 329), H. MOISSAN (Ann. Chim.
Phys. [5] **21** [1880] 217), GUNTZ (C. r. **114** [1892] 115), S. HILPERT
(Ber. **42** [1909] 4580). — Näheres hierüber s. in „Eisen" Teil B unter
15 Eisen (III)-oxyd: „Verhalten gegen Kohlenoxyd". Über die bei der
Einw. von CO auf Fe_2O_3 auftretenden Gleichgewichte s. in Teil B:
„Das System Eisen-Kohlenstoff-Sauerstoff". — Über die Vermeidung
der Carbidbildg. bei tieferen [2] Tempp. im Verlaufe der Rkk.

$$FeO + CO \rightleftharpoons Fe + CO_2$$
$$Fe_3O_4 + CO \rightleftharpoons 3FeO + CO_2$$

vgl. R. SCHENCK, TH. DINGMANN (Z. anorg. Ch. **166** [1927] 122).
20 — Angaben über die zur Herst. von metall. Eisen erforderliche Minimaltemp. findet man bei L. MATHESIUS (Stahl Eisen **34** [1914] 866),
A. LEDEBUR (Handbuch der Eisenhüttenkunde, neubearbeitet von
H. v. JÜPTNER, 6. Aufl., Leipzig 1923, Abt. I, S. 360).

Im Zusammenhang hiermit stehen die zahlreichen Verff. zur Ge-
25 winnung von technisch reinem Eisen durch direkte Red. der Erze,
bei denen meist schwammförmiges Metall von hoher Reinheit erzeugt
wird. Vgl. näheres hierüber unter „Direkte Stahlerzeugung."

in Betracht kommen, to have to be   **käuflich** (adj.), commercial
 taken into account   **Kohlung** (f.), carbonization
Vorsichtsmassregel (f.), precaution- **neubearbeiten** (v.), to revise
 ary (safety) measure

1. **dem . . . hergestellten . . . Eisen.** See §1.
2. **tieferen: positiveren,** what is the force of the suffix –er? See §13.

Reduktion mit Metallen

Auf trockenem Wege lässt sich Eisen aus dem Oxyd durch Erhitzen mit positiveren [1] Metallen abscheiden, so [2] mit Calcium oder Calciumhydrid CaH_2 bei heller Rotglut, F. M. PERLEIN, L. PRATT (*Trans. Faraday Soc.* **3** [1908] 181). — Auch auf aluminothermischem Wege kann man das Metall aus dem Oxyd gewinnen, H. GOLDSCHMIDT 5 (*Lieb. Ann.* **301** [1898] 19; *Z. Elektroch.* **4** [1898] 494). In ähnlicher Weise gelingt die Abscheidung durch Verwendung des sogenannten „Mischmetalls", das durch Schmelzelektrolyse der Chloride der seltenen Erden aus Monazitsand gewonnen wird und sich infolge seiner hohen Verbrennungswärme für solche Redd. besonders eignet, 10 L. WEISS, O. AICHEL (*Lieb. Ann.* **337** [1904] 376).

Lsgg. von Eisenchlorid oder -sulfat werden durch Zink nach N. W. FISCHER (*Pogg. Ann.* **9** [1827] 266) zum grössten Teil als Oxyd gefällt; eine geringe Menge Fe überzieht das Zn metallisch. „Vollzieht [3] sich die Rk. in einer geschlossenen Flasche und liegt die Spitze 15 des Zinkstäbchens fest an der Wand des Glases an, so wächst das reduzierte Eisen am Glase selbst fort". Taucht man reines Zn in Stabform in eine neutrale sd. Lsg. von $FeCl_2$, so überzieht es sich mit metall. Fe. — O. PRELINGER (*Monatsh.* **14** [1893] 368) gibt an, dass auch metall., pulverförmiges Mangan aus einer Lsg. von $FeSO_4$ 20 Eisen abscheidet.

trocken (*adj.*), dry; **auf —em Wege,** by a dry method
Rotglut = Rotglühhitze (*f.*), red heat; **bei heller —,** with a bright red heat
aluminothermisch (*adj.*), aluminothermic; **auf —em Wege,** in an aluminothermic way
„**Mischmetall**" (*n.*), mixed metal, [alloy
seltene Erden (*f. pl.*), rare earths
Schmelzelektrolyse (*f.*), fusion electrolysis

Monazitsand (*m*), monazite sand; **aus —,** made of monazite sand
vollziehen (sich) (*v.*), to be executed, to take place
anliegen (an + dat.) (*v.*), to lie (be) close to or near (to)
Spitze (*f.*), point
Zinkstäbchen (*n.*), small zinc rod
fortwachsen (an + dat.) (*v.*), to grow (on)
Stabform (*f.*), rod shape

1. See note 2, page 146.
2. **so,** *thus.*
3. **Vollzieht sich . . . , so.** See §2.

SELECTIONS FROM METALLURGICAL
REFERENCE BOOKS

PAUL OBERHOFFER, *DAS TECHNISCHE EISEN*
(*Zweite Auflage, Berlin,* Springer, 1925)

I. Definition und Einteilung des Technischen Eisens

[Seite 1–8)

Das technische Eisen enthält ausser Eisen eine Reihe von anderen
Elementen, die bei seiner Herstellung teils ohne Absicht infolge der [1]
in den Ausgangsprodukten enthaltenen Verunreinigungen hineingelangen, teils zur Erzielung besonderer Eigenschaften absichtlich zu-
5 gesetzt werden. Zur ersten Gruppe dieser sogenannten Fremdkörper
gehören Kohlenstoff, Phosphor, Schwefel, Arsen, Kupfer, Silizium und
Mangan, von der letzteren seien [2] Nickel, Chrom, Wolfram, Molybdän,
Vanadium, Titan, Kobalt und Aluminium erwähnt. Obwohl Kohlenstoff, Silizium, Mangan und Phosphor in keinem technischen Eisen
10 vollständig fehlen dürften,[3] kann auch der Gehalt an diesen Elementen
mit Absicht zur Regelung der Eigenschaften bemessen werden. In
besonders hervorragendem Masse ist dies [4] der Fall für den Kohlenstoff. Der Gehalt an diesem Element bildet die Grundlage für die
Einteilung der technischen Eisensorten, weil bis zu einem Kohlen-
15 stoffgehalt von 1,8–2 % das Eisen die technisch äusserst wichtige
Eigenschaft besitzt, bei höheren Temperaturen ein gewisses Mass
von Bildsamkeit oder Formänderungsfähigkeit aufzuweisen,[5] die zu
seiner Verarbeitung durch Walzen, Schmieden, Pressen und dergleichen
erforderlich ist. Diese Eigenschaft heisst Schmiedbarkeit oder Warm-
20 bildsamkeit, und man nennt alle technischen Eisensorten mit weniger

hineinelangen (*v.*), to get in
absichtlich (*adv.*), intentionally
bemessen (*v.*), to measure, to adjust
hervorragend (*adj.*), outstanding;
in —em Masse, to a high degree

Bildsamkeit (*f.*), flexibility, plas-
ticity
Formänderungsfähigkeit (*f.*), abil-
ity to change form, plasticity
Schmieden (*n.*), forging
Warmbildsamkeit (*f.*), forgeability

1. der . . . enthaltenen Verunreinigungen. See §1.
2. seien . . . erwähnt. See §10(2).
3. fehlen dürften, *are probably present.*
4. dies, *this.* See §14(3).
5. aufzuweisen, complementary infinitive of besitzt. See §18.

als 1,8–2 % Kohlenstoff schmiedbares Eisen. Die nichtschmiedbaren
Eisensorten mit mehr als 1,8–2 % Kohlenstoff heissen Roheisen.
Eine scharfe Grenze zwischen beiden Gruppen, technischer Eisensorten lässt sich nicht ziehen, weil die Schmiedbarkeit einerseits mit
steigendem Kohlenstoffgehalt des Eisens allmählich abnimmt und 5
nicht plötzlich verschwindet, anderseits durch die gleichzeitige Anwesenheit anderer Fremdkörper beeinflusst wird.
Das schmiedbare Eisen wird in Schmiedeeisen und Stahl eingeteilt.
Bei Anwesenheit geringer Mengen anderer Fremdkörper liegt die
Grenze zwischen diesen beiden Untergruppen bei einem Kohlenstoff- 10
gehalt von 0,4 %. Die Unterteilung erfolgt auf Grund der Tatsachen,
dass Stahl härter, fester und spröder ist als Schmiedeeisen und durch
Abschrecken oder Härten (Erhitzung auf hohe Temperaturen und
nachfolgende sehr rasche Abkühlung) eine grössere Härtesteigerung
aufweist als Schmiedeeisen. Da aber die erwähnten Eigenschaften, wie 15
Härte, Festigkeit, Sprödigkeit und Härtbarkeit, sich mit steigendem
Kohlenstoffgehalt kontinuierlich verändern, ist eine solche Unterteilung willkürlich. Weder der englische noch der französische Sprachgebrauch kennt eine Unterscheidung zwischen Schmiedeeisen und
Stahl, vielmehr heisst jedes schmiedbare Eisen, unabhängig vom 20
Kohlenstoffgehalt, Stahl. Zur besonderen Kennzeichnung wird lediglich ein Eigenschaftswort, wie weich, mittelweich, extraweich bzw.
hart, mittelhart, extrahart, hinzugefügt. Auch im deutschen Sprachgebrauch macht sich, wie schon Ledebur (Handbuch der Eisenhüttenkunde, 5. Auflage 1906) ausführt, eine zunehmende Verwischung 25
des erwähnten Unterschiedes bemerkbar. Es ist daher durchaus
erklärlich, dass die [1] vom internationalen Verband für die Material-
prüfungen der Technik eingesetzte Kommission, deren spezielle Auf-

einerseits ... anderseits, on the one
 hand ... on the other hand
Untergruppe (f.), subgroup
Abschrecken (n.), quenching, chill-
 ing
Sprödigkeit (f.), brittleness
Härtbarkeit (f.), ability to be
 hardened (tempered)
kontinuierlich (adv.), continually
willkürlich (adj.), arbitrary

weder ... noch (conj.), neither ...
 nor
Sprachgebrauch (m.), (colloquial)
 usage, language
Eigenschaftswort (n.), adjective
hinzufügen (v.), to add, to append to
ausführen (v.), to explain, to state
Verwischung (f.), effacement, disappearance
erklärlich (adj.), clear, plausible

1. die ... eingesetzte Kommission, *the committee that was established.*

gabe die Aufstellung einer einheitlichen Nomenklatur des Eisens war, dem [1] im Jahre 1912 in New York tagenden Kongress die Abschaffung der Unterteilung und die einheitliche Benennung jedes schmiedbaren Eisens, unabhängig vom Kohlenstoffgehalt, mit „Stahl" vorschlug.

5 Die Annahme dieses Vorschlages scheiterte jedoch insbesondere am Widerstand der deutschen Mitglieder des Kongresses, die auf die Schwierigkeiten wirtschaftlicher Natur hinwiesen, die eine Veränderung des jetzigen Sprachgebrauches für Deutschland im Gefolge haben würde.   Die Kommission zog infolgedessen ihren Antrag zurück.

10 Der deutsche Verband für die Materialprüfung der Technik und die Behörden halten auch heute noch an der Unterscheidung zwischen Schmiedeeisen (oder kurzweg Eisen) und Stahl im erwähnten Sinne fest.

Je nachdem, ob das schmiedbare Eisen im teigigen oder im flüssigen 15 Zustande gewonnen, d. h. nach dem älteren Puddel- oder nach einem der neueren Verfahren zur Gewinnung des Eisens im flüssigen Zustande hergestellt worden ist, unterscheidet man Schweiss-Schmiedeeisen bzw. Fluss-Schmiedeeisen oder kurzweg Schweiss-bzw. Flusseisen sowie Schweissstahl und Flussstahl.

20   Das Schweisseisen wird eingeteilt nach Festigkeitseigenschaften und Verwendungszweck in:

Aufstellung (*f.*), setting up, establishment
tagen (*v.*), to sit (assemblies), to hold a meeting
Abschaffung (*f.*), removal, doing away, abolishment
Annahme (*f.*), acceptance
scheitern (**an**) (*v.*), to fail (because of)
Widerstand (*m.*), resistance
Mitglied (*n.*), member
jetzig (*adj.*), present
Gefolge (*n.*): **im — haben,** to involve, to entail
zurückziehen (*v.*), to withdraw
Antrag (*m.*), motion, proposal
Behörden (*f. pl.*), authorities
festhalten (**an**) (*v.*), to adhere (to)

je nachdem (*adv.*), in proportion as, according as
teigig (*adj.*), pasty; **im —en Zustande,** in a pasty condition
Schweiss-Schmiedeeisen (*n.*), weld iron, wrought iron produced in pieces that weld together (puddling process)
Fluss-Schmiedeeisen (*n.*), ingot iron, wrought iron produced in liquid state.
Schweissstahl (*m.*), welding steel, wrought steel
Flussstahl (*m.*), ingot steel, low-carbon steel
Festigkeitseigenschaft (*f.*), solidification property

1. **dem . . . Kongress,** object of **vorschlug.**

1. Schweisseisen ohne Abnahmebedingungen:
   a) Handelseisen.
   b) Schrauben- und grobkörniges Pressmuttereisen.
   c) Hufstabeisen.
   d) Fittings- und Muffeneisen. 5
2. Schweisseisen mit Abnahmebedingungen:
   a) Gütestufe „best" für Bauwerkeisen, Oberbau, Eisenbahn-fahrzeuge, Schiffs- und Maschinenbau. Festigkeit je nach Dicke 34–36 kg/qmm,[1] Dehnung 12 %.
   b) Gütestufe „best best" für Eisenbahnmaterial: Schrauben, 10 Nieten, Ketten, Kupplungen usw. Stabeisen für Maschinen-bau. Festigkeit je nach Dicke 35–37 kg/qmm, Dehnung 18–35 %.
   c) Gütestufe „best best best" für Eisenbahn-, Schiffs- und Ma-schinenbau. Festigkeit 37–38 kg/qmm, Dehnung 18–20 %. 15

Die im flüssigen Zustande erzeugten schmiedbaren Eisensorten benennt man häufig nach dem besonderen Herstellungsverfahren. Es [2] ergeben sich also Bezeichnungen wie: Thomas-,[3] Bessemer-, Siemens-Martin-Eisen und -Stahl, ferner auch basisches oder saures Eisen bzw. ebensolcher Stahl. Nach irgendeinem der vorstehenden, 20 also auch nach dem Puddelverfahren hergestellter, sodann im Tiegel umgeschmolzener Stahl heisst Tiegelstahl, Tiegelgussstahl oder kurz-weg Gussstahl. Diese letztere Bezeichnung, die also ursprünglich nur

Abnahmebedingungen (f. pl.), spec-ifications
Schraubeneisen (n.), screw (stock) iron
Pressmuttereisen (n.), pressed nut iron
grobkörnig (adj.), coarse-grained
Hufstabeisen (n.), horseshoe iron
Fittingseisen (n.), fittings iron
Muffeneisen (n.), socket or faucet iron
Gütestufe (f.), grade (of quality)
Oberbau (m.), superstructure

Eisenbahnfahrzeuge (n. pl.), rail-road cars
Schiffsbau (m.), ship-building, con-struction of ships
Maschinenbau (m.), machine (build-ing), construction of machines
Eisenbahnmaterial (n.), railroad material
Niete (f.), rivet
Kupplung (f.), coupling
ebensolch (adj.), like, similar; —er **Stahl**, steel of the same kind
irgendein (adj.), any one (what-soever)

1. **Festigkeit je nach Dicke 34–36 kg/qmm** = Die Festigkeit beträgt 34–36 kg je Quadratmillimeter, *the tensile strength is 34–36 kg per square millimeter.*
2. **Es ergeben sich also,** *accordingly there are obtained.* See §9.
3. **Thomas-** etc., notice use of hyphen; read each component both with **-Eisen** and **-Stahl.**

für den im Tiegel hergestellten [1] Stahl üblich ist, wird in neuerer Zeit auch angewendet auf den im Elektroofen hergestellten [1] Stahl. Dieser sollte [2] aber zum mindesten als Elektrostahl oder besser Elektrogussstahl bezeichnet werden.

5 Das im flüssigen Zustande erzeugte [1] schmiedbare Eisen wird entweder in Blöcke mit quadratischem, polygonalem, rundem oder besonders geformtem, oder in Brammen mit annähernd rechteckigem Querschnitt (hauptsächlich für Bleche) vergossen, und diese werden sodann weiter verarbeitet durch Walzen, Schmieden, oder aber die 10 typische Eigenschaft des schmiedbaren Eisens, nämlich die Schmiedbarkeit, wird nicht ausgenutzt, das Eisen wird vielmehr zu Stahlguss oder besser Stahlformguss vergossen, d. h. es wird nicht weiter verarbeitet, sondern schon durch das Giessen in die gewünschte, endgültige Form gebracht. Blöcke und Brammen werden zunächst zu 15 Zwischenerzeugnissen, wie Riegel, Platinen, Knüppel usw., verarbeitet, die dann zur Herstellung des Fertigerzeugnisses dienen.

Stahlformguss wird [a] eingeteilt wie folgt:

Sorte	Mindest-Festigkeit	Mindest-Dehnung[b]
St. F. 38	38 kg/qmm	20 %
St. F. 45	45 kg/qmm	16 %
St. F. 52	52 kg/qmm	12 %
St. F. 60	60 kg/qmm	8 %

a) Diese und die nachfolgende Einteilung des Stahlformgusses, des Flusseisens und des Graugusses folgt in grossen Zügen dem [3] Vorschlag des Vereins Deutscher Eisenhüttenleute an den Normenausschuss der Deutschen Industrie bzw. den [3] durch diesen gemachten Abänderungen. Die Angaben sind noch nicht endgültig.
b) Kurzstäbe von 20 mm φ [4] bei 100 mm Messlänge.

anwenden (auf) (v.), to apply (to a thing)
Bramme (f.), slab (of iron)
annähernd (adv.), approximately
oder aber (conj.), or
gewünscht (p. adj.), desired
endgültig (adj.), final, definitive
Riegel (m.), rail, bar, bolt
Platine (f.), plate, mill bar

Knüppel (m.), billet, cudgel
Zug (m.), line; in grossen Zügen, in the main
Eisenhüttenleute (m. pl.), iron workers, metallurgists
Abänderung (f.), modification, change, amendment
Kurzstab (m.), short bar (rod)
Messlänge (f.), gage length

1. See §1.
2. sollte ... bezeichnet werden. See §10(4).
3. dem Vorschlag ... den Abänderungen; objects of folgt, which governs the dative case.
4. φ = Durchmesser, diameter.

Bei Lieferung von Stahlformguss mit magnetischen Eigenschaften legt man allgemein folgende Zahlen zugrunde:

Magnetische Induktion B = 12 000 bei 7,7 Amp. Wind.[1]
" " B = 15 000 " 25 " "
" " B = 175 000 " 100 " "

Flusseisen wird eingeteilt wie folgt:

A. Eisenbahnmaterial:
  1. Schienen für Haupt- und Nebenbahnen.   5
  2. Strassenbahnschienen.
  3. Schwellen für Haupt- und Nebenbahnen.
  4. Kleineisenzeug, wie Laschen, Unterlagsplatten, Haken-platten, Klemmplatten, Hakennägel, Schwellenschrauben, Laschenschrauben, Hakenschrauben, Federringe, Radlenker. 10
  6. Weichenplatten.
  7. Radreifen.
  8. Achsen.
  9. Geschmiedeter Stahl.

B. Bauwerkseisen: 15
  1. Formeisen, wie Träger, [— und Zoreseisen (Belageisen), Stabeisen (Rund-, Vierkant-, Sechskant- und Achtkantei-sen), Flach- und Halbrundeisen, Universaleisen, Winkel-, T-, Z- und ähnliche Walzeisen.

zugrundelegen (*v.*) = **zu Grunde legen**, to take as a basis, to start out from
wie folgt, as follows:
Schiene (*f.*), rail
Hauptbahn (*f.*), main track
Nebenbahn (*f.*), side-track
Strassenbahnschiene (*f.*), street-car rail
Schwelle (*f.*), tie, sleeper (in railroad)
Kleineisenzeug (*n.*), small iron product
Lasche (*f.*), railroad side-bar, shackle (in railroad)
Unterlagsplatte (*f.*), base, foundation, sole plate
Hakenplatte (*f.*), hook plate
Klemmplatten (*f. pl.*), iron tongs (pliers, clamps, clips)

Schwellenschrauben (*f. pl.*), tie bolts
Laschenschrauben (*f. pl.*), shackle screws, shackle bolts
Federring (*m.*), spring ring
Radlenker (*m.*), wheel guide, guiding wheel
Weichenplatten (*f. pl.*), switch plates
Radreifen (*m.*), tire rim
Achse (*f.*), axle
Zoreseisen (*n.*) = **Belageisen**, plating or flooring iron
Vierkanteisen (*n.*), square bar iron
Sechskanteisen (*n.*), hexagonal bar iron
Achtkanteisen (*n.*), octagonal bar iron
Winkeleisen (*n.*), angle iron

1. **Wind.** = **Windungen**, *windings*.

2. Schraubeneisen.
3. Nieteisen.
4. Handelseisen.

C. Geschmiedeter Stahl.

Sorte	Festigkeit kg/qmm	Dehnung %
St. 34	34–42	≥ 25
St. 36	36–44	≥ 22
St. 42	42–50	≥ 20
St. 50	50–60	≥ 18
St. 60	60–70	≥ 14
St. 70	70–80	≥ 10

5 **D. Bleche.**
    1. Feinbleche, ≤3 mm.
    2. Mittelbleche, 3–5 mm.
    3. Grobbleche, ≥5 mm.
    4. Riffel- und Schwarzbleche.
10 Bezüglich der Güte unterscheidet man:
    1. Gewöhnliche Bleche oder Handelsware.
    2. Baubleche.
    3. Schiffsbleche.
    4. Kesselbleche.
15   5. Sonderbleche.

  E. Draht.
    1. Walzdraht.
    2. Gezogene Stiftdrähte, Zaundrähte u. dgl.
    3. Verzinkter, geglühter Telegraphendraht (Flusseisen) ≥40
20   kg/qmm.
    4. Verzinkter Telephondraht (Flusstahl), 130–140 kg/qmm.
    5. Draht für Drahtseile.
    6. Klavierdraht.

  F. Rohre.
25   1. Nahtlose Rohre für Lokomotivkessel.
      a) Siederohre.
      b) Rauchrohre.
    2. Feuer- und Ankerrohre für Schiffskessel.

Feinblech (*n.*), thin gaged plate, foil
Grobblech (*n.*), heavy plate
Riffelblech (*n.*), corrugated sheet steel
Baublech (*n.*), structural plate

Schiffsblech (*n.*), ship plate
Drahtseil (*n.*), wire rope, wire cable
Rauchrohr (*n.*), smoke flue, fire tube
Ankerrohr (*n.*), anchor tube

3. Rohre für Landdampfkessel.
4. Nahtlose Wasserrohrkessel für engrohrige Wasserrohrkessel.
5. Nahtlose und überlappt- oder patentgeschweisste Rohre für Dampfleitungen, Zentralheizungen, Rohrschlangen, Ölleitungen usw. 5
6. Rohre für gewöhnliche Wasser- und Gasleitungen bis 4″ l.W.
7. Mit Wassergas oder im Koksfeuer geschweisste Rohre.
8. Gefässe für verflüssigte oder verdichtete Gase.

Eine besondere Gruppe bilden endlich die Werkzeugstähle, die sich 10 im wesentlichen von den vorhergehenden Erzeugnissen durch höheren Kohlenstoffgehalt unterscheiden. Dieser liegt etwa zwischen 0,6 und 1,5%, während er bei der vorhergehenden Gruppe etwa zwischen 0,1 und 0,7% gelegen ist. Ganz allgemein unterscheidet man drei Qualitäten: zähhart, hart, sehr hart. Über den besonderen Verwen- 15 dungszweck und die Güteabstufungen enthalten die entsprechenden Abschnitte dieses Buches nähere Einzelheiten. Letzteres ist ferner der Fall für die[1] in keine der beiden Gruppen einzureihenden Einsatzstähle, Federstähle, Magnetstähle, nichtrostende Stähle und andere Stähle für besondere Zwecke. 20

Sie gehören im übrigen meist der Gruppe der Spezial- oder Sonder- oder legierten Stähle an, d. h. denjenigen schmiedbaren Eisensorten, die zur Erzielung besonderer Eigenschaften mit beabsichtigtem Zusatz von besonderen Elementen erzeugt werden. Zur Kennzeichnung des Stahls dient in erster Linie die Art der Legierungselemente, z. B. 25 Nickelstahl, Nickelchromstahl usw. Die Spezialstähle, denen[2] übrigens nur in den allerseltensten Fällen der Kohlenstoff praktisch vollständig fehlt, heissen ternär, wenn sie ein Legierungselement, quaternär, wenn sie zwei Legierungselemente, und komplex, wenn sie mehr als zwei Legierungselemente enthalten. Die legierten Stähle 30

---

engrohrig (*adj.*), with small tubes, which have narrow tubes
überlapptgeschweisst (*p. adj.*), lap-welded
patentgeschweisst (*p.p.*), patent welded, butt-welded
Rohrschlange (*f.*), coil of pipe

l.W. = lichte Weite, inside diameter
einreihen (*v.*), to classify
Einsatzstahl (*m.*), case-hardened steel
beabsichtigt (*adj.*), intentional
allerseltenst (*adv.*), very seldom, very rare

1. die ... einzureihenden Einsatzstähle. See §1(4).
2. denen ... fehlt, *which lack.* Notice dative case of relative pronoun, object of fehlen.

werden üblicherweise eingeteilt in Konstruktions- oder Baustähle und Werkzeugstähle, und diese Einteilung hat sich allgemein auch für nichtlegierte Stähle dort Eingang verschafft, wo die legierten Stähle am meisten verwendet werden, nämlich im Automobil-, Flugzeug-
5 und Präzisions-Werkzeugmaschinenbau. Man unterscheidet allgemein niedrig, mittel und hoch legierte Stähle. Über den besonderen Verwendungszweck enthalten die entsprechenden Abschnitte dieses Buches nähere Einzelheiten.

Insbesondere die legierten Stähle werden von den Herstellern häufig
10 mit besonderen Bezeichnungen benannt, die mit den Eigenschaften oder mit dem Verwendungszweck nichts zu tun haben und lediglich aus kaufmännischen Gründen gewählt werden. Es erübrigt sich, hierauf näher einzugehen.

Die Legierungen mit mehr als 1,7 % Kohlenstoff heissen, wie schon
15 erwähnt, Roheisen. Man unterscheidet zwei grosse Gruppen, je nachdem, ob der Kohlenstoff ausschliesslich als Eisenkarbid, Fe_3C, oder nur teilweise als solches, im übrigen als elementarer Kohlenstoff: Graphit oder Temperkohle, zugegen ist. Im ersteren Falle handelt es sich um weisses, im letzteren um graues Roheisen. Aus einem Ge-
20 misch bei der Roheisenarten bestehende Sorten heissen meliert. Das Roheisen enthält ausser Kohlenstoff, wie das schmiedbare Eisen, jedoch meist in höherem Masse als dieses, eine Reihe von Fremdkörpern. Je nach dem Herstellungsverfahren unterscheidet man Koksroheisen, Holzkohlenroheisen, Elektroroheisen und synthetisches Roheisen.
25 Die drei ersten Gruppen umfassen die [1] aus Eisenerzen, eisenhaltigen Zusätzen, Eisenabfällen (Schrott) und schlackenbildenden Zuschlägen durch reduzierendes Schlmezen im Hochofen gewonnenen Erzeugnisse, während das synthetische Roheisen aus Eisenabfällen, kohlenden Mitteln und schlackenbildenden Zuschlägen im Hochofen, Elektro-, Herd-
30 oder Kupolofen gewonnen wird. Mit Rücksicht auf die je nach der

üblicherweise (*adv.*), usually
Eingang (*m.*), entrance, introduction; sich — verschaffen (*v.*), to be introduced
Flugzeugbau (*m.*), airplane construction
Präzisions - Werkzeugmaschinenbau (*m.*), construction of precision tool machines

meliert (*adj.*), mottled (**Roheisen**)
Koksroheisen (*n.*), coke pig iron
Holzkohlenroheisen (*n.*), charcoal pig iron
Schrott (*m.*), scrap (iron)
mit Rücksicht auf, in regard to
Marktlage (*f.*), condition of the market

1. die ... gewonnenen Erzeugnisse. See §1.

Marktlage eintretenden Verschiebungen in der Verwendung des
Schrottanteils kann eine scharfe Grenze zwischen beiden Gruppen
heute nicht mehr gezogen werden. Die Weiterverarbeitung des Roheisens erfolgt auf verschiedene Weise.

Es wird entweder [1] durch oxydierendes Schmelzen (Frischen) zu 5
schmiedbarem Eisen weiterverarbeitet, wobei alle Fremdkörper eine
wesentliche Abnahme erleiden, oder [1] durch eine geeignete Glühbehandlung, das Tempern, wird unter Ausschluss oxydierender Einflüsse
der [2] ausschliesslich als Eisenkarbid vorhandene Kohlenstoff [2] des
in diesem Falle weissen Roheisens ganz oder teilweise in elementaren 10
Kohlenstoff zwecks Erzeugung von schmiedbarem Guss oder Temperguss verwandelt (amerikanisches Verfahren), — oder [1] die Glühbehandlung erfolgt mit oxydierenden Mitteln, sodass ausser einer Umwandlung der Kohlenstofform eine Abnahme des Gehaltes an diesem
Element erfolgt (europäischer Temperguss), — oder [1] das in diesem 15
Falle graue Roheisen wird direkt aus [3] dem zur Erzeugung dienenden
Ofen in Formen vergossen zu Gusswaren erster Schmelzung, — oder [1]
eine geeignete Mischung oder Gattierung von Roheisensorten wird in
einem besonderen Ofen (Kupol-, Herd-, Tiegel-, Elektroofen) lediglich umgeschmolzen zu Gusswaren zweiter Schmelzung oder kurz- 20
weg Gusseisen oder Grauguss.

Je nach der Art des beabsichtigten Fertigerzeugnisses werden an
die einzelnen Ausgangserzeugnisse bezüglich der chemischen Zusammensetzung verschiedenartige Anforderungen gestellt, die eine besondere Einteilung dieser Erzeugnisse bedingen.   25

Das zur Erzeugung von schmiedbarem Eisen dienende [4] Roheisen
wird eingeteilt in Puddelroheisen, Thomasroheisen, Bessemerroheisen
und Stahleisen. Die nachfolgende Tabelle gibt einen ungefähren Anhalt über die Zusammensetzung einiger wichtiger Eisensorten:

Schrottanteil (*m.*), scrap piece	**Tempern** (*n.*), tempering
Weiterverarbeitung (*f.*), further treatment, ulterior manufacture	**Ausgangserzeugnis** (*n.*), initial or starting product
Frischen (*n.*), refining (of metals)	**stellen Anforderungen,** to set requirements
weiterverarbeiten (*v.*), to treat (manufacture) further	

1. entweder ... oder ... oder, correlative conjunctions. See §17(2).
2. der ... vorhandene Kohlenstoff des ... weissen Roheisens is the
subject of this clause; wird ... verwandelt is the verb.
3. aus dem ... dienenden Ofen. See §1.
4. das ... dienende Roheisen. See §1.

	C	Si	Mn	P	S
Puddelroheisen weiss	2,5	0,5	2,0	0,4	0,04–0,1
Puddelroheisen grau	2,5	2,5	2,0	0,4	0,04–0,1
Stahleisen Rhld.-Westf.	3,5	1,6	2,0	0,3	0,03–0,05
Stahleisen Sieg	4,0	0,5	6,0	0,08	0,01–0,03
Bessemerroheisen	3,5	2,0	2,5	0,08	0,01–0,03
Thomasroheisen Rhld.-Westf.	3,8	0,7	1,5	1,8	0,1 –0,15
Thomasroheisen Lothr.-Lux. O.M.	3,1	0,6	0,3	1,8	0,08–0,15
Thomasroheisen Lothr.-Lux. M.M.	3,1	0,6	1,5	1,8	0,04–0,07

Zur Erzeugung von europäischem Temperguss dienen Schmiedeeisen, Tempergussschrott und verschiedene Roheisensorten, darunter [1]
die eigens für das Verfahren hergestellten Temperroheisen in solcher
Mischung oder Gattierung unter Berücksichtigung der geringen
5 Veränderungen der chemischen Zusammensetzung durch das Herstellungsverfahren, das das Endprodukt je nach der Wandstärke etwa

2,3–3,3 % Kohlenstoff,
0,4–0,8 % Silizium,
0,4 % Mangan,
nicht über 0,2 % Phosphor und
0,1 % Schwefel

enthält. Die nachfolgenden Zahlen geben die chemische Zusammensetzung einiger Spezial-Temperroheisensorten wieder:

	C	Si	Mn	P	S
Temperroheisen grau	4,1	1,2	0,1	0,03	0,05
Temperroheisen weiss	3,2	0,5	0,1	0,04	0,19

Zur Erzeugung von Gusswaren zweiter Schmelzung dienen neben
10 Schmiedeeisen und Graugussschrott verschiedene Roheisensorten
in einer für die Erzielung der Zusammensetzung des Endproduktes
geeigneten Mischung oder Gattierung unter Berücksichtigung der
Veränderung der chemischen Zusammensetzung durch den Um-

Rhld. Westf. = Rheinland West-
falen
Lothr.-Lux. O.M. = Lothrigen-Lux-
emburg O.M.

Lothr.-Lux. M.M. = Lothrigen-Lux-
emburg M.M.
eigens (*adv.*), expressly, on purpose
geeignet (*adj.*), suitable, fit

1. **darunter die ... hergestellten Temperroheisen,** *among them the
tempered pig irons that have been prepared expressly for the process.*

schmelzprozess. Die nachfolgende Zusammenstellung enthält die Zusammensetzung einiger wichtiger Roheisensorten für Giessereizwecke.

	C	Si	Mn	P	S
Hämatit	4,0	2,3	max. 1,2	0,1	0,04
Giessereieisen Nr. I	4,0	2,25–3	max. 1,0	0,7	0,04
Giessereieisen Nr. III Rhld.-Westf.	3,8	1,8–2,5	max. 1,0	0,9	0,06
Giessereieisen Nr. III Lothr.-Lux. .	3,8	1,8–2,5	max. 0,8	1,4–1,8	0,06
Giessereieisen Nr. III Qual. engl. .	4,0	2–2,5	max. 0,8	1–1,5	0,06

Die Bezeichnung der Geissereiroheisensorten mit römischen Zahlen
stammt aus der Zeit, in der es üblich war, das Roheisen nach der
Körnung des Bruches einzuteilen,[1] die im wesentlichen auf die Grösse 5
der auf diesem erkennbaren Graphitausscheidungen zurückzuführen
ist. Man unterschied früher fünf Nummern, während heute fast
nur noch die Nummern I und III im Handel erscheinen, im übrigen
aber allmählich immer mehr die zweckmässigere Einteilung nach der
chemischen Analyse Platz greift.   10
Ausser den vorstehenden wichtigsten Roheisensorten werden noch
eine ganze Reihe von Sorten mit mehr oder minder abweichender
chemischer Zusammensetzung, in der Hauptsache bezüglich des Man-
gans, Siliziums und Phosphors, hergestellt, die bei der Zusammenstellung der Gattierung zur bequemen Regelung der Gehalte an den   15
erwähnten Elementen dienen. Eine Aufzählung würde hier zu weit
führen. (Vgl. z. B. Geiger: Handbuch der Eisen- und Stahlgiesserei
Bd. I, Berlin: Julius Springer 1911; sowie Leber: Temperguss und
Glühfrischen, Berlin: Julius Springer 1919.) Diese Roheisensorten bilden den Übergang zu den sogenannten Speziallegierungen, die [2] zum 20
Teil gleichen Zwecken hauptsächlich bei der Herstellung des schmiedbaren Eisens, insbesondere der Spezialstähle, dienen,[2] nur dass die
Zahl der [3] in Frage kommenden Elemente grösser ist. Zum Teil

Giessereizweck (*m.*), foundry pur-   greifen (*v.*), to grasp, to seize;
   pose   Platz —, to gain ground
max. = maximum   abweichend (*adj.*), deviating, vary-
römisch (*adj.*), Roman   ing

1. einzuteilen, complementary infinitive, after üblich war.
2. dienen, read with die. Relative pronouns transpose verb to end of
clause.
3. der . . . Elemente. See §1.

bezweckt man jedoch auch durch ihren Zusatz die Herbeiführung gewisser chemischer Reaktionen im flüssigen Eisen, die es von schädlichen Stoffen, wie Eisenoxydul und Gasen, befreien sollen. Eine scharfe Grenze zwischen beiden Gruppen lässt sich nicht ziehen, da mit dem Zusatz der zweiten Gruppe von Legierungen meist, z. T. auch ohne Absicht, eine Anreicherung an dem betreffenden Hauptelement erfolgt. Man rechnet zur zweiten Gruppe dieser Legierungen folgende:

	C	Si	Mn	P	S
Spiegeleisen	4–5	0,4	6–25	0,08	0,01–0,02
Ferromangan	5–7,5	1,3–0,2	30–80	0,3	0,01–0,02
Ferrosilizium, im Hochofen hergestellt	3–1	8–10	0,8	0,07	0,01–0,03
Ferrosilizium, im Elektroofen hergestellt	0,3–0,5	25–75	0–0,4	0,4–0,1	0,005–0,03
Ferromangansilizium, Silikospiegel, im Hochofen hergestellt	1–2,5	5–13	6–20	0,1–0,2	—
Ferromangansilizium, im Elektroofen hergestellt	0,2–1,0	20–35	40–75	0,01–0,05	0,01–0,03

Ausser diesen Legierungen verwendet man zum gleichen Zweck Rein-Aluminium, Ferroaluminium, Ferrosilikoaluminium, Titan, Ferrotitan und eine Reihe anderer komplexer Legierungen, neuerdings auch Brolegierungen.

Zur ersteren Gruppe von Legierungen, die also die Einführung gewisser Elemente zur Verbesserung der Eigenschaften zum Zwecke haben, gehören ausser den reinen Metallen Nickel, Chrom, Wolfram, Molybdän und Kobalt die Ferrolegierungen des Chroms, Wolframs, Molybdäns, Vanadiums und in neuerer Zeit die des Bros, Urans, Zirkons, wenngleich bezüglich dieser letzteren noch kein abschliessendes Urteil vorliegt. Erstrebt wird [1] in der Ferrolegierung neben hohem Gehalt an den Zusatzelementen möglichste Kohlenstofffreiheit. In

bezwecken (v.), to intend, to aim at, to have in view
Silikospiegel (m.), ferromanganese silicon, silicospiegel
Brolegierung (f.), scrap alloy
Einführung (f.), introduction
Zweck (m.): **zum —e haben**, to be (one's) purpose, to have the object

Bro (m.), scrap
wenngleich (conj.), even though
abschliessend (adj.), definitive, decisive
erstreben (v.), to strive after, to seek
Zusatzelement (n.), additional element

1. **Erstrebt wird** is the verb of **möglichste Kohlenstofffreiheit.**

der Giessereitechnik, sowie mitunter zur Erzeugung von phosphor-
reichem schmiedbarem Eisen (Pressmuttereisen), verwendet man zur
Regelung des Phosphorgehaltes im Hochofen oder Elektroofen her-
gestelltes Ferrophosphor, das

20–25 % P,
0,03–1,2 % C,
0,1–4 % Mn,
0,5–1,8 % Si,
0,08–0,3 % S,

enthält   5

Die vorstehenden Erzeugnisse: Roheisen und Ferrolegierungen,
sind Zwischenerzeugnisse. Sie werden [1] in diesem Buche ihrer [2] technischen Bedeutung gemäss keine so ausführliche Behandlung erfahren
wie die Fertigerzeugnisse.

Die Giesserei-Fertigerzeugnisse werden teils nach den Eigenschaf-   10
ten, teils nach dem Verwendungszweck eingeteilt. Stotz (Mitteilung
an den Normenausschuss der Deutschen Industrie 1922) gibt folgende
Einteilung für Temperguss:

a) gewöhnlicher Temperguss oder Weichguss, Festigkeit 30
   kg/qmm., Dehnung ≥ 3 %, soll leicht bearbeitbar sein.   15

b) weisskerniger Qualitätstemperguss, Festigkeit ≥ 35 kg/qmm,
   Dehnung ≥ 7,5 %.

c) schwarzkerniger Qualitätstemperguss, Festigkeit ≥ 35 kg/qmm,
   Dehnung ≥ 7,5 %.

d) Bohrguss, Festigkeit ≥ 30 kg/qmm Dehnung ≥ 1 %.   20

e) Dynamo-Temperguss.

Grauguss wird dem Verwendungszweck entsprechend wie folgt
eingeteilt:

1. Kunstguss.   3. Bauguss.
2. Feinguss.   4. Guss für Herde and Öfen sowie Geschirrguss. 25

Weichguss (m.), soft castings
bearbeitbar (adj.), workable
weisskernig (adj.), white heart
(malleable iron)
schwarzkernig (adj.) black heart
(malleable iron)

Bohrguss (m.), drillable casting
Dynamo-Temperguss (m.), dynamo
malleable casting
Kunstguss (m.), art casting
Bauguss (m.), structural casting

1. sie werden ... erfahren. What tense is this?
2. ihrer technischen Bedeutung gemäss, in accordance with their technical
(commercial) importance. Notice position of the preposition (gemäss) after
the noun it governs.

5. Guss für Heizkörper.
6. Guss für Piano- und Flügelplatten.
7. Muffen- und Flanschenrohre.
5 8. Maschinenguss ohne besondere Vorschriften.
9. Maschinenguss nach besonderen Vorschriften.
10. Zylinderguss.
10 11. Hartguss.
12. Walzenguss für Walzwerke.
13. Walzenguss für Druckerei-,

Müllerei- Papier- und Textilmaschinen, Zuckermühlen usw.
14. Guss für Geschosskörper.
15. Chemisch widerstandsfähiger Guss.
16. Feuerbeständiger Guss.
17. Kokillenguss.
18. Guss für Tübbings.
19. Guss für Bremsklötze.
20. Guss für Ambossstücke und dgl.

Einzelheiten über chemische Zusammensetzung und Eigenschaften enthält der Abschnitt: Grauguss.

II. Die Konstitution des Eisens in Abhängigkeit von der chemischen Zusammensetzung

Gase und Schlackeneinschlüsse im Schmiedbaren Eisen

[Seite 149–158]

A. Die[1] mit dem Eisen während dessen Herstellung in Berührung kommenden Gase

15   Während des Herstellungsprozesses kommt das Eisen in Berührung mit Gasen, die seine Konstitution beeinflussen. Die Art dieser Gase ist für alle Prozesse die gleiche, nur ihre Menge und die Mengenanteile der einzelnen Gase schwanken verhältnismässig stark.

Was die Art der mit dem Eisen in Berührung kommenden [1] Gase
20 betrifft, so finden wir stets:

1. Sauerstoff und
2. Stickstoff, die aus der Atmosphäre stammen und mit Absicht

Heizkörper (*m.*), heating body, heater, radiator
Flügelplatten (*f. pl.*), grand-piano plates
Druckereimaschine (*f.*), printing press
Müllereimaschine (*f.*), mill machinery

Bremsklotz (*m.*), brake shoe or block
Ambossstück (*n.*), anvil piece
Mengenanteil (*m.*), quantitative proportion or constituent amount
betreffen (*v.*), to concern; **was das betrifft,** as to that; **was mich betrifft,** as for me, so far as I am concerned

1. die . . . kommenden Gase. See §1.

(Bessemer-, Thomasprozess) oder ohne Absicht (Siemens-Martin-, Elektro-, Tiegelschmelzverfahren) mit dem Eisen in Berührung kommen;

3. Wasserstoff, der im wesentlichen aus der Zersetzung der Luftfeuchtigkeit stammt; 5
4. Kohlenoxyd und
5. Kohlendioxyd, die entweder [1]
   a) aus den Feuergasen (Siemens-Martinprozess) oder
   b) aus in der Ofenbeschickung vor sich gehenden Reaktionen (Siemens-Martin-, Elektro-, Tiegelschmelzverfahren) stam- 10 men.

Die unter 1 und 5 b genannten Gase sind zur Durchführung des Prozesses mehr oder minder notwendig und stehen in einer gewissen Beziehung zueinander, während Wasserstoff und Stickstoff zum Teil entbehrt werden könnten [2] und daher mit dem Verfahren an und für 15 sich nichts zu tun haben. Am klarsten zeigt sich dies bei den Windfrischverfahren. Hier dient der Sauerstoff zur Oxydation der Fremdkörper des Roheisens, wobei aus dem Kohlenstoff entweder direkt oder wahrscheinlicher indirekt über das im Überschuss vorhandene Eisen Kohlenoxyd oder Kohlendioxyd entsteht: 20

$$C + O \rightarrow CO \text{ oder}$$
$$Fe + O \rightarrow FeO$$
$$FeO + C \rightarrow CO + Fe$$

und ähnlich für CO_2. Beim Siemens-Martin-Verfahren ist es nicht der Sauerstoff der Luft, wenigstens nicht direkt, der die Bildung der zur Kohlenstoffverbrennung erforderlichen festen Sauerstoffverbindungen (in geringem Masse kommt auch MnO and SiO_2 in Betracht) veranlasst, sondern insbesondere das unter 5 a) genannte Kohlendioxyd 25 aus den Feuergasen, das die Bildung von Sauerstoffverbindungen in grossen Mengen während der Einschmelzperiode hervorruft (Schrott-

Ofenbeschickung (*f.*), furnace charge
Beziehung (*f.*), relation; in gewissen —en zueinander stehen, to stand (be) in a certain relationship to each other
sich (*refl. pron.*), itself, themselves; an und für —, in themselves, taken by themselves

tun (*v.*), to do; nichts mit etwas zu haben, to have nothing to do with [process
Windfrischverfahren (*n.*), converter
Kohlenstoffverbrennung (*f.*), carbon combustion
veranlassen (*v.*), to cause
Einschmelzperiode (*f.*), melting-down period

1. entweder ... oder. See §17(2).
2. könnten. See §10(4).

Roheisenverfahren). Mitunter wird die feste Sauerstoffverbindung in Form von Eisenerz zugesetzt (Roheisen-Erzverfahren bzw. Erzzusatz beim Schrott-Roheisenverfahren; wenn Mangel an Sauerstoffverbindungen herrscht). Elektro- und Tiegelverfahren sollten [1] eigentlich
5 reine Umschmelzverfahren und infolgedessen unabhängig von den obigen Reaktionen sein, indessen trifft dies einmal für das erstgenannte Verfahren nicht immer zu, indem auch im Elektroofen Frischarbeit geleistet werden kann, anderseits enthält der Einsatz beim Raffinieren im Elektroofen bzw. beim Tiegelschmelzen feste Sauerstoffverbin-
10 dungen in geringen Mengen, die dann mit dem Kohlenstoff des Einsatzes reagieren, oder beim Tiegelschmelzen reagiert das SiO_2-haltige Tiegelmaterial. In allen Fällen erfolgt Kohlenoxyd — und in geringerem Masse jedenfalls auch Kohlendioxybildung. Freier Sauerstoff kann bei den in Betracht kommenden Temperaturen in Gegenwart
15 von Eisen nur in geringen Mengen bestehen, und im wesentlichen sind nur seine Reaktionsprodukte FeO (MnO, SiO_2) oder CO und CO_2 existenzfähig.

Die Menge der mit dem Eisen in Berührung kommenden Gase wird [2] wohl am grössten bei den Windfrischprozessen sein, wird doch
20 beim Thomasprozess rd. 300 l Luft für das Kilogramm Eisen oder etwa das 2200 fache des Eisenvolumens durchgeblasen. Hierzu kommen noch etwa 70 l Kohlenoxyd aus der Verbrennung des Kohlenstoffs unter der Annahme, dass dieser ausschiesslich zu Kohlenoxyd verbrennt. Beim Siemens-Martin-Prozess befindet sich nach dem
25 Einschmelzen zwar eine schützende Schlackenschicht über dem Eisen-

Roheisen-Erzverfahren (*n.*), pig and ore process
Erzzusatz (*m.*), ore addition
Umschmelzverfahren (*n.*), recasting process
infolgedessen (*adv.*), consequently, on this account
zutreffen (*v.*), to come true, to agree; **dies trifft für dieses Verfahren zu**, this agrees with this process
einmal (*adv.*), on the one hand
Frischarbeit (*f.*), refining

leisten (*v.*), to perform, to accomplish
existenzfähig (*adj.*), capable of existence
Windfrischprozess (*m.*), converter process
fach (*adv.*), times
Siemens-Martin-Prozess (*m.*), Siemens-Martin process, modern basic open-hearth process
Einschmelzen (*n.*), melting down, remelting

1. **sollten . . . sein.** See §10(4).
2. **wird wohl am grössten . . . sein,** *is probably largest.* Note the English translation of the German future of probability.

bade, aber einerseits ist bei den hohen Temperaturen kein Stoff undurchlässig für Gase und dann kommt das Eisen während der sogenannten Kochperiode mit der Ofenatmosphäre in nicht geringe Berührung. Immerhin wird [1] zweifellos die Menge der Gase bei diesem Prozess eine wesentlich geringere sein als bei den Windfrischverfahren, 5 wenngleich an und für sich das aus inneren Reaktionen entstehende CO und CO_2 für beide Verfahren in gleichen Mengen entwickelt wird. Nur muss [2] berücksichtigt werden, dass der Kohlenstoffgehalt des Einsatzes, wenigstens beim Schrott-Roheisenverfahren, meist wesentlich niedriger ist als bei den Windfrischverfahren. Beim Elektro- 10 verfahren ist die Menge der mit dem Eisen in Berührung kommenden Gase noch geringer als beim vorhergehenden Verfahren. Es kommen [3] hier nur die durch die Ofentüren eintretende Luft bzw. bei Elektrodenöfen die aus der Verbrennung der Elektroden stammenden Gase in Betracht. Wird [4] wie im Siemens-Martin-Ofen geschmolzen, so 15 sind die Mengen der Reaktionsgase, gleichen Einsatz vorausgesetzt, gleich. Wird [4] lediglich raffiniert, so ist natürlich die Menge der entwickelten Gase sehr gering. Am geringsten werden wohl die Gasmengen beim Tiegelschmelzverfahren sein, um so mehr, als die Tiegeldeckel sorgfältig verschmiert werden. Trotzdem diffundieren 20 die Ofengase in den Tiegel, aber die Menge der so hineingelangenden Gase ist natürlich erheblich geringer als bei offenem Deckel. Reaktionsgase entwickeln sich zwar auch beim Tiegelschmelzverfahren, wie schon erwähnt wurde, jedoch normalerweise, d. h. bei nicht zu stark oxydhaltigem Einsatz und bei genügendem Graphitgehalt der 25 Tiegelwände, in unvergleichlich geringerem Masse als bei den vorhergehenden Verfahren.

Der Mengenanteil der einzelnen Gase ist natürlich recht verschie-

undurchlässig (*adj.*), impermeable, impervious
Elektrodenofen (*m.*), electrode (furnace) oven
Tiegeldeckel (*m.*), crucible lid
verschmieren (*v.*), to lute, to smear, to daub

hineingelangen (*v.*), to get into, to enter
normalerweise (*adv.*), normally
Tiegelwand (*f.*), crucible wall
unvergleichlich (*adj.*), incomparable
Mengenanteil (*m.*), quantitative proportion, constituent amount

1. wird ... eine wesentlich geringere sein, *will be substantially smaller.*
2. muss berücksichtigt werden, supply impersonal es.
3. Es kommen ... die ... stammenden Gase in Betracht. See §9 and §1.
4. See §2.

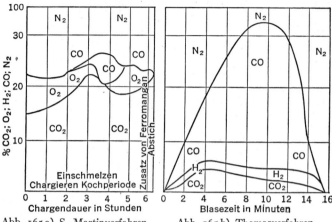

Abb. 165 a) S.–Martinverfahren.   Abb. 165 b) Thomasverfahren.

den bei den einzelnen Verfahren, und er schwankt auch während des Verfahrens beträchtlich. Wird [1] bei den Windfrischverfahren vom Sauerstoff der Luft abgesehen, der sich ja hier sofort zu festen Sauerstoffverbindungen umsetzt, so überwiegt zweifellos Stickstoff,
5 während [2] Kohlenoxyd und -dioxyd nur während [2] der Kohlenstoffverbrennungsperiode beträchtliche Werte annehmen. In Anbetracht der hohen Luftmengen sind die mit dem Eisen in Berührung kommenden Wasserstoffmengen ziemlich gross, aber vom Feuchtigkeitsgehalt der Luft abhängig. Bei den Siemens-Martin-Verfahren sind die Stick-
10 stoffmengen natürlich kleiner als bei den Windfrischverfahren und hängen von der Art des verwendeten Brennstoffs sowie vom Luftüberschuss ab. Beträchtlich sind die Kohlendioxyd- und die Wasserstoffmengen in den Feuergasen, indem [3] zum Wasserstoff aus der

Abstich (*m.*) = **Giess,** tapping (off the blast furnace)
Chargieren (*n.*), charging, (furnace) charge
Chargendauer (*f.*), duration (length) of charge
Blasezeit (*f.*), blast time

umsetzen (**sich**) (*v.*), to be transformed
Anbetracht (*m.*), consideration; **in —,** considering
Luftüberschuss (*m.*), air excess, excess of air

1. **Wird ... vom Sauerstoff der Luft abgesehen,** *if we disregard the oxygen of the air.*
2. Notice the two meanings of **während** as a conjunction (*while*) and as a preposition (*during*).
3. **indem ... hinzukommt,** *while to the hydrogen from the combustion air is added that from the fuel.*

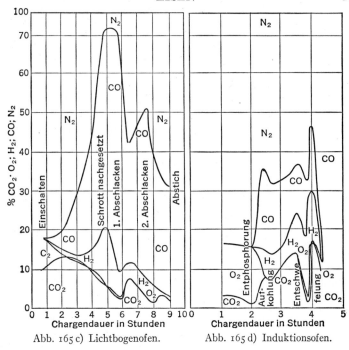

Abb. 165 c) Lichtbogenofen.   Abb. 165 d) Induktionsofen.

Verbrennungsluft der aus dem Brennstoff hinzukommt. Besonders hoch ist natürlich der Wasserstoff- bzw. Wasserdampfgehalt in hoch wasserstoffhaltigen Feuerungsgasen, wie insbesondere bei Koksofengas. Beim Elektroverfahren wird die Zusammensetzung der Gasatmosphäre vom Ofensystem und vom Einsatz, beim Tiegelschmelzverfahren vom Einsatz und vom Tiegelmaterial abhängig sein. 5

In Abb. 165 a–d ist die Zusammensetzung der einzelnen Ofenatmosphären in grossen Zügen graphisch veranschaulicht.

Einschalten (*n.*), switching on, turning on

Abschlacken (*n.*), slagging (out)

Entphosphorung (*f.*), dephosphorization

Aufkohlung (*f.*), carbonization

Entschwefelung (*f.*), desulfurization

Lichtbogenofen (*m.*), electric-arc furnace

Induktionsofen (*m.*), induction furnace

hinzukommen (*v.*), to come to; to be added

Feuerungsgas (*n.*), fuel gas

Ofensystem (*n.*), furnace system, type of furnace (used)

Ofenatmosphäre (*f.*), furnace atmosphere

Zug (*m.*), drawing; **in grossen Zügen,** in bold outlines, in large strokes

veranschaulichen (*v.*), to illustrate

Im allgemeinen wechselt die Ofenatmosphäre verhältnismässig
stark, und nur beim Siemens-Martin-Verfahren ändert sie sich nur
in geringen Grenzen: während der Kochperiode erfolgt ein Ansteigen
des CO-Gehaltes um einige Prozent, und das Öffnen der Türen macht
5 sich durch einen Anstieg des Sauerstoffgehaltes bemerkbar. Bemerkenswert ist der überaus hohe Anstieg des CO-Gehaltes im Elektroofen mit Elektroden. Es muss berücksichtigt werden, dass in den
mitgeteilten Gasanalysen der Wasserdampfgehalt fehlt.

B. Die vom Eisen aufgenommenen Gase

Wie alle Flüssigkeiten Gase aufzunehmen oder zu lösen vermögen, ist
10 es von vornherein nicht unwahrscheinlich, dass auch das flüssige Eisen
die mit ihm in Berührung stehenden bzw. in ihm sich entwickelnden
Gase Wasserstoff, Stickstoff, Kohlenoxyd und -dioxyd aufzunehmen bestrebt ist, und zwar um [1] so mehr, je [1] höher die Temperatur, je höher [1] der Druck und natürlich auch je [1] grösser die Menge
15 der mit ihm in Berührung stehenden bzw. sich entwickelnden Gase ist.
Mit sinkender Temperatur, also vom Augenblick des Abstiches in die
Pfanne und erst [2] recht vom Guss in die Form ab,[2] wird das nunmehr
im Überschuss befindliche Gas sich abscheiden. Dies tritt ja auch
tatsächlich ein, wie das Auftreten der hellen Wasserstoff- bzw. blauen
20 Kohlenoxydflamme beim Guss andeutet oder die Beobachtung des
Flüssigkeitsspiegels in der Form lehrt. Es ist ferner durch Sieverts
und seine Mitarbeiter experimentell nachgewiesen, dass das Lösungsvermögen vieler Metalle für Gase sich bei der Erstarrung sprunghaft
ändert, und zwar meist plötzlich sinkt, wie z. B. für Wasserstoff im
25 Eisen (vgl. Abb. 166). Es hängt, wie im Abschnitt Kristallisation

---

Ansteigen (*n.*), increase; **ein — um einige Prozent,** a rise of a few per cent
Anstieg (*m.*), increase
vornherein (*adv.*): **von —,** at first, from the first, as a matter of course
bestreben: sich bestrebt zu sein, to exert oneself (to), to strive (to)
Augenblick (*m.*), instant, moment

Abstich (*m.*), tapping
Pfanne (*f.*), ladle, pan
tatsächlich (*adv.*), actually
Auftreten (*n.*), appearance
andeuten (*v.*), to indicate
Mitarbeiter (*m.*), collaborator
sprunghaft (*adj.*), by leaps
Abschnitt (*m.*), chapter; **im — Kristallisation,** in the chapter on crystallization

---

1. **um so mehr, je höher . . . je höher . . . je grösser.** See §17(3).
2. **erst recht vom Guss in die Form ab,** *right from the casting in the mold.*

gezeigt wird, in erster Linie vom Erstarrungsvorgang ab, ob diese
plötzlich freiwerdenden Gase aus dem Eisen entweichen können oder
ob sie in Form von Gasblasen im Eisen eingeschlossen bleiben. Aber
auch feste Metalle vermögen Gase zu lösen im eigentlichen Sinne des
Wortes. Zum mindesten gelingt es [1] selbst bei Anwendung stärkster   5
Vergrösserungen nicht, in solchen gashaltigen Metallen etwa mikroskopisch feine Gashohlräume zu entdecken. Über die Art der Bindung
dieser Gase vermag heute noch nicht viel ausgesagt zu werden. Möglicherweise handelt es sich um sehr leicht zerlegbare Verbindungen.
Anderseits sind auch Verbindungen grösserer Stabilität im festen   10
Eisen denkbar. So lernten wir bereits eine sehr stabile Titanstick-
stoff-Verbindung kennen, die im festen Eisen unlöslich ist.

Wir können also gemäss obigen Betrachtungen drei Arten von
Gasen unterscheiden:

1. die vor der Erstarrung entweichenden Gase,   15
2. die während der Erstarrung vom Eisen in Form von Gasblasen
zurückgehaltenen Gase, und
3. die nach der Erstarrung, also im festen Eisen vorhandenen Gase.
Bevor auf die Natur dieser Gase näher eingegangen wird,[2] seien [3] die
Verfahren zu ihrer Ermittlung kurz gestreift.   20

Wegen der experimentellen Schwierigkeiten ist bisher kaum versucht worden, die Gase zu 1 zu ermitteln. Piwowarsky (Diss.
Breslau 1918, St. E. 1920, 773) hat eine einfache Vorrichtung geschaffen zum Aufsaugen der Gase beim Kokillenguss von unten. Sie
bestand in einem gasdicht mit dem Kokillenrand verkitteten Deckel, 25

Erstarrungsvorgang (*m.*), solidification process
einschliessen (*v.*), to lock in, to
  enclose, to include
Vergrösserung (*f.*), enlargement,
  magnification
Gashohlraum (*m.*), gas pocket (hollow)
möglicherweise (*adv.*), possibly
zerlegbar (*adj.*), decomposable
denkbar (*adj.*), conceivable

stabil (*adj.*), stable
streifen (*v.*), to touch on
schaffen (*v.*), to create, to make, to
  produce
Vorrichtung (*f.*), apparatus
Aufsaugen (*n.*), absorbing, sucking
  up
Kokillenguss (*m.*), chill casting
Kokillenrand (*m.*), chill mold collar
verkitten (*v.*), to cement, to seal

1. **gelingt es ... nicht ... zu entdecken.** See §9.
2. **eingegangen wird.** Supply es. See §9.
3. See §10.

der eine Bohrung besass, durch die das Gas mit Hilfe einer Saugflasche angesaugt werden konnte. Es lassen sich leider auf diesem Wege nur ungefähre Anhalte über Gasmenge und -zusammensetzung gewinnen, weil einmal die Temperatur und damit natürlich auch die Menge
5 und Art der entweichenden Gase nicht über den ganzen Querschnitt die gleiche ist und [1] beispielsweise die Erstarrung an den Kokillenwänden schon eingesetzt hat, während der Rest des Kokilleninhaltes noch flüssig ist. Anderseits erfolgen Messung und Analyse nicht kontinuierlich, es können vielmehr nur Werte gewonnen werden, die sich
10 über ein grösseres Zeitintervall erstrecken. Die unter 2 genannten Gase äussern sich im fertigen Gussstück als Gasblasen. Über ihre Menge kann daher nur durch Zerschneiden des Gussstückes ein Anhalt gewonnen werden, ein kostspieliges, aber empfehlenswertes und leider nur zu wenig angewandtes Verfahren, das
15 auch über die recht wichtige Verteilung der Gasblasen Aufschluss gibt. (Vereinzelt, z. B. bei der Herstellung von Qualitätsröhren, wird von einem hierhergehörigen Verfahren mitunter Gebrauch gemacht, indem die Blöcke gebrochen werden. Die Menge und Verteilung der Gasblasen entscheidet über den Verwendungszweck der Blöcke.)
20 Allerdings ist ein einfaches Verfahren zur Messung der Menge der Gasblasen noch nicht gefunden, und man ist auf die Betrachtung des freigelegten Schnittes bzw. auf die Erfahrung angewiesen. Hingegen lässt sich die Art der in den Gasblasen enthaltenen Gase durch Anbohren des Stückes unter Wasser ermitteln, ein von F. C. G. Müller
25 (St. E. 1882, 537) angewandtes, aber seither nicht mehr vervollkommnetes Verfahren.

Was schliesslich die unter 3 erwähnten Gase betrifft, so bestehen zwei grosse Gruppen von Verfahren, und zwar die Heissextraktions-

---

Bohrung (*f.*), hole, boring
ansaugen (*v.*), to suck up
Kokillenwand (*f.*), chill mold wall
Kokilleninhalt (*m.*), contents of the chill mold
Zeitintervall (*n.*), interval of time
erstrecken (**sich**) (**über**) (*v.*), to extend, to stretch (over)
äussern (**sich**) (*v.*), to manifest (oneself)

Zerschneiden (*n.*), shredding, cutting to pieces
kostspielig (*adj.*), expensive
empfehlenswert (*adj.*), recommendable, advisable
freigelegt (*p. adj.*), freely opened
Schnitt (*m.*), cross-section, cut
Anbohren (*n.*), boring, tapping
seither (*adv.*), till now, since that time

1. Supply **weil** after **und.**

und die Kaltumsetzungsverfahren, wenn zunächst von dem nass-
analytischen Verfahren zur Bestimmung des Stickstoffs abgesehen
wird.   Die Heissextraktionsverfahren bestehen darin dass [1] die zer-
kleinerte Probe (Späne) erhitzt und die Gase mit einer Luftpumpe
abgesaugt, aufgefangen und analysiert werden.   Das ältere Verfahren, 5
das u. a. Baker (C. Sc. M. 1909, **1**, 219, sowie 1911, **3**, 249), Charpy
und Bonnerot (C. R. 1911, **152**, 1247), Boudouard (C. R. 1907, **145**,
1280), sowie Belloc (C. R. 1907, **145**, 1283) anwandten, unter scheidet
sich von dem neueren, von P. Goerens (P. Goerens, St. E. 1910, 1514;
P. Goerens und Paquet, Fer. 1914/15, 57, sowie P. Goerens und 10
Collart, Fer. 1915/16, 145) vorgeschlagenen und angewandten und
vom Verfasser (Oberhoffer und Beutell, St. E. 1919, 1584, sowie
Piwowarsky, Diss. Breslau 1918, St. E. 1920, 775; ferner Oberhoffer
und Piwowarsky, St. E. 1922, 801, sowie Oberhoffer Piwowarsky,
Pfeiffer-Schiessl und Stein, St. E. 1924, 113) und seinen Mitarbeitern 15
apparativ vervollkommneten dadurch, dass [1] bei ersterem die Späne
nicht zum Schmelzen gebracht werden, während bei den neueren
durch Zugabe von Antimon und Zinn zu den Spänen der Schmelzpunkt
soweit erniedrigt wird, dass die Anwendung der üblichen elektrischen
Laboratoriumsöfen möglich ist.   Der Vorteil der neueren Verfahren 20
ergibt sich ohne weiteres aus der Überlegung, dass die Gase aus dem
geschmolzenen Metall leichter und vor allem rascher und vollständig
abgesaugt werden können.   Die Kaltumsetzungsverfahren beruhen
auf der Tatsache, dass das Eisen sich mit gewissen Salzen wie Queck-
silber- und Kupferchlorid, sowie mit Brom und Jod umsetzt, wobei 25
das Eisen molekular zerteilt wird und die gelösten Gase frei werden.
Das Verfahren ist auch zur Bestimmung des Schlackengehaltes angewandt worden, da ja die nichtmetallischen Schlackeneinschlüsse
sich nicht umsetzen, sondern mit dem Kohlenstoff im Rückstand verbleiben.   Von den Beziehungen beider Verfahren zueinander soll 30
später die Rede sein, ebenso vom Verfahren zur Bestimmung des
Stickstoffs.

nass (*adj.*), wet	**Verfasser** (*m.*), author, writer
zerkleinert (*p. adj.*), reduced to	**Zugabe** (*f.*), addition
small pieces	**Rede** (*f.*), speech, discussion; **es**
Span (*m.*), chip, shaving	**soll die — sein**, it is to be the
absaugen (*v.*), to suck (off, up)	subject of discussion
u. a. = **unter anderen**, among others	

   1. **darin, dass; dadurch, dass.** See §15(6).

Nachstehend seien zunächst einige Versuchsergebnisse mitgeteilt, die mit Hilfe der hier beschriebenen Verfahren erzielt wurden, wobei gleich betont sei, dass das Studium dieses Gegenstandes sich noch in den Anfängen befindet.

	Kein Ferro-Silizium		Ferro-Silizium zeitig zugesetzt		Ferro-Silizium spät zugesetzt	
	A	B	A	B	A	B
C%	0,10	0,10	0,35	0,35	0,36	0,36
Mn%	0,40	0,40	0,55	0,57	0,57	0,57
P%	0,030	0,030	0,050	0,050	0,045	0,045
S%	0,030	0,030	0,035	0,035	0,040	0,040
Si%	—	—	0,22	0,22	0,25	0,25
Gesamtgasmenge in Liter .	36,0	2,8	18,0	8,4	11,0	3,9
CO_2%	4,8	3,5	4,2	6,1	4,6	4,0
CO%	54,3	21,2	52,5	35,4	65,8	16,7
H_2%	30,0	11,1	41,0	37,2	20,0	8,4
CH_4%	2,2	1,8	2,3	1,1	1,2	0,9
N_2%	8,7	62,4	—	20,2	8,4	70,0
Gasvol.	1,28	0,10	0,64	0,28	0,39	0,139
Blockvol.						

A = Gasentwicklung bis etwa 1300°.
B = Gasentwicklung von etwa 1300° bis etwa 800°.

5 Piwowarsky (Tabell s. Diss. Piwowarsky, Breslau 1918, St. E. 1920, 755, sowie St. E. 1920, 1365) hat, wie erwähnt, die während der Erstarrung von Siemens-Martin-Stahl mit verschiedenem Kohlenstoffgehalt entweichenden Gase der Menge und Zusammensetzung nach [1] zu ermitteln versucht. In der vorstehenden Tabelle sind einige seiner
10 Ergebnisse (Mittel aus je sechs Versuchen) mitgeteilt.

Aus den vorstehenden Zahlen geht zunächst hervor, dass Wasserstoff, Stickstoff, Methan, Kohlenoxyd und -dioxyd entweichen. Man erkennt ferner, dass die Hauptmengen der Gase in dem die Erstarrung einschliessenden Intervall A entweichen, geringe Mengen aber auch
15 aus dem bereits erstarrten Eisen frei werden. Am grössten sind die Gasmengen beim unsilizierten Material, und es ist eine längst bekannte metallurgische Erfahrungstatsache, dass Silizium das Eisen „beruhigt", d. h. die Gasentwicklung zum Stillstand bringt. Dies wird viel-

---

Versuchsergebnisse (*n. pl.*), experimental data or results

betonen (*v.*), to stress, to emphasize

unsiliziert (*p. adj.*), unsiliconized

1. Notice position of **nach**. See §12(3).

fach dahin aufgefasst, dass Silizium die Lösungsfähigkeit des Eisens
für Gase steigert. Dann müsste man allerdings erwarten, dass sili-
ziertes Material mehr Gase enthält als unsiliziertes. Für diese Erklärung spricht ein später zu erwähnender Versuch Bakers, der in einer
Probe, die mit dem ähnlich wie Silizium wirkenden Aluminium be- 5
handelt war, mehr Gas fand als in einer ohne Aluminium behandelten.
Endlich zeigen die Versuche von Piwowarsky, dass bei spätem Sili-
ziumzusatz der Gasgehalt niedriger ist als bei frühzeitigem. Unter
spätem Zusatz ist Zusatz bei [1] zu zwei Drittel gefüllter Pfanne zu
verstehen, unter frühzeitigem,[2] dass es auf den Boden der Pfanne ge- 10
legt wird. Piwowarsky erklärt die vorerwähnte Tatsache damit, dass
durch den Sturz in die Pfanne, den Temperaturabfall sowie durch die
Aufhebung etwaiger Übersättigungserscheinungen an und für sich
schon viel Gas frei wird, so dass das spät zugesetzte Silizium eine
geringere Gasmenge zu binden hätte.[3] 15
  Die obige Tabelle gestattet auch eine Beurteilung der Ergebnisse
vom Standpunkt der Verteilung der einzelnen Gasarten sowie ihrer
Abhängigkeit von der Temperatur, doch dürften [4] irgendwelche
hieran zu knüpfenden Erörterungen wohl noch verfrüht sein.
  Die Zusammensetzung des in den Gasblasen enthaltenen Gases 20
nach F. C. G. Müller erläutert die nachfolgende Tabelle:

Material	Wasser-stoff %	Stick-stoff %	Kohlen-oxyd %	Gas-menge %
Poröser Bessemer Schienenstahl	90,3	9,7	—	48
Poröser Bessemer Federstahl	81,9	18,1	—	21
Bessemerstahl vor dem Spiegeleisenzusatz	88,8	10,5	0,7	60
Bessemerstahl nach dem Spiegeleisenzusatz	77,0	23,0	—	45
Martinstahl vor dem Spiegeleisenzusatz	67,0	30,8	2,2	25

siliziert (*p. adj.*), siliconized
steigern (*v.*), to increase
Sturz (*m.*), fall
Temperaturabfall (*m.*), fall (decrease) in temperature
Aufhebung (*f.*), abolishment, suppression, removal

Übersättigungserscheinungen (*f.*
  pl.), phenomena of supersaturation
knüpfen (an) (*v.*), to connect (to)
Erörterung (*f.*), discussion, debate
verfrüht (*p. adj.*), premature
Schienenstahl (*m.*), rail steel

  1. bei zu zwei Drittel gefüllter Pfanne, *with a ladle that is 2/3 full.*
  2. unter frühzeitigem, *by the early* (addition).
  3. hätte = würde haben, *would have* (to).
  4. dürften . . . sein. See §10(4).

Auffallend ist das Fehlen grösserer [1] Kohlenoxydmengen. Die Versuche bedürfen jedenfalls der Wiederholung.

Die dritte der erwähnten Gasarten, nämlich die im erstarrten, äusserlich gasblasenfreien Eisen vorhandenen Gase, sind weit einge-
5 hender untersucht worden als die beiden vorhergehenden Gasarten. P. Goerens und seine Mitarbeiter haben die Abhängigkeit der Menge und Art dieser Gase vom Herstellungsverfahren nach dem Heissextraktionsverfahren untersucht. Gemäss den Betrachtungen über die während der Herstellung des Eisens mit diesem in Berührung kom-
10 menden Gasmengen sollte [2] man eine direkte Abhängigkeit vom Verfahren erwarten, etwa in der Reihenfolge der nachstehenden Tabelle von P. Goerens und Paquet. Wie man aber an den Zahlenwerten dieser Tabelle erkennt, besteht keine derartige Abhängigkeit, und die Werte schwanken

in Thomasflusseisen	22–49 ccm Gas pro 100 g Eisen
in Martinflusseisen	38–78 ccm Gas pro 100 g Eisen
in Elektrostahl	10–105 ccm Gas pro 100 g Eisen
in Tiegelstahl	29–152 ccm Gas pro 100 g Eisen

15 ausserordentlich für ein und dasselbe Verfahren, ein Beweis, dass noch andere Faktoren die Gasmenge bestimmen. Von diesen wird wohl in erster Linie die Temperatur in Frage kommen. Die nachstehende Zusammenstellung nach P. Goerens gibt eine Vorstellung von der Zusammensetzung der Gase. Man sieht, dass in allen Fällen das
20 Kohlenoxyd bei weitem überwiegt. Irgendwelche Erörterungen über Zusammenhänge zwischen der Gasanalyse und dem Herstellungsverfahren dürften verfrüht sein. Dagegen lehrt die nachfolgende Tabelle, ebenfalls nach P. Goerens und Paquet, dass die Desoxydation

Material	Chemische Zusammensetzung					Prozentuale Zusammensetzung der Gase			
	P	Mn	C	S	Si	CO_2	CO	H_2	N_2
Thomasflusseisen . . .	0,1	0,49	0,08	0,05	0,05	14,7	65,1	12,2	8,0
Elektroflusseisen . . .	0,1	0,22	0,15	0,04	0,17	4,7	78,3	11,7	5,3
Martinflusseisen . . .	0,05	0,93	0,14	0,04	0,24	1,7	68,4	15,4	14,5

Fehlen (*n.*), absence
äusserlich (*adv.*), outwardly

Vorstellung (*f.*), notion, idea
prozentual (*adj.*), per cent

1. See §13(4).
2. See §10(4).

Material	Gesamt-gasgehalt pro 100 g Eisen ccm	Prozentuale Gas-zusammensetzung				Chemische Zusammensetzung				
		CO_2	CO	H_2	N_2	P	Mn	C	S	Si
Thomasflusseisen v.d.[1] Desoxydat.	13,0	20,1	42,1	24,2	13,6	0,07	0,23	0,05	0,06	0,02
desgl., nach der Desoxydation	43,0	7,8	76,3	6,0	9,9	0,08	0,40	0,07	0,04	0,02
Martinflusseisen v.d. Desoxydat.	21,6	2,2	85,6	7,4	4,8	0,03	0,30	0,09	0,05	0,00
desgl., nach der Desoxydation	24,2	3,4	82,8	8,1	5,7	0,03	0,90	0,14	0,04	0,35

den Gasgehalt ganz anders beim Thomas- wie beim Siemens-Martin-Verfahren beeinflusst. Bei ersterem zeigt die Probe nach der Desoxydation erheblich mehr Gas als vor der Desoxydation im Gegensatz zum Martinverfahren, wo die Gasmenge sich infolge der Desoxydation kaum ändert. Die nachfolgend wiedergegeben Zahlen von Ober- 5 hoffer und Beutell bestätigen die obigen Schlussfolgerungen bezüglich des Thomaseisens an zwei Chargen, von denen die eine sichtlich sehr unruhig, die andere sehr ruhig in der Kokille stand. In beiden Fällen erfolgt eine Steigerung der Gasmenge durch die Desoxydation. Man erkennt ferner an diesen Zahlen, dass im Verlauf des Giessens der 10 Gasgehalt wieder sinkt. Endlich ist zu sehen, dass die ruhige Charge weniger Gas enthält als die unruhige, so dass hiernach der Gasgehalt ein Massstab für das Verhalten des Eisens beim Giessen wäre.[2] Es erscheint verfrüht, weitere Schlussfolgerungen an obige Zahlen zu knüpfen. Was die Siemens-Martin-Chargen betrifft, so lehrt die 15 Tabelle, dass nicht nur keine Zunahme des Gasgehaltes wie beim Thomasverfahren, auch kein annäherndes Gleichbleiben stattfindet, wie es Goerens und Paquet fanden, sondern dass eine deutliche Abnahme durch die Desoxydation erfolgt. Thomas- und Martin- Verfahren unterscheiden sich also prinzipiell voneinander bezüglich der 20 Verhältnisse bei der Desoxydation. Absolut sind die Gasgehalte wesentlich höher bei dem Martinmaterial, und sie liegen auch ausserhalb der von Goerens und Paquet gefundenen Grenzen. Ob aber hier

sichtlich (*adv.*), evidently, obviously
annähernd (*p.p. adj.*), approximate
Gleichbleiben (*n.*), constancy

ausserhalb (*prep.* with gen.), outside, beyond

1. v.d. = vor der, *before the.*
2. wäre = sein würde.

Nr.	Bezeichnung der Probe	cm³ Gas auf 100 g Eisen	Volumprozente				O_2 950°	Gewichtsprozente			
			CO_2	CO	H_2	N_2		C	Mn	P	S
1	A) Thomasschmelzung vor der Desoxydation	39,6	13,5	61,1	13,7	11,6	0,035	0,025	0,31	0,098	0,045
	B) nach der Desoxydation. Probe nach dem ersten Block	86,6	9,7	70,8	12.5	7,0	0,019	0,04	0,34	0,090	0,046
	C) Desgl. Probe nach dem letzten Block	72,3	8,6	68,6	12,9	9,8	0,019	0,05	0,28	0,099	0,035
2	A) Thomasschmelzung vor der Desoxydation	12,1	15,4	64,5	20,1	20,1	0,035	0,055	0,31	0,091	0,058
	B) nach der Desoxydation. Probe nach dem ersten Block.	56,0	13,6	75,5	3,8	7,0	0,017	0,065	0,31	0,093	0,058
	C) Desgl. Probe nach dem letzten Block	33,7	11,0	70,2	7,8	10,9	0,020	0,065	0,31	0,091	0,058
3	A) Martinschmelzung. Probe vor der Desoxydation	164,5	0,6	66,5	5,7	27,0	0,021	—	—	—	—
	B) Probe nach dem ersten Gespann	106,0	0,0	53,6	39,5	6,8	0,019	—	—	—	—
	C) Probe nach dem dritten Gespann	90,6	0,7	26,9	38,9	3,4	0,018	0,09	0,38	0,027	0,04
4	A) Martinschmelzung. Probe vor der Desoxydation	190,5	0,3	84,2	5,6	9,8	0,026	0,13	0,36	n.b.	0,057
	B) Probe nach dem ersten Gespann (rd. 8000 kg)	136,5	10,7	46,0	35,7	7,6	0,022	0,16	0,42	—	0,042
	C) Probe nach dem Abgiessen von 16,000 kg Formguss (Dauer 50 Min.)	109,5	2,0	67,8	22,0	8,2	0,018	0,10	0,33	0,016	0,40
5	A) Martinschmelzung. Probe nach der Desoxydation	110,0	4,7	69,7	16,1	9,4	0,028	—	—	—	—
	B) nach dem ersten Gespann	78,5	0,7	87,5	8,3	3,5	0,021	—	—	—	—
	C) nach dem Auswalzen	60,5	0,0	81,3	7,6	10,6	0,020	0,20	0,48	0,03	0,03

Note. „*Gewichtsprozente von Si und Bemerkungen*" were omitted from above table.

Gespann (*n.*), group

eine Gesetzmässigkeit vorliegt, bleibt noch durch weiteres Material zu entscheiden. Goerens hat die Vermutung ausgesprochen, dass der niedrige Gasgehalt des Thomasmetalles vor der Desoxydation auf die energische Bewegung des Bades zurückzuführen sei.[1] Folgerichtig müsste[2] im gleichen Sinne das während des Herstellungsverfahrens 5 verhältnismässig ruhig liegende Martinmetall unter sonst gleichen Umständen mehr Gas enthalten. Die obige Zusammenstellung zeigt auch den Einfluss des späten Siliziumzusatzes auf den Gasgehalt im gleichen Sinne wie für die während und nach dem Erstarren entwickelten Gase. Dagegen liefern diese Zahlen keinen Anhalt für den 10 Einfluss des Siliziums auf die Lösungsfähigkeit des Eisens für Gase. Lediglich für das ähnlich wie Silizium wirkende Aluminium liegen die nachfolgenden Zahlen von Baker vor, die, wie schon erwähnt, für eine Erhöhung des Lösungsvermögens sprechen, doch genügt auch hier das Material keineswegs zur Entscheidung der Frage. Ein Material 15 mit 0,8 % Kohlenstoff wurde einmal mit Aluminiumzusatz, sodann ohne solchen vergossen. Die Gasbestimmung bei etwa 1000° ergab:

	ccm Gas auf 100 g Eisen					Gesamte Gasmenge bzw. auf 100 g Eisen ccm
	CO_2	H_2	CO	CH_4	N_2	
Im ersten Falle (mit Aluminium)	1,54	47,77	41,83	0,66	0,77	91,86
Im zweiten Falle (ohne Aluminium)	0,37	22,99	17,85	0,73	0,20	42,09

Wie aus dem Vorstehenden ersichtlich ist, sind die aus den Ergebnissen zu ziehenden metallurgischen Schlussfolgerungen noch nicht sehr weittragend, doch muss berücksichtigt werden, dass die Gas- 20 bestimmung bisher erst im geringen Umfang angewandt worden ist. Vom Standpunkt der Konstitution interessiert die Beantwortung der Frage, ob die bei der Gasbestimmung gefundenen Gase identisch

Gesetzmässigkeit (*f.*), conformity to law, regularity
Vermutung (*f.*), supposition, conjecture [logically
folgerichtig (*adv.*), consistently,

Vorstehende (*n.*), the preceding information (table)
weittragend (*adj.*), far-reaching, important

1. zurückzuführen sei, *was to be attributed to.* See §10(1).
2. müsste. See §10(4).

sind mit den Gasen, die mit dem Eisen während des Herstellungsvorganges in Berührung stehen.   In zweiter Linie ist die Frage zu beanworten, in welcher Form die Gase im Eisen enthalten sind.

III. Einfluss der chemischen Zusammensetzung auf die Eigenschaften des schmiedbaren Eisens

1. Einleitung

[Seite 192–194]

Die Anforderungen an die technischen Eigenschaften des schmied-
5 baren Eisens bewegen sich in den weitesten Grenzen und können sich
sogar grundsätzlich widersprechen.   So soll beispielsweise Feinblechmaterial weich und zäh sein, während man vom Werkzeugstahl grösste
Härte verlangt.   Vom Magneten erwartet man, dass er den ihm
erteilten Magnetismus unbegrenzt lange beibehält, vom Anker der
10 Dynamomaschine, der während einer Umdrehung wiederholt ummag-
netisiert wird, also die Polarität wechselt, dass er den Magnetismus
fast momentan und restlos verliere, und vom Antimagneten, dass er
sich überhaupt nicht magnetisieren lasse.   Diese hervorrangende Anpassungsfähigkeit verdankt das Eisen in erster Linie dem Umstande, dass
15 durch relativ geringfügige Zusätze andrer Elemente, mit denen man
es legiert, seine Eigenschaften sich recht erheblich verändern lassen.
     Wenn nun auch die chemische Analyse die Grundlage für die er-
fahrungsmässige Beurteilung der Eigenschaften des schmiedbaren
Eisens abgibt, so ist sie dennoch keineswegs der einzige bestimmende

Herstellungsvorgang (*m.*), manufacturing process
in zweiter Linie, secondly
(sich) bewegen (*v.*), to move
grundsätzlich (*adj.*), fundamentally
widersprechen (*v.*), to contradict
verlangen (*v.*), to require, to expect
erteilen (*v.*), to give, to impart
unbegrenzt (*adv.*), unbounded, unlimited; — **lange** for an indefinitely long time
beibehalten (*v.*), to keep on, to retain
Anker (*m.*), armature
Umdrehung (*f.*), revolution

Polarität (*f.*), polarity
momentan (*adv.*), momentarily
restlos (*adv.*), without leaving any residue (of magnetism), absolutely
Antimagnet (*m.*), non-magnetic (steel)
überhaupt (*adj.*), at all
Anpassungsfähigkeit (*f.*), ability to be fitted to the circumstances, flexibility
geringfügig (*adj.*), insignificant
Zusatz (*m.*), addition
erfahrungsmässig (*adj.*), empirical, usual
einzig (*adj.*), only

Faktor. In späteren Abschnitten wird vielmehr gezeigt werden, dass der Einfluss der Verarbeitung und der Wärmebehandlung sehr gross sein kann, unter Umständen sogar den der Analyse zu überdecken vermag. Ein Material von gegebener Zusammensetzung ist demnach nur dann hinreichend gekennzeichnet, wenn die Art der Verarbeitung 5 und der Wärmebehandlung, die es erfahren hat, angegeben wird.

Schliesslich kann nicht unterlassen werden, auf einen weiteren, die Bedeutung der Analyse herabmindernden Umstand hinzuweisen. Es ist anzunehmen, und die Erfahrung bestätigt dies, dass ausser der Analyse im üblichen Sinne sowie der Art der Verarbeitung und Wärme- 10 behandlung noch andere Faktoren eine gewisse nicht zu unterschätzende Rolle spielen. Hierher gehört beispielsweise die Frage des Sauerstoffs sowie die der Gase und der Schlackeneinschlüsse. Durch eine weitere Verfeinerung der analytischen und andern Hilfsmittel sowie durch Anpassung der Methoden an die Bedürfnisse der Werks- 15 laboratorien dürften [1] auch die Fälle einwandfrei zu erklären sein, in denen trotz gleicher Analyse im üblichen Sinne, Weiterbehandlung, und trotz gleichen Herstellungsverfahrens wesentlich verschiedene Eigenschaften erzielt werden.

Es ist auf Grund der vorstehenden Darlegungen einzusehen, dass 20 der Wert von Untersuchungen über den Einfluss der chemischen Zusammensetzung auf die Eigenschaften des schmiedbaren Eisens ein verhältnismässig begrenzter ist und vor allem nur dann Vergleiche statthaft sind, wenn die Ergebnisse unter gleichen Voraussetzungen hinsichtlich des Zustandes, in dem sich die zu vergleichenden Materia- 25 lien befinden, gewonnen werden. So bezieht sich die Mehrheit der in der Literatur mitgeteilten Untersuchungen auf warm verarbeitetes (meist gewalztes) Material. Es ist klar, dass diese Zahlen nicht verglichen werden können mit entsprechenden, an nicht gewalztem

hinreichend (*adv.*), sufficiently
kennzeichnen (*v.*), to designate
unterlassen (*v.*), to omit, to leave off
Verfeinerung (*f.*), refinement
Bedürfnis (*n.*), requirement, need
Werkslaboratorium (*n.*), works laboratory
Weiterbehandlung (*f.*), further treatment

Darlegung (*f.*), explanation
einsehen (*v.*), to see
begrenzt (*adj.*), limited
Vergleich (*m.*), comparison
statthaft (*adj.*), permissible, **valid**, allowable
Voraussetzung (*f.*), condition
Mehrheit (*f.*), majority

1. dürften; müssten. See §10(4).

Material, also etwa an Stahlguss erhaltenen. Aber auch die Vergleichbarkeit warmverarbeiteter Materialien untereinander zum
Zwecke der Ermittlung des Einflusses der chemischen Zusammensetzung ist nur dann in vollem Masse gegeben, wenn Art und Grad
5 der Verarbeitung untereinander gleich sind. Bezüglich der Wärmebehandlung gilt das gleiche. Rohgegossenes oder -gewalztes Material
kann nicht mit zweckmässig geglühtem und noch weniger etwa mit
vergütetem verglichen werden. Für systematische Untersuchungen
müssten [1] bezüglich der Verarbeitung und Wärmebehandlung gewisse
10 Normen geschaffen werden. Bei der Festlegung solcher Normen
könnte [1] z. B. hinsichtlich der Wärmebehandlung der kritsche Punkt
AC_3 [2] gute Dienste leisten und sozusagen als Normalglüh- und Härtetemperatur dienen. Zum mindesten wäre [3] eine gewisse Einheitlichkeit der Versuchsbedingungen anzustreben. Neuerdings hat sich die
15 Gepflogenheit eingebürgert, Baustähle dadurch [4] vergleichbar zu machen, dass man sie auf gleiche Festigkeit vergütet, d. h. die Anlass-
temperaturen so wählt, dass die Zugfestigkeiten ungefähr die gleichen
werden. Vergleichbar sind dann die Dehnungen, Kontraktionen
und Kerbzähigkeiten. Für die praktischen Anforderungen ist das
20 Verfahren in diesem Sonderfall geeignet, doch lässt es sich auf be-
liebige Stähle natürlich nicht übertragen. Ferner wird ja nicht eine
einzige Eigenschaft in bestimmter zahlenmässiger Höhe, sondern eine
Kombination mehrerer Eigenschaften verlangt, die von Fall zu Fall
wechseln kann.
25 Wenn die Einheitlichkeit der Versuchsbedingungen bezüglich der

Stahlguss (*m.*), cast steel
rohgegossen (*p.p. adj.*), crude cast
geglüht (*p.p. adj.*), annealed
vergütet (*p.p. adj.*), tempered
Festlegung (*f.*), establishing
sozusagen (*adv.*), so to speak, more
or less
anstreben (*v.*), to strive for
Gepflogenheit (*f.*), custom, habit
einbürgern (sich) (*v.*), to become
adapted

Anlasstemperatur (*f.*), annealing
temperature
Zugfestigkeit (*f.*), tensile strength
vergleichbar (*adj.*), comparable
Kerbzähigkeit (*f.*), impact strength
Sonderfall (*m.*), special case
beliebig (*adj.*), optional, any, of all
kinds
übertragen (*v.*), to apply
zahlenmässig (*adj.*), numerical

1. See §10(4).
2. Ac_3, one of the points on the iron carbon diagram.
3. wäre ... anzustreben, *would have to be striven.*
4. dadurch ..., dass man ... vergütet. See §15(6).

Verarbeitung und Wärmebehandlung fehlt, so ist dies nicht minder
für die übrigen Versuchsbedingungen der Fall. So beispielsweise für
die Abmessungen der Schlagproben, für die Bestimmung der Streckgrenze, die häufig mit der Elastizitätsgrenze verwechselt wird und
für die magnetischen Untersuchungen. Häufig fehlen sogar in der 5
Literatur jegliche Angaben über die Art der Versuchsausführung, wodurch natürlich die Ergebnisse erst recht erheblich an Wert einbüssen.

Bei der Sichtung des in der Literatur vorhandenen Materials fällt
endlich ein weiterer Mangel an Vollständigkeit und Systematik auf.
Will man den Einfluss eines Elementes auf die Eigenschaften unter- 10
suchen, so darf nur der Gehalt an diesem Element als Veränderliche
eingeführt worden, und man sollte wie bei der Aufstellung von Zu-
standsdiagrammen mit binären Systemen beginnen, also zunächst den
Einfluss von Kohlenstoff, Phosphor, Schwefel usw. auf die Eigenschaften des von übrigen Elementen freien, also reinen Eisens untersuchen. 15
Sodann sollte man übergehen zur Untersuchung der Dreistoff-
systeme, und zwar zunächst der wichtigsten, Eisen-Kohlenstoff-
Phosphor, Eisen-Kohlenstoff-Silizium usw., indem in einzelnen Reihen
mit konstantem Kohlenstoffgehalt der Gehalt am Zusatzelement ge-
steigert wird. Dann müssten in ähnlicher Weise quaternäre und kom- 20
plexe Systeme erforscht werden. Wenn auch nach dieser Richtung
hin gewisse Ansätze bereits vorliegen, so ist das Material von der
Vollständigkeit dennoch sehr weit entfernt, und es [1] bleibt noch sehr
viel zu leisten.

Daeves (St. E. 1923, 462; vgl. auch P. Goerens, St. E. 1923, 1191) 25
empfiehlt die Auswertung des im Betriebe sich ansammelnden statis-
tischen Materials auf dem Wege der sogenannten Grosszahlforschung:

Schlagprobe (f.), impact test
Streckgrenze (f.), yield point
Elastizitätsgrenze (f.), elastic limit
jeglich (pron.), any
einbüssen (v.), to lose by, to suffer
  loss of
Sichtung (f.), sifting
auffallen (v.), to appear remarkable
  (to one), to strike (one)
Veränderliche (f.), variable
Aufstellung (f.), erection, setting up

Zustandsdiagramme (n. pl.), phase
  diagrams
nach dieser Richtung hin, in this
  direction (way)
dennoch (conj.), yet, nevertheless,
  however
auf dem Wege, by way of, by means
  of
Grosszahlforschung (f.), great number of investigations, large-scale
  investigation

1. es bleibt ... zu leisten. See §9 and §18(3).

Liegt eine sehr grosse Anzahl Zahlenwerte (über 1000 Werte) der
Analysen einerseits und einer bestimmten zu diesen Analysenwerten
gehörigen Eigenschaft anderseits vor, so lässt sich allein durch graphische Auswertung die Richtung und Stärke des Einflusses eines jeden
5 einzelnen, durch die Analyse angegebenen Elements auf die gemessene
Eigenschaft feststellen. Man trägt die Werte in ein Koordinatensystem ein und ordnet sie einmal nach dem Kohlenstoffgehalt, dann
dem Mangangehalt, Schwefelgehalt usw. ein. Nach dem Gesetz der
grossen Zahlen überdecken sich dann in jedem Falle die Einflüsse
10 aller Elemente mit Ausnahme des Elements, nach dem die Zahlen
jeweils geordnet sind. Durch ein solches Verfahren wird eine müh-
selige Untersuchung der Wirkung des Einzeleinflusses, die nur möglich
ist durch Erschmelzung einer Reihe sehr reiner Legierungen (die nur
das eine Element, dessen Einfluss bestimmt werden soll, variabel
15 enthalten dürfen) überflüssig.

Eine exakte Darstellung des Einflusses der chemischen Zusammensetzung kann aus den vorher erwähnten Gründen zurzeit noch nicht
gegeben, vielmehr muss versucht werden, an Hand des in der Literatur
verstreuten Materials einen Einblick zu gewinnen, wobei zur Vermei-
20 dung von Missverständnissen die Art und Weise, wie dieses Material
gewonnen wurde, also die besonderen Versuchsbedingungen, soweit
solche überhaupt angegeben sind, beigefügt werden müssen.

Den Zwecken [1] dieses Buches entsprechend sind lediglich die
technisch zurzeit wichtigsten Eigenschaften (Über die Bedeutung
25 und Ermittlung dieser Eigenschaften vgl. z. B. Martens, Materia-
lienkunde Bd. I, Berlin 1898; Wawrziniok, Materialprüfungswesen,
Berlin 1908; Schreiber, Materialprüfungsmethoden im Elektroma-
schinen- und Apparatebau, Stuttgart 1915; ausserdem viele in der
neueren Literatur verstreute Einzelaufsätze, deren Aufzählung hier
30 zu weit führen würde) herangezogen worden.

jeweils (*adv.*), respectively	**zurzeit** (*adv.*) at the time, at present
mühselig (*adj.*), toilsome, laborious	**Einblick** (*m.*), insight
Einzeleinfluss (*m.*), single influence (addition)	**Missverständnis** (*n.*), misunderstanding
Erschmelzung (*f.*), melting, fusion, smelting	**beifügen** (*v.*), to add to
überflüssig (*adj.*), superfluous	**Einzelaufsatz** (*m.*), individual article **heranziehen** (*v.*), to refer to

1. **Den Zwecken,** dative object of **entsprechend.**

Eine erschöpfende Benutzung des in der Literatur vorhandenen Materials ist vermieden worden. Vielmehr wurden meistens von den einschlägigen Arbeiten die am wichtigsten [1] und ausführlichsten [1] erscheinenden gleichzeitig auf Grund neuerer [1] Anschauungen durchgeführten berücksichtigt. Die Mehrzahl dieser Arbeiten enthält 5 im übrigen geschichtliche Übersichten und ältere [1] Literaturangaben, auf die nötigenfalls zurückgegriffen werden kann.

Zur Veranschaulichung der Abhängigkeit der Eigenschaften von der chemischen Zusammensetzung wurde, soweit dies angängig war, in ausgedehntem Masse die graphische Darstellung benutzt. Auf 10 eine Beschreibung der Diagramme ist im allgemeinen verzichtet worden, weil sie in Worten ja nur das zum Ausdruck bringt was ein Blick auf das Diagramm lehrt. Auf besonders bemerkenswerte Punkte wurde natürlich hingewiesen. Den [2] Diagrammen sind, wenn möglich, Zusammenstellungen der chemischen Zusammensetzung, sowie An- 15 gaben über Herstellung und Behandlung des Versuchsmaterials und über die Einzelheiten der Versuchsausführung beigefügt.

erschöpfend (*p.p. adj.*), exhaustive
einschlägig (*adj.*), pertinent, appropriate
Anschauung (*f.*), view, idea
nötigenfalls (*adv.*), in case of necessity
zurückgreifen (**auf**) (*v.*), to fall back upon

Veranschaulichung (*f.*), illustration
angängig (*adj.*), possible, feasible
in ausgedehntem Masse, extensively, considerably
verzichten (**auf**) (*v.*), to renounce, to put aside

1. See §13.
2. **Den Diagrammen**, dative after **beigefügt**.

DR. W. GUERTLER: *METALLOGRAPHIE*

(*Berlin, Gebrüder Borntraeger*, 1926)

ZWEITER BAND

Zweiter Teil: Fünfter Abschnitt

ZWEITE LIEFERUNG

DIE THERMISCHE AUSDEHNUNG

VON DR. A. SCHULZE

Aluminium

[Seite 100–104]

Aluminium verschiedener Reinheit ist auf seine thermische Ausdehnung untersucht worden, und zwar in tiefen Temperaturen sowohl, wie in hohen.[1] Zu erwähnen sind zuerst die alten Messungen von Le Chatelier (1889 und 1899), die den thermischen Ausdehnungskoef
5 fizienten bei den Temperaturen von 63° und 600° bestimmten; er erhielt:

$$\text{bei } t = 63°: \beta = 0,000\ 024$$
$$\text{bei } t = 600°: \beta = 0,000\ 031$$

Voigt (1893) bestimmte den Ausdehnungskoeffizienten zwischen 15° und 31°. W. H. Souder und P. Hidnert (1922) fanden in dem Temperaturgebiet von 20° bis 600° für:

$$1_t = 1_o\ (1 + at + bt^2):$$
$$a = 0,000\ 021$$
$$b = 0,000\ 000\ 012$$

10 woraus sich ein Ausdehnungskoeffizient bei 20°:

$$\beta_{20} = 0,000\ 022$$

ergibt.

In tiefen Temperaturen, vom Siedepunkt des flüssigen Wasserstoffs bis zur Zimmertemperatur, hat Ch. L. Lindemann (1911) die

1. in tiefen ... sowohl, wie in hohen, *at low as well as at high ones* (*temperatures*).

184

Ausdehnungskoeffizienten des Aluminiums bestimmt; er brauchte
für seine Messungen technisch reines Metall; die Versuchsergebnisse
sind in Tabelle 3 zusammengestellt; sie sind auf Quarz bezogen. Die
thermische Ausdehnung des Quarzes ist wegen der Kleinheit vernachlässigt.   5

TABELLE 3
Thermischer Ausdehnungskoeffizient von Aluminium in tiefen Temperaturen
(nach Ch. L. Lindemann)

t° C	β
−253 bis −192	0,000 002
−192 bis −183	0,000 009
−191 bis −20	0,000 016

Man sieht, dass der Ausdehnungskoeffizient in tiefen Temperaturen
rapide abnimmt, besonders stark in dem Gebiet von −253° bis −192°
(vergl. auch die Fig. 9).

F. Henning (1907) fand nach der Komparatormethode für den
Ausdehnungskoeffizienten zwischen −191° und +16°:   10

$$\beta = 0,000\ 0185$$

Scheel untersuchte 1921 zwei Aluminiumsorten verschiedener Reinheit; ein Al III, das an Fremdstoffen (besonders Eisen und Silizium)
1,2 % und ein Al IV, das an Fremdstoffen nur 0,4 % enthielt. Beide
Aluminiumsorten wurden sowohl nach der Komparatormethode wie
nach der Fizeauschen Methode gemessen. Nach der Rohrmethode   15
wurden Stäbe von 244,8 und 225,0 mm Länge benutzt; für die Fizeausche Methode waren Versuchskörperchen von 9,53 und 9,30 mm
Länge zur Verfügung. Die Beobachtungen wurden bei −78° im
Kohlensäureschnee, bei 100° in Wasserdampf, bei 200° in Dampf von
Methylbenzoat, in höheren Temperaturen im elektrisch geheizten   20
Salpeterbad ausgeführt. Die Tabelle 4 enthält die gemessenen Längenänderungen der Aluminiumkörper zwischen

20° und t° in $\dfrac{mm}{m}$.

Sämtliche Beobachtungen Scheels lassen sich mit hinreichender
Genauigkeit durch die Formel: 25

$$\Delta 1 = 22{,}9 \cdot \gamma + 0{,}09 \cdot \gamma^2$$

$\left(\gamma = \dfrac{t}{100}\right)$ in dem Temperaturgebiet von −78° bis +500° darstellen.

TABELLE 4

Thermische Ausdehnung von Aluminium in $\dfrac{mm}{m}$ (nach Scheel)

t° C	Al III		Al IV		Formel
	Fizeausche Methode	Rohr Methode	Fizeausche Methode	Rohr Methode	
−78	—	−2,22	—	—	−2,19
+20	0,00	0,00	0,00	0,00	0,00
+100	1,96	+1,91	—	—	1,92
200	4,58	4,39	—	—	4,48
250	—	—	5,80	5,79	5,83
300	7,10	7,31	7,24	7,20	7,22
350	—	—	8,75	8,72	8,66
400	—	10,07	10,18	10,14	10,14
450	—	—	—	11,68	11,67
500	—	13,15	13,25	13,32	13,24

Ein Unterschied der Ausdehnung ist für die beiden Reinheitsstufen nicht nachweisbar.

Daraus ergaben sich für die entsprechenden Temperaturintervalle folgende Ausdehnungskoeffizienten:

$$\text{von } -78° \text{ bis } \;\;0° : \beta = 0,000\ 0222$$
$$\text{von } \;\;-0° \text{ bis } 100° : \beta = 0,000\ 0238$$
$$\text{von } \;\;-0° \text{ bis } 300° : \beta = 0,000\ 0256$$
$$\text{von } \;\;-0° \text{ bis } 500° : \beta = 0,000\ 0274$$

5 Neuerdings hat P. Hidnert (1925) zwei Sorten Aluminium (99,95 % und 99,15 % Al) bis 600° untersucht und kommt zu Ergebnissen, die sich von denen Scheels nur ganz unwesentlich unterscheiden.

W. Dittenberger (1902), der Aluminium in dem Temperaturgebiet von 0° bis 610° untersucht hat, erhält hierfür die Formel:

$$\Delta 1 = 2,3536 \cdot \gamma + 0,07071 \cdot \gamma^2$$

10 mithin also etwas grössere Werte für die Ausdehnungskoeffizienten, als sie Scheel gefunden hat.

Gelegentlich der Messungen an Aluminium-Zink-Legierungen ist von A. Schulze die thermische Ausdehnung eines Aluminiumstabes, der zuvor auf 420° angelassen war, bestimmt worden. Die Messergeb-

zuvor (*adv.*), previously
anlassen (*v.*), to anneal

Messergebnisse (*n. pl.*), data

nisse sind in der folgenden Tabelle 5 zusammengestellt; sie lassen sich durch die Formel:

$$\varDelta 1 = 230 \cdot \gamma + 0{,}07 \cdot \gamma^2$$

TABELLE 5

Thermische Ausdehnung von Aluminium in $\dfrac{mm}{m}$ (nach A. Schulze)

t° C	beob.	Formel
0	0,00	0,00
100	1,89	1,90
200	4,41	4,41
300	7,06	7,06
400	9,85	9,85

darstellen. Dieser Aluminiumstab zeigt eine etwas geringere thermische Ausdehnung als die von Scheel gemessenen.

E. Grüneisen (1910) gibt für das Temperaturgebiet von −190° bis 0° und von 0° bis +100° die Formel:

$$\varDelta 1 = 1000\gamma \left\{ (t_2 + 273)t^{1+\epsilon} - (t_1 + 273)^{1+\epsilon} \right\} \text{ mm.}$$

Für Aluminium haben sich die Werte:

$$\gamma = 2{,}22 \cdot 10^{-6}$$
$$\epsilon = 0{,}35$$

ergeben. Die sich hieraus ergebenden Längenänderungen stimmen gut mit den übrigen überein.

Figur 9 zeigt die graphische Darstellung der thermischen Ausdehnung von Aluminium. In tiefen Temperaturen ist die Ausdehnung sehr klein; in höheren Temperaturen nimmt sie in einer schwach gekrümmten Kurve um stets nahezu gleiche Beiträge zu. Die Ausdehnungskoeffizienten nehmen mit fallender Temperatur rapide ab. Der Kurvenverlauf ähnelt sehr dem der Atomwärme.

K. Bornemann und F. Sauerwald (1922) haben die thermische Ausdehnung des Aluminiums in flüssigem Zustande bestimmt dadurch, dass sie das spezifische Volumen v_s gemessen haben. Aus der Tabelle 6 ist die Abhängigkeit des spezifischen Volumens von der Temperatur

Längenänderung (*f.*), longitudinal change, elongation
krümmen (*v.*), to bend, to curve
nahezu (*adv.*), almost

Beitrag (*m.*), contribution, portion, share
Kurvenverlauf (*m.*), course of the curve

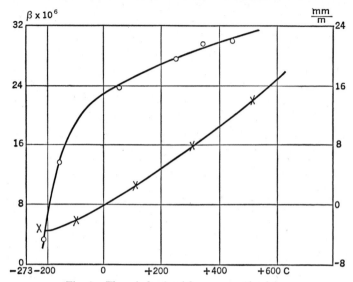

Fig. 9.   Thermische Ausdehnung von Aluminium.

ersichtlich.   In der letzten Spalte ist die Änderung des spezifischen Volumens pro Grad Temperaturdifferenz $\frac{\Delta v_s}{\Delta t}$ berechnet.   Ausser dem spezifischen Volumen im flüssigen Zustande ist das bei 0° C angegeben; ferner ist das spezifische Volumen im festen Zustande 5 unmittelbar vor dem Beginn des Schmelzens (657°) bestimmt und das im flüssigen Zustande unmittelbar nachdem alles geschmolzen ist. Man sieht daraus, dass das Aluminium sich beim Schmelzen um 6,7 % seines Schmelzpunktsvolumens (fest) ausdehnt.

Der Ausdehnungskoeffizient des flüssigen Aluminiums ändert sich 10 in dem Temperaturintervall von 700 bis 1200° C nur unwesentlich, wie aus der letzten Spalte der Tabelle 6 ersichtlich.

Nach Messungen von H. Endo (1924) beträgt die Volumenzunahme beim Übergang aus dem festen in den flüssigen Zustand 6,20%, also in guter Übereinstimmung mit den Messungen von Bornemann und 15 Sauerwald.

Spalte (*f.*), column
Temperaturdifferenz (*f.*), difference
   in temperature

Schmelzpunksvolumen (*n.*), volume
   at the melting point

TABELLE 6

Spezifisches Volumen von flüssigem Aluminium (nach Bornemann
und Sauerwald)

t°C		v_s	$\dfrac{\Delta v_s}{\Delta t}$
0		0,3720	—
657	{ fest	0,3910	—
	{ flüssig	0,4172	—
700		0,4196	0,000 052
800		0,4248	0,000 052
900		0,4300	0,000 052
1000		0,4352	0,000 048
1100		0,4400	0,000 06
1200		0,446	

Invar [Seite 206–211]

Da das Invar wegen seines ausserordentlich kleinen Ausdehnungskoeffizienten grosse Bedeutung für technische, präzisionsmechanische
Zwecke u. a. m. bekommen hat, so soll [1] speziell auf diese Legierung
noch näher eingegangen werden.

Eine sichere Erklärung dafür, dass [2] der thermische Ausdehnungs- 5
koeffizient des Invars bei gewöhnlicher Temperatur beinahe verschwindet, war bisher nicht bekannt. Man neigte zuweilen dazu, eine
Umwandlung, die bei der Erwärmung unter Volumenabnahme verläuft und die die rein thermische Ausdehnung kompensiert, anzunehmen, hatte jedoch keine unmittelbaren Beweise dafür. C. 10
Benedicks und P. Sederholm (1925) is es gelungen, diese beiden Erscheinungen experimentell voneinander zu trennen, und zwar von der
Überlegung ausgehend, dass eine Umwandlung ein langsam verlau-
fender Vorgang ist. Diese beiden Forscher haben einen Invardraht
schnell erhitzt und festgestellt, dass dabei zuerst eine Längenzunahme 15
und dann eine Zusammenziehung erfolgt, die sich gegenseitig beinahe
aufheben, und umgekehrt bei der Abkühlung. Die Versuchsresultate

präzisionsmechanisch (*adj.*), mechanical precision
neigen (**zu**) (*v.*), to incline (to), to
tend (to)

zuweilen (*adv.*), at times, sometimes
sich gegenseitig aufheben, to neutralize each other

1. See §9.
2. See §15(6).

sind in der Fig. 44 wiedergegeben, in der die Zahlen den Zeitabstand seit dem Beginn des Versuches in Minuten bedeuten. Die Ausdehnung setzt zunächst mit einem Ausdehnungskoeffizienten von etwa $\beta = 13 \times 10^{-6}$ ein, der schon nach 10 Sekunden zu sinken beginnt. 5 Dieser anfängliche Ausdehnungskoeffizient lässt sich aus denen des Eisens und des Nickels nach der Mischungsregel berechnen. Nach 3 Minuten fängt der Draht an, sich zu kontrahieren und nach 12 Minuten (bei 65°) hat bereits wieder eine Verkürzung auf die ursprüngliche Länge stattgefunden. Bei der Abkühlung (vergl. Fig. 44) tritt 10 dann — ganz analog — der umgekehrte Vorgang ein.

Benedicks und Sederholm haben auch auf mikroskopischem Wege nachgewiesen, dass das Invar aus zwei Strukturelementen besteht (siehe Fig. 45). Besonders deutlich zeigt das Bild B, das eine Legierung mit 30,5 % Nickel darstellt, die Zwei-Phasen-Struktur. 15 Mit der Temperatur ändert sich offenbar ihr Mengenverhältnis, wodurch die beobachteten Effekte zu erklären sind.

Es scheint, dass damit eine gesicherte Grundlage für das Verständnis des Invars und nahestehende Eisen-Nickel-Legierungen mit geringeren Ausdehnungskoeffizienten gegeben ist. Andere, allerdings weniger markante Ausdehnungsanomalien in dem Eisen-Nickel-System, wie z. B. bei 23 % Nickel (vergl. Fig. 40) werden von dieser Erklärung durch Benedicks und Sederholm nicht berührt. Dabei erreicht der Ausdehnungskoeffizient den Wert von etwa 18×10^{-6}, während nach der Mischungsregel etwa 12×10^{-6} zu erwarten wäre.[1] 25 In höheren Temperaturen tritt die eben besprochene Eigenschaft des Invars und der nahebei gelegenen Legierungen viel weniger hervor, wie die Versuche von Charpy und Grenet (1902) zeigen (siehe Tabelle 69). Das hierfür verwandte Invar enthielt als Verunreinigungen 0,39 % Kohlenstoff und 0,39 % Mangan.

Zeitabstand (*m.*), interval
Mischungsregel (*f.*), rule of mixing, law of mixtures
Verkürzung (**auf**) (*f.*), shortening (of)
auf mikroskopischem Wege, microscopically
offenbar (*adv.*), obviously
Mengenverhältnis (*n.*), quantitative relation

nahestehen (*v.*), to be intimately connected with, related
markant (*adj.*), striking, prominent
Ausdehnungsanomalien (*f. pl.*), expansion irregularities
berühren (*v.*), to affect
nahebei (*adv.*), nearby; **nahe** (**bei**) **liegen,** obvious

1. **zu erwarten wäre,** *would have to be expected.*

TABELLE 69

Lineare Ausdehnungskoeffizienten einiger Eisen-Nickel-Legierungen in hohen
Temperaturen (nach Charpy und Grenet)

Gewichts-prozent Ni	15 bis 100°	100 bis 200°	200 bis 400°	400 bis 600°	600 bis 800°
26,9	11,0	18,0	18,7	22,0	23,0
30,1	9,5	14,0	19,5	19,0	21,3
34,1	2,1	2,5	11,75	19,5	25,7
36,1 (Invar.)	1,5	1,5	11,75	17,0	20,3

Während zwischen 15 und 100° das Verhältnis zwischen dem ersten
und letzten Wert von β 7,33 beträgt, ist es zwischen 600 und 800° nur
noch 1,13.

Systematische Messungen des Ausdehnungskoeffizienten von Invar
und von zwei Legierungen, die einige Prozente Nickel mehr und we- 5
niger besitzen, sind von Goerens (1924) angegeben. Die graphische
Darstellung zeigt Fig. 46. Die Zahlenwerte sind in der Tabelle 70
zusammengestellt. Hiernach nimmt der wahre Ausdehnungskoeffizient des Invars mit steigender Temperatur rapide zu, besonders in
dem Temperaturgebiet zwischen 100 und 300°. Darauf wird die 10
Zunahme des Ausdehnungskoeffizienten geringer, bis er von etwa 700
bis 1000° konstant bleibt.

TABELLE 70

Wahrer linearer Ausdehnungskoeffizient von Invar und zwei anderen Eisen-
Nickel-Legierungen in hohen Temperaturen (nach Goerens)

$t°$ C	30 % Ni	36 % Ni Invar	44 % Ni
0	$4,0 \times 10^{-6}$	$1,5 \times 10^{-6}$	$6,6 \times 10^{-6}$
100	13,4	3,0	6,3
200	17,0	7	6
300	17,5	15	5
400	17,8	16	10
500	17,6	17	16
600	17,2	17	17
700	19,8	18	18
800	19,9	18	18
900	21,0	18	19
1000	21,6	18	19

In tiefen Temperaturen hat K. Scheel (1908) die thermische Ausdehnung des Invars untersucht; er verwandte hierzu die Fizeausche
Methode.

Ihm standen zwei verschiedene Sorten Invar zur Verfügung; die
5 eine war von Krupp und die andere aus Imphy. Wie die Messungen
zeigen (siehe Tabelle 71) nimmt der mittlere lineare Ausdehnungskoeffizient zwischen 0° und der flüssigen Luft wieder zu, so dass man
etwa bei 0° das Minimum der thermischen Ausdehnung anzunehmen
hat.

TABELLE 71

Thermische Ausdehnung von Invar in tiefen Temperaturen (nach Scheel)

Material	$t°$ C	$\varDelta 1$ in $\frac{mm}{m}$	$\beta \times 10^6$
Invar von Krupp	0	0,00	2,9
Invar von Krupp	−190	−0,55	
Invar aus Imphy	0	0,00	1,9
Invar aus Imphy	−190	−0,37	

10   Leider zeigt — wie bereits oben erwähnt — das Invar starke thermische Nachwirkungen, welche sich zwar durch geeignete mechanische
oder thermische Behandlung stark reduzieren lassen.

Schon Guillaume (1912) hat darauf hingewiesen, dass die Nickel-
stähle, je nach ihrer Zusammensetzung mehr oder weniger thermische
15 Nachwirkungen zeigen. Auch bei dem Invar beobachtete er lang-
dauernde Nachwirkungen, die noch nach Jahren nachweisbar waren.
Bei kurz aufeinander folgenden Abkühlungen und Erwärmungen
müssen sich diese nachträglichen Änderungen teilweise überdecken
und als unregelmässige Längenänderungen in die Erscheinung treten.
20 Besonders störend trat dies bei den Messungen von S. Valentiner
und J. Wallot (1915) auf, die das Invar bei tiefen Temperaturen un-
tersuchten. Sie hatten das Invar von der Société Genevoise.[1] Die
Ausdehnungskoeffizienten, die sie erhalten haben, steigen mit abneh-
mender Temperatur an, so dass dieses Ergebnis im Einklang mit den
25 Scheelschen Messungen steht (siehe Tabelle 72 und Fig. 47) und in
der Tat das Invar bei etwa 0° den geringsten thermischen Ausdehnungskoeffizienten besitzt.

1. **Société Genevoise,** French for Genevan Society (of Switzerland).

TABELLE 72

Linearer Ausdehnungskoeffizient von Invar in tiefen Temperaturen
(nach Valentiner und Wallot)

t° C	$\beta \times 10^6$
0	0,38
−50	0,70
−100	1,02
−150	1,34

VOCABULARY

Completeness and Frequency. The following vocabulary is intended to be complete in every way. It lists every word that occurs in all the reading selections, even words whose English meaning is evident. The number following each word indicates its frequency of occurrence in the selections. This should give the student a clue as to what are the most important and most frequently occurring words in this Reader. It is suggested that no effort be made to learn those words that are listed as occurring only once. Items preceded by an asterisk were not counted as they were too common.

Verbs. Only the infinitive form of verbs is given. For a list of irregular verbs together with their principal parts, consult the list at the end of the vocabulary.

Nouns. The case endings of nouns are not listed. Only the nominative singular is given. The student should learn, from his own observation, that German nouns form their genitive singular and nominative plural in the following different ways:

1. der Chemiker, des Chemikers, die Chemiker (no change in plural);
   das Fenster, des Fensters, die Fenster.

2. der Vater, des Vaters, die Väter (Umlaut in plural).

3. der Hund, des Hundes, die Hunde (adding of –e);
   das Jahr, des Jahres, die Jahre.

4. der Baum, des Baumes, die Bäume (adding of –e and Umlaut);
   die Wand, der Wand, die Wände.

5. das Buch, des Buches, die Bücher (adding of –er and Umlaut, if possible);
   der Mann, des Mannes, die Männer;
   das Kind, des Kindes, die Kinder.

6. die Farbe, der Farbe, die Farben; (addition of –n, –en, or –nen);
   der Mensch, des Menschen, die Menschen;
   der Staat, des Staates, die Staaten;

195

der Doktor, des Doktors, die Doktoren;
der Name, des Namens, die Namen;
das Auge, des Auges, die Augen;
die Gräfin, der Gräfin, die Gräfinnen.

7. das Studium, des Studiums, die Studien (plurals from Latin and Greek);
das Mineral, des Minerals, die Mineralien (neuters in −en);
das Drama, des Dramas, die Dramen.

The genitive singular, it will be noted, ends in −s, −es, −en, −n, −ens, or −ns; the dative plural in −n or −en; the other cases are the same as the corresponding nominative singular or plural.

Adverbs and Adjectives. The positive or comparative form of an adjective may be used adverbially without any change of form.

Abbrevations. The abbreviations used are: *adj.* adjective, *abbrev.* abbreviation, *adv.* adverb, *comp.* comparative, *conj.* conjunction, *f.* feminine noun, *m.* masculine noun, *n.* neuter noun, *p. adj.* participial adjective, *pl.* plural, *p.p.* past participle, *prep.* preposition, *v.* verb, *v. r.* reflexive verb (with **sich**).

The *chemical prefixes*, *o*, *p*, *m*, *α*, etc., standing for ortho, para, meta, etc., are not indexed. *α*-Thioisatin, for example, is to be found not under *A* but under *T*. Similarly, *o*-Nitro-phenol is to be looked for under *N*.

VOCABULARY

A

occlude; to conclude, to come to a final decision 2

abschliessend (*adj.*), definitive, conclusive 1

Abschluss (*m.*), closing device, shutting, cut-off 1

abschmelzen (*v.*), to melt off, to fuse, to separate by melting 1

abschneiden (*v.*), to cut-off 4

Abschnitt (*m.*), class, part, paragraph, section, portion 15

Abschrecken (*n.*), quenching (steel), chill(ing) (cast steel) 1

absehen (*v.*), to neglect; to look away from, to disregard; **davon abgesehen,** apart from; disregarding this 2

absetzen (*v.*), to settle, to deposit, to precipitate 2

Absicht (*f.*), purpose, intention; **mit —,** intentionally; **ohne —,** unintentionally 6

absichtlich (*adj., adv.*), intentional(ly) 1

absolut (*adj., adv.*), absolute(ly); **—Druck,** absolute pressure, pressure above vacuum 5

absorbieren (*v.*), to absorb 4

Absorption (*f.*), absorption 4

Absorptionsgeschwindigkeit (*f.*), absorption speed 1

Absorptionsrohr (*n.*), absorption tube 1

Absorptionsspektrum (*n.*), absorption spectrum 3

Absorptionsturm (*m.*), absorption tower 1

abspaltbar (*adj.*), separable 1

abspalten (*v.*), to split off, to separate 3

Abspaltung (*f.*), splitting off, elimination, cleavage, separation 3

Abspülen (*n.*), rinsing, washing 1

abspülen (*v.*), to wash off, to flush, to rinse 1

abstammen (*v.*), to derive 1

Abstellen (*n.*), turning off, stopping (of an engine) 1

abstellen (*v.*), to turn off, to stop; **Wasser —,** to cut off the water 3

Abstich (*m.*), tapping 1

Abteilung (*f.*), division, compartment 2

abtrennen (*v.*), to separate, to cut off, to disconnect 2

Abtrennung (*f.*), separation 1

abtropfen (*v.*), to drain (off); **abgetropft,** drained 1

Abwasser (*n.*), drain water, sewage, waste water 2

abwechseln (*v.*), to alternate, to fluctuate; **—d,** (*adv.*), alternately 1

abweichen (*v.*), to deviate, to diverge, to vary 1

Abweichung (*f.*), deviation, variation 1

abwesend (*p. adj.*), absent 1

Acetaldehyddisulfonsäure (*f.*), acetaldehyde disulfonic acid 1

Acetessigester (*m.*), acetoacetic ester 1

Aceton (*n.*), acetone 6

acetonisch (*adj.*), of acetone 1

Acetophenon (*n.*), acetophenone 2

Acetylen (*n.*), acetylene 1

Acetylenchlorid (*n.*), acetylene chloride 1

Acetylnitrat (*n.*), acetyl nitrate 1

Achse (*f.*), axle, axis, shaft 1

acht (*adj.*), eight 1

achten (**auf**) (*v.*), to regard, to respect, to pay attention (to), to attend (to) 1

achtjährig (*adj.*), of eight years 1

Achtkanteisen (*n.*), octagon bar iron, eight-sided bar iron 1

Acidität (*f.*), acidity 1

Addition (*f.*), addition 2

additionell (*adj.*), additional 3

Additionsprodukt (*n.*), addition product 1

adsorbieren (*v.*), to adsorb 1

Adsorption (*n.*), adsorption 1
Agens (*pl.*, **Agenzien**) (*n.*), agent 2
Aggregatzustand (*m.*), state of
  aggregation 1
ähneln (+ dat.) (*v.*), to resemble,
  to be similar (to) 2
ähnlich (*adj.*), similar, like; —
  wie, the same as 16
Akademie (*f.*), academy 3
A-Kohle, (*f.*), activated carbon 3
aktiv (*adj.*), active 3
aktivieren (*v.*), to activate 2
Aktivierung (*f.*), activation 1
Aktivität (*f.*), activity 5
Aldehyd (*m.*), aldehyde 1
Aldolkondensation (*f.*), aldol
  condensation 1
aliphatisch (*adj.*), aliphatic 1
Alkali (*pl.* **Alkalien**) (*n.*), alkali 22
Alkalicarbonat (*n.*), alkali carbonate 1
Alkalihydroxyd (*n.*), alkali hydroxide 1
alkalilöslich (*adj.*), alkali soluble 1
Alkalinitrat (*n.*), alkali nitrate 2
alkalisch (*adj.*), alkaline 20
Alkalischmelze (*f.*), alkali fusion 2
alkalischweingeistig (*adj.*), al-
  kaline-alcoholic 2
Alkaloid (*n.*), alkaloid 1
Alkohol (*m.*), alcohol 15
alkoholisch (*adj.*), alcoholic 19
Alkyl (*n.*), alkyl 2
Alkylbarbitursäure (*f.*) alkyl barbituric acid 1
Alkylhaloid (*n.*), alkyl halide 1
Alkylmalonsäure (*f.*), alkyl
  malonic acid 1
all (*pl.* **alle**) (*adj.*), every; **vor**
  —em, above all, especially 26
allein (*adj.*), alone; (*adv.*), but;
  (*conj.*), but, still 5
allerdings (*adv.*), undoubtedly,
  only, to be sure 4
allerfeinst (*adj.*), very fine 1
allerletzt (*adj.*), very last 1

allerseltenst (*adv.*), scarcely,
  very seldom, rarely 1
alles (*n.*), all, everything 1
allgemein (*adj.*, *adv.*), usual(ly),
  ordinari(ly), general(ly); **im**
  —**en** (*adv.*), in general; **All-**
  gemeines (*n.*), general information 26
allmählich (*adj.*), gradual(ly) 3
alpin (*adj.*), Alpine (referring to
  the Alps), mountainous 1
als (*conj.*), when, as, than, like,
  in comparison 109
also (*adv.*), thus, then, therefore,
  however, accordingly 27
alt, älter (*adj.*), old 16
Altertum (*n.*), antiquity 1
Aluminium (*n.*), aluminum 20
Aluminiumchlorid (*n.*), aluminum chloride 1
Aluminiumkörper (*m.*), aluminum body 1
Aluminiumoxyd (*n.*), aluminum
  oxide 1
Aluminiumsorte (*f.*), type of
  aluminum 18
Aluminiumstab (*m.*), aluminum
  road or bar 2
Aluminium-Zink-Legierung (*f.*),
  aluminum-zinc alloy, aluminum brass 1
Aluminiumzusatz (*m.*), addition
  of aluminum 1
aluminothermisch (*adj.*), alu-
  minothermic 1
am = an dem to (the), at (the) 14
Amazone (*f.*), Amazon 1
Ambossstück (*n.*), anvil piece 1
Ameisensäure (*f.*), formic acid 2
Amerika (*n.*), America, the
  United States 5
amerikanisch (*adj.*), American 1
Amidobase (*f.*), amido base 1
Amin (*n.*), amine 1
Aminbase (*f.*), amine base 1

Aminophenol (*n.*), aminophenol 1
Aminosulfosäuren (*f. pl.*), amino
  sulfonic acids 1
Ammoniak (*n.*), ammonia 16
ammoniakalisch (*adj.*), ammo-
  niacal 2
Ammoniakderivat (*n.*), ammonium derivative 1
Ammonium (*n.*), ammonium 1
Ammoniumbase (*f.*), ammonium
  hydroxide 1
Ammoniumcarbaminat (*n.*), ammonium carbamate 4
Ammoniumcarbonat (*n.*), ammonium carbonate 1
Ammoniumcyanat (*n.*), ammonium cyanate 2
Ammoniumderivat (*n.*), ammonium derivative 3
Ammoniumnitrat (*n.*), ammonium nitrate 1
Ammoniumoxalat (*n.*), ammonium oxalate 2
Ammoniumverbindung (*f.*), ammonium compound 1
amorph (*adj.*), amorphous 1
Amylalkohol (*m.*), amyl alcohol 1
an (*prep.*) in, in respect to, on,
  at, to, of, by; — **und für sich**,
  in itself, in themselves 70
analog (*adj.*), analogous 5
Analyse (*f.*), analysis 10
Analysenwert (*m.*), analytical
  value 3
analysieren (*v.*), to analyze 3
analytisch (*adj.*), analytical 3
Anbau (*m.*), cultivation, culture 1
Anbetracht (*m.*), consideration 1
Anbohren (*n.*), boring, tapping 1
ander(e) (*adj.*), other, another;
  der andere the other 47
ändern (*v.*), to alter, to change 5
andernfalls (*adv.*), otherwise 1
anders (*adv.*), otherwise, differently, in another manner 1
andersartig (*adv.*), differently, in
  a different way 1

anderseits, andererseits (*adv.*),
  on the other hand 5
Änderung (*f.*), change, variation 3
andeuten (*v.*), to indicate 1
aneinander (*adv.*), on each other,
  together 1
anerkennen (*v.*), to recognize, to
  acknowledge 2
Anfang (*m.*), beginning, start 4
anfangen (*v.*), to begin 1
anfänglich (*adv.*), at the beginning; (*adj.*), initial, first 2
Anfangsglied (*n.*), initial member 1
anfärben (*v.*), to dye 1
anfertigen (*v.*), to make ready, to
  manufacture 1
anfeuchten (*v.*), to moisten 2
Anforderung (**an**) (*f.*), requirement, claim (for) 3
Anfressung (*f.*), corrosion 1
anführen (*v.*), to mention, to cite 1
anfüllen (*v.*), to fill up, to re-
  plenish 1
Angabe (*f.*), statement; (*pl.*) data 15
angängig (*adj.*), possible, feasible 1
angeben (*v.*), to state, to cite, to
  show, to give, to specify; **wie
  angegeben,** as indicated, as
  stated 14
angehören (+ *dat.*) (*v.*), to belong
  to, to be classified among 2
angelassen (*p. adj.*), annealed 1
angewandt (*p. adj.*), used,
  applied 1
angezeigt (*p. adj.*), advisable 1
angreifen (*v.*), to attack, to
  affect, to corrode 8
Angriff (*m.*), attack, action 7
Angriffsgeschwindigkeit (*f.*),
  speed of attack 2
Anhalt (*m.*), clue, idea, criterion 3
Anhalten (*n.*), endurance, continuation 2
anhalten (*v.*), to stop 2
anhaltend (*adv.*), continuously 1
Anhaltspunkt (*m.*), indication,
  criterion 1

anhängen (v.), to hang to, to attach to 1
anhören (v.), to listen to 1
Anhydrid (n.), anhydride 1
Anilin (n.), aniline 20
Anilinderivat (n.), aniline derivative 2
Anilinoessigsäure (f.), aniline-acetic acid 2
Anisol (n.), anisole, phenyl methyl ether 1
Anisotropie (f.), anisotropy 2
Anker (m.), armature 1
Ankerrohre (n.), anchor tube 1
anknüpfen (an) (v.), to join (to), to unite (to) 1
ankommen (auf) (v.), to depend upon (a thing, one); — (an), to arrive (at, in); gut (schlecht) —, to fare well (ill) (with); es kommt darauf an (ob), the question is (whether) 1
Anlagerung (f.), addition 1
anlassen (v.), to anneal 1
Anlasstemperatur (f.), annealing temperature 1
anlaufen (v.), to tarnish, to become coated with 1
Anlehnung (f.), support; in — an, with reference to, depending on, in accordance with 1
Anleitung (f.), introduction, guide 2
anliegen (an + dat.) (v.), to lie close or near (to) 1
Anmerkung (f.), remark 1
annähern (v.), to approximate 2
annähernd (p. adj.), approximate 1
Annahme (f.), assumption, supposition, acceptance, hypothesis; adoption (of a proposal) 6
annehmen (v.), to take (on, up), to assume, to suppose, to accept 16
anodisch (adj.), anodic 3
anordnen (v.), to arrange 1

Anordnung (f.), arrangement 1
anorganisch (adj.), inorganic 17
Anpassung (an) (f.), adjustment (to) 2
Anpassungsfähigkeit (f.), ability to fit (be adjusted to) the circumstances 1
anreichern (v.), to concentrate, to enrich, to strengthen; (met.) to carburize; mit Kohlenstoff —, to add carbon 1
Anreicherung (an) (f.), concentration, enrichment (in) 3
ansammeln (v.), to accumulate, to gather, to collect 2
Ansatz (m.), deposit 2
Ansatzrohr (n.), connective tube, addition tube 1
ansäuern (v.), to acidify 2
Ansäuern (n.), acidification 2
ansaugen (v.), to suck 1
anschaulich (adj.), plain, clear, visible 1
Anschauung (f.), view, idea 1
anscheinend (adj., adv.), apparent(ly) 1
anschliessen (v.), to join, to attach 4
Anschliffarbe (f.), color on polished surface 1
Anschluss (m.), joining, coupling, connection 2
anschmelzen (v.), to melt, to fuse 1
Anschmelzstellte (f.), point of fusion 1
ansehen (als) (v.), to regard (as) 2
Ansicht (f.), view, opinion; sich einer — anschliessen, to agree with an opinion 1
anstatt (prep.), instead of 1
Ansteigen (n.), increase 1
ansteigen (v.)., to rise, to ascend, to mount, to increase 1
anstellen (v.), to prepare, to set going, to install, to start, to begin 3
Anstieg (m.), rise, increase 3

Anteil (an) (*n.*), share (in) 1
Anthranilsäure (*f.*) anthranilic acid 9
Anthranilsäurederivat (*n.*), anthranilic acid derivative 3
Antimagnet (*m.*), non-magnet 1
antimagnetisch (*adj.*), non-magnetic 1
Antimon (*n.*), antimony 2
Antimonigsäuretriphenylester (*m.*), triphenyl ester of antimonious acid 1
Antimontrioxyd (*n.*), antimony trioxide 1
Antrag (*m.*), motion, proposal 1
Antrieb (*m.*), impulse, motive 1
Antrocknen (*n.*), drying 2
antrocknen (*v.*), to dry 2
Antwort (*f.*), answer 1
anweisen (*v.*), to direct, to refer 2
anwenden (*v.*), to use, to employ 13
Anwendung (*f.*), use, application 11
anwesend (*p. adj.*), present 1
Anwesenheit (*f.*), presence 7
anwittern (*v.*), to effloresce 1
Anzahl (*f.*), number 4
anzeigen (*v.*), to show, to indicate 1
Apparat (*m.*), apparatus 11
apparativ (*adj.*), apparative, pertaining to apparatus 1
Apparatur (*f.*), apparatus 1
Äquivalent (*n.*), equivalent 1
Arbeit (*f.*), work, labor, investigation 5
arbeiten (*v.*), to work 5
Arbeitsbedingung (*f.*), working limit or condition 1
Arbeitsweise (*f.*), procedure 1
Argument (*n.*), argument 1
arm (*adj.*), poor 1
Armco-Eisen (*n.*), Armco iron 1
aromatisch (*adj.*), aromatic 3
Arsen (*n.*), arsenic 4
arsenig (*adj.*), arsenious 1
Arsenigsäuretriphenylester (*m.*), trpihenylester of arsenious acid 2

Arsensäure (*f.*), arsenic acid 2
Arsensäuretriphenylester (*m.*), triphenyl ester of arsenic acid 2
Arsentrioxyd (*n.*), arsenic trioxide 1
Art (*f.*), class, sort, type, kind 29
Arylamin (*n.*), aryl amine 1
Arylmagnesiumhaloid (*n.*), arylmagnesium halide 1
Asbest (*m.*), asbestos 1
Asbestpapier (*n.*), asbestos paper 1
Asbestschnur (*f.*), asbestos twine 2
Assoziation (*f.*), association 1
Äthan (*n.*), ethane 1
Äther (*m.*), ether 14
Ätherflamme (*f.*), ether flame 1
ätherisch (*adj.*), ethereal 5
Äthyl (*n.*), ethyl 1
Äthylacetat (*n.*), ethyl acetate 1
Äthylalkohol (*m.*), ethyl alcohol 1
Äthylbromid (*n.*), ethyl bromide 1
Äthylchlorid (*n.*), ethyl chloride 1
Äthylen (*n*), ethylene 1
Äthylnitrat (*n.*), ethyl nitrate 2
p-Äthyl-phenol (*n.*), *p*-ethylphenol 2
Atmosphäre (*f.*), atmosphere 10
Atom (*n.*), atom 4
Atomgewicht (*n.*), atomic weight 14
Atomgewichtsbestimmung (*f.*), atomic-weight determination 2
Atomgruppe (*f.*), atomic group 1
Atomgruppierung (*f.*), atomic grouping 1
Atomwärme (*f.*), atomic heat 1
Ätzdruck (*m.*), discharge printing, engraving 1
ätzen (*v.*), to corrode 1
ätzend (*p. adj.*), corrosive, caustic 1
Ätzkali (*n.*), caustic potash 9
Ätzmittel (*n.*), etching medium 1
Ätznatron (*n.*), caustic soda 10
auch (*adv.*), also, even; wenn —, even though 227
auf (*prep.*), at, from, on, onto, for, up to, to 188
Aufbau (*m.*), composition, synthesis, production 2

aufbauen (v.), to synthesize, to build up 1

Aufbereitung (f.), preparation, ore dressing 2

Aufbereitungstechnik (f.), art of ore dressing 1

aufbereitungstechnisch (adj.), referring to ore dressing 1

aufbewahren (v.), to keep, to preserve, to store 1

aufdecken (v.), to disclose, to reveal 1

aufeinander (adv.), one after another, one upon another 1

auffallen (auf) (v.), to appear remarkable (to one), to strike 1

auffallend (p. adj.) striking, remarkable, showy, reflected (light) 2

Auffang (m.), collecting, gathering 1

Auffangegefäss (n.), collection vessel, receptacle, receiver 2

auffangen (v.), to collect, to intercept, to catch 5

Auffassung (f.), conception 1

auffinden (v.), to discover 3

Auffindung (f.), discovery 1

aufführen (v.), to represent, to note, to quote, to cite, to include 1

Aufgabe (f.), task, problem, purpose, exercise 4

aufheben (v.), to raise, to keep, to lift; sich gegenseitig —, to neutralize each other 2

Aufhebung (f.), abolishment, removal, suppression; neutralizing 1

Aufhören (n.), ceasing 1

aufhören (v.), to cease, to stop 2

Aufklärung (f.), clarification 1

Aufkohlung (f.), carbonization

Auflage (f.), edition 6

Auflösen (n.), loosening, dissolving 1

auflösen (v.), to dissolve 5

Auflösung (f.), solution 2

aufmerksam (adj.), attentive; auf etwas — machen, to call one's attention to 1

Aufnahme (f.), taking up, absorbing, survey, measure; — finden, to be listed, to be considered 4

aufnehmen (v.), to assume, to absorb, to take up, to dissolve to accept, to consider, to list 14

aufprägen (v.), to imprint, to stamp upon, to give, to impart 2

aufrechterhalten (v.), to maintain 1

aufrechtstehend (p. adj.), upright 1

aufsaugen (v.), to absorb, to suck up 1

Aufsauger (m.), absorber 1

aufschliessen (v.), to open, to disclose, to decompose 1

Aufschliessung (f.), decomposition, disintegration 1

Aufschluss (m.), disclosure, solution, decomposition, explanation; zum —, for the decomposition 2

aufsetzen (v.), to set up, to put on, to affix 1

aufstellen (v.), to set up 1

Aufstellung (f.), erection, setting up 1

Auftrag (m.), coating, coat (of color) 1

Auftragen (n.), incorporating, adding (addition) 1

Aufträufeln (n.), dripping, trickling, falling in drops 1

aufträufeln (v.), to drop, to pour on drop by drop, to drip 1

Auftreten (n.), appearance, occurrence 2

auftreten (v.), to appear, to occur 14

aufweisen (v.), to show, to exhibit, to produce 8

Aufzählung (*f.*), enumeration, counting up 3

aufziehen (auf) (*v.*), to be absorbed (of dyes) 1

Augenblick (*m.*), instant, moment 1

aus (*prep.*), of, from, made of, out of 176

ausarbeiten (*v.*), to elaborate, to work out, to prepare 1

Ausarbeitung (*f.*), elaboration 2

Ausäthern (*n.*), extraction with ether 1

ausäthern (*v.*), to extract with ether 1

Ausbeute (*f.*), yield 9

ausbilden (*v.*), to develop, to perfect, to form 4

Ausbleiben (*n.*), absence 1

ausdehnen (*v.*), to expand, to extend 5

Ausdehnung (*f.*), expansion 3

Ausdehnungsanomalien (*f. pl.*), abnormal irregular expansion 1

Ausdehnungskoeffizient (*m.*), coefficient of expansion 28

Ausdruck (*m.*), expression, saying 5

auseinander (*adv.*), apart, separately

auseinandergehen (*v.*), to differ; weit — gehen, to differ greatly from each other 1

ausfällen (*v.*), to precipitate 3

Ausfärbung (*f.*), exhaust dyeing, dye exhaustion 1

Ausfuhr (*f.*), export, exportation 1

ausführbar (*adj.*), practicable; exportable 1

ausführen (*v.*), to work out, to carry out, to execute; to export, to explain 10

ausführlich (*adv.*), detailed, complete 5

Ausführung (*f.*), performance 1

Ausgangserzeugnis (*n.*), initial or starting product 1

Ausgangsmaterial (*n.*), initial or raw material 5

Ausgangsprodukt (*n.*), initial or raw product 2

ausgehen (*v.*), to proceed (from), to go out, to start, to begin (with) 6

ausgesprochen (*p. adj.*), pronounced 1

Ausgestaltung (*f.*), development 1

ausgezeichnet (*p. adj.*), excellent, superb 1

ausgiessen (*v.*), to run out, to pour out 1

auskleiden (*v.*), to line, to coat (of boilers) 2

auskommen (*v.*), to use, to manage, to get on 1

auskrystallisieren (*v.*), to crystallize out 2

Auslöschen (*n.*), extinction, putting out 1

ausmachen (*v.*), to constitute, to amount to 2

Ausnahme (*f.*), exception 2

ausnutzen (*v.*), to make the most of, to use, to utilize, to make effective 2

Ausnutzung (*f.*), utilization 1

ausreichen (*v.*), to suffice 3

ausreichend (*adj., adv.*), sufficient(ly) 1

aussagen (*v.*), to express, to state 1

ausscheiden (*v.*), to precipitate, to excrete, to eliminate, to set free 6

Ausscheidung (*f.*), separation, elimination 2

ausschliessen (*v.*), to exclude, to reject 2

ausschliesslich (*adj., adv.*), exclusive(ly) 9

Ausschluss (*m.*), exclusion 4

Ausschuss (*m.*), committee 1

Aussehen (*n.*), appearance 1

ausser (*prep.*), besides, except, in addition to 3

ausserdem (*adv.*), besides, moreover 3

ausserhalb (*prep.*+ gen.),outside,
beyond

äusserlich (*adv.*), outwardly 1

äussern (**sich**) (*v.*), to manifest,
to express oneself 1

ausserordentlich (*adj.*), extraordinary, unusual; (*adv.*), unusually 8

äusserst (*adj.*, *adv.*), extreme(ly) 5

aussetzen (+ dat.) (*v.*), to set
out, to expose (to) 4

aussprechen (*v.*), to express, to
pronounce, to state, to declare 2

Ausstellung (*f.*), exhibition,
World's Fair 1

ausströmend (*p. adj.*), rushing
out, escaping, flowing out 1

austauschen (*v.*), to interchange,
to exchange, to barter 2

austauschfähig (*adj.*), interchangeable 1

austreiben (*v.*), to expel, to drive
out, to set free 1

Auswahl (*f.*), choice 1

auswählen (*v.*), to select 1

auswalzen (*v.*), to roll out 1

Auswaschen (*n.*), washing 1

auswaschen (*v.*), to wash out, to
rinse 2

Auswertung (*f.*), evaluation,
value 2

auszeichnen (**sich**) (*v.*), to excel,
to distinguish oneself 2

Ausziehen (**sich**) (*n.*), extracting 1

ausziehen (*v.*), to extract 1

authentisch (*adj.*), authentic 1

autokatalytisch (*adj.*), autocata-
lytic 1

Automobil (*n.*), automobile,
motor car 1

Automobilbau (*m.*), automobile
construction 1

Autor (*m.*), author 2

Azobenzol (*n.*), azobenzene 1

B

Bad (*n.*), bath 2

Badisch (*adj.*), of Baden (state in
Germany) 2

Badtemperatur (*f.*), bath temperature 1

Band (*m.*), volume 15

Barbitursäure (*f.*), barbituric
acid 1

Barium (*n.*), barium 1

Bariumoxyd (*n.*), barium oxide 1

Bariumsalz (*n.*), barium salt 2

Bariumsuperoxyd (*n.*), barium
peroxide or dioxide 1

Baryt (*m.*), barite ($BaSO_4$); baryta [BaO or $Ba(OH)_2$] 1

Barytgang (*m.*), barite vein 1

Barytwasser (*n.*), baryta water,
solution of barium hydroxide 1

Basalt (*m.*), basalt (a volcanic
rock) 1

Basarowisch (*adj.*), Basarow's 1

Base (*f.*), base 9

basisch (*adj.*), basic 8

Bau (*m.*), structure, construction 1

Baublech (*n.*), structural plate 1

bauen (*v.*), to build; to mine
(mining) 2

Bauguss (*m.*), castings for structures, structural casting 12

Baum (*m.*), tree

baumförmig (*adj.*), arborescent,
tree-shaped 1

Baumwolle (*f.*), cotton 2

Baustahl (*m.*), structural steel 2

Bauwerkeisen (*n.*), structural
iron 2

bauwürdig (*adj.*), workable, paying, worthy of cultivation; **in**
—er Menge vorkommen, to
occur in workable quantity 4

Bauwürdigkeitsgrenze (*f.*), limit
of profitable working 1

beabsichtigen (*v.*), to intend to,
to have in view, to aim at 2

beabsichtigt (*p. adj.*), intended, intentional 1

beachtenswert (*adj.*), remarkable, worthy of notice 1

beantworten (*v.*), to answer 1

Beantwortung (*f.*), answer 1

bearbeitbar (*adj.*), workable 1

bearbeiten (*v.*), to work over 3

Becherglas (*n.*), beaker 1

bedecken (*v.*), to cover 3

bedeuten (*v.*), to mean, to signify 5

bedeutsam (*adj.*), significant; **das Bedeutsame**, the important (significant) thing 3

Bedeutung (*f.*), significance, importance 18

bedeutungsvoll (*adj.*), (very) significant, very important 1

bedienen (*v.*), to serve; **sich —** (+ gen.), to use 1

bedingen (*v.*), to restrict, to limit, to stipulate, to determine, to cause 4

Bedingung (*f.*), condition; **unter den gleichen —en**, under similar circumstances . 2

bedrucken (*v.*), to print 1

bedürfen (*v.*), to need; to require; (+ gen.), to be in need of 14

Bedürfnis (*n.*), requirement, need 1

beeinflussen (*v.*), to influence 3

Beeinflussung (*f.*), influence 1

Beendigung (*f.*), termination *1

befähigen (*v.*), to enable 1

befestigen (*v.*), to fasten, to make solid 2

befinden (*v.*), to find; **sich —**, to be (located) 1

befindlich (*adj.*), existent 3

befreien (*v.*), to free, to liberate, to release 5

befriedigen (*v.*), to satisfy 1

Befund (*m.*), state, condition 1

Begabung (*f.*), talent 1

begegnen (+ dat.) (*v.*), to meet 1

Beginn (*m.*), beginning, commencement; **um den —**, at the beginning 6

beginnen (*v.*), to begin 6

Begleitstoff (*m.*), accompanying substance, impurity 3

begrenzen (*v.*), to limit, to bound 1

begründen (*v.*), to establish 1

begünstigen (*v.*), to favor 1

behalten (*v.*), to retain, to keep, to maintain 3

Behandeln (*n.*), treating, handling; **beim —**, during the treatment 2

behandeln (*v.*), to treat 19

Behandlung (*f.*), treatment, treatise 12

behaupten (*v.*), to assert, to state 2

behauptet (*p. adj.*), asserted 1

beheben (*v.*), to remove 1

beheimatet (*adj.*), native, indigenous 2

beherrschen (*v.*), to rule over, to govern 1

Behörde (*f.*), authority 1

behufs (*prep.* with gen.), in behalf of, for the purpose of 1

bei (*prep.* with dat.), at, during, on, etc. 417

beibehalten (*v.*), to retain, to keep on 1

beibrechen (*v.*), to break out, to occur 1

beibringen (*v.*), to produce 1

beide (*num. adj.*), both, either 30

beifügen (*v.*), to add to, to annex 1

Beigabe (*f.*), addition 1

beim = bei dem, during, with (the), in (the), on, upon, in the case of, with; **— Erhitzen**, upon being heated 75

beimengen (*v.*), to add, to admix 3

Beimengung (*f.*), impurity, admixture 2

beinahe (*adv.*), almost, nearly 2

Beispiel (*n.*), example, instance; **zum —**, for example 3 beispielsweise (*adv.*), for example, by way of instance 5

Beitrag (*m.*), portion, contribution 1

bekannt (*p. adj.*), known, well-known 5

bekanntgeben (a, e) (*v.*), to make known, to make public 2

bekanntlich (*adj.*), as is well known 1

bekennen (*v.*), to confess, to acknowledge 12

Bekleidungsstück (*n.*), clothing material 1

bekommen (*v.*), to get, to obtain, to receive 2

Belageisen (*n.*), flooring (iron), iron for covering the floor 1

belegen (*v.*), to prove, to coat; to apply (to), to give, to label 2

beleuchten (*v.*), to illuminate, to examine 1

Belichtungsdauer (*f.*), time of exposure 1

Belichtungsstärke (*f.*), strength of exposure, intensity of illumination 1

beliebig (*adj.*), optional, of all kinds, any 1

belüften (*v.*), to ventilate, to expose to the air 2

Belüftung (*f.*), ventilation, exposing to the atmosphere 2

bemerkbar (*adj.*), notable, noticeable, perceptible 2

bemerken (*v.*), to notice 1

bemerkenswert (*adj.*), remarkable, noteworthy 2

Bemerkung (*f.*), notation, remark, observation 1

bemessen (*v.*), to measure, to adjust (by measure), to proportion 1

bemühen (sich + zu) (*v.*), to take the trouble, to take pains (to) 3

Bemühung (*f.*), trouble, effort 1

benachbart (*adj.*), neighboring, adjacent 1

benennen (*v.*), to name, to call 1

Benennung (*f.*), naming, nomenclature, designation, term 2

benötigen (*v.*), to want 2

benötigt (*adj.*), necessary 1

benutzen (*v.*), to use, to utilize 14

Benutzung (*f.*), use, application 5

Benzin (*n.*), benzine, petroleum ether 2

Benzochinon (*n.*), benzoquinone 1

Benzoesäure (*f.*), benzoic acid 1

Benzol (*n.*), benzol (commercial), benzene 33

Benzol-Abkömmling (*m.*), benzene derivative 2

Benzoldampf (*m.*), benzene vapor 1

Benzolderivat (*n.*), benzene derivative 1

Benzoldiazoniumhydroxyd (*n.*), benzenediazonium hydroxide 2

Benzoldiazoniumnitrat (*n.*), benzenediazonium nitrate 1

Benzolkern (*m.*), benzene nucleus 3

Benzollösung (*f.*), benzene solution 2

Benzolreihe (*f.*), benzene series 3

Benzolrest (*m.*), benzene residue 1

benzolsulfonsauer (*adj.*), benzenesulfonate, combined with benzenesulfonic acid 2

Benzolsulfonsäure (*f.*), benzenesulfonic acid 5

Benzoylnitrat (*n.*), benzoyl nitrate 1

benzylieren (*v.*), to benzylate 1

Benzylindigweiss (*n.*), benzyl indigo white 1

Benzylnitrat (*n.*), benzyl nitrate 1

beobachten (*v.*), to observe, to notice 10

Beobachtung (*f.*), observation, examination 4

bequem (*adj.*), convenient, suitable, easy 2

berechnen (auf) (*v.*), to calculate 11

Berechnung (*f.*), calculation 1
bereisen (*v.*), to travel over, to journey 1
bereiten (*v.*), to prepare 5
bereits (*adv.*), already, previously 19
Berg (*m.*), mountain 1
Bergakademie (*f.*), school of mines 1
Bergkrystallrohr (*n.*), rock-crystal tube 1
Bericht (*m.*), report 1
berichten (*v.*), to report, to give an account 2
Berieselungskühler (*m.*), spray cooler, trickle cooler 1
Bernstein (*m.*), amber 1
Bernsteinsäure (*f.*), succinic acid 1
berücksichtigen (*v.*), to consider, to take into consideration, to take notice, to bear in mind 4
Berücksichtigung (*f.*), respect, regard, consideration; **unter** —, with regard to 5
beruhen (**auf**) (*v.*), to depend (on), to be founded (on), to be attributable (to) 1
beruhigt (*adj.*), quiet 1
berühren (*v.*), to touch, to handle, to affect 9
Berührung, (*f.*), contact, touching 17
Berührungsstelle (*f.*), point of contact 1
besagen (*v.*), to mean, to prove 1
besass, see besitzen
Beschaffenheit (*f.*), nature, state, kind 2
beschleunigen (*v.*), to hasten, to accelerate, to speed up 3
beschränken (*v.*), to limit 2
beschreiben (*v.*), to describe 7
Beschreibung (*f.*), description 5
beseitigen (*v.*), to remove, to put aside, to do away with 4
Beseitigung (*f.*), doing away with, removal 4
besitzen (**a, e**), (*v.*), to possess, to have, to own 12

besonder (*adj.*), especial, specific, particular 17
Besonderheit (*f.*), peculiarity 1
besonders (*adv.*), especially, particularly 28
besorgen (*v.*), to care for, to provide for 4
besprechen (*v.*), to discuss, to review 6
Besprechung (*f.*), discussion 2
Bessemer-Prozess (*m.*), Bessemer process 1
Bessemerroheisen (*n.*), pig iron (Bessemer) 2
Bessemerstahl (*m.*), Bessemer steel 2
besser (comp. of **gut**) (*adj.*), better 8
best(e) (super. of **gut**) (*adj.*), best 3
beständig (*adj.*), durable, constant 2
Beständigkeit (*f.*), stability, continuance 1
Bestandteil (*m.*), constituent (part) 7
bestätigen (*v.*), to confirm, to prove, to verify, to corroborate 5
bestehen (*v.*), to exist, to be; — **aus**, to be composed of, to consist of 24
bestimmen (*v.*), to determine, to decide, to settle; —**d**, determining 27
bestimmt (*adj.*), definite, certain, precise 4
Bestimmung (*f.*), determination 11
bestreben (**sich + zu**) (**bestrebt sein zu**) (*v.*), to strive for, to exert oneself to, to endeavor to 1
betätigen (*v.*), to manifest, to prove 1
beteiligen (**sich an**), **beteiligt sein an** (*v.*), to participate in, to take part 1
Betracht (*m.*), consideration; **in**

— **kommen,** to be of moment (importance), to have to be taken into account 2

beträchtlich (*adj.*, *adv.*), considerable, considerably 5

Betrachtung (*f.*), consideration 2

Betrag (**an**) (*m.*), amount, total (of) 1

betragen (*v.*), to amount to 16

betreffen (*v.*), to concern; **was das betrifft,** as to that 6

Betreiber (*m.*), manager, promoter 1

Betrieb (*m.*), work, operation, plant; **in — setzen,** to put into operation; **in — sein,** to be in operation 2

Beurteilung (*f.*), judgment, close estimate, critical examination 4

Beutel (*m.*), bag, pouch 1

bevor (*conj.*), before 2

bewegen (*v.*), to move, to stir 1

beweglich (*adj.*), movable, mobile, replaceable, interchangeable 1

Bewegung (*f.*), motion, movement 3

Beweis (*m.*), proof 2

bewirken (*v.*), to cause, to bring about 3

bewusst (*adj.*), conscious; **sich — sein,** to be conscious (of) 1

bezeichnen (*v.*), to name, to designate 12

Bezeichnung (*f.*), note, name, term, designation 10

beziehen (**sich auf**) (*v.*), to refer (to) 9

Beziehung (*f.*), relation, reference, bearing; **in — auf,** with reference to 2

beziehungsweise (*adv.*), respectively, as the case may be, or 7

Bezirk (*m.*), region 1

bezogen (*p.p. of* **beziehen**), referred to; **— auf,** that has to do with, with reference to 1

Bezug (*m.*), reference; **in — auf,** with regard to, as to 1

bezüglich (*adv.*), with reference to, relative to; (*prep.* + gen.), regarding, in regard to 13

bezwecken (*v.*), to aim at, to have in view, to intend 1

Bibergeil (*n.*), castor, castoreum, beaver oil (dried preputial follicles and secretions of common beaver) 1

bibliographisch (*adj.*), bibliographic 1

biegen (*v.*), to bend, to curve, to bow, to inflect, to refract 1

bieten (*v.*), to offer, to bid, to show, to give 5

Bild (*n.*), diagram, picture, chart 1

bilden (*v.*), to form, to build 48

Bildsamkeit (*f.*), flexibility, plasticity 1

Bildung (*f.*), formation, shape, structure; **unter — von,** accompanied by the formation of 38

Bildungsbedingung (*f.*), condition of formation 1

Bildungstemperatur (*f.*), temperature of formation 1

Bildungstypus (*m.*), type of formation 1

Bildungswärme (*f.*), heat of formation 1

Bildungsweise (*f.*), manner of formation 4

billig (*adj.*), cheap; **auf —ste Weise,** in the cheapest way 4

Billion (*f.*), billion 1

binär (*adj.*), binary 1

binden (*v.*), to bind 11

Bindung (*f.*), bond, union, combination 4

Bindungsform (*f.*), form of bond 1

Binnendruck (*m.*), internal pressure 1

biochemisch (*adj.*), biochemical 1

Biose (*f.*), biose 1

bis (*prep.*), to, until; — zu, until, up to 34
Bis-Arylimid (*n.*), bisarylimide 1
Bis-Indol-Indigo (*m.*), bisindol-indigo 1
bisher (*adv.*), hitherto, as yet 12
bisherig (*adj.*), previous
bituminös (*adj.*), butiminous 1
Biuret (*n.*), biuret 1
blank (*adj.*), bright, shining, polished 1
Blasezeit (*f.*), blowing period, duration of blast 1
blassgelb (*adj.*), pale yellow 1
Blatt (*n.*), leaf 1
blau (*adj.*), blue 9
Blaufärbung (*f.*), blue coloration 1
bläulich (*adj.*), bluish 1
blauschwarz (*adj.*), blue-black 1
blauviolett (*adj.*), blue-violet 1
Blech (*n.*), sheet, plate 3
bleiben (*v.*), to remain, to stay, to be 21
Bleicarbonat (*n.*), lead carbonate 1
bleichen (*v.*), to bleach 3
Bleichflüssigkeit (*f.*), bleaching liquid 1
Bleichlauge (*f.*), bleaching lye 1
Bleichmittel (*n.*), bleaching agent 1
Bleidioxyd (*n.*), lead dioxide 2
Bleigehalt (*m.*), lead content or percentage 1
Bleiglätte (*f.*), litharge, lead oxide 1
Bleinitrat (*n.*), lead nitrate 2
Bleioxyd (*n.*), lead oxide 1
Bleistiftstrich (*m.*), pencil mark 1
Blick (*m.*), glance, look 1
Block (*m.*), ingot, block, pig 7
Blockvolum (*n.*), ingot volume 1
Blumendraht (*m.*), flower wire 2
Blutspeien (*n.*), spitting of blood 1
Blutstein (*m.*), bloodstone (form of hematite) 2
Boden (*m.*), floor, bottom, ground 2
Bohrguss (*m.*), drillable casting 1

Bohrung (*f.*), hole, boring 1
Bombenchlor (*n.*), chlorine bomb 1
Boraxlösung (*f.*), borax solution 1
Borsäure (*f.*), boric acid 2
Borsäuretriphenylester (*m.*), triphenyl ester of boric acid 1
Bramme (*f.*), slab (of iron), ingot metal 2
Brasilien (*n.*), Brazil 1
Brasiliensis (*adj.*), Brazilian; Hevea — (Latin), botanical name of rubber plant 1
brauchbar (*adj.*), useful, serviceable 1
brauchen (*v.*), to use, to want 3
braun (*adj.*), brown 6
Brauneisen (*n.*), brown iron ore, limonite 1
Brauneisenstein (*m.*), limonite 1
Braunkohle (*f.*), lignite (coal) 1
Braunkohlenkreosot (*n.*), lignite creosote 1
Braunkohlenteer (*m.*), brown coal tar, lignite tar 1
bräunlich (*adj.*), brownish 1
bräunlichrot (*adj.*), brownish red 1
brechen (*v.*), to break 1
Brechungsexponent (*m.*), index of refraction 1
Brechungszahl (*f.*), refractive index 2
Bremsklotz (*m.*), brake shoe, brake block 1
brennbar (*adj.*), combustible, burnable 4
Brennbarkeit (*f.*), combustibility 1
brennen (*v.*), to burn 2
Brennstoff (*m.*), fuel, combustible 2
Brenzcatechin (*n.*), pyrocatechol 8
bringen (*v.*), to bring, to place 16
Bro (abbrev. for Brosam[e]), scrap 1
Brolegierung (*f.*), scrap alloy 1
Brom (*n.*), bromine 11
Bromanil (*n.*), bromanil, tetrabromoquinone 1

Brombenzol (*n.*), bromobenzene 1
Bromcyan (*n.*), cyanogen bromide 1
Bromgewinnung (*f.*), bromine extraction or production 1
Bromid (*n.*), bromide 1
Bromieren (*n.*), bromination 1
bromieren (*v.*), to brominate 1
Bromierung (*f.*), bromination 1
Bromierungsgeschwindigkeit (*f.*), speed of bromination 1
Bromkörper (*m.*), bromine substance 1
Bromoform (*n.*), bromoform 1
o-Brom-phenol (*n.*), *o*-bromophenol 2
p-Brom-phenol (*n.*), *p*-bromophenol 2
Bromsilber (*n.*), silver bromide 1
Bromwasser (*n.*), bromine water 2
Bromwasserstoffsäure (*f.*), hydrobromic acid 1
Bruch (*m.*), fracture, breakage 5
Bruder (*m.*), brother 1
Brunnen (*m.*), well, spring 1
Buch (*n.*), book 6
bunt (*adj.*), colored, gay, variegated 1
Buttersäure (*f.*), butyric acid 1
p-tert-Butyl-phenol (*n.*), *p-tert*-butylphenol 1

C

See also K and Z

Calcium (*n.*), calcium 2
Calciumchlorid (*n.*), calcium chloride 2
Calciumhydrid (*n.*), calcium hydride 1
Calciumhydroxyd (*n.*), calcium hydroxide 1
Calciumoxyd (*n.*), calcium oxide 1
Calciumphenolat (*n.*), calcium phenolate 1
Calciumsalz (*n.*), calcium salt 2
Calciumsulfat (*n.*), calcium sulfate 1

Californien (*n.*), California 1
Calorie (*f.*), calory 1
Canada (*n.*), Canada 1
Capillarität (*f.*), capillarity 1
Capillaritätkonstante (*f.*), capillary constant 1
Carbamid (*n.*), carbamide 1
Carbidbildung (*f.*), formation of carbide 1
Carbolöl (*n.*), carbolated oil 4
Carbonsäure (*f.*), carboxylic acid 1
carbonylhaltig (*adj.*), containing carbonyl (group or groups) 1
Carbonylsauerstoff (*m.*), carbonyl oxygen 1
Carboxymethyl (*n.*), carboxymethyl 1
Cellulose (*f.*), cellulose 3
cellulosehaltig (*adj.*), containing cellulose 1
Charakter (*m.*), character, nature 3
charakterisieren (*v.*), to characterize 1
charakteristisch (*adj.*), characteristic 6
Charge (*f.*), = Beschickung (*f.*), furnace charge 2
Chargendauer (*f.*), duration of charge 1
Chargieren (*n.*), charging 1
Chemie (*f.*), chemistry 10
Chemiker (*m.*), chemist 2
chemisch (*adj.*), chemical 40
China (*n.*), China 1
Chinasäure (*f.*), quinic acid 1
Chinhydron (*n.*), quinhydrone 1
Chinolinkörper (*m.*), quinoline substance 1
Chinon (*n.*), quinone 4
p-Chinon (*n.*), *p*-quinone 1
Chinonchloroimid (*n.*), quinone chloroimide 1
Chinonoxim (*n.*), quinone oxime 1
Chlor (*n.*), chlorine 88
Chloral (*n.*), chloral, trichloroacetic aldehyde 1
Chloramin (*n.*), chloroamine 1

Chlorat (*n*.), chlorate 2
Chloratmosphäre (*f*.), chlorine atmosphere 1
Chlorbenzol (*n*.), chlorobenzene 2
Chlorcalciumrohr (*n*.), calcium chloride tube 2
Chlorcalciumröhrchen (*n*.), small calcium chloride tube 1
chloren (*v*.), to chlorinate 1
Chloressigsäure (*f*.), chloroacetic acid 5
Chlorgas (*n*.), chlorine gas 4
chlorhaltig (*adj*.), containing chlorine 1
Chlorhydrat (*n*.), chlorine hydrate 5
Chlorid (*n*.), chloride 3
chlorieren (*v*.), to chlorinate 1
Chlorierung (*f*.), chlorination 1
Chlorierungsprodukt (*n*.), chlorination product 1
Chlorjod (*n*.), iodine chloride 1
Chlorkalk (*m*.), chloride of lime 3
Chlorkalklösung (*f*.), solution of chlorinated lime 1
Chlorkörper (*m*.), chlorine substance 1
Chlorleitungsrohr (*n*.), chlorine conducting tube 1
Chlorlösung (*f*.), chlorine solution 1
Chloroform (*n*.), chloroform 7
Chloroformlösung (*f*.), chloroform solution 1
o-Chlor-phenol (*n*.), *o*-chlorophenol 3
p-Chlor-phenol (*n*.), *p*-chlorophenol 2
Chlorpikrin (*n*.), chloropicrin 1
Chlorprodukt (*n*.), chlorine product 1
Chlorsäure (*f*.), chloric acid 1
Chlorschwefel (*m*.), sulfur chloride 3
Chlorschwefeldampf (*m*.), sulfur chloride vapor 1
Chlorschwefelverbindung (*f*.), sulfur chloride compound 1

Chlorsulfonsäure (*f*.), chlorosulfonic acid 1
Chlorüberträger (*m*.), chlorine carrier 1
Chlorung (*f*.), chlorination 1
Chlorverbindung (*f*.), chlorine compound 1
Chlorwasser (*n*.), chlorine water 9
Chlorwasserstoff (*m*.), hydrogen chloride, hydrochloric acid 1
Chlorwasserstofflösung (*f*.), hydrogen chloride solution 1
Chlorwasserstoffsäure (*f*.), hydrochloric acid 1
Chlorzinkammoniak (*n*.), zinc ammonium chloride 3
Chrom, (*n*.), chromium 2
Chromat (*n*.), chromate 1
chromhaltig (*adj*.), containing chromium 1
chromophor (*adj*.), chromophorous 1
Chromoxychlorid (*n*.), chromium oxychloride, chromyl chloride 1
Chromsäure (*f*.), chromic acid 3
Claisen-Kolben (*m*.), Claisen flask 1
Cl-frei (*adj*.), chlorine-free, free from chlorine 1
Consortium (*n*.), (*pl*., Consortien or Konsortien), syndicate 1
Crackprozess (*m*.), cracking process 1
Cyanamid (*n*.), cyanamide 2
Cyankalium (*n*.), potassium cyanide 2
Cyansäure (*f*.), cyanic acid 1
Cyanursäure (*f*.), cyanuric acid 1
Cyanursäuretriureid (*n*.), cyanuric acid triureide 1
Cyanverbinung (*f*.), cyanogen compound 1
Cyanwasserstoff (*m*.), hydrocyanic acid 1
cyclisch (*adj*.), cyclic 3
Cyclohexanol (*n*.), cyclohexanol 7
Cyclohexanon (*n*.), cyclohexanone 4

Cyclohexen (*n.*), cyclohexene 1
Cyclohexen-(1)-on-(3), (*n.*), cy-
clohene-1-one-3 1

D

da (*conj.*), since, because, as;
(*adv.*), there, then, here 22
dabei (*adv.*), during this (process), in so doing 5
dadurch (*adv.*), by this means,
in this way; —, dass, by the
fact that, in —ing 10
dafür (*adv.*), for it, for that 4
dagegen (*adv.*), in comparison
with, in contrast to; (*conj.*),
whereas, on the other hand 12
daher (*adv.*), from that, thence;
(*conj.*), therefore, for that
reason, hence 13
dahin (*adv.*), thither, to that
place 1
damalig (*adj., adv.*), of that time,
then 1
damals (*adv.*), at that time, then 1
damit (*prep.*), by this or it, with
it, therewith, with that;
(*conj.*), so that, in order to 6
Dampf (*m.*), steam, vapor 16
Dampfabflussrohr (*n.*), vapor
discharge tube 1
Dampfabzugsspalte (*f.*), vapor
fissure 1
Dampfblase (*f.*), vapor bubble 1
Dampfdichte (*f.*), vapor density 1
Dampfdruck (*m.*), vapor pressure 1
Dampfeintritt (*m.*), entrance of
vapor 1
dampfen (*v.*), to smoke, to fume,
to steam 3
Dampfentwicklung (*f.*), evolution of vapor 1
Dampfform (*f.*), vapor form 3
dampfförmig (*adj.*), in the form
of vapor, gaseous 1

Dampfkessel (*m.*), steam boiler 2
Dampfleitung (*f.*), conduction of
vapor; steam piping 2
Dampfrohr (*n.*), vapor tube,
steam pipe 1
Dampfstrom (*m.*), vapor stream 1
danach (*adv.*), according to that,
after that, for that or it 1
daneben (*adv.*), near it, next to
it, by the side of it, besides, in
addition to this; (*conj.*), besides, moreover, also, at the
same time 2
dann (*conj.*), then, at that time;
thereupon; — erst, only then,
not till then 54
daran (*adv.*), thereon, thereat; in
that, on it, by it, near that;
in regard to it or them 3
darauf (*adv.*), thereupon, there-
after; upon it, that or them;
after that, then, in addition;
kurze Zeit —, a short time
after 11
daraus (*adv.*), from this, from it,
therefore 6
darin (*adv.*), in it, in this, in
there, within 8
Darlegung (*f.*), explanation 1
darstellen (*v.*), to prepare; to
produce, to represent 6
Darstellung (*f.*), preparation;
production; description, representation; — im grossen,
large-scale production; — im
kleinen, small-scale production 29
darüber (*adv.*), concerning this,
or it; about it 2
darum (*adv.*), about it or that;
respecting it, that, or them 2
darunter (*adv.*), among them 2
dass (*conj.*), that, the fact that,
in order that 156
dasselbe (*pron.*), it; *see* derselbe 4
Daten (*n. pl.*), data 1
Dauer (*f.*), duration 1

dauern (*v.*), to last, to endure 5

dauernd (*p. adv.*), permanently, indefinitely 1

davon (*adv.*), of, by, respecting it, that, or them 1

dazu (*adv.*), with respect to this, that; to, for, at it, that or them; besides, in addition to this or that 2

Deckel (*m.*), lid, cover 2

decken (*v.*), to cover, to protect, to conceal 1

Deckschicht (*f.*), surface layer 2

Definition (*f.*), definition 1

Dehnung (*f.*), elongation, extension, tension, dilatation 9

Dehydro-Indigo (*m.*), dehydro-indigo 2

Dekantation (*f.*), decantation 1

demnach (*conj.*), accordingly, then, since, however 4

*denen (*dat. pl.* of **der**), to which, to these, to those, to the ones

denitrieren (*v.*), to denitrate 1

denkbar (*adj.*), conceivable 1

denken (*v.*), to think; **sich —**, to form an idea of, to conceive, to realize, to fancy, to imagine 2

denkwürdig (*adj.*), notable 1

denn (*conj.*), for, as, because, since 5

dennoch (*conj.*), yet, nevertheless, however 1

depolarisieren (*v.*), to depolarize 1

*der (**die**, **das**) (*def. art.*), the; (*rel. pron.*), which, who, that; (*dem. pron.*), this, that, he (she, it)

derart (*adv.*), in this way or manner, in such a way 4

derartig (*adj.*), such, of this or that kind 5

*deren (*rel.* and *dem. pron.*), whose, of which, its, their

dergleichen (*adj.*), such, the like; **und —**, and so forth 3

Derivat (*n.*), derivative 6

derivieren (*v.*), to derive 1

derjenige (**diejenige**, **dasjenige**) (*dem. adj.* and *pron.*), that (one), the one, it, such, this 20

derselbe (**dieselbe**, **dasselbe**), (*adj.*), the same, the self-same, it 4

desgleichen (*adv.*), likewise, similarly 3

deshalb (*conj.*), on this account, for that reason, therefore 4

Desinfektion (*f.*), disinfection 1

Desinfektionszweck (*m.*), disinfection purpose 1

Desinfizieren (*n.*), disinfection, disinfecting, sterilizing 1

Desoxydation (*f.*), deoxidation 17

*dessen (*rel.* and *dem.*) whose, of which, its

Destillat (*n.*), distillate 11

Destillatdampf (*m.*), distillate vapor 2

Destillation (*f.*), distillation 26

Destillationsgefäss (*n.*), distilling vessel 3

Destillationsrückstand (*m.*), residue left after distillation 1

Destillieren (*n.*), distillation, distilling 1

destillieren (*v.*), to distil 4

destillierend (*adj.*), distilling 1

Destillierkolben (*m.*), distilling flask or retort 1

Destillierrohr (*n.*), distillation tube 3

deuten (**auf**) (*v.*), to indicate, to signify, to point (to), to explain 4

deutlich (*adj.*), distinct(ly), evident 8

deutsch (*adj.*), German 8

Deutsche(r) (*m.*), German 1

Deutschland (*n.*), Germany 2

deutschsprechend (*p. adj.*), German-speaking 1

Deutung (*f.*), significance, explanation 1

devonisch (*adj.*), Devonian 1
Diagenes (*f.*), diagenesis, re-formation 1
Diagramm (*n.*), diagram 2
Dialkylbarbitursäure (*f.*), dialkylbarbituric acid 2
Dialkylessigsäureureid (*n.*), ureide of dialkylacetic acid 1
Dialkylmalonester (*m.*), dialkylmalonic ester 1
Dialkylmalonsäure (*f.*), dialkylmalonic acid 1
Dianil (*n.*), (*here*) indigo dianil 1
Dianilomaleinsäure (*f.*), dianilinomaleic acid 2
Diazoreihe (*f.*), diazo series 1
Dibromphenol (*n.*), dibromophenol 3
Dichlorharnstoff (*m.*), dichlorourea 1
Dichlorphenol (*n.*), dichlorophenol 3
Dichroismus (*m.*), dichroism 1
Dichromatlösung (*f.*), dichromate solution 1
Dichte (*f.*), thickness, density, imperviousness 18
dichten (*v.*), to pack, to seal 4
Dichtung (*f.*), packing 1
Dichtungsmittel (*n.*), condensing agent, packing material 1
Dicke (*f.*), thickness, density 2
Dicyandiamid, (*n.*), dicyandiamide 1
Dielektrizitätskonstante (*f.*), dielectric constant 3
dienen (*v.*), to serve 19
Dienst (*m.*), service; — leisten, to perform (render) a service 2
dieser, diese, dieses, etc. (*dem. adj.* and *pron.*), this, that, these, this one, the latter, it, they, etc. 85
Differentiation (*f.*), differentiation 1
diffundieren (*v.*), to diffuse 2
Digerieren (*n.*), digestion 1

digerieren (*v.*), to digest 1
Diimid (*n.*), diimide 1
Diindolyl (*n.*), diindolyl 3
Diindolylderivat (*n.*), diindolyl derivative 1
Diisatogen (*n.*), diisatogen 1
Dijodphenol (*n.*), diiodophenol 3
Dimethyl-, dimethyl-
Dimethylanilin (*n.*), dimethylaniline 1
Dimethylbarbitursäure (*f.*), dimethylbarbituric acid 1
Dimethylharnstoff (*m.*), dimethylurea 1
Dinitro-diphenyl-butadiin (*n.*), dinitrodiphenylbutadiine 1
Dinitrophenol (*n.*), dinitrophenol 1
Dinitrophenolsulfonsäure (*f.*), dinitrophenolsulfonic acid 1
Dioxindol (*n.*), dioxindole 1
Dioxyd (*n.*), dioxide 1
Dioxy-diphenyl (*n.*), dihydroxydiphenyl 3
Dioxydiphenyläther (*m.*), dihydroxydiphenyl ether 1
Dioxydiphenylselenid (*n.*), dihydroxydiphenyl selenide 1
Dioxydiphenylsulfid (*n.*), dihydroxydiphenyl sulfide 1
β-Diphenol (*n.*), *beta*-diphenol 1
Diphenyl (*n.*), diphenyl 2
Diphenylamin (*n.*), diphenylamine 2
Diphenyläther (*m.*), diphenyl ether 4
Diphenylbarbitursäure (*f.*), diphenylbarbituric acid 1
Diphenylbenzol (*n.*), diphenylbenzene 1
Diphenylenoxyd (*n.*), diphenylene oxide 1
Diphenylharnstoff (*m.*), diphenylurea 1
Diphenyloxyd (*n.*), diphenyl oxide, phenyl ether 1
Diphenylsulfid (*n.*), diphenyl sulfide 2

direkt (*adj.*, *adv.*), direct(ly) 22
dislokationsmetamorph (*adj.*), structurally changing 1
Dislokationsmetamorphose (*f.*), dislocation metamorphosis, structural change 2
Dissoziationsdruck (*m.*), dissociation pressure 2
Dissoziationsgrad (*m.*), degree of dissociation 1
Dissoziationskonstante (*f.*), dissociation constant 1
Dissoziationsspannung (*f.*), dissociation potential 1
Dissoziationswärme (*f.*), heat of dissociation 1
dissoziieren (*v.*), to dissociate 1
Disulfat (*n.*), disulfate 1
Disulfonsäure (*f.*), disulfonic acid 1
ditrigonal (*adj.*), ditrigonal 1
diuretisch (*adv.*), diuretically 1
doch (*conj.*), yet, however, for all that, after all 14
Doppelbindung (*f.*), double bond 1
doppelt (*adj.*), double 1
Doppelverbindung (*f.*), double compound 2
Dorn (*m.*), pin, mandrel; slag (copper) 2
dort (*adv.*), there 4
Draht (*m.*), wire 3
Drahthäkchen (*n.*), small wire hook, wire clasp 1
Drahtnetz (*n.*), wire gauze, wire net 1
Drahtseil (*n.*), wire rope, wire cable 1
Drehung (*f.*), rotation 1
Drehungsvermögen (*n.*), rotatory power polarization; optisches —, optical rotatory power 1
drei (*adj.*), three 1
Dreistoffsystem (*n.*), three-component system 1
dreiwertig (*adj.*), trivalent 1
dritt(e) (*adj.*), third 5

Drittel (*n.*), (a) third 1
Druck (*m.*), pressure 23
Druckereimaschine (*f.*), printing press 1
Druckereimaschinenpresse (*f.*), printing press 1
Druckereimühle (*f.*), pressure mill 1
Druckerhöhung (*f.*), increase of pressure 1
Druckrohr (*n.*), pressure tube, sealed tube 1
Druckverfahren (*n.*), printing process 1
dublieren (*v.*), to double 1
duktil (*adj.*), ductile 1
Dulcin (*n.*), dulcin 1
dunkel (*adj.*), dark 1
dunkelblau (*adj.*), dark blue 3
dunkelbraun (*adj.*), dark brown 1
dunkelgrün (*adj.*), dark green 1
dunkelgrünlichgelb (*adj.*), dark greenish yellow 1
Dunkeln (*n.*), darkening 2
Dunkelrosafärbung (*f.*), dark rose color 1
dünn (*adj.*), thin 4
durch (*prep.* with acc.), through, by, by means of, owing to 256
durchaus (*adv.*), throughout, by all means, positively 2
Durchbildung (*f.*), formation, development 2
durchblasen (*v.*), to blow through 1
durchbohren (*v.*), to bore through 1
durchführen (*v.*), to lead through; to execute, to conduct, to accomplish, to carry out 4
Durchführung (*f.*), carrying (out), performance, accomplishment 3
durchlässig (*adj.*), permeable, pervious 1
Durchlässigkeit (*f.*), permeability 1

durchlaufen (v.), to filter, to (run) go through, to traverse 2

Durchleiten (n.), conduction, passing through; beim —, by passing through 1

durchscheinen (v.), to shine through 1

durchscheinend (p. adj.), transparent, transmitted (light) 2

durchschlagend (p. adj.), conclusive, telling, complete, decisive 1

Durchschnitt (m.), average, cross section 1

durchschnittlich (adj.), average 1

durchsichtig (adj.), clear, transparent 1

dürfen (v.), to be permitted, may, can; darf nicht, must not; dürfte, might 15

Dynamomaschine (f.), dynamo 1

Dynamo-Temperguss (m.), dynamo malleable casting 1

E

ebenda (adv.), ibidem, at that same place, loco citato 4

ebenfalls (adv.), likewise 9

ebenso (adv.), likewise; — gut, just as good, equally good, as well as 9

ebensolche (adj.), likewise, same 1

ebensowenig (adv.), ever so little; — wie, as little as 4

ebullioskopisch (adj.), ebullioscopic 1

echt (adj.), fast (of colors), firm, genuine, real 1

Echtheit (n.), fastness (of colors); genuineness 1

edel, edle, edles (adj.), noble (as applied to metals, those that resist oxidation; to gases, inert) 2

Edelgas (n.), noble (inert) gas 1

Effekte (m. pl.), effects 1

ehe (conj. adv.), before 1

eher (comp. of bald) (adv.), sooner, rather 2

ehest(e) (superl. of bald) (adv.), am ehesten soonest, earliest 1

Eieralbumin (n.), egg albumen 1

eigens (adv.), expressly 1

Eigenschaft (f.), property, quality 17

Eigenschaftswort (n.), adjective 1

eigentlich (adj., adv.), proper(ly), real(ly) 7

eigentümlich (adj.), peculiar, characteristic 1

eignen (sich) (v.), to suit, to be suitable for; to be appropriate for 6

ein (ind. art.), a, an, one; (pron.), der eine, the one; eines, one 185

Einatmen (n.), inhalation 1

einatmen (v.), to inhale; eingeatmet, when inhaled 2

einbasisch (adj.), monobasic 1

Einblasen (n.), injection, blowing in; beim —, with the blowing in 2

Einblick (m.), insight 1

einbohren (v.), to bore into 2

Einbringen (n.), bringing in, insertion 1

einbürgern (sich) (v.), to become adapted 1

einbüssen (v.), to lose by, to suffer the loss of 1

Eindampfen (n.), evaporation 1

eindampfen (v.), to evaporate 1

eindeutig (adj., adv.), clear(ly), unequivocal 2

einerseits (adv.), on the one hand 2

einfach (adj., adv.), simple, single, simply, merely 9

Einfluss (m.), influence 29

Einführen (n.), introduction, insertion 1

einführen (v.), to introduce, to import 9

Einführung (*f.*), introduction 1
einfüllen (*v.*), to fill up 2
Eingang (*m.*), entrance, introduction
Eingeborene (*m.*), native 2
eingehen (*v.*), to go into; **eingehend** (*adj., adv.*), thorough(ly), exhaustive(ly) 5
einheitlich (*adj.*), homogeneous, uniform 5
Einheitlichkeit (*f.*), uniformity 2
einig (*adj.*), united 2
einige (*pron.*), several, some, a few 10
einigen (*v.*), to unite 1
einigermassen (*adv.*), in some degree, to a certain extent 1
Einklang (*m.*), harmony, unison; **im — stehen mit,** to be in harmony with, to agree with 1
einlagern (*v.*), to store away, to imbed 2
Einlagerung (*f.*), deposit 1
einleiten (*v.*), to introduce, to conduct 7
Einleiten (*n.*), introduction 1
Einleitung (*f.*), introduction 2
einmal (*adv.*), once; on the one hand; **einmal ... einmal,** at one time ... at another; **einmal ... dann,** at first ... then 6
einmalig (*adj.*), single, at one time 1
einordnen (*v.*), to arrange, to classify 2
einreihen (*v.*), to arrange, to classify 1
Einsatz (*m.*), insert, furnace charge 8
Einsatzstahl (*m.*), steel for case hardening, case-hardened steel 1
Einschalten (*n.*), switching on, turning on 1
einschieben (*v.*), to insert, to push in 1
einschlägig (*adj.*), pertinent, appropriate 1

einschliessen (*v.*), to enclose 1
Einschluss (*m.*), inclusion, content 1
einschlussreich (*v.*), rich in inclusions 1
Einschmelzen (*n.*), melting down 1
Einschmelzperiode (*f.*), melting-down period 1
Einschnürung (*f.*), constriction, binding up 1
einschränken (*v.*), to confine 1
einsehen (*v.*), to see, to perceive, to understand 1
einsetzen (*v.*), to set in, to insert, to establish 5
einst (*adv.*), once 1
Einstellen (*n.*), putting in, insertion, standardization (of a solution) 1
einstellen (*v.*), to insert, to put in, to install, to lay up, to institute; to stop; to standardize 4
einströmen (*v.*), to flow in 1
Eintauchen (*n.*), dipping, immersion 2
eintauchen (*v.*), to dip into, to immerse 4
einteilen (*v.*), to divide, to classify 8
Einteilung (*f.*), division, classification 9
eintragen (*v.*), to introduce, to bring into, to carry into 4
eintreten (*v.*), to occur, to appear, to begin, to set in, to commence 16
eintretend (*p. adj.*), apparent, occurring 2
Eintritt (*m.*), entrance, setting in, appearance, commencement 7
eintrocknen (*v.*), to dry up 1
Eintröpfeln (*n.*), **Eintropfen** (*n.*), instilling, trickling, adding dropwise, dropping in 4
einwandfrei (*adj.*), unobjectionable, flawless, satisfactory 3

einwertig (*adj.*), univalent 1
einwirken (auf) (*v.*), to act (on), to exert (influence) (on) 6
Einwirkung (*f.*), action, influence, effect 29
Einwirkungsprodukt (*n.*), reaction or resultant product 1
Einzelaufsatz (*m.*), individual article, single attachment 1
Einzeleinfluss (*m.*), single influence, single addition 1
Einzelheit (*f.*), detail, particular 4
einzeln (*adj.*), single, separate, individual 14
einzig (*adj.*), only, single 1
Eis (*n.*), ice 1
Eisen (*n.*), iron 126
Eisenabfälle (*m. pl.*), scrap iron 2
Eisenacetatlösung (*f.*), iron acetate solution 1
eisenarm (*adj.*), poor in iron 1
Eisenbad (*n.*), iron bath 1
Eisenbahn (*f.*), railroad 1
Eisenbahnbau (*m.*), railroad construction 1
Eisenbahnfahrzeug (*n.*), railroad car 1
Eisenbahnmaterial (*n.*), railroad material 1
Eisenblech (*n.*), sheet iron, iron plate 1
Eisenchlorid (*n.*), iron chloride, ferric chloride 1
Eisendrahterzeugung (*f.*), iron-wire production 1
Eisenerz (*n.*), iron ore 3
eisenerzeugend (*p. adj.*), iron-producing 1
Eisenerzlagerstätte (*f.*), iron-ore deposit 2
Eisenfeile (*f.*), = Eisenfeilspäne (*m. pl.*), iron filings 1
Eisenfläche (*f.*), iron surface 1
Eisenforschung (*f.*), iron analysis, iron research 1
Eisenfund (*m.*), discovery of iron 1
Eisenglanz (*m.*), iron-glance

(form of hematite), specular iron ore 9
Eisenglimmerschiefer (*m.*), itabirite, hematite (slate) schist 1
eisenhaltig, (*adj.*), iron-containing 1
Eisenhüttenkunde (*f.*), metallurgy of iron, ferrous metallurgy 1
Eisenhüttenleute (*m. pl.*), iron workers, iron metallurgists 1
Eisen(II)hydroxyd (*n.*), ferrous hydroxide 1
Eisen(III)hydroxyd (*n.*), ferric hydroxide 1
Eisenindustrie (*f.*), iron industry 1
Eisenkarbid (*n.*), iron carbide 2
Eisenmaterial (*n.*), iron material 1
Eisen-Nickel-Legierung (*f.*), iron-nickel alloy 3
Eisen-Nickel-System (*n.*), iron-nickel system 1
Eisenoxydul (*n.*), ferrous oxide 1
Eisenplatte (*f.*), iron slab, iron plate 1
eisenreich (*adj.*), rich in iron 1
Eisensalzlösung (*f.*), iron salt solution 1
Eisenschwarz (*n.*), iron black 1
Eisensorte (*f.*), grade or kind of iron 2
Eisenspäne (*m. pl.*), iron filings, iron turnings 5
Eisensulfat (*n.*), iron sulfate, ferrous sulfate 1
Eisenvolumen (*n.*), iron volume 1
Eisessig (*m.*), glacial acetic acid 4
Eisessig-Lösung (*f.*), glacial acetic acid solution 1
eisgekühlt (*p. adj.*), ice-cooled 1
Eiweiss (*n.*), albumen, protein, egg-white 1
Eiweisskörper (*m.*), protein 1
elastisch (*adj.*), elastic 3
Elastizitätsgrenze (*f.*), elastic limit 1

Elastizitätskoeffizient (*m.*), co-efficient of elasticity 1
elektrisch (*adj.*), electrical 3
Elektrizität (*f.*), electricity 1
elektro- (prefix), electric-, electro- 1
elektrocapillar (*adj.*) electrocap-illary 1
elektrochemisch (*adj.*), electro-chemical 1
Elektrode (*f.*), electrode 1
Elektrodenofen (*m.*), electrode oven 1
Elektroflusseisen (*n.*), electric ingot iron 1
Elektrogussstahl (*m.*), electric cast steel (by electric process) 1
Elektrolytchlor (*n.*), electrolytic chlorine 1
Elektrolyteisen (*n.*), electrolytic iron 1
elektronegativ (*adj.*), electro-negative 1
Elektroofen (*m.*), electric oven 7
Elektroroheisen (*n.*), electric pig iron (by electric process) 1
Elektrostahl (*m.*), electric steel 2
Elektroverfahren (*n.*), electric process, electric method 5
Element (*n.*), element 16
elementar (*adj.*), elementary 3
Elementaranalyse (*f.*), elemen-tary analysis 1
Elementarprüfung (*f.*), elemen-tary testing 1
Elementarrhomboeder (*n.*), ele-mentary or unit rhombohe-dron 2
Elementarzelle (*f.*), elementary or unit cell 2
empfehlen (*v.*), to recommend 2
empfehlenswert (*adj.*), recom-mendable, advisable, to be recommended 1
empfindlich (*adj.*), sensitive, sus-ceptible 3
empirisch (*adj.*), empiric 2
Ende (*n.*), end; gegen —, to-

wards the end; zu — führen, to complete 7
endgültig (*adj.*), final 3
endigen (*v.*), to end, to terminate 1
endlich (*adj.*, *adv.*), final(ly), at last 7
Endprodukt (*n.*), final product 3
Energie (*f.*), energy 1
energisch (*adj.*), energetic, vig-orous 3
eng (*adj.*), narrow 1
englisch (*adj.*), English 2
engrohrig (*adj.*), with small tubes, narrow tube 1
enorm (*adj.*), enormous 1
entbehren (*v.*), to dispense with, to lack, to be or do without 2
entdecken (*v.*), to discover 9
Entdeckung (*f.*), discovery 8
entfärben (*v.*), to decolorize, to bleach 1
Entfärbung (*f.*), decolorization 1
entfernen (*v.*), to remove, to ex-tract 1
entfernt (*p.p.*), distant, remote 1
Entfernung (*f.*), removal; unter —, with removal 3
entgegengesetzt (*adj.*), opposite, inverse 1
entgegenstellen (*v.*), to obstruct 1
entgegenwirken (+ dat.) (*v.*), to react against 1
enthalten (*v.*), to contain 53
Entladung (*f.*), discharge 1
entmischen (*v.*), to separate, to disintegrate, to dissociate 2
Entnahme (*f.*), extraction, with-drawal 1
entnehmen (*v.*), to extract, to take (from) 1
Entphosphorung (*f.*), dephos-phorization 1
entscheiden (*v.*), to decide, to de-termine 5
entscheidend (*adj.*), decisive, conclusive 1
Entscheidung (*f.*), decision 3

entschieden (*p. adj.*), determined, decided, final, decisive; (*adv.*), decidedly 1

Entschwefelung (*f.*), desulfurization 1

Entsendung (*f.*), sending off 1

entsprechen (+ dat.) (*v.*), to correspond to, to answer 8

entsprechend (*p. adj.*), corresponding (to) 4

entspringen (*v.*), to spring, to arise, to produce 4

entstammen (+ dat.) (*v.*), to come from, to originate, to form 3

Entstehen (*n.*), formation, producing, origin 2

entstehen (*v.*), to arise, to be formed, to originate, to come into being 56

entstehend (*p. adj.*), originating, arising 2

Entstehung (*f.*), origin, formation, nascence 2

entweder ... oder (*conj.*), either ... or 9

entweichen (*v.*), to escape, to leak (out) 6

Entweichen (*n.*), escape 1

entweichend (*p. adj.*), escaping, leaking 1

entwickeln (*v.*), to develop, to evolve 8

entwickelt (*p. adj.*), evolved, developed 1

Entwick(e)lung (*f.*), development, evolution 4

Entwicklungsgeschichte (*f.*), history of development 1

entziehen (*v.*), to extract 2

Entzinnung (*f.*), detinning 1

entzünden (sich) (*v.*), to ignite, to catch fire 2

Enzyklopädie (*f.*), encyclopedia 1

Enzym (*n.*), enzyme 3

Epimetamorphose (*f.*), epimetamorphosis 1

Epizone (*f.*), epizone 1

erblicken (*v.*), to see 1

erbringen (*v.*), to produce 2

Erdalkali (*n.*), alkaline earth 2

Erde (*f.*), earth 1

Erdöl (*n.*), petroleum 1

erfahren (*v.*), to learn, to discover, to experience 3

Erfahrung (*f.*), experience, knowledge 2

erfahrungsmässig (*adj.*), according to experience, experimental, empirical, usual 1

Erfahrungstatsache (*f.*), experimental fact 1

Erfolg (*m.*), result, success 4

erfolgen (*v.*), to result, to ensue, to occur, to arise 32

erforderlich (*adj.*), necessary, prerequisite, requirable 8

erfordern (*v.*), to require, to demand 1

erforschen (*v.*), to investigate 1

Erforschung (*f.*), investigation, research 1

erfüllen (*v.*), to fill (up), to fulfil, to accomplish 2

ergeben (*v.*), to yield, to show, to obtain, to result, to appear, to indicate; sich — + dat., to devote oneself to 21

ergebend (*p. adj.*), resulting 1

Ergebnis (*n.*), result, consequence, yield, conclusion 13

ergiebig (*adj.*), productive 1

Ergussgestein (*n.*), igneous rock 5

Ergussgesteinsfolge (*f.*), series of igneous rock 1

erhalten (*v.*), to receive, to obtain, to get, to maintain, to acquire 37

erheblich (*adj.*), considerable 5

erhellen (*v.*), to illuminate, to expose 1

Erhitzen (*n.*), heat, heating 12

erhitzen (*v.*), to heat 22

erhitzt (*p. adj.*), heated 1

Erhitzung (*f.*), heating 3
erhöhen (*v.*), to raise, to increase 5
erhöht (*adj.*), raised, increased; greater; in —em Masse, to an increased degree 1
Erhöhung (*f.*), raising, increase 7
erinnern (*v.*), an, to remind of; — sich + gen., to remember 4
erkalten (*v.*), to cool (off) 3
Erkalten (*n.*), cooling; beim —, upon cooling 1
erkennbar (an) (*adj.*), recognizable, discernible (by) 5
erkennen (*v.*), to recognize, to detect, to distinguish 10
Erkenntnis (*f.*), knowledge, realization 2
Erkennung (*f.*), recognition 1
erklären (*v.*), to explain, to declare, to illustrate 5
erklärlich (*adj.*), clear, plausible 1
Erklärung (*f.*), explanation 3
erlangen (*v.*), to obtain, to attain, to reach 2
erlauben (*v.*), to allow, to permit 2
erläutern (*v.*), to explain, to illustrate, to clarify 5
erleichtern (*v.*), to facilitate, to make easier 2
erleiden (*v.*), to undergo, to endure, to suffer 2
ermitteln (*v.*), to ascertain, to find out, to determine 7
Ermittlung (*f.*), determination, ascertainment 3
ermöglichen (*v.*), to make possible, to enable (to be carried out) 2
ermöglicht (*adj.*), possible 1
erneuern (*v.*), to renew 1
erniedrigen (*v.*), to lower, to decrease 2
Eroberung (*f.*), conquest 1
Eröffnungssitzung (*f.*), opening session or meeting 1
erörtern (*v.*), to discuss 1

Erörterung (*f.*), discussion, debate 1
erreichen (*v.*), to arrive at, to reach, to attain 4
errungen (*p.p.* of erringen), won 1
erscheinen (*v.*), to appear, to seem, to be published 8
erscheinend (*p. adj.*), appearing 1
Erscheinung (*f.*), appearance, phenomenon 6
Erschmelzung (*f.*), melting, fusion, smelting 1
erschöpfen (*v.*), to exhaust 1
erschöpfend (*p. adj.*), exhausting, exhaustive 1
erschweren (*v.*), to make difficult, to aggravate 2
ersehen (*v.*), to see (learn) by, to be clear 1
ersetzbar (*adj.*), replaceable 1.
ersetzen (*v.*), to replace, to substitute 3
ersichtlich (*adj., adv.*), illustrated, visible, evident(ly), clear(ly) 4
ersinnen (*v.*), to devise 1
ersparen (*v.*), to save, to spare 1
erst (*adj., adv.*), (at) first, not until, for the present, only; (*pron.*), der erste, the first one; erstere, former 59
Erstarren (*n.*), freezing, solidifying; zum — bringen, to solidify
erstarren (*v.*), to solidify, to congeal 5
erstarrt (*p. adj.*), hardened, congealed, solidified 1
Erstarre (*n.*), solidified material or matter 1
Erstarrung (*f.*), solidification, coagulation, freezing 2
Erstarrungspunkt (*m.*), freezing point 3
Erstarrungsvorgang (*m.*), solidification process 1
erstatten (*v.*), to give, to make good; Bericht —, to report 1
erstausgeschieden (*p. adj.* used

as noun), that which was first separated; the one which separated first 1

erstgegeben (*adj.*), given first 1

erstgenannt (*adj.*), first named or mentioned 1

erstickend (*p. adj.*), suffocating, choking 1

Erstickungsanfall (*m.*), choking attack 1

erstreben (*v.*), to strive for, to attain 1

erstrecken (*v.*), to extend, to stretch 1

erteilen (*v.*), to give, to impart, to grant 1

erübrigen (*v.*), to spare, to lay aside; **sich —** (**etwas zu tun**), to be superfluous 1

erwähnen (*v.*), to mention, to refer to 21

erwähnt (*p. adj.*), mentioned 1

Erwärmen (*n.*), heating 1

erwärmen (*v.*), to heat 17

Erwärmung (*f.*), heating, warming 4

erwarten (*v.*), to await, to expect 5

erweisen (*v.*), to prove; **sich — als**) to be found as 1

erweitern (*v.*), to broaden, to increase 1

erwerben (*v.*), to acquire 1

Erz (*n.*), ore 6

erzeugen (*v.*), to produce, to generate 18

Erzeugnis (*n.*), production, product 1

Erzeugung (*f.*), production 6

Erzeugungstemperatur (*f.*), temperature of production 1

Erzgang (*m.*), ore vein, lode 1

erzielbar (*adj.*), obtainable 2

erzielen (*v.*), to obtain, to attain, to get, to achieve 12

Erzielung (*f.*), attainment, achievement, obtaining 3

Erzkörper (*m.*), ore body 1

erzmikroskopisch (*adv.*), as microscopic ore, the manner of microscopic ore; (*adj.*), ore microscopic 4

Erzzusatz (*m.*), ore addition 1

***es** (*pron.*), it; (*impersonal*) there; **— gibt**, there is, there are

Espartogras (*n.*), esparto grass, Spanish grass 1

Essigäther (*m.*), acetic ether (ethyl acetate) 1

Essigsäure (*f.*), acetic acid 2

Essigsäureverbindung (*f.*), acetic acid compound 1

Ester (*m.*), ester 2

Etappe (*f.*), stage, steps 1

etwa (*adv.*), approximately, about, perhaps, nearly 63

etwaig (*adj.*), likely, possible 1

etwas (*indef. pron.*), somewhat, something, a little, some 16

Europa (*n.*), Europe 4

europäisch (*adj.*), European 2

eventuell (*adj.*), eventual, probable; (*adv.*), in the event of, perhaps 1

exakt (*adj.*), exact, accurate 2

Exhalation (*f.*), exhalation 1

existenzfähig (*adj.*), capable of existence 1

existieren (*v.*), to exist, to be 1

experimentell (*adj., adv.*), experimental(ly) 7

Explosion (*f.*), explosion 2

Explosionsprobe (*f.*), explosion test 1

Extinktionskoeffizient (*m.*), extinction coefficient 1

extrahart (*adj.*), extra hard 1

extrahieren (*v.*), to extract 2

Extraktion (*f.*), extraction 3

Extraktionsmittel (*n.*), extracting agent 1

extrapoliert (*p. adj.*), extrapolated 1

extraweich (*adj.*), extra soft 1

F

Fabrik (*f.*), factory, establishment 3

Fabrikation (*f.*), manufacture 6

Fabrikationsmethode (*f.*), production method 1

-fach (suffix), -fold, -times

Fach (*n.*), branch, profession 1

Faeces (*n. pl.*), feces 1

Fähigkeit (*f.*), ability, capacity, capability 1

Faktor (*m.*), factor 4

Faktorei (*f.*), factory 1

Fall (*m.*), case 32

fallen (*v.*), to fall; **es fällt ins Gewicht**, that is of weight, it is of importance 12

fällen (*v.*), to precipitate 1

fallend (*p. adj.*), decreasing, falling 1

falls (*conj.*), in case 3

Farbe (*f.*), color, dye 11

Farbeindruck (*m.*), color impression 2

Färbeknöterich (*m.*), colored knot grass (*Polygonum tinctorium*) 1

Färben (*n.*), dyeing; **zum** —, for dyeing 1

färben (*v.*), to color, to dye 7

färbend (*p. adj.*), coloring 1

Farbenfabrik (*f.*), dye factory 1

Färberei (*f.*), dye works, dyeing 6

farblos (*adj.*), colorless 7

Farbmaterial (*n.*), coloring material, dyestuff 1

Farbstoff (*m.*), coloring matter, dye 15

Färbung (*f.*), coloration, color 14

Farbwerke (*n. pl.*), dye works 2

Faser (*f.*), fiber 6

fast (*adv.*), almost, nearly 21

faulend (*adj.*), rotting, decaying 1

Fäulnis (*f.*), rottenness, putrefaction 3

Fäulniswirkung (*f.*), sepsis; **bei der** —, during putrefaction 1

Federharz (*n.*), feather resin, rubber 2

Federring (*m.*), spring ring 2

Federstahl (*m.*), spring steel 3

Fe-Gehalt (*m.*), iron content 1

Fe-haltig (*adj.*), iron-containing 1

Fehlen (*n.*), absence 1

fehlen (*v.*), to lack, to be absent 8

fein (*adj., adv.*), fine, thin, small; **feinst,** very fine(ly) 5

Feinblech (*n.*), thin-gaged plate, foil 1

Feinblechmaterial (*n.*), foil material, fine plate material 1

feingepulvert (*adj.*), pulverized 1

Feinguss (*m.*), small casting 2

feinkörnig (*adj.*), fine-grained; finely grained 2

feinschuppig (*adj.*), fine-flaky, scaly 1

feinverteilt (*adj.*), finely divided 5

Feldspat (*m.*), feldspar 2

Fe-Oberfläche (*f.*), iron surface 1

Fe-Pulver (*n.*), iron powder 1

Fe-reich (*adj.*), iron rich 1

fern (*adj.*), far, distant; (*adv.*), away, at a distance from 2

fernbleiben (*v.*), to remain away, to keep at a distance 1

ferner (*adj., adv.*), farther; furthermore, besides, moreover 29

Ferricyankalium (*n.*), potassium ferricyanide 2

Ferroaluminium (*n.*), ferroaluminum 2

Ferrocyankalium (*n.*), yellow prussiate of potash, potassium ferrocyanide 1

Ferrolegierung (*f.*), ferroalloy, iron alloying 5

ferromagnetisch (*adj.*), ferromagnetic 3

Ferromangan (*n.*), ferromanganese 2

Ferromangansilizium (*n.*), ferromanganese silicon 4
Ferrophosphor (*m.*), ferrophos-
phorus 2
Ferrosilikoaluminium (*n.*), fer-
rosilicoaluminum 2
Ferrosilizium (*n.*), ferrosilicon 1
Ferrosulfat (*n.*), ferrous sulfate 1
Ferrotitan (*n.*), ferrotitanium 2
fertig (*adj.*), ready, complete,
prepared, finished 3
Fertigerzeugnis (*n.*), ready product, finished product 5
fest (*adj.*), solid, firm 18
festern = festigen (*v.*), to make
fast or firm, to make solid 1
Festhalten (*n.*), retaining, holding 1
festhalten (*v.*), to hold fast, to
restrain, to adhere 3
Festigkeit (*f.*), solidity; tenacity
(of metals), tensile strength,
resistance 16
Festigkeitseigenschaft (*f.*), solidity 1
festlegen (*v.*), to fix, to define 1
Festlegung (*f.*), fixation, establishing, agreement 1
Festschrift (*f.*), anniversary
publication; publication in
celebration of a festival or
anniversary 1
feststellen (*v.*), to establish, to
determine, to ascertain 14
Feststellung (*f.*), determination,
establishment; — machen, to
establish, to discover, to ascertain 12
Fettsäure (*f.*), fatty acid 1
feuchten (*v.*), to dampen 1
Feuchtigkeit (*f.*), moisture,
dampness 2
feuchtigkeitsempfindlich (*adj.*),
moisture sensitive 1
Feuchtigkeitsgehalt (*m.*), moisture content 1
Feuer (*n.*), fire 1

feuerbeständig (*adj.*), fire-resist-
ing, fireproof 2
Feuererscheinung (*f.*), appear-
ance of fire 1
Feuergas (*n.*), fire gas, flue gas 3
feuergefährlich (*adj.*), inflammable 1
Feuerrohr (*n.*), fire tube 1
feurig (*adj.*), fiery, igneous 1
Feurungsgas (*n.*), furnace gas 1
Fibrin (*n.*), fibrin 1
Fichtenspan (*m.*), pine chip 1
Figur (*f.*), figure 1
Filtrat (*n.*), filtrate 2
filtrieren (*v.*), to filter 3
finden (*v.*), to find, to discover 37
Fittingseisen (*n.*), iron for fittings 1
fixieren (*v.*) to fix 1
flach (*adj.*), flat, level 2
Fläche (*f.*), surface 2
Flacheisen (*n.*), flat (bar) iron 2
flächenreich (*adj.*), rich in (full
of) surfaces, polyhedral 2
Flamme (*f.*), flame 4
Flanschenrohr (*n.*), flanged pipe 2
Flasche (*f.*), flask, bottle 2
fleischern (*adj.*), fleshy, meaty 1
fliessen (*v.*), to flow, to melt 2
Flitter (*m.*), spangle, tinsel 1
flüchtig (*adj.*), volatile 4
Flügelplatten (*f. pl.*), grand piano
plates 1
Flugzeug (*n.*), airplane 1
Flugzeugbau (*m.*), airplane con-
struction 1
Fluor (*n.*), fluorine 2
Fluorescenz (*f.*), fluorescence 1
Fluss (*m.*), stream, river 1
Flusseisen (*n.*), ingot iron, very
low-carbon steel, soft steel 8
flüssig (*adj.*), liquid, fluid 36
Flüssigkeit (*f.*), liquid, fluidity 17
Flüssigkeitsmenge (*f.*), amount
of liquid 1
Flüssigkeitsnebel (*m.*), mist 1
Flüssigkeitsspiegel (*m.*), surface
of a liquid, liquid mirror 2

Flussigkeitstropfen (*m.*), liquid
drop — 2
Fluss-Schmiedeisen (*n.*), malleable ingot iron — 1
Flussstahl (*m.*), ingot steel — 1
Folge (*f.*), series, sequence; **in der** —, subsequently, hereafter, in the future — 4
folgen (+ dat.) (*v.*), to follow — 23
folgend (*p. adj.*), following — 6
folgendermass(en) (*adv.*), as follows — 1
folgerichtig (*adj.*), consistent, logical — 1
Folgezeit (*f.*), following period, time to come — 1
Fördererz (*n.*), pit ore — 1
fördern (*v.*), to further, to promote — 1
Forderung (*f.*), condition, demand, claim, requirement — 1
Form (*f.*), mold; form, shape, cut, size; **in** — **von**, in the shape of — 23
Formaldehyd (*n.*), formaldehyde — 1
Formänderung (*f.*), change of form — 1
Formänderungsfähigkeit (*f.*), ability to change form, plasticity, ductility — 1
Formeisen (*n.*), structural iron — 2
Formel (*f.*), formula — 14
Formelbild (*n.*), structural formula — 1
Formel-Rudiment (*n.*), basic formula — 1
formen (*v.*), to form, to shape, to mold, to cast — 1
Formguss (*m.*), casting shape — 1
formulieren (*v.*), to formulate — 3
Forscher (*m.*), investigator, research man, scientist — 3
Forschung (*f.*), investigation, research — 3
fort (*adv.*), away, on, off, gone, along — 2
Fortgang (*m.*), progress, advance — 1

fortlassen (*v.*), to leave out, to let go, to omit — 1
fortlaufend (*p. adj.*), continuous, running — 1
Fortschritt (*m.*), progress, development — 1
Fortschrittsbericht (*m.*), report of progress — 2
fortwachsen (*v.*), to grow on, to keep growing — 1
Frage (*f.*), question, problem; **in** — **kommen**, to come under consideration — 12
fraglich (*adj.*), in question — 3
Fraktion (*f.*), fraction — 2
Fraktionieren (*n.*), fractionation — 2
fraktionieren (*v.*), to fractionate — 1
Fraktionierkolben (*m.*), fractionating flask — 4
fraktioniert (*adj.*), fractionated, fractional — 4
Frankreich (*n.*), France — 1
Franzose (*m.*), French(man) — 1
französisch (*adj.*), French — 2
frei (*adj.*), free; — **werden**, to be liberated, to be set free — 16
Freie (*n.*), the open, the air — 1
freigelegt (*p. adj.*), freely opened — 1
Freiheit (*f.*), freedom; liberty; **in** — **setzen**, to set free, to liberate — 2
freilich (*adv.*), to be sure, indeed — 3
freiliegend (*p. adj.*), uncovered — 1
freiwerdend (*p. adj.*), being set free, nascent — 1
Freiwerden (*n.*), liberation — 1
fremd (*adj.*), foreign, strange — 1
Fremdkörper (*m.*), foreign substance, impurity — 9
Fremdstoff (*m.*), foreign matter, impurity — 2
frieren (*v.*), to freeze, to congeal — 1
frisch (*adj.*), fresh, new, unused — 2
Frischarbeit (*f.*), refining — 1
Frischen (*n.*), refining (of metals) — 1
Frucht (*f.*), (*pl.*, **Früchte**), fruit, product — 1

früh (*adj.*), soon, early 3

früher, (*adj., adv.; comp.* of früh), earlier, sooner, for-mer(ly) 16

frühzeitig (*adj.*), early, prema-ture 2

fügen (*v.*), to join, to unite, to fit together, to add 1

fühlbar (*adj.*), appreciable, per-ceptible, " felt " 1

führen (*v.*), to lead, to guide, to conduct, to carry 14

Führung (*f.*), leadership, direc-tion 1

füllen (*v.*), to fill up, to put in, to stuff 6

füllend (*adj.*), filling 1

Füllstoff (*m.*), filling material, filler 1

Fund (*m.*), discovery 1

Fundstätte (*f.*), locality (where something is discovered) 1

fünf (*adj.*), five 1

fünfmal (*adj.*), five times 1

fünft(e) (*adj.*), fifth 2

Fünfzahl der Ringglieder (*f.*), five number (of links) 1

Funktion (*f.*), function 1

für (*prep.* with acc.), for; an und — sich, in itself, taken by it-self (themselves) 195

Fussboden (*m.*), floor, ground 1

G

Gang (*m.*), course; vein (mining) 2

ganz (*adj.*), whole, all; (*adv.*), very, quite 27

gar (*adv.*), even, quite, entirely, fully, at all; — nicht, not at all, by no means 2

gären (*v.*), to ferment 1

Gärung (*f.*), fermentation 2

Gärungsvorgang (*m.*), fermenta-tion process 1

Gas (*n.*), gas 72

Gasabgabe (*f.*), escape of gas 1

Gasanalyse (*f.*), gas analysis 2

Gasart (*f.*), kind of gas 3

Gasatmosphäre (*f.*), gaseous at-mosphere, air atmosphere, at-mosphere 1

Gasbestimmung (*f.*), gas deter-mination 2

Gasblase (*f.*), gas bubble 9

gasblasenfrei (*adj.*), free of gas bubbles, bubble-less 1

gasdicht (*adj.*), gas-tight 2

Gasdurchlässigkeit (*f.*), permea-bility to gas 1

Gasentwicklung (*f.*), gas evolu-tion 5

gasförmig (*adj.*), gaseous 5

Gasgehalt (*m.*), gas content 7

Gasgemisch (*n.*), gas mixture 3

Gasgesetz (*n.*), gas law 1

gashaltig (*adj.*), containing gas 1

Gashohlraum (*m.*), gas pocket, gas hollow, air pocket (avia-tion) 1

Gaskampf (*m.*), gas attack, gas war 1

Gaskampfstoff (*m.*), war gas ma-terial 1

Gasleitung (*f.*), piping of gas, gas supply 2

Gasmenge (*f.*), quantity of gas 8

Gasraum (*m.*), gas volume 1

Gasstrom (*m.*), gas stream or current 4

Gaszusammensetzung (*f.*), gas composition, gas synthesis 2

Gattierung (*f.*), mixture of ores, mixing, sorting (suitable sort-ing of scrap material) 8

Gattung (*f.*), genus 1

geben (*v.*), to give, to yield, to add, to feed; es gibt, there is, are 35

Gebiet (*n.*), region, department, field, range 8

gebogen (*p.p.* of biegen), bent 1

Gebrauch (*m.*), use, custom, practice 1

gebrauchen (*v.*), to use, to employ 1

gebräuchlichst (*adj.*), (*superl.* of **gebräuchlich**), most usual, most ordinary 1

Gebrauchswasser (*n.*), usable water, drinking water 1

gebunden (**an**) (*p. adj.*), combined (to), connected (with) 3

gedeihen (*v.*), to thrive 1

geeignet (*adj.*), suitable, proper 11

gefährlich (*adj.*), dangerous 1

gefärbt (*p. adj.*), colored, dyed 1

Gefäss (*n.*), vessel 12

Gefolge (*n.*), attendants; **im — haben**, to involve, to entail 1

gefrieren (*v.*), to freeze 1

Gefrierenlassen (*n.*), allowing of freezing 1

Gefrierpunktsernierdrigung (*f.*), freezing-point, lowering 1

geführt (*p. adj.*), led, conducted 1

gefüllt (*p. adj.*), filled 2

gegeben (*p. adj.*), given 1

gegen (*prep.* with acc.), against, around, towards, to 26

Gegensatz (*m.*), opposition, contrast; **im — zu**, in contrast to, contrary to 5

gegenseitig (*adj.*), reciprocal, mutual 3

Gegenstand (*m.*), object, affair, topic 8

Gegenstromprinzip, (*n.*), countercurrent principle 1

gegenüber (*adv.*), in contrast with, opposite 2

Gegenwart (*f.*), presence; **in — von**, in the presence of 22

gegenwärtig (*adv., adj.*), (at) present, actual 3

geglüht (*p. adj.*), annealed 1

Gehalt (**an**) (*m.*), content(s) (of); capacity, extent, yield (of) 16

gehalten (*p.p.* and *adj.;* see **halten**), held, considered 3

gehen (*v.*), to go; **vor sich —**, to

occur; **weit auseinander —**, to differ greatly (from) 10

gehören (*v.* + dat.), to belong (to) 14

gehörig (*adj., adv.*), proper(ly), belonging, suitable 3

Gel (*n.*), gel (the solid or jelly-like mass produced by the coagulation of a colloidal solution)

gelangen (**zu**) (aux. **sein**) (*v.*), to arrive, to reach, to attain, to come to 10

Gelatine (*f.*), gelatine 1

gelb (*adj.*), yellow 14

gelblich (*adj.*), yellowish 2

gelblichrot (*adj.*), yellowish red 1

gelegentlich (*adv.*), occasionally, on the occasion, incidentally 5

gelingen (**a**, **u**) (aux. **sein**) (+ *dat.*), to succeed, to be successful 6

gelöst (*p.p.* and *adj.*), dissolved 4

Gelöste (*n.*), dissolved part, solute 1

gelten (**von** or **als**) (*v.*), to hold good (for), to hold (be) true; to be worth, to pass for, to have value 4

geltend (*adj.*), having value, valid 1

Geltung (*f.*), value, worth 1

gemäss (*prep.* with preceding or following dat.), according to, in conformity to 8

gemeinsam (*adj., adv.*), common(ly), joint(ly) 1

Gemenge (*n.*), mixture; conglomerate (petrog.) 1

Gemisch (*n.*), mixture; **im — mit**, in a mixture with 19

gemustert (*p. adj.*), patterned, designed 1

genau (*adj., adv.*), exact(ly); precise(ly); **Genaueres** (*n.*), more precise information 7

Genauigkeit (*f.*), accuracy 1

genetisch (*adj.*), genetic(ally) 1

genug (*adv.*), enough 2

genügen (v. with dat.) to satisfy, to suffice, to do 5

genügend (adj., adv.), sufficient(ly), satisfactory 2

Gepflogenheit (f.), custom, habit 1

gereinigt (p.p. and adj.), purified 1

gering (adj.), small, slight, scanty 43

geringer (adv.), less, inferior 4

geringfügig (adj.), insignificant, unimportant, petty 1

Geruch (m.), odor 6

geruchlos (adj.), odorless 2

Geruchswirkung (f.), odor effect 1

gesamt (adj.), whole, entire, total 2

Gesamtgasgehalt (m.), total gas content 1

Gesamtleistungsfähigkeit (f.), total capacity of output 2

Gesamtoperation (f.), total (entire) operation 1

Gesamttrockensubstanz (f.) total dried substance 1

Gesamtverbrauch (m.), total consumption 2

Gesamtvolumen (n.), entire volume 1

gesätt. = abbrev. of gesättigt (p.p. and adj.), saturated 7

geschehen (impersonal v., aux. sein), to happen, to come to pass, to take place 2

Geschichte (f.), history, story 2

geschichtlich (adj.), historical; Geschichtliches (n.), historical account, history 8

Geschirrguss (m.), apparatus casting 2

geschlossen (p. adj.), closed 1

Geschmack (m.), taste 1

geschmiedet (p.p. of schmieden, as adj.), wrought, forged 2

geschmolzen (p.p. of schmelzen, as adj.), molten, fused 4

Geschosskörper (m.), projectile (body); (pl.), shell bodies 2

Geschwindigkeit (f.), speed, velocity 5

Gesellschaft (f.), society, company 4

Gesetz (n.), law 2

Gesetzmässigkeit (f.), conformity to law, regularity 1

Gesichtspunkt (m.), point of consideration, viewpoint 2

Gespann (n.), group, bottom plate 4

Gestalt (f.), figure, form, shape 1

Gestaltung (f.), form, state 1

gestatten (v.), to permit, to grant, to consent to 2

Gestein (n.), rock, mineral 2

gesteinbildend (pr. p. and adj.), rock-making, rock-forming 1

Gesteinwelt (f.), rock world, lithosphere 1

getaucht (p.p. of tauchen), dipped 1

geteilt (p. adj.), divided (see teilen) 1

getrennt (adv.), separately 2

getrocknet (p.p. of trocknen and adj.), dried 2

gewahrt (p. adj.), protected, preserved 1

Gewebe (n.), tissue, fabric 2

Gewicht (n.), weight, gravity, importance; ins — fallen, to be of importance 12

Gewichtskonstanz (f.), constancy of weight 2

Gewichtsprozent (n.), per cent by weight 2

Gewichtsverlust (m.), loss in weight 1

Gewichtsverringerung (f.), weight diminution 1

Gewichtszunahme (f.), increase, gain in weight 1

gewinnbar (adj.), obtainable, producible 1

gewinnen (v.), to win, to obtain, to get, to extract 34

Gewinnung (f.), obtaining, production 12

gewiss (adj., adv.), certain(ly), sure(ly), indeed 18

gewöhnen (v.), to accustom to 4
gewöhnlich (adj.), usual, ordinary 30
gewünscht (p. adj.), wanted, desired 1
Giessen (n.), casting 3
giessen (v.), to pour, to cast 1
Giessereieisen (n.), foundry iron 1
Giessereifertigerzeugnis (n.), finished foundry production 2
Giessereiroheisensorten (f. pl.), foundry pig iron varieties 2
Giessereitechnik (f.), foundry technique, foundry skill 2
Giessereiwesen (n.), foundry practice 1
Giessereizweck (m.), foundry purpose 1
giftig (adj.), poisonous 2
gilt see gelten 1
Gips (m.), gypsum, plaster of Paris 1
Gipslösung (f.), gypsum solution 1
Gitter (n.), iron wire, lattice, grate, grating, screen 4
glänzend (adj.), glittering, brilliant 2
Glas (n.), glass 5
Glasflasche (f.), glass flask 1
Glasgefäss (n.), glass vessel 1
Glashäkchen (n.), small glass hook, clasp 1
Glaskopf (roter), (m.), hematite (fibrous) 4
Glasrohr (n.), glass tube 7
Glasstab (m.), glass rod 1
glatt (adj.), smooth, glossy, readily 4
glauben (v.), to believe 1
gleich (adj.), equal, like, similar; das gleiche, the same thing 35
gleich (conj.), likewise 2
Gleichbleiben (n.), constancy 1
gleichen (v.), to be similar to 1
gleichfalls (adv.), likewise 1
Gleichgewicht (n.), equilibrium; balance 2

Gleichgewichtsdruck (m.), equilibrium pressure 1
Gleichgewichtspotential (n.), equilibrium potential 1
Gleichgewichtszustand (m.), equilibrium condition 3
gleichmässig (adj.), uniform, homogeneous 3
gleichmolekular (adj.), equal molecular, similar to molecules 2
Gleichung (f.), equation 3
gleichzeitig (adj., adv.), simultaneous(ly), contemporary 8
Gleitfläche (f.), slip plane 3
Glied (n.), member 2
Gliederung (f.), organization, division 1
Glühbehandlung (f.), annealing (treatment), heat treatment 4
Glühen (n.), glowing, calcination 2
glühen (v.), to glow, to ignite, to calcine, to anneal 2
Glycerin (n.), glycerol 2
Glykosid (n.), glucoside 1
Glykuronsäure (f.), glucuronic acid 1
Glyoxylsäure (f.), glyoxylic acid 1
Goethit (m.), goethite 1
Goldchloridchlorwasserstofflösung (f.), HCl soln. of gold chloride 1
Goldgewinnung (f.), gold extraction 1
Goldquarzgänge (m. pl.), veins of auriferous quartz 1
Gold- und Silber-Scheideanstalt (f.), gold and silver refinery 3
Grad (m.), degree, rate 4
Gramm (n.), gram 6
graphisch (adj., adv.), graphic-(ally) 5
Graphit (m.), graphite, black lead 2
Graphitausscheidung (f.), graphite separation 1
Graphitgehalt (m.), graphite content 1
grau (adj.), gray 3

Grauguss (*m.*), gray-iron casting 7
Graugussschrott (*m.*), gray cast-
iron scrap 2
grauweiss (*adj.*), grayish white 1
Greenalit (*m.*), greenalite 1
greifen (*v.*), to grasp, to seize, to
catch 2
Grenzdichte (*f.*), density limit 1
Grenze (*f.*), limit, boundary, line
of demarcation, point 9
Grenzfall (*m.*), limiting (border)
case 1
Grenzkonzentration (*f.*), concentration limit 1
grob (*adj.*), coarse, rough, gross 1
Grobblech (*n.*), heavy plate 1
grobkörnig (*adj.*), coarse-grained 1
grobstrahlig (*adj.*), coarsely fibrous 1
gross (*adj.*), great, large; **am
grössten** (superlative), largest,
greatest; **im grossen,** in bulk,
on a large scale 72
Grossblech (*n.*), thick plate 1
Grösse (*f.*), quantity 1
grosstechnisch (*adj.*), large-scale
(commercial) production 1
grösstenteils (*adv.*), for the most
part 3
Grosszahlforschung (*f.*), great
number of investigations,
large-scale research 1
grosszügig (*adj.*), on a large scale,
elaborate 1
Grube (*f.*), pit, hole, mine 1
grün (*adj.*), green 3
Grund (*m.*), ground(s), basis,
reason; **auf —,** because of, on
the basis of; **aus kaufmännischen Gründen,** for commercial reasons 9
Grundbedingung (*f.*), fundamen-
tal or basic stipulation, prime
requirement 1
gründen (*v.*), to base, to establish 1
Grundlage (*f.*), basis, foundation 3

grundsätzlich (*adj.*), fundamen-
tal 1
grüngelb (*adj.*), greenish yellow 1
grünlichgelb (*adj.*), greenish yellow 2
Gruppe (*f.*), group, grouping 29
Gruppierung (*f.*), grouping 1
Guanylharnstoffsulfat (*n.*), gua-
nylurea sulfate 1
Gummi elasticum (*n.*), (Latin),
rubber 1
Gummischlauch (*m.*), rubber
tubing 1
Gummistopfen (*m.*), rubber
stopper 2
günstig (*adj.*), favorable, beneficial, advantageous 1
Guss (*m.*), casting, founding 20
Gusseisen (*n.*), cast iron 3
Gussstahl (*m.*), cast steel 1
Gussstück (*n.*), casting, cast 2
Gusswaren (*f. pl.*), castings,
foundry goods 6
gut (*adj. adv.*), good, favorable,
well 15
Güte (*f.*), quality, worth, excel-
lence 2
Güteabstufung (*f.*), gradation
in quality 2
Gütestufe (*f.*), grade of quality 1

H

haben (*v.*), to have; — **zu,** to
have to
Habitus (*m.*), habit, form, constitution 1
haften (an) (*v.*), to adhere (to),
to stick (to), to cling (to) 3
Hakennagel (*m.*), hook nail,
spike 2
Hakenplatte (*f.*), hook plate 2
Hakenschraube (*f.*), hook-screw,
hook-bolt 2
halb (*adj., adv.*), half 2
Halbrundeisen (*n.*), half round
(bar) iron 2
Hälfte (*f.*), half 1

Hallenbäder (*n. pl.*), public swimming pools　1
Halogen (*n.*), halogen　6
Halogenatom (*n.*), halogen atom　1
Halogenderivat (*n.*), halogen derivative　1
Halogenid (*n.*), halide　2
Halogenierung (*f.*), halogenation　2
Halogenverbindung (*f.*), halogen compound　1
halogenwasserstoffabspaltend (*p. adj.*), splitting off hydrogen halide　1
Halogenwasserstoffsäure (*f.*), hydrohalic acid　1
halogenwasserstoffsaueres (*adj.*), **Salz**, a salt of hydrohalic acid　1
Hals (*m.*), neck, throat　2
halten (für) (*v.*), to consider (as), to hold　5
–haltig (suffix), containing, holding, yielding, –ferous　2
Hämatit (*m.*), hematite　19
Hand (*f.*), hand; **an —**, by means; **zur — haben**, to have on hand　2
Handbuch (*n.*), handbook, manual　8
Handel (*m.*), trade, industry, market, commerce; **in** (**den**) **— bringen** (**kommen**), to be put (placed) on the market; **im —**, on the market　7
handeln (*v.*), to act; **— von**, to treat of; **sich — um**, to be a question of, to deal with; **es handelt sich um**, it is a question about　6
Handelseisen (*n.*), commercial or merchant iron　3
Handelsprodukt (*n.*), commercial product　1
Handelsware (*f.*), commercial article, merchandise　2
Handlexikon (*n.*), pocket or school dictionary　1
Harn (*m.*), urine　5

Harn-Indican (*n.*), indican in urine　1
Harnstoff (*m.*), urea, carbamide　22
Harnstoffbildung (*f.*), urea formation　2
Harnstoffmenge (*f.*), amount of urea　1
Harnstoffreaktion (*f.*), urea reaction　1
hart (*adj.*), hard　8
Härtbarkeit (*f.*), ability to be hardened (tempered)　1
Härte (*f.*), hardness, tempering　5
Härten (*n.*), hardening　1
Härtesteigerung (*f.*), increasing hardness, increasing temper　1
Härtetemperatur (*f.*), hardening temperature, tempering temperature　1
Hartglasrohr (*n.*), hard-glass tube　1
Hartguss (*m.*), hard casting, chilled casting　2
Harz (*n.*), resin　3
harzig (*adj.*), resinous　1
häufig (*adj., adv.*), frequent(ly); **am —sten** (superlative absolute), most frequently　16
haupt (*adj., adv.*), principal(ly), main(ly), chief(ly)　4
Hauptabschnitt (*m.*), chief section　1
Hauptelement (*n.*), chief element　2
Hauptfehler (*m.*), chief defect　1
Hauptgruppe (*f.*), chief group, principal group　1
Hauptmenge (*f.*), principal quantity　2
Hauptprodukt (*n.*), main product　6
Hauptsache (*f.*), main point, chief matter; **in der —**, mainly, above all　5
hauptsächlich (*adj., adv.*), main(ly), chief(ly), principal(ly)　7
Hauptwirkung (*f.*), principal action　1

Häutchen (*n.*), thin skin, film, membrane 1

heftig (*adj.*), severe, vigorous, violent 2

Heidelberg (*n.*), Heidelberg (city in Germany, home of a famous old university) 1

Heilmittel (*n.*), remedy, medicine 1

Heim (*n.*), home 1

heiss (*adj.*), hot 9

heissen (*v.*), to be called, to be named 10

Heissextraktionsverfahren (*n.*), hot extraction process 3

heizen (*v.*), to heat 1

Heizflamme (*f.*), heating flame 1

Heizkörper (*m.*), hot body 2

Heizschlange (*f.*), heating coil 1

Helianthin (*n.*), helianthine 1

hell (*adj.*), bright, light 2

hellbraun (*adj.*), light brown 1

Heptan (*n.*), heptane 1

Herabgehen (*n.*), going down, dropping, descending 1

herabgehen (*v.*), to go down, to drop 2

herabmindern (*v.*), to diminish 1

herabsetzen (*v.*), to put lower down, to reduce 1

herandiffundieren (*v.*), to diffuse 1

heranziehen (*v.*), to refer to 1

herausfraktioniert (*p.p.* and *adj.*), fractionated out 1

herausgeben (*v.*), to edit, to publish 1

herausstellen (**sich**) (*v.*), to prove, to show, to set forth 2

herauswaschen (*v.*), to wash out 1

Herausziehen (*n.*), removal 1

herausziehen (*v.*), to draw out, to extract 1

herb (*adj.*), tart, sharp, acid 1

herbeiführen (*v.*), to bring about, to cause 2

Herbeiführung (*f.*), bringing about, production, cause 2

herbeischaffen (*v.*), to collect, to produce, to procure, to furnish, to provide 1

Herd (*m.*), hearth, fireplace 5

Herdofen (*m.*), hearth furnace 2

hergestellt (*adj.*), manufactured 1

Herkunft (*f.*), origin, source 1

herrschen (*v.*), to prevail 1

herrühren (**von**) (*v.*), to proceed, to come (from), to be derived (from), to be due (to) 3

herstellbar (*adj.*), preparable, producible 1

herstellen (*v.*), to prepare, to manufacture, to produce, to make 41

Hersteller (*m.*), producer 2

Herstellung (*f.*), production, preparation, manufacture 30

Herstellungsmethoden (*f. pl.*), methods of preparation or production 1

Herstellungsprozess (*m.*), manufacturing process 1

Herstellungsverfahren (*n.*), manufacturing process, method of preparation 5

Herstellungsvorgang (*m.*), manufacturing process 1

herum (*adv.* and *sep. prefix*), around, round about 1

hervorbringen (*v.*), to bring forth, to produce 2

hervorgehen (*v.*), to come from, to result, to arise, to originate, to be evident 3

hervorheben (*v.*), to emphasize, to bring into prominence 5

Hervorhebung (*f.*), emphasis, stress 1

hervorragen (*v.*), to be prominent, to project 1

hervorragend (*adj.*), outstanding, prominent, excellent, salient 3

hervorrufen (*v.*), to cause, to call forth, to bring about, to produce 4

hervortreten (*v.*), to stand out, to appear; — **lassen**, to state, to emphasize   4

heterocyclisch (*adj.*), heterocyclic   1

heute (*adv.*), today, nowadays; — **noch**, even today   12

heutig (*adj.*), of the present day, present, modern   1

Hexabrombenzol (*n.*), hexabromobenzene   1

Hexachlorcyclohexadienon (*n.*), hexachlorocyclohexadienone   1

hier (*adv.*), here   1

hieran (*adv.*), at this, on this   1

hierauf (*adv.*), hereupon, upon this or that, to this, after that   4

hieraus (*adv.*), hence, out of this, hereby   2

hierbei (*adv.*), herewith, during this, at this (process)   6

hierdurch (*adv.*), by this means, by this, on account of this   2

hierfür (*adv.*), for this, for it   5

hierher (*adv.*), to this place, here, this way, hither   4

hierhergehörig (*adj.*), belonging here, pertinent to this   1

hiermit (*adv.*), herewith, with this (it)   2

hiernach (*adv.*), according to this, in this way, after this   4

hierüber (*adv.*), concerning this, about this or that, on this account   4

hiervon (*adv.*), of this or these   1

hierzu (*adv.*), in addition to this, moreover; to it; for this, that, it   11

Hilfe (*f.*), help, aid; **mit** —, by means of   7

Hilfsmittel (*n.*), help, means, aid, remedy   2

hin (*adv. and sep. prefix* expressing motion from the speaker) thither, towards, with reference   1

hinaus (*adv.*)., out, beyond   2

hindern (*v.*), to prevent   1

hindeuten (**auf**) (*v.*), to point (to)   1

hindurchführen (*v.*), to lead through, to conduct through   1

hindurchstecken (*v.*), to stick through   1

hineindiffundieren (*v.*), to diffuse into   1

hineingelangen (*v.*), to rush into, to get in, to enter in   1

hineingelangend (*p. adj.*), entering   1

hingegen (*adv.*), on the contrary, on the other hand   1

hinreichen (*v.*), to suffice, to do   1

hinreichend (*p. adj.*), sufficient   1

Hinsicht (*f.*), regard, view, consideration; **mit** — **auf**, with respect to, respective   2

hinsichtlich (*prep. with gen.*), with respect to, with regard to, as to   4

hinter (*adv.*), behind   1

hinterbleiben (*v.*), to remain (behind), to stay behind   1

Hinweis (*m.*), reference, hint, indication   2

hinweisen (**auf**) (*v.*), to refer (to), to show, to point (to)   3

hinzufügen (*v.*), to add, to append to   1

hinzukommen (*v.*), to be added to, to join   1

historisch (*adj.*), historical   7

historisch-bibliographisch (*adj.*), historical-bibliographical   1

Hitze (*f.*), heat; **in der** —, in a hot state   5

hoch (*adj.*), high, tall   15

Hochglanz (*m.*), brilliancy, high luster   1

hochglänzend (*p. adj.*), highly polished, shiny   1

hochkonzentriert (*p. adj.*), highly concentrated   1

hochmolekular (*adj.*), high mo-

lecular, having a high molecular weight 1
Hochofen (m.), blast furnace 5
Hochofenprozess (m.), blast-furnace process 1
hochsiedend (p. adj.), high boiling 4
höchst (adj. and adv., super. of hoch), highest, very, extremely 4
Höchstausbeute (f.), highest yield 1
höchstens (adv.), at most 1
hochwertig (adj.), highly valuable 1
Höhe (f.), height, altitude, point 13
höher (adj. comp. of hoch), higher, superior 30
Holz (n.), wood 4
Holzkohle (f.), charcoal 4
Holzteer (m.), wood tar 1
homogen (adj.), homogeneous 2
homolog (adj.), homologous 3
Homologe (n.), homologue, member of the same homologous series 1
hören (v.), to hear 3
hübsch (adj.), pretty 2
Hufnageleisen (n.), horseshoenail iron 1
Hufstabeisen (n.), horseshoe iron 1
Hund (m.), dog 3
Husten (m.), cough 1
Hut (m.), hat, covering, cap, top 2
Hydrat (n.), hydrate 3
Hydrazin (n.), hydrazine, $(NH_2)_2$ 2
Hydrazinhydrat (n.), hydrazine hydrate 2
Hydrazoformamid (n.), hydrazoformamide 1
hydriert (p. adj.), hydrogenated 1
Hydrochinon (n.), hydroquinone 6
Hydrochlorid (n.), hydrochloride 1
Hydrocumarsäure (f.), hydrocoumaric acid 2
Hydrocyansäure (f.), hydrocyanic acid 1

Hydrolyse (f.), hydrolysis 9
Hydrolysenprodukt (n.), product of hydrolysis 1
hydrolysieren (v.), to hydrolyze 1
Hydrosulfit (n.), hydrosulfite 2
hydrothermal (adj.), hydrothermal 5
Hydroxyd (n.), hydroxide 6
Hydroxyl (n.), hydroxyl 1
Hydroxylamin (n.), hydroxylamine 2
Hydroxylaminlösung (f.), hydroxylamine solution 1
Hydroxylaminsalz (n.), hydroxylamine salt 2
Hygiene (f.), hygiene 1
Hypochlorit (n.), hypochorite 2

I

identifizieren (v.), to identify 1
Identifizierung (f.), identification 1
identisch (adj.), identical 2
Identität (f.), identity 1
idiomorph (adj.), idiomorphous 1
*ihm, to it, for it, him; bei —, with it
*ihn, him, it; ihnen, (to) them
*ihr its, their, to it (her)
Ilmenit (m.), ilmenite, titaniferous iron 1
Ilmenitentmischungstafel (f.), ilminite disintegration flake 1
im = in dem, in the
Imino-Gruppe (f.), imino group 1
immer (adv.), always, ever; (+ comp.) more and more 7
immerhin (adv. and particle), still, yet, after all, nevertheless 2
Immersion (f.), immersion; bei —, on immersion 4
Import (m.), import 1
importieren (v.), to import 1
imprägnieren (v.), to impregnate 2
in (prep. with dat. and acc.), in, into, at 748

indem (*conj.*), while, by, as, when, in that; by (+ Eng. –ing) 21
indes(sen) (*adv.*), meanwhile, in the meantime; (*conj.*), while, however 6
Indican (*n.*), indican 5
Indien (*n.*), India 4
indifferent (*adj.*), passive, inert 1
Indigblau (*n.*), indigo blue 72
Indigblau-Konstitution (*f.*), constitution of indigo blue 1
Indigo (*m.*), indigo 54
indigo-ähnlich (*adj.*), resembling indigo 2
Indigo-Bildung (*f.*), indigo formation 1
Indigobraun (*n.*), indigo brown 1
Indigo-diimid (*n.*), indigo diimide 1
Indigo-Druckfarbe (*f.*), indigo printing color 1
Indigo-Färberei (*f.*), indigo dyeing 1
Indigo Farbstoff (*m.*), indigo dyestuff 1
Indigofera (Lat. *pl.*) (= **Indigopflanze**) Indigofera 2
Indigofera-Arten (*f. pl.*) (botany) Indigofera-species 1
Indigo-Formel (*f.*), indigo formula 2
indigoid (*adj.*), indigoid 3
Indigoleim (*m.*), indigo gluten, indigo gelatin 1
indigoliefernd (*adj.*), indigo bearing or producing 2
Indigo-Molekül (*n.*), indigo molecule 1
Indigo-monimid (*n.*), indigo monimide 1
Indigo-Problem (*n.*), indigo problem 1
Indigo-Quelle (*f.*), indigo source 1
„Indigo S" (*m.*), indigo " S " 1
Indigo-Synthese (*f.*), indigo synthesis 1
Indigotin (*n.*), indigotine, indigo blue (= **Indigoblau**) 5

Indigweiss (*n.*), reduced indigo, indigo white 12
indirekt (*adj.*), indirect 1
Indirubin (*m.*), indirubin 2
Indogen (*n.*), indogen 1
Indol (*n.*), indole 5
Indol-α-carbonsäure (*f.*), indol-α-carboxylic acid 1
Indol-β-carbonsäure (*f.*), indol-β-carboxylic acid 1
Indol-Derivat (*n.*), indole-derivative 1
Indol-Gruppe (*f.*), indole group 1
Indol-Kern (*m.*), indole nucleus 1
Indol-Komplex (*m.*), indole complex 12
Indol-Körper (*m.*), indole substance 3
Indophenol (*n.*), indophenol 4
Indoxyl (*n.*), Indoxyl 17
Indoxylaldehyd (*m.*), indoxyl aldehyde 2
Indoxyl-α-carbonsäure (*f.*), indoxyl-α-carboxylic acid 1
Indoxylrot (*n.*), indoxyl red 1
Indoxylsäure (*f.*), indoxylic acid 3
Indoxyl-Schmelze (*f.*), indoxylmelt 1
Induktion (*f.*), induction 3
Induktionsofen (*m.*), induction furnace 1
Industrie (*f.*), industry 12
industriell (*adj.*, *adv.*), industrial(ly) 4
infolge (*prep.*), on account of 7
infolgedessen (*adv.*), on account of this, in consequence (of it), consequently, accordingly, as a result 1
ingeniös (*adj.*), ingenious 1
Inhalt (*m.*), content, contents 2
Inlösunggehen (*n.*), going into solution, dissolving, solution 2
Innenreflex (*m.*), inner reflection 1
innere (*adj.*), inner, internal 1
innerhalb (*prep.* with gen.), within, inside 2

insbesondere (*adv.*), especially, in particular 8

insofern (*conj.*), in so far (as) 2

insoweit (*conj.*), in so far 1

Institut (*pl.* Institute) (*n.*), establishment, institute, academy 3

intensiv (*adj.*), intensive, extreme 2

interessant (*adj.*), interesting 3

Interesse (*n.*), interest 3

interessieren (*v.*), to interest 1

intermediär (*adj.*), intermediate 1

international (*adj.*), international 1

Interpretation (*f.*), interpretation 1

Invar (*n.*), Invar (steel) 1

Invardraht (*m.*), Invar wire 1

inwieweit (*conj.*), how far 1

inzwischen (*adv.*, *conj.*), in the meantime, meanwhile 1

Ion (*n.*), ion 3

Iozit (*n.*), iozite 3

irdisch (*adj.*), terrestrial 1

irgendein (*adj.*), any (whatsoever) 1

irgendeiner (*adj.*), any(body), any(one) 3

irgendwelche (*pron. pl.*), any, some (or other) 2

Iridium (*n.*), iridium 1

Iridiumelektrode (*f.*), iridium electrode 1

Iridiumtiegel (*m.*), iridium crucible 1

Isatin (*n.*), isatin 10

Isatin-α-anil (*n.*), isatin-α-anil 3

Isatinchlorid (*n.*), isatin chloride 2

Isatin-α-oxim (*n.*), isatin-α-oxime 1

Isatis (Latin), Isatis (kind of plants found in Europe and N. Africa yielding indigo blue) 1

Isatogen-Körper (*m.*), isatogenic substance 1

Isobutylen (*n.*), isobutylene 1

isocyclisch (*adj.*), isocyclic 2

isolieren (*v.*), to isolate 4

isomer (*adj.*), isomeric 2

isomorph (*adj.*), isomorphous 2

Isotope (*n.*), isotope 1

Isotopenverhältnis (*n.*), isotope ratio 1

isotrop (*adj.*), isotropic 2

Itabirite Brasiliens (Latin) Brazilian itabirite 1

Italien (*n.*), Italy 4

J

ja (*adv.*), yes, certainly, to be sure, indeed, of course 5

Jahr (*n.*), year; in den letzten —, in the last few years, recently; im —e 1824, in 1824 25

Jahrhundert (*n.*), century 6

je (*adv.*), always, every; je ... je ... the 10

jedenfalls (*adv.*), in any case, nevertheless, at all events, however 6

jeder (*adj.*), each, every(one), all 5

jedoch (*adv.*), however, yet, nevertheless 10

jeglich (*pron.*), every, any, each 1

je nach (*adv.*), according to, in proportion to 8

je nachdem (*adv.*), according as, in proportion as 2

jener (*dem. adj.*, *pron.*), that, the one 3

jetzig (*adj.*), present 1

jetzt (*adv.*), now 2

jeweilig (*adj.*), respective 1

jeweils (*adv.*), respectively 1

Jod (*n.*), iodine 12

Jodalkyl (*n.*), alkyl iodide 1

Jodäthyl (*n.*), ethyl iodide 1

jodhaltig (*adj.*), containing iodine, iodiferous 1

jodieren (*v.*), to iodize, to iodate; beim Jodieren, upon iodization 1

Jodierung (*f.*), iodization 2

Jodlösung (*f.*), iodine solution 1
Jodnatrium (*n.*), sodium iodide 1
Jodoniumbasen (*f. pl.*), iodonium bases 1
o-Jod-phenol (*n.*), *o*-iodophenol 2
p-Jod-phenol (*n.*), *p*-iodophenol 1
Jodsäure (*f.*), iodic acid 1
Jodstickstoff (*m.*), nitrogen iodide 2
Jodwasserstoffsäure (*f.*), hydriodic acid 3
jung (*adj.*), young 1

K

Kali (*n.*), potash 5
Kalilauge (*f.*), potash lye, caustic potash solution 6
Kalisalpeter (*m.*), potassium nitrate 1
Kalischmelze (*f.*), potash fusion 1
Kalium (*n.*), potassium 2
Kaliumchlorat (*n.*), potassium chlorate 1
Kaliumcyanat (*n.*), potassium cyanate 1
Kaliumhypobromitlösung (*f.*), potassium hypobromite solution 1
Kaliumjodidlösung (*f.*), potassium iodide solution 1
Kaliumpermanganat (*n.*), potassium permanganate 1
Kaliumpersulfat (*n.*), potassium persulfate 2
Kaliumphenolat (*n.*), potassium phenolate 1
Kaliumsalz (*n.*), potassium salt 6
Kalk (*m.*), lime 6
Kalkmilch (*f.*), milk of lime 1
Kalktiegel (*m.*), lime crucible 1
kalt (*adj.*), cold 7
Kälte (*f.*), cold 9
Kältegemisch (*n.*), cold mixture, freezing mixture 1
Kältemischung (*f.*), cold mixture, freezing mixture 3

Kaltumsetzungsverfahren (*n.*), cold double decomposition process 2
Kamin (*m.*), chimney 1
Kampf (*m.*), battle, competition, struggle 2
Kantenlänge (*f.*), edge length, length of the border, length of the edge of a crystal 2
Kaolin (*n.*), kaolin, porcelain clay 1
Kapelle (*f.*), cupel 1
Kapitel (*n.*), chapter 10
Katalysator (*m.*), catalytic agent, catalyst 1
katalytisch (*adj.*), catalytic 1
Katazone (*f.*), catazone 2
Kathode (*f.*), cathode 1
Kathodenfläche (*f.*), cathodic surface 1
kathodisch (*adj.*), cathodic 3
käuflich (*adj.*), commercial 1
kaufmännisch (*adj.*), commercial, mercantile 2
kaukasisch (*adj.*), Caucasian 1
kaum (*adv.*), scarcely, hardly 7
Kautschuk (*m.*), rubber 12
Kautschukarten (*f. pl.*), kinds of rubber 2
Kautschukbaum (*m.*), rubber tree 2
Kautschukindustrie (*f.*), rubber industry 1
Kautschukmilch (*f.*), milk of rubber, latex 1
Kautschukplatte (*f.*), rubber sheet 1
Kautschuksubstanz (*f.*), rubber material 1
Kautschukzwischenschicht (*f.*), intervening (intermediate) layer of rubber 1
Keim (*m.*), germ, embryo; nucleus (of crystallization) 1
kein (*adj.*), no, not any, not one, none 22
keinerlei (*adv.*), not any, by no means 1

keineswegs (*adv.*), by no means, in no way 5

kennen (*v.*), to know, to recognize; — lernen, to become acquainted with, to get to know 5

kennzeichnen (*v.*), to designate 1

Kennzeichnung (*f.*), marking, labeling, indication, designation 3

Kerbzähigkeit (*f.*), impact, strength 1

Kern (*m.*), nucleus, kernel 1

Kessel (*m.*), boiler, kettle, vat, tub, tank 1

Kesselblech (*n.*), boiler plate 2

Kesselstein (*m.*), boiler scale 1

Kesselwagen (*m.*), tank car 1

Keton (*n.*), ketone (*pl.* Ketone, class of organic compounds related to aldehydes) 1

Kette (*f.*), chain 2

Kiefer (*f.*), fir, pine 1

Kilogramm (*n.*), kilogram 6

kirschrot (*adj.*), cherry red 1

klar (*adj.*), clear 5

Klasse (*f.*), class, type 3

Klassenbezeichnung (*f.*), class designation 1

klassisch (*adj.*), classic 1

Klavierdraht (*m.*), piano wire 2

klebend (*adj.*), adhesive 1

klebrig (*adj.*), sticky 1

Klebrigkeit (*f.*), stickiness, viscidity 2

Kleidungsstück (*n.*), clothing material 1

Kleie (*f.*), bran (dyeing) 2

klein (*adj.*), small; Darstellung im —en, small-scale production 14

Kleineisenzeug (*n.*), small iron product 1

Kleinheit (*f.*), minuteness, smallness 1

Klemmplatten (*f. pl.*), iron tongs 2

Klüfte (*f. pl.*), fissures, clefts, gaps, ravines 1

Knallgasgebläse (*n.*), oxyhydrogen blowpipe 1

kneten (*v.*), to knead, to press 1

knüpfen (an) (*v.*), to connect (to) 1

Knüppel (*m.*), billet (metal), wire billets 1

Kobalt (*m.*), cobalt 2

Koch (*m.*), cook 3

Kochen (*n.*), boiling, heating 1

kochen (*v.*), to cook, boil 11

kochend (*p. adj.*), boiling 1

Kochgefäss (*n.*), cooking or boiling vessel 1

Kochperiode (*f.*), boiling period, boil 1

Kochpunkt (*m.*), boiling point 1

Kohle (*f.*), coal, carbon; A-Kohle (*f.*), activated carbon 1

kohlend (*p. adj.*), carbonizing 1

Kohlendioxyd (*n.*), carbon dioxide 11

Kohlendioxydbildung (*f.*), carbon dioxide formation 1

Kohlenelektrode (*f.*), carbon electrode 1

Kohlenoxyd (*n.*), carbon monoxide 1

Kohlenoxydbildung (*f.*), formation of carbon monoxide 1

Kohlenoxydflamme (*f.*), carbon monoxide flame 1

Kohlenoxydmenge (*f.*), amount of carbon monoxide 1

Kohlensäure (*f.*), carbonic acid 9

Kohlensäurediamid (*n.*), carbonic acid diamide 1

Kohlensäureschnee (*m.*), dry ice 1

Kohlenstoff (*m.*), carbon 33

Kohlenstoffatom (*n.*), carbon atom 5

Kohlenstoffdioxydmenge (*f.*), quantity of carbon dioxide 1

Kohlenstoff-Form (*f.*), see Kohlenstofform 2

Kohlenstofffreiheit (*f.*), freedom from carbon 8

Kohlenstoffgehalt (*m.*), carbon content 5

Kohlenstofform (*f.*), carbon form 2

Kohlenstoffverbrennung (*f.*), carbon combustion 1

Kohlenstoffverbrennungsperiode (*f.*), carbon combustion period 1

Kohlenwasserstoff (*m.*), hydrocarbon 3

Kohlung (*f.*), charring, carbonization 1

Kokillenguss (*m.*), chill mold casting, chilled casting 2

Kokilleninhalt (*n.*), contents of the chill mold 1

Kokillenrand (*m.*), chill mold collar 1

Kokillenwand (*f.*), chill mold wall 1

Koks (*m.*), coke 2

Koksfeuer (*n.*), coke fire 2

Koksofengas (*n.*), coke-oven gas 1

Koksroheisen (*n.*), coke pig iron 1

Kolben (*m.*), flask 6

Kolbenhals (*m.*), neck of flask 1

kolloidal (*adj., adv.*), colloidal(ly) 3

Kombination (*f.*), combination 2

kommen (aux. sein) (*v.*), to come, to be; — zu, to come to 27

kommend (*p. adj.*), occurring 1

Kommission (*f.*), commission, committee 2

kompakt (*adj.*), compact 1

Komparatormethode (*f.*), comparator method 2

kompensieren (*v.*), to compensate 1

Komplex (*m.*), complex, whole 7

komplex (*adj.*), complex 1

Komplexion (*n.*), complexion 1

Komponente (*f.*), component 4

komprimiert (*adj.*), compressed 2

Kondensation (*f.*), condensation 5

Kondensationsmittel (*n.*), condensing agent 2

Kondensationsprodukt (*n.*), condensation product 1

kondensieren (*v.*), to condense 1

kondensiert (*adj.*), condensed 3

Kongress (*m.*), assembly, meeting 2

König (*m.*), king 1

Königswasser (*n.*), aqua regia 1

konisch (*adj., adv.*), conic(ally) 1

konjugiert (*adj.*), conjugated 1

Konkurrenz (*f.*), competition 1

konkurrieren (*v.*), to compete 1

können (konnte, gekonnt) (*v.*), to be able; **er kann,** he can; **er konnte,** he could; **er könnte** he could, he might 90

konstant (*adj.*), constant 9

Konstanz (*f.*), constancy 1

Konstellation (*f.*), constellation, group arrangement 2

Konstitution (*f.*), constitution, structure 3

konstruieren (*v.*), to construct 1

Konstruktion (*f.*), construction 2

Konstruktionsstahl (*m.*), construction steel, structural steel 1

Kontakt (*m.*), contact 3

Kontaktmetamorphose (*f.*), contact-metamorphosis 1

kontaktmetasomatisch (*adj.*), contact metasomatic 2

kontinuierlich (*adv.*), continually 1

kontrahieren (*v.*), to contract 1

Kontraktion (*f.*), contraction 1

Kontrast (*m.*), contrast; **im —,** in contrast 1

kontrollieren (*v.*), to check 1

Konzentration (*f.*), concentration 8

Konzentrationsgrenze (*f.*), limit(s) of concentration 2

konzentrieren (*v.*), to concentrate 4

konzentriert (*p. adj.*), concentrated 22

Konzentrierung (*f.*), concentration 1

Koordinatensystem (*n.*), coordinate system 1

Kork (*m.*), cork 5
Korn (*n.*), granule, grain 1
Körnerform (*f.*), granular shape 1
Körnung (*f.*), granulation, grain 2
Körper (*m.*), body, substance, material 16
Körperklasse (*f.*), class of substances 6
korrodieren (*v.*), to corrode 1
Korrosion (*f.*), corrosion 6
Korrosionsmetallschutz (*m.*), protection of metal from corrosion 1
Korrosionszustand (*m.*), corrosive condition 1
Korundtypus (*m.*), corundum type 1
kostspielig (*adj.*), expensive 1
Kraft (*f.*), power, strength 1
kräftig (*adj.*, *adv.*), strong(ly), powerful(ly) 2
Kragenkolben (*m.*), collared flask, flask with a collar, flanged flask 1
krank (*adj.*), sick, ill 1
Krapp (*m.*), madder (a red dye) 3
Kratzstelle (*f.*), scratched place 1
Kreosot (*n.*), creosote 2
Kresol (*n.*), cresol 4
Krieg (*m.*), war; World War (1914–18) 1
Kristall, see Krystall 1
kritisch (*adj.*), critical 7
krümmen (*v.*), to curve, to bend 1
Krupp name of a German manufacturer 1
kryoskopisch (*adj.*), cryoscopic 5
Krystall (*m.*), crystal 6
Krystallart (*f.*), kind of crystal 1
Krystallflüssigkeit (*f.*), water of crystallization, water crystallizer 1
Krystallform (*f.*), crystal form or system 1
krystallin (*adj.*), crystalline 1
krystallinisch (*adj.*), crystalline 4
Krystallisation (*f.*), crystallization 4

krystallisieren (*v.*), to crystallize 6
krystallisiert (*adj.*), crystallized 3
krystallographisch (*adj.*), crystallographic 3
Kubik– (prefix), cubic 1
Kufe (*f.*), vat, tub 1
kugelig (*adj.*), spherical 1
Kühlanlage (*f.*), refrigerating plant, condensing plant 1
Kühlen (*n.*), cooling, condensing, refrigeration 1
kühlen (*v.*), to condense, to cool 2
Kühler (*m.*), condenser, cooler 12
Kühlerende (*n.*), end of condenser 4
Kühlfläche (*f.*), cooling surface 1
Kühlhaus, (*n.*), cooling house, refrigerator 2
Kühlmantel (*m.*), condenser jacket 2
Kühlmittel (*n.*), condensing agent, refrigerant 1
Kühlrohr (*n.*), cooling tube, condenser 7
Kühlspirale (*f.*), spiral condenser 2
Kühlung (*f.*), cooling, refrigeration; unter —, upon cooling 7
Kühlvorrichtung (*f.*), cooling device 3
Kühlwasser (*n.*), cooling water 4
Kühlwasserstrom (*m.*), stream of cooling water 1
kultivieren (*v.*), to cultivate 1
Kulturgebiet (*n.*), civilized region 1
Kulturstaat (*m.*), civilized country 1
Kulturvolk (*n.*), civilized race or people 1
Kunst (*f.*), skill, art 1
Kunstguss (*m.*), art casting 2
Kunstharz (*n.*), artificial resin 1
künstlich (*adj.*), artificial 7
Kunstmalerei (*f.*), art painting 1
Küpe (*f.*), vat, boiler 9
Küpenfärberei (*f.*), vat-dyeing industry 1
Küpenfarbstoff (*m.*), vat dye 3

küpengefärbt (*adj.*), vat-dyed 1
Kupfer (*n.*), copper 2
Kupferchlorid (*n.*), copper chloride 1
Kupferoxychlorid (*n.*), copper oxychloride 2
Kupferpulver (*n.*), powdered copper 1
kupferrot (*adj.*), copper red 1
Kupolofen (*m.*), cupola furnace or kiln 3
Kuppel (*f.*), cupola, dome; cupel 1
Kupplung (*f.*), coupling 1
Kurve (*f.*), curve 2
Kurvenverlauf (*m.*), course of the curve 1
kurz (*adj.*), short; (*adv.*), shortly, slightly 8
kürzlich (*adv.*), recently, lately 2
Kurzschluss (*m.*), short circuit 1
Kurzstab (*m.*), short bar (rod) 1
kurzweg (*adv.*), simply, offhand, only, merely 2

L

labil (*adj.*), unstable, labile 1
Laboratorium (*n.*), laboratory 2
Laboratoriumsapparatur (*f.*), laboratory apparatus 1
Laboratoriumsbuch (*n.*), laboratory book or manual 2
Laboratoriumsgebrauch (*m.*), laboratory use or usage 1
Laboratoriumsofen (*m.*), laboratory oven or furnace 1
Lackbleichung (*f.*), shellac bleaching, varnish bleaching 1
Lackmuspapier (*n.*), litmus paper 1
Lacton (*n.*), lactone 1
lag, see liegen
Lage (*f.*), situation, deposit, layer 3
lagenförmig (*adj.*), in the form of a layer 1
Lager (*n.*), bed, layer 1
Lagerstätte (*f.*), deposit, bed 12
Lagerstättengruppe (*f.*), group deposits 1

Lagerstättensystem (*n.*), deposit system 1
Lakmuspapier (*n.*), See Lackmuspapier
Land (*n.*), land, country 4
Landdampfkessel (*m.*), stationary steam boiler 2
Landwirtschaft (*f.*), agriculture 1
lang (*adj.*), long, tall 19
Langdauernd(*p.adj.*),long-lasting 1
lange (*adv.*), long, far, for a long time; längst, long ago, long since 2
Länge (*f.*), length, size 3
Längenänderung (*f.*), longitudinal change, elongation 1
Längenzunahme (*f.*), increase in length, elongation 1
langhalsig (*adj.*), long-necked 1
langsam (*adj.*, *adv.*), slow(ly) 8
Lasche (*f.*), side bar, shackle, fish plate (in railroad) 1
Laschenschraube (*f.*), shackle screw, shackle bolt 1
lassen (*v.*), to let, to permit, to allow; es lässt sich leicht tun, it may (can) be done easily 54
lateinisch (*adj.*), Latin 1
latent (*adj.*), latent 1
Latex (*m.*) (*pl.*, Latices), latex (a natural suspension of caoutchouc globules) 5
Laut (*m.*), sound, tone 1
laut (*prep.* with gen.), according to 1
Lava (*f.*) (*pl.*, Laven), lava (rock ejected from the earth in a molten state) 1
Lebensdauer (*f.*), durability, wearing quality 2
Leberamyloid (*n.*), liver amyloid 1
lebhaft (*adj.*, *adv.*), quick(ly), active(ly), bright (of color) 1
lediglich (*adv.*), merely, solely, only, simply 10
legen (*v.*), to lay, to put, to place 4
legieren (*v.*), to alloy 6

legiert (*p. adj.*), alloyed 5
Legierung (*f.*), alloy 16
Legierungselement (*n.*), alloying element 6
Lehrbuch (*n.*), textbook 2
Lehre (*f.*), theory, teaching 1
lehren (*v.*), to teach, to show, to inform; — zu (+ inf.), to teach (show) how to (do something) 5
leicht (*adv.*), easily, readily; (*adj.*), easy, light; (*pron.*), easy one(s) 30
leichtentzündlich (*adj.*), easily inflammable 1
Leichtigkeit (*f.*), ease 2
Leichtöl (*n.*), light oil 1
leichtsiedend (*p. adj.*), low-boiling, of low boiling point 1
leiden (litt, gelitten) (an) (*v.*), to suffer (from) 1
leider (*adv.*), unfortunately 3
Leimlösung (*f.*), glue solution 1
Leinen (*n.*), linen 1
Leinöl (*n.*), linseed oil 1
leisten (*v.*), to perform, to carry out; Dienste —, to render (a) service 4
leiten (*v.*), to conduct, to lead 10
Leiter (*m.*), conductor 2
Leitfähgikeit (*f.*), conductivity, conducting capacity 2
Leitungswasser (*n.*), tap water, water in pipe lines, mains 3
Leitvermögen (*n.*), conductivity, conducting power 2
lernen (*v.*), to learn 2
letzt (*adj.*), last, latest; letzter (*pron.*), last, latter; letzterer (*pron.*), the latter 29
letztangeführt (*p. adj.*), last quoted 1
letzterwähnt (*p. adj.*), last mentioned 1
leuchtend (*pr. p.*), shining, luminous 1
Leuchtgas (*n.*), illuminating gas 2

Leuchtgasflamme (*f.*), illuminating gas flame 1
Leukotrop-Verfahren (*n.*), leucotrope process 1
Leukoverbindung (*f.*), leuco compound 1
Leuzit (*m.*), leucite (an aluminum potassium metasilicate) 1
Licht (*n.*), light 5
Lichtbogen (*m.*), electric arc 1
Lichtbogenofen (*m.*), electric-arc furnace 1
Lichtbrechnung (*f.*), optical refraction 1
Lichtdurchlässigkeit (*f.*), permeability to light, transparency, translucency 1
Lichtechtheit (*f.*), fastness to light 1
Liebigkühler (*m.*), Liebig condenser 2
liefern (*v.*), to yield, to produce, to furnish; to deliver (of a periodical) 37
Lieferung (*f.*), issue (of a periodical); supply 3
liegen (*v.*), to lie, to be, to matter, to signify 21
Ligroin (*n.*), petroleum ether, ligroin, benzine 1
Limonit (*m.*), limonite, brown iron ore 2
linear (*adj.*), linear 4
Linie (*f.*), line; in erster —, first of all, especially, primarily, above all; in zweiter —, secondly 9
liquid (*adj.*), liquid 1
liquidmagnatisch (*adj.*), magnatic (pertaining to the liquid, molten, or pastry rock material originating within the earth) 1
Literatur (*f.*), literature, bibliography, bibliographical reference 14
Literaturangaben (*f. pl.*), bibliographical reference, data 1

litt see **leiden**
Loch (*n.*), hole, orifice 4
Lokalmoment, (*n.*), local force 1
Lokomotivkessel (*m.*), locomotive boiler, steam-engine boiler 2
löschen (*v.*), to slake (as of lime) 1
lösen (*v.*), to dissolve 41
löslich (*adj.*), soluble; **schwer —**, difficultly soluble 10
Löslichkeit (*f.*), solubility 12
Lösung (*f.*), solution 117
Lösungsfähigkeit (*f.*), dissolving capacity, solubility 2
Lösungsgeschwindigkeit (*f.*), speed of solution 1
Lösungsmittel (*n.*), solvent 17
Lösungstemperatur (*f.*), solution temperature 1
Lösungsvermögen (*n.*), dissolving power 3
Lösungswärme (*f.*), heat of solution 1
Lötrohr (*n.*), blowpipe 1
Luft (*f.*), air; **an der —**, in air 47
Luftabschluss (*m.*), exclusion of air; **bei —**, with exclusion of air 2
Luftauschluss (*m.*), exclusion of air 1
luftbeständig (*adj.*), air-resistant 1
Luftbestandteil (*m.*), air constituent, constituent of air 2
Luftblase (*f.*), air bubble 1
Luftdruck (*m.*), air pressure 2
luftempfindlich (*adj.*), air-sensitive, sensitive to air 1
Luftfeuchtigkeit (*f.*), humidity, moisture in the air 2
luftfrei (*adj.*), air-free, free from air 2
luftkühlen (*v.*), to air-cool 1
Luftkühler (*m.*), air condenser 1
Luftmenge (*f.*), air quantity 1
Luftoxydation (*f.*), air oxidation 1
Luftpumpe (*f.*), air pump 1
Luftsack (*m.*), air pocket 1

Luftstrom (*m.*), air current, stream of air 2
Luftüberschuss (*m.*), excess of air 1
Luftzufuhr (*f.*), introduction (conveyance) of air 1
Luftzuführung (*f.*), supply (feeding) of air 1
Luftzutritt (*m.*), admittance (entrance) of air 1
Lupe (*f.*), magnifying glass 1
Lysalbinsäure (*f.*), lysalbinic acid 1

M

m-, prefix meaning meta (ignored in alphabetizing) 1
machen (*v.*), to make, to do, to produce 12
Madrid (*n.*), Madrid (capital of Spain) 1
Magnesiumsalz (*n.*), magnesium salt 1
Magnesiumsulfat (*n.*), magnesium sulfate 1
Magnet (*m.*), magnet 5
Magneteisen (*n.*), magnetic iron 1
Magneteisensand (*m.*), magnetic sand 1
Magneteisenstein (*m.*), magnetic iron ore, magnetite 1
magnetisch (*adj.*), magnetic 12
Magnetisierbarkeit (*f.*), magnetic capability, magnetizability 1
magnetisieren (*v.*), to magnetize 1
Magnetismus (*m.*), magnetism 3
Magnetit (*m.*), magnetite (natural ferrosoferric oxide), magnetic iron ore (about 73% iron) 33
magnetitartig (*adv.*), like magnetite 1
Magnetstahl (*m.*), magnetic steel 2
Maja-Indianer (*m.*), Maya Indian 1

Majakultur (*f.*), Maya civilization 1

Mal (*n.*), time; **mal** (*adv.*), time, times; **ein—**, once; **zwei—**, twice, etc. 5

Malonester (*m.*), malonic ester 1

Malonsäure (*f.*), malonic acid 1

man (*impers. pron.*), one, they, we, you, people, etc. (translate **man** whenever possible by the English passive) 181

manch (*adj.*), many (a), some 10

manchmal (*adv.*), sometimes 2

Mangan (*n.*), manganese 10

Mangangehalt (*m.*), manganese content 1

Mangel (**an**) (*m.*), lack (of), want (of), defect 2

mannigfach (*adj.*), manifold, many, various, diverse 3

mannigfaltig (*adj.*), various, diverse 1

marin (*adj.*), marine, sea 1

Mark (*f.*), mark (German coin) 1

markant (*adj.*), striking, characteristic, well-cut 1

markieren (*v.*), to mark, to label 1

Markt (*m.*), market; **auf dem —**, on the market 5

Marktlage (*f.*), condition of the market 1

Martinflusseisen (*n.*), Martin ingot iron, open-hearth iron 3

Martinmetall (*n.*), Martin metal 1

Martinschmelzung (*f.*), Martin melting (in the Siemens-Martin furnace) 3

Martinstahl (*m.*), Martin steel (open-hearth steel produced in the Siemens-Martin furnace) 1

Martinverfahren (*n.*), Martin process, (this process is mostly basic on continental Europe, though sometimes acid; produces cast steel or mild steel) 1

Martitisierung (*f.*), the conversion of magnetite into martite (martite is a form of hematite) 1

maschinell (*adv.*), mechanically, with machinery 1

Maschinenbau (*m.*), machine structure 1

Maschinenbauer (*m.*), machinist 1

Maschinenguss (*m.*), machine casting 2

Mass (*n.*), measure, degree; **in steigendem —e**, to an increasing degree; **in geringem —e**, to a small extent; **in hohem —e**, to a high degree, highly; **in ausgedehntem —e**, to a high degree 5

Masse (*f.*), mass, quantity, bulk, pulp (paper), paste (ceramics) 12

massenhaft (*adj., adv.*), numerous, abundant(ly) 1

massgebend (*adj.*), determinative 1

mässig (*adj.*), moderate(ly), temperate 3

Mässigkeit (*f.*), temperance, moderation 1

massiv (*adj.*), massive, solid; **—es Gestein = Massiv** (*n.*), compact rock 1

Massstab (*m.*), scale, proportion, standard, rule; **im kleinem —**, to a small degree, on a small scale 2

Mastikation (*f.*), mastication, compression (of rubber) 1

Material (*n.*), material, substance, experimental data 33

Materialprüfung (*f.*), material testing 2

mattrosa (*adj.*), dull pink, dull rose 1

mattweiss (*adj.*), dull white 1

maximal (*adj.*), maximum 2

Maximum (*n.*), maximum 1

mechanisch (*adj.*), mechanical(ly) 5

Meeresküste (*f.*), seacoast 1

Meerwasser (*n.*), sea water 1

Mehl (*n.*), meal, flour (farina) 1
mehr (*adv.*), more; — **oder weniger**, more or less; **nicht** —, no longer; — **oder minder**, more or less 1
mehrere (*pron. pl.*), several 5
mehrfach (*adj.*, *adv.*), repeated(ly), several times, manifold, multiple, numerous 5
Mehrheit (*f.*), majority, plural number 1
mehrmalig (*adj.*), repeated 1
mehrmals (*adv.*), several times 2
mehrwertig (*adj.*), multi- (poly-) valent; (in case of alcohols) polyhydroxy 1
Mehrwertigkeit (*f.*), polyvalence 1
Mehrzahl (*f.*), majority 1
Meinung (*f.*), opinion, view, meaning 2
meist (*adj.*, *adv.*), general(ly), most(ly) 31
meistens (*adv.*), for the most part, generally, usually 1
meliert (*adj.*), mottled (Roheisen) 1
Menge (*f.*), amount, quantity, number 65
Mengenanteil (*m.*), quantitative proportion, constituent amount 1
Mengenverhältnis (*n.*), proportion, composition, quantitative relation or ratio 1
Mennige (*f.*), minium, red lead 1
Mensch (*m.*), mankind, men 2
menschlich (*adj.*), human 2
Mercaptan (*n.*), mercaptan 1
Mercurierung (*f.*), mercurization 1
merkbar (*adj.*), noticeable, evident 1
merklich (*adj.*), perceptible, noticeable, appreciable 2
Mesometamorphose (*f.*), mesometamorphosis 1
Mesoweinsäure (*f.*), mesotartaric acid 1

Mesozone (*f.*), mesozone 1
messen (**a**, **e**) (*v.*), to measure 5
Messergebnis (*n.*), result of measurement; (*pl.*), data 1
Messlänge (*f.*), gage length 1
Messung (*f.*), measurement 13
Metall (*n.*), metal 26
Metallfläche (*f.*), surface of metal 1
metallfrei (*adj.*), free from metal 1
Metallgefäss (*n.*), metal vessel 1
Metallglanz (*m.*), metallic luster 1
metallglänzend (*p. adj.*), having metallic luster 1
metallisch (*adj.*, *adv.*), metallic-(ally) 4
metallorganisch (*adj.*), metallo-organic, organometallic 1
Metallphenolat (*n.*), metal phenolate 1
metallurgisch (*adj.*), metallurgic, metallurgical 2
metamorph (*adj.*), metamorphic 1
Metamorphose (*f.*), metamorphosis, transformation 1
metamorphosieren (*v.*), to transform, to metamorphose 21
Meteoreisen (*n.*), meteoric iron 1
Methan (*n.*), methane 2
Methingruppe (*f.*), methine group, (CH) 1
Methode (*f.*), method; **nach der** —, according to the method 11
Methylacetat (*n.*), methyl acetate 1
Methylalkohol (*m.*), methyl alcohol, methanol 6
Methyl-anthranilsäure (*f.*), methylanthranilic acid 1
Methylbenzoat (*n.*), methylbenzoate 1
Methylengruppe (*f.*), methylene group 1
Methylenharnstoff (*m.*), methylene urea 1
(*a*)-**Methyl-indol** (*n.*), α-methylindole 1

Mikroorganismus (*m.*), micro-
organism 1
mikroskopisch (*adj.*), microscopic 2
milchig (*adj.*), milky 1
Milchsaft (*m.*), milky juice, latex 6
Million (*f.*), million 3
Millonsche (*adj.* from proper
name **Millon**), refers to Millon's reagent 1
minder (*adj., adv.*), less, smaller;
mehr oder —, more or less;
mindest (*super.*), least 4
mindestens (*adv.*), at least 2
Mineral (*n.*), mineral 4
Mineralsalz (*n.*), mineral salt 1
Mineralsäure (*f.*), mineral acid
(representative of a mineral
acid) 6
Minimaltemperatur (*f.*), minimum temperature 2
Minimum (*n.*), minimum 1
Minute (*pl.*, **Minuten**) (*f.*), minute 7
mischbar (*adj.*), mixable 1
Mischbarkeit (*f.*), miscibility 3
Mischen (*n.*), mixing, combining 1
mischen (*v.*), to mix; **sich** (**mit**)
—, to mingle (with), to be
miscible, to mix, to combine
(with) 4
Mischkrystalle (*m. pl.*), mixed
crystals 1
Mischmetall (*n.*), alloy, mixed
metal 1
Mischprobe (*f.*), mixed sample 1
Mischschmelzpunkt (*m.*), mixed
melting point 1
Mischung (*f.*), mixture, blend 9
Mischungsregel (*f.*), law of mixtures 2
Missverständnis (*n.*), misunder-
standing 1
mit (*prep.* with dat.), with, by, in,
at, etc. 482
Mitarbeiter (*m.*), fellow worker,
collaborator, assistant, con-
tributor 1

Mitglied (*n.*), member, fellow,
associate 1
mithin (*conj.*), consequently,
therefore 1
Mitte (*f.*), middle 2
mitteilen (*v.*), to communicate,
to inform, to advise, to impart,
to give 2
Mitteilung (*f.*), information, report, communication 4
Mittel (*n.*), agent, means, medium, average 136
mittel (*adj.*), middle, average,
mean 2
Mittelblech (*n.*), medium plate,
medium-gaged plate 2
mittelhart (*adj.*), medium hard 1
Mittelöl (*n.*), middle oil 1
mittels(t) (*adv.; prep.* with gen.),
by means of, through, by the
help of 10
mittelweich (*adj.*), medium soft 1
mittler(e) see **mittel** 2
mitunter (*adv.*), occasionally, 1
now and then 5
mitwirken (*v.*), to take place
simultaneously, to take part 1
modern (*adj.*), modern 1
Modifikation (*f.*), modification 2
Modifikationsänderung (*f.*), variation in modification 1
möglich (*adj.*), possible, feasible,
potential 12
möglicherweise (*adv.*), possibly 1
Möglichkeit (*f.*), possibility, feasibility, practicability 2
möglichst (*adv.*), as ... as possible, utmost 2
Mohrsches Salz (*n.*), Mohr's
salt (ammonium ferrous sulfate) 1
Molekel (*f.*), molecule 1
Molekül (*n.*), molecule 12
molekular (*adj.*), molecular 5
Molekulargewicht (*n.*), molecular weight 22
Molekulargewichtsbestimmung

(*f.*), molecular-weight determination 1

Molybdän (*n.*), molybdenum 5

Moment (*n.*), factor 1

Moment (*m.*), moment 1

momentan (*adj.*), momentary 1

Monatsh. (= **Monatsheft**) (*n.*), monthly number (of a publication)

Monoalkylbarbitursäure (*f.*), monoalkylbarbituric acid 1

Monobromierung (*f.*), monobromination 1

Monochlorharnstoff (*m.*), monochlorourea 1

Monoester (*m.*), monoester 1

Monographie (*f.*), monograph 1

Monojodphenol (*n.*), monoiodophenol 1

Monosulfat (*n.*), monosulfate 1

Monoxim (*n.*), monoxime 1

morphosiert (*p. adj.*), morphous 1

Muffel (*f.*), muffle 1

Muffeneisen (*n.*), socket iron 1

Muffenrohr (*n.*), socket pipe 2

mühelos (*adj.*), easy, without trouble or care 1

mühselig (*adj.*), toilsome, laborious 1

Müllereimaschine (*f.*), milling machine 2

muschelig (*adj.*), shelly, flinty, conchoidal 1

Muskovit (*m.*), muscovite, potassium mica 1

müssen (*v.*), to be obliged, must, to have to; **müsste**, would have (to) 23

Muster (*n.*), pattern, model, sample 1

N

nach (*prep.* with dat.), according to, after, to, toward 175

Nachbarschaft (*f.*), neighborhood 1

nachdem (*adv.*), afterwards; (*conj.*), after, according as 2

nachfolgend (*pr. p.*) following, subsequent 14

nachführen (*v.*), to introduce later 14

nachherig (*adv.*), subsequent, later 1

Nachricht (*f.*), information, news, account 1

Nachschlagebuch (*n.*), work of reference 1

Nachschlagewerk (*n.*), reference work 1

nachspülen (*v.*), to rinse after 1

nächst (*adj.*, *super.* of **nah**; also *adv.*), next; closest; **am —en**, nearest 47

nachstehen (*v.*), to stand after, to follow, to be inferior 4

nachträglich (*adj.*), additional, subsequent, supplementary; (*adv.*), by way of appendix, subsequently, later 6

nachtropfen (*v.*), to drop after 1

Nachweis (*m.*), detection, proof, indication 4

nachweisbar (*adj.*), demonstrable, authenticated, evident, detectable 4

nachweisen (*v.*), to detect, to demonstrate, to establish, to prove 5

Nachwirkung (*f.*), after-effect 3

Nadel (*f.*), needle 4

Nädelchen (*n.*), small needle 2

nah (*adj.*), near, close 1

Nähe (*f.*), nearness, proximity 1

nahebei (*adv.*), nearly, close to 1

näher (*comp.* of **nah**) (*adj.*), nearer, closer, more precise 11

Näheres (*n.*), (further) details, (more) particulars 2

nähern (*v.*), to bring near; **sich —**, to approach 1

nahestehen (*v.*), to stand next to 2

nahestehend (*p. adj.*), closely

related, intimately connected
with 1
nahezu (*adv.*), nearly, well-nigh,
almost 1
nahtlos (*adj.*), seamless 35
Name (*m.*), name, denomina-
tion 7
namentlich (*adv.*), especially,
particularly 3
nämlich (*adv.*), namely, that is,
i.e. 8
Naphthalin (*n.*), naphthalene 10
Naphthalinderivat (*n.*), naphthalene derivative 1
Naphthylamin (*n.*), naphthyla-
mine; β-—, β-naphthylamine 1
nass-analytisch (*adj.*), wet-ana-
lytical 1
Natrium (*n.*), sodium 11
Natriumalkoholat (*n.*), sodium
alcoholate 2
Natriumamid (*n.*), sodamide,
sodium amide 7
Natriumamylat (*n.*), sodium
amylate 1
Natriumbicarbonat (*n.*), sodium
bicarbonate 1
Natriumbisulfat (*n.*), sodium
bisulfate 1
Natriumbisulfit (*n.*), sodium bi-
sulfite 1
Natriumbromid (*n.*), sodium bromide 1
Natriumchloridlösung (*f.*), sodium chloride solution; common salt solution 1
Natriumcyanat (*n.*), sodium cyanate 1
Natrium-formaldehydsulfoxylat
(*n.*), sodium formaldehyde
sulfoxylate 1
Natriumhydrosulfit (*n.*), sodium
hydrosulfite (hyposulfite) 2
Natriumhydroxyd (*n.*), sodium
hydroxide 1
Natriumhypobromit (*n.*), sodium
hypobromite 1

Natriumhypochloritlösung (*f.*),
sodium hypochlorite solution 1
Natriummalonester (*m.*), sodium
malonic ester 1
Natriummetaphosphat (*n.*), so-
dium metaphosphate 1
Natriummethylat (*n.*), sodium
methylate 1
Natriumnitrat (*n.*), sodium nitrate 2
Natriumphenolat (*n.*), sodium
phenolate 5
Natriumsulfit (*n.*), sodium sulfite 1
Natron (*n.*), sodium hydroxide,
caustic soda 1
Natron-Indigo (*m.*), soda-indigo 2
Natronkalk (*m.*), soda lime 2
Natronkalkrohr (*n.*), soda lime
tube 2
Natronkalkröhrchen (*n.*), small
soda lime tube 1
Natronlauge (*f.*), soda lye, solu-
tion of caustic soda 15
Natur (*f.*), nature, character;
in der —, in nature, naturally 11
naturgemäss (*adj.*, *adv.*), nat-
ural(ly), according to nature 1
Natur-Indigo (*m.*), natural indigo 2
Naturkolloid (*m.*), natural colloid 2
natürlich (*adj.*, *adv.*), natural(ly) 32
Naturprodukt (*n.*), natural product 1
Naturstoff (*m.*), natural material,
substance 2
Naturvolk (*n.*), people living in a
primitive state of nature,
primitive race 2
Naturvork. = Naturvorkommen
(*n.*), occurrence in nature,
natural occurrence 1
Naturw. (= Naturwissenschaft
(*f.*), natural science 1
neben (*prep.* with dat. and acc.),
near, next to, besides, in addition to, with; (*adv.*), besides 31
Nebenbahn (*f.*), side track,
siding 4

Nebengemengteil (*n.*), secondary constituent of a mixture — 1

Nebenprodukt (*n.*), by-product — 4

Nebenreaktion (*f.*), side (subordinate) reaction — 1

Negativ (*n.*), negative — 1

nehmen (a, o) (*v.*), to take, to receive, to get

neigen (*v.*), to be inclined to — 7

nennen (nannte, genannt) (*v.*), to name, to call — 1 / 13

neu (*adj.*), new, recent — 20

neubearbeiten (*v.*), to work over, to revise again — 1

neuerdings (*adv.*), recently, lately, again — 7

neunt (*num. adj.*), ninth — 1

Neu-Südwales (*n.*), New South Wales (Australia) — 1

neutral (*adj.*), neutral — 4

Neutralisation (*f.*), neutralization — 2

neutralisiert (*p.p.*), neutralized — 1

Neuzeit (*f.*), present time, modern (recent) times — 2

nicht (*adv.*), not; noch —, not yet; — einmal, not once; nicht nur ... sondern auch, not only ... but also — 112

Nichtkautschukbestandteil (*m.*), non-rubber constituent — 1

nichtlegiert (*p. adj.*), non-alloyed — 2

nichtmetallisch (*adj.*), non-metallic — 1

nichtrostend (*p. adj.*), non-rusting, stainless — 2

nichts (*indef. pron.*), nothing — 2

nichtschmiedbar (*adj.*), non-malleable — 1

Nickel (*n.*), nickel (metal) — 12

Nickelchromstahl (*m.*), chromenickel steel — 2

Nickelmagnetkieslagerstätte (*f.*), nickeliferous magnetic pyrite deposit — 1

Nickeloxyd (*n.*), nickel oxide — 1

Nickelstahl (*m.*), nickel steel — 3

nie (*adj.*), never, at no time or period — 1

nieder (*adj.*), low — 1

Niederschlag (*m.*), sediment, precipitate — 2

niederschlagen (*v.*), to precipitate, to deposit — 1

niedrig (*adj.*), low(ly) — 14

niedrigsiedend (*p. adj.*), low-boiling — 1

niemals (*adv.*), never — 2

Niete (*f.*), rivet — 1

Nieteisen (*n.*), rivet iron — 2

nirgends (*adv.*), nowhere — 1

Nitrat (*n.*), nitrate — 9

Nitratrest (*m.*), nitrate residue — 1

nitrieren (*v.*), to nitrate — 2

Nitriersäure (*f.*), nitric-sulfuric acid, mixed acid (a mixture of concentrated H_2SO_4 and HNO_3) — 1

Nitrierung (*f.*), nitration, nitrification — 6

Nitril (*n.*), nitrile, cyanide of alkyl radical — 1

Nitrit (*n.*), nitrite — 1

o-Nitro-acetophenon (*n.*), o-nitroacetophenone — 1

o-Nitro-benzaldehyd (*m.*), o-nitrobenzaldehyde — 1

Nitrobenzol (*n.*), nitrobenzene — 5

o-Nitrobenzoylessigsäure (*f.*), o-nitrobenzoylacetic acid — 1

Nitroderivat (*n.*), nitro derivative — 1

o-Nitro-phenol (*n.*), o-nitrophenol — 5

p–Nitro-phenol (*n.*), p-nitrophenol — 8

Nitrophenoldisulfonsäure (*f.*), nitrophenoldisulfonic acid — 1

o-Nitrophenyl-milchsäure-keton (*n.*), β-hydroxy-β-(o-nitrophenyl)-ethyl methyl ketone — 1

o-Nitro-phenylpropiolsäure (*f.*), o-nitrophenylpropiolic acid — 2

nitros (*adj.*), nitrous — 1

nitrosieren (*v.*), to introduce the nitroso group 1

Nitrosierung (*f.*), nitrosation 1

Nitrosoverbindung (*f.*), nitroso compound 1

Nitro-sprengstoff (*m.*), nitroexplosive 1

Nitrosylschwefelsäure (*f.*), nitrosylsulfuric acid 1

Nitroverbindung (*f.*), nitro compound 1

noch (*adv.*), still, as yet, more, however, further, even, in addition; — **nicht**, not yet 66

Nomenklatur (*f.*), nomenclature 2

Nordamerika (*n.*), North America 1

Norm (*f.*), standard, model 1

normal (*adj.*), normal, standard, ordinary 7

normalerweise (*adv.*), normally 1

Normalglühtemperatur (*f.*), normal (standard) annealing temperature 1

Normen (*f. pl.*), standard 1

Normenausschuss (*m.*), committee on standards 3

nötig (*adj.*), necessary 1

nötigenfalls (*adv.*), in case of necessity, in case of need 1

notwendig (*adv.*), necessary 2

N-Phenyl-glycin (N = nitrogen) (*n.*), N-phenyl-glycine 1

Nummer (*f.*), number 11

nun (*adv.*), now, well, under present circumstances 3

nunmehr (*adv.*), at present, now, by this time 4

nur (*adv.*), only, but, just 46

nutzlos (*adj.*), useless, unprofitable 2

O

o-, prefix meaning ortho (disregarded in indexing) 1

ob (*conj.*), whether 14

oben (*prep., conj.*), above, at the top, from the top 5

obengennant (*p.p.*), above-named, above-mentioned 1

Oberbau (*m.*), superstructure 1

obere (*adj.*), upper, higher 1

Oberfläche (*f.*), surface, area 11

Oberflächenbeschaffenheit (*f.*), surface condition 1

Oberflächenspannung (*f.*), surface tension 1

oberflächlich (*adj.*), superficial 1

oberhalb (*adv., prep.* with gen.), above 4

obig (*adj.*), foregoing, above-mentioned 9

Objektträger (*m.*), (micros.) slide, mount, stand 1

obwohl (*conj.*), although 2

oder (*conj.*), or 145

Ofen (*m.*), furnace, oven, kiln 4

Ofenatmosphäre (*f.*), furnace atmosphere 2

Ofenbeschickung (*f.*), furnace charge 1

Ofengas (*n.*), oven gas, furnace gas 1

Ofensystem (*n.*), furnace system, type of furnace used 1

Ofentür (*f.*), furnace door 1

offen (*adv.*), openly 1

offenbar (*adj., adv.*), obvious(ly), manifest(ly) 1

Öffnen (*n.*), opening 1

Öffnung (*f.*), opening 3

oft (*adv.*), often 19

O-Gehalt (*m.*), oxygen content 4

O-haltig (*adj.*), containing oxygen 1

ohne (*prep.* with acc.), without; — **zu** + *inf.*, without + –ing; — **dass**, without + –ing 29

ökonomisch (*adj.*), economic 1

Oktachlorcyclohexenon (*n.*), octachlorocyclohexenone 1

Oktaeder (*n.*), octahedron 1

oktaedrisch (*adj.*), octahedral 1

Öl (n.), oil 1
Olivin (m.), olivine 1
Ölleitung (f.), oil conduction, oil line 1
O-Menge (f.), amount of oxygen 2
oolithförmig (adj.), oölitic 1
opak (adj.), opaque 2
O-Partialdruck (m.), oxygen partial pressure 2
Operation (f.), operation 2
optimal (adj.), highest, optimum 1
optisch (adj.), optical 1
orangegelb (adj.), orange-yellow 2
ordnen (v.), to set in order, to arrange, to classify 1
Ordnungszahl (f.), atomic number 2
O-reich (adj.), rich in oxygen 1
Organ (n.), organ 1
organisch (adj.), organic; —e Chemie, organic chemistry 13
organisiert (p. adj.), organized 1
Organismus (m.) (pl., Organismen), organism 4
Orientierung (f.), survey, information, orientation 1
Ort (m.), place, locality 1
Orthokieselsäuremethylester-phenylester-dichlorid (n.), orthosilicic acid methyl phenyl ester dichloride 1
Orthokieselsäuretetraphenylester (m.), orthosilicic acid tetraphenyl ester 1
orthonitriert (p. adj.), orthonitrated 2
örtlich (adj.), local 1
Oslo (n.), Oslo (capital of Norway) 1
Osmiumsäure (f.), osmic acid 1
O-Strom (m.), stream of oxygen 1
Oxalat (n.), oxalate 5
Oxalsäure (f.), oxalic acid 8
Oxalsäure-diphenylamidin-thio-amid (n.), oxalic acid diphenylamidine thioamide 1

Oxal-o-toluidid (n.), orthotoluide of oxalic acid 1
Oxindol (n.), oxindole 2
Oxoniumbase (f.), oxonium base 1
Oxy-benzoesäure (f.), hydroxybenzoic acid 3
p-Oxy-benzoesäure (f.), p-hydroxybenzoic acid 4
Oxybenzol (n.), hydroxybenzene, phenol 2
Oxy-benzoldiazoniumchlorid (n.), phenoldiazonium chloride 2
Oxyd (n.), oxide (a higher or –ic oxide as contrasted with Oxydul) 30
oxydabel (adj.), oxidizable 1
Oxydation (f.), oxidation 40
Oxidationsmittel (n.), oxidizing agent 5
Oxydationsprodukt (n.), oxidation product 3
Oxydationsvorgang (m.), oxidation process 1
Oxydationszweck (m.), oxidizing purpose 1
oxydhaltig (adj.), oxide-containing 1
Oxydhaut (f.), film of oxide 1
oxydieren (v.), to oxidize 16
Oxydulsalz (n.), lower or –ous salt 1
Oxy-indol-a-carbonsäure (f.), hydroxyindole-α-carboxylic acid 1
p-Oxy-phenylarsinsäure (f.), p-hydroxyphenylarsinic acid 2
Oxy-phenylen-bis-quecksilberacetat (n.), hydroxyphenylene-bis-mercuric acetate 2
Oxy-phenylessigsäure (f.), hydroxyphenylacetic acid 2
o-Oxy-phenyl-quecksilberacetat (n.), o-hydroxyphenylmercuric acetate 2
p-Oxy-phenyl-quecksilberacetat (n.), p-hydroxyphenylmercuric acetate 2

Ozon (*n.*), ozone 2
ozonisiert (*p. adj.*), ozonized 1

P

p–, prefix meaning **para** (disregarded in indexing) 1
Palladiumwasserstoff (*m.*), palladium hydride 1
Pankreas (*n.*), pancreas 3
Papier (*n.*), paper 1
Papierfabrikation (*f.*), paper making 1
Papierindustrie (*f.*), paper industry 1
Papiermaschine (*f.*), paper machine 2
Parachinon (*n.*), see *p*-Chinon 1
Paracumaron (*n.*), paracoumarone 1
Paraffin (*n.*), paraffin 3
paraffiniert (*p. adj.*), paraffinized 1
Paraffinöl (*n.*), paraffin oil 1
Paraffinschnitte (*f.*), paraffin slice or section 1
Paraffinum liquidum (Latin), liquid paraffin 1
paramagnetisch (*adj.*), paramagnetic 1
Parameter (*m.*), parameter 2
Paris (*n.*), Paris (capital of France) 2
Pariser (*adj.*), Paris(ian) 2
Partialdruck (*m.*), partial pressure 2
passend (*p.* used as adj.), suitable, appropriate 3
passiv (*adj.*), passive, inactive 4
passivieren (*v.*), to render inactive 10
passivierend (*adv.*), passively; (*adj.*), inactive 1
Passivierung (*f.*), rendering inactive 3
Passivierungsvorgang (*m.*), process of rendering inactive 1

Passivität (*f.*), passivity, inactivity 20
Passivitätsdauer (*f.*), duration (time) of passivity 1
Passivitätserscheinung (*f.*), phenomenon or appearance of passivity 1
Paste (*f.*), paste 1
patentgeschweisst (*adj.*), patent weld, patent welded 1
Patentgesetz (*n.*), patent law 2
patentiert (*p. adj.*), patented 1
Pegmatit (*m.*), pegmatite, giant granite (an ordinary granite of irregular texture with large lumps of the constituent minerals) 1
pegmatitisch (*adj.*), pegmatitic 1
Pentabromphenol (*n.*), pentabromophenol 1
Pentachloräthan (*n.*), pentachloroethane 1
Pentachlorphenol (*n.*), pentachlorophenol 1
Perchlorat (*n.*), perchlorate 1
Periode (*f.*), period 1
periodisch (*adj.*), periodic 3
Permanganat (*n.*), permanganate 2
Permanganatlösung (*f.*), permanganate solution 2
Peroxyd (*n.*), peroxide 2
Petroleumraffinerie (*f.*), petroleum refinery 1
Pfanne (*f.*), pan ladle 4
Pferdeharn (*m.*), horse urine 1
Pflanze (*f.*), plant 10
Pflanzengattung (*f.*), plant species 1
Pflanzenteil, (*m.*), part of a plant 1
Pflanzenzelle (*f.*), plant cell 1
Phase (*f.*), phase 11
Phenetidinsalz (*n.*), phenetidine salt 1
Phenochinon (*n.*), phenoquinone 1
Phenol (*n.*), phenol, carbolic acid, hydroxybenzene 228
Phenolat (*n.*), phenolate 4

Phenolausscheidung (*f.*), phenol separation 1
Phenoldampf (*m.*), phenol vapor 2
Phenol-disulphonsäure (*f.*), phenoldisulfonic acid 2
Phenolgemisch (*n.*), phenol mixture 1
phenolhaltig (*adj.*), containing phenol 1
Phenollösung (*f.*), phenol solution 6
Phenolnatrium (*n.*), sodium phenolate 1
Phenolphthalein (*n.*), phenolphthalein 1
Phenolsäure (*f.*), phenol acid 1
Phenolsorte (*f.*), phenol type or sort 2
o-Phenolsulfonsäure (*f.*), *o*-phenolsulfonic acid 2
p-Phenolsulfonsäure (*f.*), *p*-phenolsulfonic acid 2
Phenoltetrasulfonsäure (*f.*), phenoltetrasulfonic acid 1
Phenoltrisulfonsäure (*f.*), phenoltrisulfonic acid 1
Phenylbarbitursäure (*f.*), phenylbarbituric acid 1
Phenylglycin (*n.*), phenylglycine, anilinoacetic acid 4
Phenylglycin-*o*-carbonsäure (*f.*), phenylglycine-*o*-carboxylic acid 4
Phenylhydrat (*n.*), phenyl hydroxide 2
Phenylhydrazin (*n.*), phenylhydrazine 1
Phenylmagnesiumbromid (*n.*), phenyl magnesium bromide 1
phenylschwefligsaures Natrium (*n.*), sodium phenyl sulfite 1
Phloroglucin (*n.*), phloroglucinol 1
Phosgen (*n.*), phosgene, carbonyl chloride 1
Phospham (*n.*), phospham, PN_2H 1
Phosphat (*n.*), phosphate 3
Phosphor (*m.*), phosphorus 18

Phosphorescenz (*f.*), phosphorescence 1
Phosphorgehalt (*m.*), phosphorus content 2
Phosphorigsäurediphenylesterchlorid (*n.*), phosphorous acid diphenyl ester chloride 4
Phosphorigsäurephenylesterdichlorid (*n.*), phosphorous acid phenyl ester dichloride 1
Phosphorigsäuretriphenylester (*m.*), triphenyl ester of phosphorous acid, triphenyl phosphite 1
Phosphoroxychlorid (*n.*), phosphorus oxychloride 2
Phosphorpentachlorid (*n.*), phosphorus pentachloride 3
Phorphorpentasulfid (*n.*), phosphorus pentasulfide 1
Phosphorpentoxyd (*n.*), phosphorus pentoxide 1
phosphorreich (*adj.*), rich in phosphorus 1
Phosphorsäure (*f.*), phosphoric acid 1
Phosphorsäurediphenylester (*m.*), diphenyl ester of phosphoric acid, diphenyl phosphate 1
Phosphorsäurediphenylesterchlorid (*n.*), phosphoric acid diphenyl ester chloride 1
Phosphorsäuremonophenylester (*m.*), monophenyl ester of phosphoric acid, phenyl phosphate 1
Phosphorsäurephenylester (*m.*), phenyl ester of phosphoric acid, phenyl phosphate 1
Phosphorsäurephenylesterdichlorid (*n.*), phosphoric acid phenyl ester dichloride 2
Phosphorsäuretriphenylester (*m.*), triphenyl ester of phosphoric acid, triphenylphosphate 6

Phosphorsulfochlorid (*n.*), phosphorus sulfochloride   5
Phosphortrisulfid (*n.*), phosphorus trisulfide   1
photochemisch (*adj.*),photochem-
ical   1
Photolyse (*f.*), photolysis   1
Phthalimid (*n.*), phthalimide   1
Phthalsäure (*f.*), phthalic acid   3
Phthalsäureanhydrid (*n.*),
phthalic acid anhydride   1
physikal; physikalisch (*adj.*),
physical   1
Pianoplatte (*f.*), piano leaf or
plate   2
Pigment (*n.*), pigment   1
Pikrat (*n.*), picrate   1
Pikrinsäure (*f.*), picric acid, tri-
nitrophenol   1
planmässig (*adj.*), according to
plan, systematic   1
plastisch (*adj.*), plastic   1
Platin (*n.*), platinum   2
Platinblech (*n.*), platinum foil   1
Platine (*f.*), flat or puddling bar 1
Platinfass (*n.*), platinum tank
or tub   1
Platinfolie (*f.*), platinum foil   1
Platinschale (*f.*), platinum dish   1
Platintiegel (*m.*), platinum cru-
cible   2
Platte (*f.*), sheet   1
Platz (*m.*), place, room, position;
— greifen, to gain ground   3
Pleochroismus (*m.*), pleochroism   1
plötzlich (*adj.*), sudden; (*adv.*),
suddenly, instantly   4
pneumatisch (*adj.*), pneumatic   1
pneumatolytisch (*adj.*), pneumatolytic, formed by vapors   2
Poirierblau (*n.*), Poirier blue   1
Polarisationsapparat (*m.*), polar-
izing apparatus   1
Polarität (*f.*), polarity   1
polarmagnetisch (*adj.*), polar
magnetic   1
polierfähig (*adj.*), polishable   2

Polierfähigkeit (*f.*), capacity to
take a high polish   1
Polygon (*n.*), polygon   1
polygonal (*adj.*), polygonal   1
Polymerisation (*f.*), polymeriza-
tion   1
Polyosen (*f. pl.*), polyoses, poly-
saccharides   1
Polyoxyanthrachinon (*n.*), poly-
hydroxyanthraquinone   1
porig (*adj.*), porous   1
porös (*adj.*), porous, full of
pores   3
Porosität (*f.*), porosity   1
Porzellangefäss (*n.*), porcelain
(china) vessel   1
Porzellanmaterial (*n.*), porcelain
material   1
Porzellanrohr (*n.*), porcelain tube 1
positiv (*adj.*), positive   1
Potential (*n.*), potential   1
prägen (*v.*), to stamp, to imprint,
to coin   1
praktisch (*adj.*), practical(ly)   10
Präparat (*n.*), preparation   2
präparativ (*adj.*), preparatory   1
Praxis (*f.*), practice   1
Präzision (*f.*), precision   2
präzisionsmechanisch (*adj.*), with
mechanical precision   1
Präzisions-Werkzeugmaschinenbau (*m.*), construction of precision tool machine   1
Preis (*m.*), price, value, rate; zu
einem billigen —, at a low
price   2
Preisverhältnis (*n.*), price ratio 1
Presse (*f.*), press   2
Pressen (*n.*), pressing   1
pressen (*v.*), to press   1
Pressmuttereisen (*n.*), pressed
nut iron, heavy plate iron   3
primär (*adj.*), primary   3
prinzipiell (*adv.*), principally,
mainly   1
Prisma (*n.*), prism   1
pro (*prep.*), per, pro, for   6

Probe (*f.*), test, specimen, sample 17
Probekörper (*m.*), test material (body, substance), sample 1
Problem (*n.*), problem 4
Produkt (*n.*), product 23
produziert (*p. adj.*), produced 1
Propiolsäure (*f.*), propiolic acid 1
proportional (*adj.*), proportional 3
Protalbinsäure (*f.*), protalbinic acid (the cleavage product from alkaline hydrolysis of egg-white or albumin used for forming colloidal solutions of metals and indigo) 2
Provinz (*f.*), province 1
Prozent (*n.*), per cent, percentage 5
Prozentsatz (*m.*), percentage 1
Prozess (*m.*), process 14
prüfen (*v.*), to prove, to test 2
Prüflösung (*f.*), test solution 1
Prüfung (*f.*), test, testing 2
Pseudomorphose (*f.*), pseudomorphosis 1
Pseudomorphosierung (*f.*), pseudomorphosis 1
pseudotinctoria (Latin), *Indigofera tinctoria*, botanical name for indigo plant 1
Puddelroheisen (*n.*), puddle pig iron 9
Puddelverfahren (*n.*), puddling process 1
Pulver (*n.*), powder 4
pulverförmig (*adj.*), powdery, in the form of powder, pulverulent 2
pulverig (*adj.*), powdery, pulverulent 1
pulverisieren (*v.*), to pulverize, to powder 1
Punkt (*m.*), point, period 7
Purpurrot (*adj.*), purple red 1
Pyridin (*n.*), pyridine 1
Pyridinbase (*f.*), pyridine base 1
Pyridinderivat (*n.*), pyridine derivative 1

Pyrindinlösung (*f.*), pyridine solution 1
Pyrit (*m.*), pyrite 2
Pyrophor (*adj.*), pyrophoric 1
Pyroschwefelsäure (*f.*), pyrosulfuric acid 1
Pyrrol-Kern (*m.*), pyrrole nucleus 1
Pyrrol-System (*n.*), pyrrole system 1

Q

quadratisch (*adj.*), quadratic, square 1
Qualität (*f.*), quality, grade 3
qualitativ (*adj.*), qualitative 1
Qualitätsrohr (*n.*), high-grade pipe 1
Qualitätstemperguss (*m.*), quality casting, high-grade malleable casting 3
quantitativ (*adj.*), quantitative 7
Quarz (*m.*), quartz 2
Quarz-Pyrit-Eisenglanzgang (*m.*), vein of quartz pyrite and specular iron ore 1
Quarzrohr (*n.*), quartz tube 1
quaternär (*adj.*), quarternary, fourfold 4
Quecksilber (*n.*), mercury, quicksilver 4
Quecksilberacetat (*n.*), mercuric acetate 1
Quecksilberdichlorid (*n.*), mercury dichloride, mercuric chloride 1
Quecksilberoxyd (*n.*), mercuric oxide 1
Quelle (*f.*), source 1
Quellensammlung (*f.*), collection of sources, compilation of sources 3
Quercit (*m.*), quercitol, quercite 1
Querschnitt (*m.*), cross section 2
Quito (*n.*), Quito (province and capital of Ecuador) 1

R

Radikal (*n.*), radical 2
Radlenker (*m.*), wheel rod, guiding wheel 1
Radreifen (*m.*), tire and rim 1
Raffinieren (*n.*), refining 2
rapid(e) (*adj.*, *adv.*), rapid(ly) 3
rasch (*adj.*), quick, rapid 3
rauchen (*v.*), to fume, to smoke 2
rauchend (*p. adj.*), fuming 4
rauchgrau (*adj.*), smoky gray 1
Rauchrohr (*n.*), smoke flue, fire tube 1
Reagens (auf) (*n.*), reagent (for) 3
Reagensglas (*n.*), test tube 2
reagieren (*v.*), to react 9
Reaktion (*f.*), reaction 18
reaktionsbefördernd (*p. adj.*), reaction-promoting 1
reaktionsfähigst (*adj.*), very reactive, very capable of reacting 1
Reaktionsgas (*n.*), reaction gas 2
Reaktionsgeschwindigkeit (*f.*), speed of reaction 2
Reaktionsprodukt (*n.*), reaction product 4
Reaktionstemperatur (*f.*), reaction temperature 1
Reaktionswasser (*n.*), reaction water 2
realisierbar (*adj.*), realizable 1
rechnen (*v.*), to calculate, to compute 1
Rechnung (*f.*), calculation 1
recht (*adj.*), right, correct, true; (*adv.*), very, quite 8
rechteckig (*adj.*), rectangular 4
Rede (*f.*), speech, discourse 1
Reduktion (*f.*), reduction 26
Reducktionsbeginn (*m.*), beginning of the reduction, origin of reduction 1
Reduktionsfähigkeit (*f.*), ability to reduce, reducing power (ability) 1

Reduktionsgeschwindigkeit (*f.*), speed of reduction 2
Reduktionsmittel (*n.*), reducing agent 4
Reduktionsprodukt (*n.*), reduction product 2
Reduktionsstufe (*f.*), stage of reduction, degree of reduction 2
reduzierbar (*adj.*), reducible 1
reduzieren (*v.*), to reduce 28
Reduzierfähigkeit (*f.*), reducing capability, reducing power 1
Reflexion (*f.*), reflection 2
Reflexpleochroismus (*m.*), reflection pleochroism 1
Reflexvermögen (*n.*), power of reflection 3
Regel (*f.*), rule, principle; in der —, as a rule, generally 4
Regelmässigkeit (*f.*), conformity to law, regularity, uniformity 1
regelrecht (*adj.*), in accordance with (rule) precept, letter perfect, regular, correct 1
Regelung (*f.*), regulation, control, ordering 3
Regenmantelstoff (*m.*), raincoat material 1
Regionalmetamorphose (*f.*), regional metamorphosis 1
registrieren (*v.*), to register, to record, to index 1
Regulus (*m.*), regulus 1
Reibechtheit (*f.*), fastness to rubbing 2
Reiben (*n.*), friction 1
reiben (*v.*), to rub, to erase 1
Reibunechtheit (*f.*), lack of fastness to rubbing 1
Reibung (*f.*), rubbing, friction 1
reich (*adj.*), rich, abundant 3
reichlich (*adj.*), abundant, full, plentiful 5
Reihe (*f.*), series, number, row, group 14
Reihenfolge (*f.*), order, succession 1

rein (*adj.*), pure, clean 40
Reinaluminium (*n.*), pure aluminum 1
Reingewinnung (*f.*), = **Reingewinn** (*m.*), purifying, purification, preparation in a pure condition 1
Reinheit (*f.*), purity, pureness 4
Reinheitsstufe (*f.*), degree of purity 1
reinigen (*v.*), to purify 1
Reinigung (*f.*), purification 2
relativ (*adj.*), relative 4
rentieren (*v.*), to pay, to yield a profit, to make profitable 1
Reoxydation (*f.*), reoxidation 1
reoxydieren (*v.*), to reoxidize 1
Resorcin (*n.*), resorcinol 2
Rest (*m.*), residue, remainder, rest 2
restlos (*adj.*), without leaving a residue, absolutely 2
Resultat (*n.*), result 2
Retorte (*f.*), retort 1
reversibel (*adj.*), reversible, vice versa 1
Rhomboeder (*n.*), rhombohedron 1
richten (*v.*), to direct, to arrange; **sich — nach,** to be governed by, to depend on, to be calculated, to be determined by 3
richtig (*adj.*), correct, right 1
Richtung (*f.*), direction, course 3
riechen (*v.*), to smell, to reek 1
Riegel (*m.*), rail, bar, bolt 1
riesig (*adj.*), gigantic 1
Riffelblech (*n.*), corrugated sheet steel 1
riffeln (*v.*), to corrugate, to groove, to channel 1
Ringglieder (*n. pl.*), ring members 1
Ringschliessung (*f.*), ring closure, cyclization 1
Ringschluss (*m.*), ring closure, cyclization 1
Rinnen (*n.*), run, flow, trickle 1

rinnen (*v.*), to run, to leak, to drop 1
Rohcellulose (*f.*), raw cellulose 1
Roheisen (*n.*), pig iron 16
Roheisendarstellung (*f.*), pig-iron production 1
Roheisensorte (*f.*), type of pig iron, grade of pig iron 6
Roheisenverfahren (*n.*), pig-iron process 2
rohgegossen (*p. adj.*), cast in the crude, crude cast 1
rohgewalzt (*p. adj.*), crude rolled 1
Rohkautschuk (*m.*), raw rubber, crude rubber 3
Rohphenol (*n.*), crude phenol 1
Rohprodukt (*n.*), raw product 1
Rohr (*n.*), tube, pipe, flue 21
Röhrchen (*n.*), little tube 2
Rohrmethode (*f.*), pipe (method) process 3
Rohrschlange (*f.*), coil of pipe 1
Rohrwerk (*n.*), tubing 1
Rohstoff (*m.*), raw material 4
Rolle (*f.*), part, rôle; **eine — spielen,** to play a part 3
römisch (*adj.*), Roman 1
röntgenographisch (*adj.*), X-ray graphic, Roentgenographic 1
Rost (*m.*), rust 6
Rostbildung (*f.*), rust formation 2
Rosten (*n.*), rusting, corrosion 1
rosten (*v.*), to rust 2
rostend (*p. adj.*), rusting 1
Rostgeschwindigkeit (*f.*), speed of rusting 3
Rostneigung (*f.*), tendency to rust 1
Rostprozess (*m.*), rusting process 1
Rostschicht (*f.*), rust layer 1
Rostwirkung (*f.*), rust action 2
rot (*adj.*), red 19
rotbraun (*adj.*), red-brown 1
Roteisen (*n.*), red iron (hematite) 1
Roteisenstein (*m.*), hematite 3
Rötel (*m.*), red ochre, a soft ochrous variety of hematite 2

röten (*v.*), to redden 1
Rotfärbung (*f.*), red coloration 2
rotglühend (*adj.*), red-hot; —es
Eisen, red-hot iron 2
Rotglut (*f.*), red heat 1
Rotieren (*n.*), rotating, rota-
tion 1
rotieren (*v.*), to rotate 1
Rötungsprozess (*m.*), reddening
process 1
Rubin (*m.*), ruby 1
Rubinglimmer (*m.*), goethite 1
Rückflusskühler (*m.*), reflux con-
denser 5
rückgewinnen (*v.*), to recover 1
Rückschau (*f.*), review, look in
the past, retrospect 1
Rücksicht (*f.*), regard; mit —
auf, in (with) regard to 1
Rückstand (*m.*), residue 5
Rückweg (*m.*), return route, way
back 1
Ruhe (*f.*), rest, repose, quiet,
stagnation 1
ruhig (*adj., adv.*), quiet(ly), still 4
Rühren (*n.*), stirring, agitation,
beating 1
rühren (*v.*), to stir, to move 1
rund (*adj., adv.*), round, about,
approximately 5
Rundeisen (*n.*), round (bar) iron 1
Rundkolben (*m.*), round flask 1
rundlich (*adj.*), roundish 1
Russ (*m.*), soot, carbon black 1
russend (*p. adj.*), sooty 1

S

Saft (*m.*), sap, syrup 1
Saftreinigung (*f.*), purification of
juice 1
Salicylsäure (*f.*), salicylic acid 5
Salmiak (*m.*), sal ammoniac 1
Salpeterbad (*n.*), niter bath 1
Salpetersäure (*f.*), nitric acid 11
Salpetersäurelösung (*f.*), nitric
acid solution 1

salpetrig (*adj.*), nitrous; —e
Säure, nitrous acid 3
salpetrigsäurehaltig (*adj.*), containing nitrous acid 1
Salz (*n.*), salt 23
salzartig (*adj.*), saltlike, salty 1
Salzbildung (*f.*), salt formation,
salification 2
Salzgemisch (*n.*), salt mixture,
mixture of salts 1
Salzlösung (*f.*), salt solution 3
salzsauer (*adj.*), of or combined
with hydrochloric acid;
hydrochloride of (aniline and
similar bases); —es Anilin,
aniline hydrochloride 2
Salzsäure (*f.*), hydrochloric acid,
muriatic acid 17
Salzsäure-Dampf (*m.*), hydrochloric acid vapor 1
Salzwasser (*n.*), salt water 1
sammeln (*v.*), to collect, to
gather 2
sämtlich (*adj.*), all together, complete, collected 1
Sand (*m.*), sand 2
sanitär (*adj.*), sanitary 1
sättigen (*v.*), to saturate 2
Sättigung (*f.*), saturation 1
Sättigungzustand (*m.*), saturation state 1
sauer (*adj.*), acid(ic), sour; —
machen, to acidify 1
Sauerstoff (*m.*), oxygen 28
Sauerstoffatom (*n.*), oxygen
atom 3
sauerstofffrei (*adj.*), free from
oxygen 1
Sauerstoffgehalt (*m.*), oxygen
content 2
sauerstoffhaltig (*adj.*), oxygen-
containing, containing oxygen 1
Sauerstoffverbindung (*f.*), oxygen compound, oxide 7
Saugflasche (*f.*), suction bottle
or flask 2
Säure (*f.*), acid 36

Säureamid (*n.*), acid amide 1
Säurecharakter (*m.*), acid nature 1
Säurechlorid (*n.*), acid chloride 2
Säurehalogenid (*n.*), acid halide 2
Schädigung (*f.*), injury 1
schädlich (*adj.*), dangerous, injurious, noxious 4
Schädling (*m.*), insect, pest 2
schaffen (*v.*), to create, to make, to produce 1
schalten (*v.*), to connect 1
scharf (*adj.*, *adv.*), sharp, strict(ly), definitely 5
Schaufelrad (*n.*), paddlewheel 1
scheidbar (*adj.*), separable 1
scheinen (*v.*), to appear, to seem, to shine 6
Scheitern (*n.*), failure, going to the rocks, floundering 2
scheitern (*v.*), to fail, to be frustrated, to shatter, to flounder; — an, to fail owing to 1
schematisch (*adj.*, *adv.*), schematic, diagrammatic(ally) 1
Schicht (*f.*), layer 2
Schichtdicke (*f.*), layer thickness 1
schieben (*v.*), to push, to shove, to slide, to move 1
Schiefer (*m.*), shale, slate, flaw (in iron) 1
Schieferöl (*n.*), shale oil 1
Schiene (*f.*), rail 1
Schienenstahl (*m.*), rail steel 1
Schiesspulver (*n.*), gunpowder 1
Schiffsbau (*m.*), ship building 1
Schiffsblech (*n.*), ship plate 2
Schiffskessel (*m.*), marine boiler 2
Schiffsmaschinenbau (*m.*), construction of ship machinery 2
schildern (*v.*), to depict 1
Schiller (*m.*), iridescence 1
schlackenbildend (*p. adj.*), slag-forming 5
Schlackeneinschluss (*m.*), slag content, inclusion of slag, slag inclusion 3

Schlackengehalt (*m.*), slag content 1
Schlackenschicht (*f.*), slag layer 1
schlackig (*adj.*), scoriaceous, slaggy, drossy, clinkery 1
Schlagen (*n.*), beating, agitation 1
schlagen (*v.*), to beat 2
Schlagprobe (*f.*), percussion test, impact test or test piece 1
Schlangenkühler (*m.*), spiral or coil condenser 3
Schlauch (*m.*), tube, pipe (of flexible material), rubber tube 1
schlauchähnlich (*adj.*), tubelike 1
Schlauchleitung (*f.*), rubber tube, hose line 1
Schlauchstück (*n.*), piece of rubber tubing, tubing attachment 1
Schlauchstückchen (*n.*), small piece of rubber tubing 1
schlecht (*adj.*), bad; (*adv.*), hardly 1
schlechthin (*adv.*), merely, plainly, simply 1
schliessen (*v.*), to close, to conclude 5
schliesslich (*adv.*), at last, finally 10
Schliff (*m.*), grinding, sharpening 1
Schliffe (*m. pl.*), (literally, grindings) ground-glass joints 1
Schluss (*m.*), conclusion, close, end 6
Schlussfolgerung (*f.*), conclusion 4
schmecken (*v.*), to taste 1
schmelzbar (*adj.*), fusible, meltable 1
Schmelze (*f.*), melt, fusion 21
Schmelzelektrolyse (*f.*), fusion electrolysis 1
schmelzen (o, o) (*v.*), to melt, to fuse 14
Schmelzprodukt (*n.*), fusion product 1
Schmelzpunkt (*m.*), melting point 5
Schmelzpunktstabelle (*f.*), table of melting points 1

Schmelzpunktsvolumen (*n.*), volume at the melting point 1
Schmelzung (*f.*), fusion, melting, smelting 8
Schmelzwärme (*f.*), melting heat, heat of fusion 2
Schmied (*m.*), blacksmith, smith 1
schmiedbar (*adj.*), malleable, forgeable, wrought 29
Schmiedbarkeit (*f.*), malleability 3
Schmiedeeisen (*n.*), malleable iron, wrought iron 8
Schmieden (*n.*), forging 1
Schmirgeln (*n.*), rubbing, polishing with emery 1
schmirgeln (*v.*), to rub with emery 1
schnell (*adj.*, *adv.*), quick(ly), fast, rapid(ly) 4
Schnitt (*m.*), cross section, cut 1
Schnupfen (*m.*), cold, catarrh 1
schokoladenbraun (*adj.*), chocolate brown 1
schon (*adv.*), already; even; indeed; — seit, for 43
Schönheit (*f.*), beauty 1
schräg (*adj.*, *adv.*), oblique(ly) 3
Schraube (*f.*), screw 2
Schraubeneisen (*n.*), screw iron, screw stock, sections for screws 2
Schraubenkühler, (*m.*), helical condenser or cooler 2
schreiben (**ie, ie**) (*v.*), to write 1
Schritt (*m.*), step, stride 1
Schrot (*n.* and *m.*), piece, small shot, hail-shot, slugs 2
Schrott (*m.*), scrap (iron), scrap metal 2
Schrottanteil (*m.*), scrap piece 1
Schrottroheisenverfahren (*n.*), scrap pig-iron process; scrap and pig process 2
Schuh (*m.*), shoe 1
Schuppe (*f.*), scale, flake 1
schuppen (*v.*), to scale off. to strip of scales 1

Schütteln (*n.*), shaking, agitation, stirring 6
schütteln (*v.*), to shake, to agitate 4
schützen (**vor**) (*v.*), to protect (from), to guard, to preserve; **sich** — (**vor, gegen**) to protect oneself (against) 7
schützend (*pr. p.*, *adj.*), protecting, protective 1
schwach (*adj.*, *adv.*), weak(ly), faint(ly), slight(ly), feeble 13
schwammförmig (*adj.*), spongelike 2
schwammig (*adj.*), spongy, porous 1
schwanken (*v.*), to vary, to fluctuate 3
Schwankung (*f.*), fluctuation 1
schwarz (*adj.*), black 2
Schwarzblech (*n.*), black plate (iron), untinned plate iron 2
Schwarzfärbung (*f.*), black coloring; **unter** —, accompanied with black coloration 1
schwarzkernig (*adj.*), black heart (malleable iron) 2
Schwarzpulver (*n.*), black powder 1
schwedisch (*adj.*), Swedish; —**es Eisen**, Swedish pig 2
Schwefel (*m.*), sulfur 19
Schwefelammonium (*n.*), ammonium sulfide 4
Schwefeldioxyd (*n.*), sulfur dioxide 1
Schwefelfarbstoff (*m.*), sulfur dyestuff 1
Schwefelgehalt (*m.*), sulfur content 1
schwefelhaltig (*adj.*), containing sulfur, sulfurous 1
Schwefelkohlenstoff (*m.*), carbon disulfide 5
Schwefelkohlenstofflösung (*f.*), carbon disulfide solution 1
Schwefelsäure (*f.*), sulfuric acid 36

Schwefelsäurekontaktverfahren (*n.*), sulfuric acid contact process 1

Schwefelsäuremonohydrat (*n.*), sulfuric acid monohydrate 1

Schwefelsäuremonophenylester (*m.*), monophenyl ester of sulfuric acid 1

Schwefelwasserstoff (*m.*), hydrogen sulfide 1

schweflig (*adj.*), sulfurous 3

Schwefligsäureester (*m.*), sulfurous acid ester 1

schweigen (*v.*), to be silent, to hush 1

Schweisseisen (*n.*), wrought iron 3

schweissen (*v.*), to weld 2

Schweissschmiedeeisen (*n.*), wrought iron 1

Schweissstahl (*m.*), wrought steel, mild steel, welding steel 1

Schwelle (*f.*), tie, sleeper (in railroad) 1

schwellen (*n.*), to swell, to distend 1

Schwellenschraube (*f.*), tie bolt, tie screw 2

schwer (*adj.*), difficult, heavy; (*adv.*), heavily, with difficulty 8

Schweröl (*n.*), heavy oil 1

Schwierigkeit (*f.*), difficulty 6

Schwingung (*f.*), vibration, electric oscillation 1

sechseckig (*adj.*), hexagonal 1

Sechskanteisen (*n.*), hexagonal (bar) iron 1

sechsmal (*adv.*), six times 1

Sechstel (*n.*), sixth 1

Sechszahl (*f.*), (der Ringgleider), six number (of links) 1

sechzehnt (*adj.*), sixteenth 1

sedimentär (*adj.*), sedimentary 1

Seeweg (*m.*), sea route 1

sehen (a, e) (*v.*), to see 23

sehr (*adv.*), very, very much 69

Seidenbeschwerung (*f.*), silk weighting 1

Seifenbildung (*f.*), alluvial formation (*geology*); soap formation 1

sein (*pron.*), its, his 15

Seite (*f.*), page, side 46

Seitenkette (*f.*), side chain 2

Seitenstück (*n.*), counterpart, parallel 1

seither (*adv.*), till now, since that time 1

seitlich (*adj.*), lateral, side; (*adv.*), on (at) the side 5

sekundär (*adj.*), secondary 2

Sekunde (*f.*), second 1

selb(e) (*adj.*), same, self 2

selbst (*adv.*), even 4

selbst (*pron.*), self; itself 10

selbstverständlich (*adj.*), self-evident, obviously, of course 1

Selen (*n.*), selenium 1

selten (*adj.*), scarce, seldom, rare(ly) 4

Seltenheit (*f.*), rarity 2

Semicarbazid (*n.*), semicarbazide 2

Senföl (*n.*), mustard oil 1

senkrecht (*adj.*), perpendicular 1

setzen (*v.*), to set, to settle, to put 5

sich (*refl. pron.*), oneself, himself, itself, themselves (usually omitted by translating the verb passive); an —, in itself (themselves); an und für —, in itself, taken by itself 1

sicher (*adj., adv.*), safe(ly), certain, sure, reliable, positive 2

Sicherheit (*f.*), certainty 2

Sicherheitswasserbad (*n.*), safety water bath 1

sichern (*v.*), to secure, insure 1

sichtbar (*adj.*), visible, evident 2

sichtlich (*adj.*), evident, obvious 1

Sichtung (*f.*), sifting 1

Siderit (*m.*), siderite 1

sie (*pron.*), it, she, they; her, them 12

siebent(e) (*adj.*), seventh 1

Siedegefäss (*n.*), boiling vessel 2
Siedehitze (*f.*), boiling heat 1
Siedekonstante (*f.*), boiling-point constant 2
Sieden (*n.*), boiling, seething 3
sieden (*v.*), to boil 13
Siedepunkt (*m.*), boiling point 8
Siedepunktsbestimmung (*f.*), boiling-point determination 2
Siedepunktserhöhung (*f.*), boiling-point elevation 1
Siederohr (*n.*), boiler tube, distilling tube 2
Sieg (*m.*), victory; zum —e führen, to lead to victory 1
Siegszug (*m.*), triumphal train, progress 1
siehe Tabelle, see the table 1
Siemens-Martin-Charge (*f.*), Siemens-Martin charge, basic open-hearth charge 1
Siemens-Martin-Eisen (*n.*), Siemens-Martin iron 1
Siemens-Martin-Flusseisen (*n.*), Siemens-Martin ingot iron 1
Siemens-Martin-Prozess (*m.*), Siemens-Martin process, basic open-hearth process 1
Siemens-Martin-Stahl (*m.*), Siemens-Martin steel 1
Siemens-Martin-Verfahren (*n.*), Siemens-Martin process 2
Silbercyanat (*n.*), silver cyanate 1
silbergrau (*adj.*), silver gray 1
Silbernitrat (*n.*), silver nitrate 6
Silbernitratlösung (*f.*), silver nitrate solution 1
Silicat (*n.*), silicate 2
Silicium (*n.*), silicon 1
Siliciumdioxyd (*n.*), silicon dioxide 1
Siliciumtetrachlorid (*n.*), silicon tetrachloride 1
Siliciumzusatz (*m.*), addition of silicon, silicon charge 2
Silikospiegel (*m.*), ferromanganese silicon (blast-furnace

product), silicospiegel (trade name); specular silicon 1 *SIND · ARE*
Silizium, see Silicium
sinken (a, u) (*v.*), to fall, to drop, to subside; —d, falling; mit —er Temperatur, with falling temperature 5
Sinn (*m.*), sense, meaning, manner, way; in demselben —, in the same way 4
Sirup (*m.*), syrup 1
sitzen (*v.*), to sit 1
Skalenoeder (*n.*), scalenohedron (a pyramidal shape of rhombohedral type enclosed by 12 faces, each a scalene triangle) 1
skalenoedrisch (*adj.*), scalenohedronal 2
Skelett (*n.*), skeleton 2
so (*adv.*), thus, so, in this or that manner, in such a way; — (gross) wie, as (large) as; — dass, so that; (so is not to be translated at all when it introduces the result clause in conditional sentences) 100
Soda (*f.*), soda 2
Sodafabrik (*f.*), soda factory 2
Sodaindustrie (*f.*), soda industry 1
Sodalösung (*f.*), soda solution 1
sodann (*adv.*), after that, then 3
sofort (*adv.*), immediately, at once 4
sogar (*adv.*), even 5
sogenannt (*p. adj.*), so-called 9
sogleich (*adv.*), at once 1
Sojabohnenextrakt (*m.*), soybean extract 2
solange (*adv.*), as long as 1
solcher (*adj.*), such, such as; ein — (*pron.*), such a one; *pl.*, such ones 36
sollen (*v.*), to be obliged or bound in duty; to be supposed to; to have to; to be said; (used as aux. = shall, should, ought, must) 28

somit (*conj.*), therefore, hence   3
Sommertemperatur (*f.*), summer temperature   1
Sonderblech (*n.*), special plate   2
Sonderfall (*m.*), special case   1
sondern (*adv.*), to the contrary, but (corrects a preceding negative statement)   11
Sonderstahl (*m.*), special steel   1
Sonnenlicht (*n.*), sunlight   3
sonst (*adv.*), else, otherwise   3
sonstig (*adj.*), other   1
Sorge (*f.*), care   1
sorgen (*v.*), to care for; — **für,** to provide for   3
sorgfältig (*adj.*), careful(ly)   5
Sorte (*f.*), species, sort, quality, type   10
soweit (*adv.*), so far; (*conj.*), as far as, as for so   3
sowie (*adv.*), as well as; both . . . and   42
sowohl . . . als auch (*conj.*), as well as; both . . . and   6
spaltbar (*adj.*), splittable, cleavable   1
Spaltbarkeit (*f.*), cleavage, cleavability   2
Spalte (*f.*), column, fissure   2
spalten (*v.*), to split, to divide, to cut open; **spaltend** (*adv.*), hydrolytically   4
Spaltung (*f.*), dissociation, decomposition, cleaving   2
Spaltungsprozess (*m.*), cleaving process
Span (*m.*), chip, splinter, shred   1
Spanier (*m.*), Spaniard   1
spanisch (*adj.*), Spanish   1
Spannungsunterschied (*m.*), difference in tension   1
Spat (*m.*), spar   1
spät (*adj.*), late(ly)   8
Spateisen (*n.*), siderite (iron)   1
Spateisensteingang (*m.*), siderite vein   1
später (*adv.*, comp. of **spät**), later   11

Species (*f.*), species   1
Specularit (*m.*), specular hematite   2
Spektroskopie (*f.*), spectroscopy (investigation of spectra)   1
Spektrum (*pl.*, **Spektren**) (*n.*), spectrum, spectra   2
spezial (*adj.*), special   4
Spezialkapitel (*n.*), particular chapter   1
Speziallegierung (*f.*), special alloy   2
Spezialstahl (*m.*), special steel, off-grade steel   2
speziell (*adj.*), special, especially   14
spezifisch (*adj.*), specific   7
Spiegelbildung (*f.*), mirror formation   1
Spiegeleisen (*n.*), spiegeleisen, (specular) iron   2
Spiegeleisenzusatz (*m.*), addition of spiegeleisen   3
Spielball (*m.*), ball for playing   1
spielen (*v.*), to play; **eine Rolle** —, to play a part   3
Spinell (*m.*), spinel   1
spinellartig (*adj.*), spinel-like   1
Spinellgesetz (*n.*), spinel law   1
Spinellgruppe (*f.*), spinel group   1
Spinelltyp (= **Spinelltypus**) (*m.*), spinel type   1
Spiralröhre (*f.*), spiral tube   1
spitz (*adj.*), sharp, pointed   1
Spitze (*f.*), point, tip   1
Sprachgebrauch (*m.*), colloquial usage   1
sprechen (*v.*), to speak; — **für,** to argue for, to be proof for; — **von,** to speak about   6
Sprengstoff (*m.*), explosive   1
Sprengstoffindustrie (*f.*), explosive industry   1
springen (*v.*), to crack   1
Spritze (*f.*), syringe, spray   1
spröde (*adj.*), brittle, short   1
Sprödigkeit (*f.*), brittleness   1
sprunghaft = **sprungweise** (*adv.*), by leaps, suddenly, by jumps   1

spülen (*v.*), to rinse, to wash 1
Spur (*f.*), track, trace, line 7
Staat (*m.*), state, nation 2
Stab (*m.*), staff, rod, bar, slab 3
Stäbchen (*n.*), small rod 1
Stabeisen (*n.*), bar iron; (*pl.*),
bars, rounds 3
Stabform (*f.*), rod form or shape 1
stabil (*adj.*), stable 1
Stabilität (*f.*), stability 1
Stadium (*pl.*, Stadien) (*n.*), stage,
phase 2
Stahl (*m.*), steel 23
Stahlblau (*n.*), steel blue, steel
gray 1
Stahldrahterzeugung (*f.*), steel-
wire production 1
Stahleisen (*n.*), open-hearth pig
iron 5
Stahlerzeugung (*f.*), steel production 2
Stahlformguss (*m.*), steel (mold)
casting 4
Stahlguss (*m.*), cast steel 1
stammen (von) (*v.*), to descend
(from), to arise (from), to come
from, to be derived (from) 8
Stammsubstanz (*f.*), parent substance 3
Standpunkt (*m.*), standpoint,
view 3
stark (*adj.*, *adv.*), strong(ly),
very, highly, greatly, much 33
Stärke (*f.*), strength; starch 2
statistisch (*adj.*), statistical 2
Statt (*f.*), place; von —en gehen,
to proceed, to go or come off,
to succeed 1
statt (*prep.* with gen.), instead of 4
stattfinden (*v.*), to take place, to
occur 5
statthaft (*adj.*), permissible,
allowable 1
stecken (*v.i.*), to occur 1
stehen (*v.*), to stand, to be 15
Stehenlassen (*n.*), immersion,
allowing to stay 2

steigen (ie, ie) (*v.*), to ascend, to
rise, to increase, to arise 6
steigern (*v.*), to increase 1
Steigerung (*f.*), increase 1
Steighöhe (*f.*), height of ascent 1
Steigrohr (*n.*), ascending pipe or
tube 1
Stein (*m.*), rock, stone 1
Steinkohle (*f.*), hard coal 1
Steinkohlenteer (*m.*), coal tar 7
Steinmeteorit (*m.*), rock or stone
meteorite 1
Stelle (*f.*), place, point, spot,
position; an — (von), instead
(of) 16
stellen (*v.*), to place, to put, to set 7
Stellung (*f.*), place, position 2
Sterilisierung (*f.*), sterilization 1
stetig˙ (*adj.*), continuous, con-
stant 1
stets (*adv.*), always, continually 10
Stich (*m.*), tinge (of colors) 3
Stickstoff (*m.*), nitrogen 22
Stickstoffatom (*n.*), nitrogen
atom 1
Stickstoffdioxyd (*n.*), nitrogen
peroxide 2
Stickstoffmenge (*f.*), quantity of
nitrogen 1
Stickstoffoxyd (*n.*), nitrogen oxide 1
Stiftdraht (*m.*), wire for making
nails 2
Stillstand (*m.*), standstill, stop;
zum — kommen, to stop, to
cease 2
Stöchiometrie (*f.*), stoichiometry 1
Stoff (*m.*), substance, material 14
Stoffbahn (*pl.*, Stoffbahnen) (*f.*),
strip or width of cloth, clothing
material, breadth 2
Stoltzenbergkühler (*m.*), Stoltzenberg condenser 1
Stopfen (*m.*), stopper, cork 3
stören (*v.*), to disturb, destroy 2
stossen (*v.*), to pulverize, to
bump 1

Strammheit (*f.*), rigidity, tightness 1
Strassenbahn (*f.*), street railway 1
streben (*v.*), to strive 1
Streckgrenze (*f.*), yield point 1
streichen (*v.*), to rub, to stroke 1
streifen (*v.*), to touch on, to graze 1
streng (*adj.*, *adv.*), severe(ly), strict(ly), sharp(ly), close(ly) 2
Strich (*m.*), streak 1
Strom (*m.*), current, stream 6
strömend (*p. adj.*), streaming 2
Stromintensität (*f.*), current intensity 1
Stromstärke (*f.*), strength of current 1
Strontiumoxyd (*n.*), strontium oxide 1
Struktur (*f.*), structure 3
Strukturätzung (*f.*), structure etching 2
Struktureigentümlichkeit (*f.*), structural peculiarity 1
Strukturelement (*n.*), structure element 1
Strukturformel (*f.*), structural formula 1
Stück (*n.*), piece, bit, lump 4
Stückchen (*n.*), small piece 1
stückeln (*v.*), to cut in pieces, to cut up 1
studieren (*v.*), to study 1
Studium (*pl.* Studien) (*n.*), study, pursuit 2
stufenweise (*adv.*), by degrees, gradually, in stages 2
stumpf (*adj.*), blunt, dull, obtuse 1
Stunde (*f.*), hour; nach —n after several hours; 20 —n lang, for 20 hours 10
stürmisch (*adj.*), turbid, stormy, violent 1
Sturz (*m.*), fall, failure 1
Stütze (*f.*), support, prop, stay 1
sub (*prep.*) (Latin), under 1
Sublimat (*n.*), sublimate 1

Sublimation (*f.*), sublimation 1
sublimieren (*v.*), to sublime or sublimate 1
submarin (*adj.*), submarine, under-sea 1
Substanz (*f.*), substance, matter, stuff 38
substituieren (*v.*), to substitute 1
Substitution (*f.*), substitution 1
Substitutionsprodukt (*n.*), substitution product 1
Suche (*f.*), search, quest 1
suchen (*v.*), to search, to seek 1
Sulfat (*n.*), sulfate 5
Sulfid (*n.*), sulfide 2
Sulfocarbanilid (*n.*), thiocarbanilide 1
Sulfomonopersäure (*f.*), permonosulfuric acid 2
Sulfoniumbasen (*f. pl.*), sulfonium bases 1
Sulfosäure (*f.*), sulfonic acid 3
sulfurieren (*v.*), to sulfonate, to sulfurize 2
Sulfurierung (*f.*), sulfonation 3
Sulfurylchlorid (*n.*), sulfuryl chloride 2
Superoxyd (*n.*), peroxide 2
Susceptibilität (*f.*), susceptibility 1
suspendieren (*v.*), to suspend 2
Suspension (*f.*), suspension 3
Süsse (*f.*), sweetness 1
Suszeptibilität (*f.*), susceptibility 3
Symbol (*n.*), symbol 1
Synthese (*f.*), synthesis 21
synthetisch (*adj.*), synthetic 14
System (*n.*), system 15
Systematik (*f.*), system, order 1
systematisch (*adj.*), systematic 3
System-Nummer (*f.*), system number 10

T

tabellarisch (*adj.*), tabulated, tabular 1
Tabelle (*f.*), table, synopsis, index 23

Täfelchen (n.), little table, tablet, platelet 1

taflig (adj.), tabular 1

Tag (m.), day 1

tagen (v.), to sit (of assemblies) 1

-tägig (suffix in compounds); lasting for a day 2

täglich (adj.), daily 1

Tat (f.), fact, deed; in der —, in fact, indeed 1

Tatsache (f.), fact 4

tatsächlich (adj.), actual, real; (adv.), as a matter of fact, in reality, actually 1

tauchen (v.), to dip 1

Technik (f.), technology, industry 2

technisch (adj., adv.), commercial(ly), industrial(ly), technical(ly) 32

Teer (m.), tar 6

Teerbestandteil (m.), tar ingredient 1

Teerfarben-Industrie (f.), coaltar dye industry 1

Teerkohlenwasserstoff (m.), hydrocarbon tar 1

teigig (adj.), doughy, pasty; —es Eisen pasty iron; in —en Zustande, in a pasty condition 1

Teigmasse (f.), doughy mass 1

Teil (m.), part, portion, division; zum —, in part, partly; zum grössten —, for the most part, mostly 55

Teilbarkeit (f.), divisibility 1

teilen (v.), to divide 1

teils (adv.), partly, in part 10

teilweise (adv.), partially, in part, partly

T-Eisen (n.), T-iron or beam (an iron bar whose cross section is T-shape) 1

Telegraphendraht (m.), telegraph wire 2

Telephondraht (m.), telephone wire 2

Tellur (n.), tellurium 1

Temperatur (f.), temperature 89

Temperaturabfall (m.), fall in temperature, decrease in temperature 1

Temperaturdifferenz (f.), difference in temperature 1

Temperaturerniedrigung (f.), lowering of temperature 1

Temperaturgebiet (n.), temperature range 4

Temperaturintervall (n.), interval of temperature 1

Temperaturunterschied (m.), difference in temperature 2

Temperguss (m.), malleable pig iron or cast iron 5

Tempergussschrott (m.), malleable iron scrap 2

temperieren (v.), to temper 1

Temperkohle (f.), temper carbon 2

Tempern (n.), tempering, annealing 1

Temperroheisen (n.), malleable pig iron 3

Temperroheisensorten (f. pl.), types of malleable iron 1

ternär (adj.), ternary 2

Terpentinöl (n.), oil (or spirit) of turpentine 1

tertiär (adj.), tertiary 1

Teslastrom (m.), current from a Tesla coil (named after the inventor) 2

Tetrabromcyclohexadienon (n.), tetrabromocyclohexadienone 1

Tetrachloräthan (n.), ethane tetrachloride 1

Tetrachlorchinon (n.), tetrachloroquinone 1

Tetrachlorkohlenstoff (m.), carbon tetrachloride 3

Tetrachlormethan (n.), methane tetrachloride, carbon tetrachloride 1

2, 3, 4, 6-Tetrachlor-phenol (n.), 2, 3, 4, 6-tetrachlorophenol 1 tetragonal-skalenoedrisch (*adj.*), tetragonal scalenohedral 1

Textilindustrie (*f.*), textile industry 1

Textilmaschine (*f.*), textile loom or machine 1

theoretisch (*adj.*), theoretical 5

thermisch (*adj.*), thermal 19

Thermometer (*n.*), thermometer 6

Thermometerskala (*f.*), thermometer scale 1

Thianthren (*n.*), thianthrene 1

a-Thio-isatin (*n.*), α-thioisatin 1

Thionaphthen-Reihe (*f.*), thionaphthene series 1

Thionylchlorid (*n.*), thionyl chloride 2

thiophenfrei (*adj.*), thiophene free 1

Thiophenol (*n.*), thiophenol 2

Thiophosphorsäurediphenylester (*m.*), diphenyl ester of thiophosphoric acid, diphenyl thiophosphate 1

Thiophosphoräuretriphenylester (*m.*), triphenyl ester of thiophosphoric acid, triphenyl thiophosphate 2

Thioverbindung (*f.*), thio compound 2

Thomaseisen (*n.*), Thomas iron; basic iron 1

Thomasflusseisen (*n.*), Thomas ingot iron, basic ingot iron 4

Thomasmetall (*n.*), Thomas metal 1

Thomasprozess (*m.*), Thomas process (the process most in use on the continent, for pig iron with high phosphorus content); basic Bessemer process 2

Thomasroheisen (*n.*), pig iron 6

Thomasschmelzung (*f.*), smelting by Thomas process 2

Thomasstahl (*m.*), Thomas steel, basic steel 1

Thomasverfahren (*n.*), Thomas process, basic Bessemer process 2

tief (*adj.*), deep, low 14

tiefblau (*adj.*), deep blue 1

Tiefblaurot (*n.*), dark blue red 1

tiefblutrot (*adj.*), deep blood red 1

Tiefengestein (*n.*), plutonic rock 2

Tiegel (*m.*), crucible, pot 2

Tiegeldeckel (*m.*), crucible cover, crucible lid 1

Tiegelgussstahl (*m.*), crucible cast steel, crucible steel 1

Tiegelmaterial (*n.*), crucible material 2

Tiegelofen (*m.*), crucible furnace 1

Tiegelschmelzen (*n.*), crucible fusion 2

Tiegelschmelzverfahren (*n.*), crucible process 1 5

Tiegelstahl (*m.*), crucible steel 2

Tiegelverfahren (*n.*), crucible process 1

Tiegelwand (*f.*), crucible wall 1

Tier (*n.*), animal 1

tierisch (*adj.*), animal 1

Ti-Gehalt (*m.*), titanium content 2

tinctorium (*n.*), (= Tinktur) (*f.*), tincture (alcoholic extract of animal or vegetable matter); „Indigofera tinctoria" Latin botanical name (same in English) 3

Titan (*n.*), titanium 3

titanführend (*adj.*), —es Eisen, titaniferous iron 1

titanomagnetisch (*adj.*), titanomagnetic 1

Titanomagnetit (*m.*), titanomagnetite 2

Titanstickstoffverbindung (*f.*), titanium-nitrogen compound 1

Titantetrachlorid (*n.*), titanium tetrachloride 1

titrimetrisch (*adj.*, *adv.*), titrimetrical(ly) 1

o-Toluidin (*n.*), o-toluidine 1

p-Toluidin (*n.*), p-toluidine 2

Toluol (*n.*), toluene 3
Tonerde (*f.*), alumina 1
Tonform (*f.*), clay model 1
Tonscherbe (*f.*), pottery fragment 1
Tonstaub (*m.*), clay dust 1
Tonteller (*m.*), pottery plate 1
Torbanit (*m.*), torbanite 1
Träger (*m.*), girder, support, carrier, bearer 3
Trägereisen (*n.*), girder iron 1
Tragweite (*f.*), extent, significance, range 1
Träne (*f.*), tear 1
tränken (*v.*), to steep, to soak, to saturate 1
Translationsebene (*f.*), translation plane (a crystallographic sliding plane) 1
Translationsfläche (*f.*), translation surface or plane 1
Transport (*m.*), transport(ation), conveyance, shipment 1
transportieren (*v.*), to transport, to ship 1
Traubenzucker (*m.*), grape sugar; dextrose 2
Traubenzucker-Lösung (*f.*), grape sugar solution 1
treffen (*v.*), to meet with, to find, to run across; eine Entscheidung —, to come to a decision, to decide upon 2
treiben (*v.*), to drive, to actuate, to work 2
trennen (*v.*), to separate, to divide 4
Trennung (*f.*), separation, division 5
treten (*v.*), to step, to go, to enter 4
Triacetylentetrasulfonsäure (*f.*), "triacetylenetetrasulfonic acid" 1
Triäthylamin (*n.*), triethylamine 1
2·4·6-Tribrom-phenol (*n.*), 2, 4, 6-tribromophenol 1
Trichlorchinon (*n.*), trichloroquinone 1

2·2·4-Trichlor-cyclopentanol (*n.*), 2, 2, 4-trichlorocyclopentanol 1
2·4·6-Trichlor-phenol (*n.*), 2, 4, 6-trichlorophenol 5
Triebkraft (*f.*), motive power 2
2·4·6-Trijod-phenol (*n.*), 2, 4, 6-triiodophenol 4
Trimethylcarbinol (*n.*), trimethyl carbinol 1
2·4·6-Trinitro-phenol (*n.*), 2, 4, 6-trinitrophenol, picric acid 2
Trinkwasser (*n.*), drinking water 3
trocken (*adj.*), dry, anhydrous 9
Trockne (*f.*), dryness 1
trocknen (*v.*), to dry, to desiccate 4
trocknend (*adj.*), dry(ing) 1
Tropen (*f. pl.*), the tropics 1
tropfen (*v.*), to drop, to drip, to trickle 1
Tropftrichter (*m.*), dropping funnel 1
tropisch (*adj.*), tropic 1
trotz (*prep.* with gen.), in spite of 3
trotzdem (*adv.*), in spite of this, nevertheless, although 3
trüben (sich) (*v.*), to trouble, to make turbid 2
Tübbing (*pl.*, Tübbings), (*f.*), tubing 2
Tubus (*m.*), tube 1
Tuch (*n.*), cloth 1
tun (tat, getan) (*v.*), to do, to make; (es) zu — haben mit, to have to do with, to deal with; nichts zu — haben, to have nothing to do (with), to have nothing in common 3
Tür (*f.*), door 1
typisch (*adj.*), typical 4
Typus (*m.*), type 1

U

übelriechend (*p. adj.*), ill-smelling, malodorous 1

Übelstand (*m.*), disadvantage, fault, defect 2

üben (*v.*), to practice, to use, to exert, to exercise 1

über (*prep.* with acc.), concerning, about, over, above, across, by way of, beyond, via, more than, during 95

überall (*adv.*), everywhere, all over 2

überaus (*adv.*), exceedingly, especially, extremely, excessively 3

überdecken (*v.*), to overlap, to cover over 2

Überdestillieren (*n.*), distilling over 1

überdestillieren (*v.*), to distil over 1

übereinstimmen (*v.*), to agree, to correspond to 2

Übereinstimmung (*f.*), conformity, agreement 4

überflüssig (*adj.*), superfluous 1

überführen (*v.*), to convey, to convert, to lead across or over, to transform 6

Überführung (*f.*), conversion, transformation 5

Übergang (*m.*), transition, blending 3

übergehen (*v.*), to convert, to go over, to change, to transfer, to be converted, to pass over, to overflow 12

übergiessen (*v.*), to pour on or over, to cover with a liquid 1

übergross (*adj.*), overly large 1

überhaupt (*adj.*), at all, in general, on the whole, anyway, generally 2

Überhitzung (*f.*), overheating, superheating 2

überlapptgeschweisst (*p. adj.*), lap-welded 1

Überlegung (*f.*), consideration, reflection, thought 2

Überleiten (*n.*), conducting over, leading over 1

überleiten (*v.*), to lead, to conduct, to pass over 2

übermitteln (*v.*), to communicate, to hand over, to transmit 1

Überproduktion (*f.*), overproduction 1

überraschend (*p. adj.*), surprising 1

Überreissen (*n.*), carrying over 1

übersandt, see übersenden 1

übersättigt (*p. adj.*), supersaturated 1

Übersättigungserscheinung (*f.*), phenomen of supersaturation 1

überschreiten (*v.*), to go beyond, to exceed, to step over, to transgress 2

Überschuss (*m.*), excess 3

überschüssig (*adj.*), in excess of 12

übersehen (*v.*), to overlook 2

übersenden (*v.*), to ship, to send, to consign, to transmit 1

Übersendung (*f.*), shipment, consignment 1

übersetzen (*v.*), to set over, to transport, to translate 1

Übersicht (*f.*), review, survey, summary 3

Überspannung (*f.*), overvoltage, exaggeration 1

übersteigend (*p. adj.*), exceeding, overflowing 4

übertragen (*v.*), to apply 1

übertreffen (*v.*), to excel, to surpass, to outdo; — an, to be better in 2

übertreiben (*v.*), to drive over, to distil 1

überwiegen (*v.*), to overbalance, to outweigh, to predominate 3

überzeugen (sich) (*v.*), to convince, to persuade, to make sure 1

Überzeugung (*f.*), conviction, persuasion 1

überziehen (*v.*), to cover, to coat, to plate, to put (on) over 3

Überzug (*m.*), coating, covering, coat, plating   1

üblich (*adj.*), customary, usual   8

üblicherweise (*adv.*), usually   1

übrig (*adj.*), remaining, residual; im —, moreover, besides, in other respects, however   2

übrigens (*adv.*), besides, moreover, as for the rest   3

Uhrglas (*n.*), watch glass   1

Ultraviolett (*n.*), ultraviolet   1

ultraviolett (*adj.*), ultraviolet   2

um (*prep.* with acc.), around, at, about, by, over; — ... zu (+ inf.), in order to, to; — so mehr, all the more; — das Jahr 1824, about (around) 1824   33

umbilden (sich) (*v.*), to be transformed, to be reformed   1

Umbildung (*f.*), transformation, recast   2

Umdrehung (*f.*), revolution, turn   1

Umfang (*m.*), circumference, extent; im grossen —, to a great extent; in geringem —, to a small extent   3

umfassen (*v.*), to comprise, to contain, to include, to embrace   3

Umfüllen (*n.*), transferring, transfusion   1

umgekehrt (*adj.*, *adv.*), inverse(ly), converse(ly)   2

umkehrbar (*adj.*), reversible   1

Umkrystallisieren (*n.*), recrystallization   1

umkrystallisieren (*v.*), to recrystallize, to purify by recrystallization   4

Umlagerung, (*f.*), rearrangement   2

ummagnetisieren (*v.*), to change magnetism   1

Umschlag (*m.*), sudden change (of color in titrations, as indicating end points), transition; also envelope or covering   1

Umschmelzen (*n.*), refound, remelting, recasting   1

umschmelzen (*v.*), to remelt, to recast   7

Umschmelzprozess (*m.*), remelting process, refounding process   2

Umschmelzverfahren (*n.*), remelting process   1

umsetzen (*v.*), to place differently, to transpose, to transform, to change, to convert, to react; sich —, to be transformed   4

Umsetzung (*f.*), reaction   2

Umstand (*m.*), circumstance, fact, state; unter Umständen, in certain cases   7

umwandeln (*v.*), to convert, to change, to transform into   1

Umwandlung (*f.*), conversion, transformation, change   14

unabhängig (von) (*adj.*), independent (from) (of)   5

Unangreifbarkeit (*f.*), resistance to attack, or rusting   1

unbedeutend (*adj.*), insignificant, of no importance   1

unbegrenzt (*adj.*), unbounded, unlimited, unconditioned   1

unbenannt (*p. adj.*), unnamed, nameless   1

unbequem (*adj.*), inconvenient   1

unbeständig (*adj.*), inconstant, unstable   2

Unbeständigkeit (*f.*), inconstancy, instability   1

*und (*conj.*), and; — dergleichen, and the like, and suchlike; — so ferner, and so forth; — so weiter, and so on, et cetera; — zwar, that is, to be sure   1

undurchlässig (*adj.*), impermeable, impervious   1

uneben (*adj.*), uneven   1

unedel (*adj.*), base (of metals), inert (of gases)   2

unempfindlich (*adj.*), unsensitive, not sensitive (to) 1

unerträglich (*adj.*), unbearable, intolerable 1

unerwünscht (*p. adj.*), undesirable 1

ungefähr (*adj.*), approximate; (*adv.*), about, nearly 4

ungehindert (*adj.*), unhindered, unchecked 1

ungelöst (*p. adj.*), undissolved 1

ungemein (*adv.*), extraordinarily, exceedingly 1

ungenau (*adj.*), inexact, inaccurate 1

unglasiert (*p. adj.*), unglazed 1

ungleichmässig (*adj.*), not uniform, unequal, irregular 1

Universaleisen (*n.*), flitch plate 2

unklar (*adj.*), not clear 1

unlöslich (*adj.*), insoluble 9

unmagnetisch (*adj.*), non-magnetic 1

unmittelbar (*adj.*, *adv.*), immediate(ly) 5

unnütz = **unnützlich** (*adj.*), useless, fruitless, vain 1

unregelmässig (*adj.*), irregular 1

Unregelmässigkeit (*f.*), irregularity 1

unrein (*adj.*), impure, unclean 1

unrichtig (*adj.*), incorrect 1

unruhig (*adj.*), restless, troubled 2

unschädlich (*adj.*), harmless, innocuous 1

unscharf (*adv.*), not sharply, not definitely (without an exact melting point) 1

unschwer (*adv.*), without difficulty, easily 1

unsiliziert (*p. adj.*), unsiliconized 1

unten (*adv.*), below, beneath, at the bottom; **von** —, from below, from the bottom 3

unter (*prep.* with dat. or acc.), during, under, by the term, below, among, in the midst of, amidst, at, by; — **Bildung von**, accompanied by the formation of; **weiter** —, farther down; — **Kühlung**, on cooling 84

unter(e) (*adj.*), lower 1

unterbringen (*v.*), to place (below), to lower 2

unterchlorig (*adj.*), hypochlorous 1

untereinander (*adv.*), among one another, together 1

untergelegt (*p. adj.*), placed underneath 1

untergeordnet (*p. adj.*), subordinate, minor, lesser 1

Untergruppe (*f.*), subgroup 1

unterkühlt (*p. adj.*), supercooled 1

Unterkühlung (*f.*), supercooling 1

Unterlagsplatte (*f.*), tie, base, iron support, foundation, sole plate 2

unterlassen (*v.*), to omit, to discontinue, to leave off 1

unterschätzen (*v.*), to underrate, to undervalue 1

unterscheiden (*v.*), to distinguish, to discern; **sich** — (**von**), to differ (from), to discriminate 21

Unterscheidung (*f.*), distinction, difference 2

Unterschied (*m.*), difference, discrimination 4

untersuchen (**auf**) (*v.*), to investigate (for), to examine (for) 15

Untersuchung (*f.*), investigation 14

Unterteilung (*f.*), subdivision 3

Unterwasser-Korrosion (*f.*), underwater corrosion 1

unterwerfen (*v.*), to subject, to subdue 1

unverändert (*p. adj.*), unchanged, unaltered, constant 2

unvergleichlich (*adj.*), incomparable 1

unvermeidlich (*adj.*), unavoidable 1

unvollständig (*adj.*), incomplete 1

unwahrscheinlich (*adj.*), improbable, unlikely 2

unwesentlich (*adv.*), unessentially, immaterially 2

unwichtig (*adj.*), unimportant 1

unzersetzt (*p. adj.*), undecomposed 1

unzureichend (*p. adj.*), insufficient 1

Unzutreffende (*n.*), incorrectness, wrongness 1

unzweideutig (*adj.*), unambiguous, explicit, unequivocal, clear, precise 2

Uran (*n.*), uranium 2

Urethan (*n.*), urethane 1

Urin (*m.*), urine 1

Ursache (*f.*), cause, reason 3

Ursprung (*m.*), origin, source 1

ursprünglich (*adj.*), original, primary, first 5

Urteil (*n.*), decision, opinion 3

V

Vakuum (*n.*), vacuum; im —, in a vacuum 3

Valeriansäure (*f.*), valeric acid 1

Vanadinoxychlorid (*n.*), vanadium oxychloride 1

Vanadium (*n.*), vanadium 3

vaporimetrisch (*adj.*), vaporimetric 1

variabel (*adj.*), variable 4

variant (*adj.*), variant 1

variieren (*v.*), to vary 1

Veränderliche (*f.*), variable 1

verändern (*v.*), to alter, to vary, to change; sich —, to be changed 4

verändert (*p. adj.*), changed, altered, different 1

Veränderung (*f.*), alteration, transformation, variation, change, modification 9

veranlassen (*v.*), to cause, to bring about 1

veranschaulichen (*v.*), to illustrate 1

Veranschaulichung (*f.*), illustration 1

verantwortlich (für) (*adj.*), responsible (for), accountable (for) 2

verarbeiten (*v.*), to work up, to treat, to manufacture 7

Verarbeitung (*f.*), manufacture, working, treatment, preparation, processing 11

Verband (*m.*), union 2

Verbesserung (*f.*), improvement 2

verbinden (sich) (*v.*), to unite, to join, to combine, to bind 11

Verbindung (*f.*), compound, combination, union 41

o-Verbindung (*f.*), ortho compound 1

p-Verbindung (*f.*), para compound 2

verbleiben (*v.*), to remain behind 1

Verbrauch (an) (*m.*), use (of), consumption (of) 2

verbrauchen (*v.*), to consume, to use 2

verbreiten (*v.*), to spread, to distribute; verbreitet (*p. adj.*), widely distributed 10

Verbreitung (*f.*), dissemination, distribution 1

verbrennen (*v.*), to burn 3

Verbrennung (*f.*), combustion 1

Verbrennungsluft (*f.*), air of combustion 1

Verbrennungswärme (*f.*), heat of combustion 3

verdampfen (*v.*), to evaporate, vaporize 2

verdanken (+ dat.) (*v.*), to have to thank, to owe (thanks to), to be indebted to 4

verdichtbar (*adj.*), condensible 2

verdichten (*v.*), to condense, to compress, to liquefy, to concentrate 3

Verdichtungsmittel (*n.*), condensing agent, thickener 1

Verdienst (*n.* and *m.*), merit, deserts 1

verdrängen (*v.*), to displace, to remove, to supplant, to drive out 3

verdünnen (*v.*), to dilute (liquids), to thin (gases) 4

Verdünnen (*n.*), diluting, thinning 1

verdünnt (*p. adj.*), diluted, dilute, thinned 10

Verdünnung (*f.*), dilution 3

Verdunsten (*n.*), evaporation 1

Verein (*m.*), union, society, company 3

vereinigen (**sich**) (*v.*), to unite, to combine 6

vereinzeln (*v.*), to isolate, to separate, to detach 1

vereinzelt (*p. adj.*), isolated 1

verengen (*v.*), to contract, to narrow 1

verfahren (*v.*), to proceed 3

Verfahren (*n.*), process, means, method 65

Verfasser (*m.*), author, writer 1

Verfeinerung (*f.*), refinement 1

verfestigen (*v.*), to strengthen, to increase in strength; to solidify 1

verfestigt (*p. adj.*), solid(ified) 2

verfliessen (*v.*), to elapse, to expire, to flow (off) 2

verflüchtigen (*v.*), to volatilize 1

Verflüssigen (*n.*), liquefaction, condensing 1

verflüssigen (*v.*), to liquefy 4

verfolgen (*v.*), to carry on, to follow up, to continue 1

verfrüht (*adj.*), premature, too soon 3

Verfügung (*f.*), disposition, disposal, order; **zur — stehen**, to be available 5

Verfütterung (*f.*), feeding 1

vergiessen (**in zu**) (*v.*), to cast (into), to run (in) 4

Vergleich (*m.*), comparison 1

vergleichbar (*adj.*), comparable 1

Vergleichbarkeit (*f.*), comparability 2

vergleichen (*v.*), to compare; **vergleiche**, compare, see, cf. 83

vergleichend (*adj.*), comparative 2

Vergleichssubstanz (*f.*), comparison substance, substance compared with similar known substance 1

verglühen (*v.*), to bake, to ignite, to calcine 1

vergrössern (*v.*), to increase 1

Vergrösserung (*f.*), magnification, enlargement 1

vergüten (*v.*), to compensate, to indemnify (one for a thing); to temper, to heat-refine 2

vergütet (*p. adj.*), tempered 2

Verhalten (**gegen**) (**zu**) (*n.*), behavior (towards), conduct 29

verhalten (**sich**) (*v.*), to act, to behave 1

Verhältnis (*n.*), ratio, relation; **im — zu**, in proportion to 9

verhältnismässig (*adj., adv.*), proportional(ly), comparative(ly) 4

verhindern (*v.*), to hinder, to prevent 8

Verhüttung (*f.*), smelting, treatment of ores 1

verjüngen (*v.*), to reduce, to constrict 2

verkitten (*v.*), to cement, to seal 1

Verknüpfung (*f.*), connection, tying together 1

Verkürzung (*f.*), shortening 1

verlangen (*v.*), to require, to demand, to expect 2

verlangsamen (**sich**) (*v.*), to slow down, to retard 1

Verlauf (*m.*), course (of curve),

progress, lapse; **im —e,** in the course (of) — 1

verlaufen (*v.*), to proceed, to follow a course, to take place, to occur — 8

verlaufend (*p. adj.*), proceeding — 2

verlieren (an) (*v.*), to lose (in) — 3

verlockend (*p. adj.*), enticing — 1

verlorengehen (*v.*), to be lost — 1

vermeiden (*v.*), to avoid, to evade — 7

Vermeidung (*f.*), avoidance — 2

vermengen (*v.*), to mix, to mingle, to blend — 1

vermindern (*v.*), to diminish, to lessen — 1

Vermischen (*n.*), mixing, adulterating, blending; alloying or amalgamating — 1

vermischt (*p. adj.*), blended, mixed, miscellaneous — 1

vermittels(t) (*prep.* with gen.), by means of, with the help of — 3

vermögen (vermochte, vermocht) (*v.*), to have the power or capacity to, to be able to, to induce — 7

vermuten (*v.*), to suppose, to presume — 1

vermutlich (*adj.*), presumable, probable, likely — 2

Vermutung (*f.*), supposition, guess, conjecture, suspect — 1

vernachlässigen (*v.*), to neglect, to overlook — 2

veröffentlichen (*v.*), to publish — 1

Veröffentlichung (*f.*), publication — 1

Veronal (*n.*), veronal — 1

verpuffen (*v.*), to detonate, to explode, to deflagrate — 1

verringern (*v.*), to diminish, to lessen, to reduce — 1

versagen (*v.*), to fail (to work), to refuse to function — 1

verschaffen (*v.*), to procure, to supply, to secure; **sich —,** to make for (itself), to gain — 2

Verschiebung (*f.*), displacement, fluctuation — 2

verschieden (*adj.*), different, various, differing — 38

verschiedenartig (*adj.*), of a different kind, nature or species; heterogeneous; dissimilar; varied, various, different — 7

Verschiedenheit (*f.*), difference, diversity — 2

Verschmelzen (*n.*), melting, fusion — 3

verschmelzen (*v.*), to melt, to fuse — 1

verschmieren (*v.*), to lute, to smear, to daub — 1

verschwenden (*v.*), to waste — 1

verschwinden (*v.*), to disappear, to vanish — 3

versehen (*v.*), to provide, to furnish with — 6

verseifbar (*adj.*), saponifiable, hydrolyzable — 2

Verseifen (*n.*), saponifying, hydrolysis (with alkalies) — 1

verseifen (*v.*), to saponify, to hydrolyze — 1

Verseifung (*f.*), saponification, hydrolysis — 4

Versendung (*f.*), transmission, exportation, shipping — 1

Versetzen (*n.*), mixing — 1

versetzen (*v.*), to treat, to mix; to displace, to remove; **— mit,** to add — 5

Versetzung (*f.*), mixing, change, transposition — 1

verständlich (*adj.*), intelligible, clear — 1

Verständnis (*n.*), comprehension — 1

verstärken (*v.*), to strengthen, to increase, to reinforce — 1

Verstärkung (*f.*), strengthening, concentration, increase — 1

verstehen (*v.*), to understand — 3

verstreuen (*v.*), to scatter — 2

Versuch (*m.*), experiment, research, attempt — 15

versuchen (*v.*), to try out, to experiment, to attempt; — **zu,** to attempt to — 4

Versuchsanlage (*f.*), experimental plant or works — 1

Versuchsausführung (*f.*), carrying out of an experiment; completion of an experiment — 2

Versuchsbedingung (*f.*), stipulation or condition of the experiment — 5

Versuchsergebnis (*n.*), experimental data or result — 1

Versuchskörperchen (*n.*), test particle — 1

Versuchsmaterial (*n.*), experimental material — 1

Versuchsresultat (*n.*), experimental result — 1

verteilen (*v.*), to divide, to distribute — 4

Verteilung (*f.*), division, distribution, dispersion, diffusion — 8

Verteilungszustand (*m.*), condition of distribution — 2

Vertilgung (*f.*), annihilation, destruction, eradication — 2

vertreiben (*v.*), to drive away, to dispel — 1

Vertreten (*n.*), occurrence, replacement — 1

vertreten (*v.*), to replace, to take the place of; to represent — 2

Vertreter (*m.*), representative — 1

Vertretung (*f.*), substitution — 1

verunreinigen (*v.*), to contaminate, to pollute, to adulterate — 1

Verunreinigung (*f.*), contamination, impurity — 5

verursachen (*v.*), to cause, produce — 2

vervollkommnen, (*v.*), to improve, to perfect; **vervollkommnet** (*p. adj.*), perfected — 2

vervollständigen (*v.*), to complete — 1

vervollständigt (*adj.*), completed — 1

verwandeln (*v.*), to transform, to change, to metamorphose — 8

verwandt (*p. adj.*), related, applied — 1

Verwandtschaft (*f.*), affinity, relationship — 1

verwechseln (*v.*), to mix up — 2

verweisen (*v.*), to refer to; **sei** — **auf,** let it be referred to, you are referred to — 2

verwenden (*v.*), to use, to apply, to utilize — 30

Verwendung (*f.*), use, application — 24

Verwendungsmöglichkeit (*f.*), possibility of use, feasibility of use — 2

Verwendungszweck (*m.*), purpose of (the) application, aim of use (application), intended use — 8

verwerten (**für**) (*v.*), to use (for); to utilize — 2

Verwertung (*f.*), utilization — 2

Verwischung (*f.*), effacement, disappearance — 1

Verwitterung (*f.*), efflorescence, weathering — 1

verwitterungsbeständig (*adj.*), durable against weathering — 1

verzichten (**auf**) (*v.*), to renounce — 1

verzinken (*v.*), to galvanize, to treat (coat) with zinc — 4

verzinnt (*p. adj.*), tinned; **—es Eisen,** galvanized iron — 1

viel (*adj., adv.*), much, many, very much, to a great extent; **nicht —,** not much — 22

vielfach (*adj.*), various, manifold, frequent — 7

vielgebraucht (*p. adj.*), much used — 1

vielleicht (*adv.*), perhaps, possibly — 3

vielmehr (*adj.*), rather — 8

vier (*card. adj.*), four — 1

Vierkanteisen (*n.*), square bar iron 1
vierkantig (*adj.*), four-sided, square 1
viert (*ord. adj.*), fourth 1
Vierteljahrhundert (*n.*), quarter of a century 1
vierwertig (*adj.*), quadrivalent 1
violett (*adj.*), violet 2
violettschimmernd (*p. adj.*), violet gleaming 1
viscos (*adj.*), viscous 1
Viscosität (*f.*), viscosity 1
voll (*adj.*), entire, full, complete 1
völlig (*adj., adv.*), complete(ly), perfect(ly), entire(ly) 4
vollkommen (*adj.*), perfect, complete 1
vollständig (*adj., adv.*), complete(ly), total(ly), integral(ly) 11
Vollständigkeit (*f.*), completeness 2
vollziehen (*v.*), to carry out, to execute, to perform; **sich —**, to take place 2
Volumen (*n.*), volume 12
Volumenabnahme (*f.*), decrease in volume 1
Volumenzunahme (*f.*), increase in volume 1
Volumprozent (*n.*), per cent by volume 1
vom = von dem, by the, from the, on the 9
von (*prep.* with dat.), from, by, of, at, in, on, upon; **— der Gewinnung her,** from the very beginning of the production 653
voneinander (*adv.*), from one another 2
vor (*prep.* with dat. and acc.), before, from, against, in front, in presence of 31
vorangehen (*v.*), to go before, to precede 1
voranstehen (*v.*), to precede 1
Vorarbeit (*f.*), preliminary work, preparation 1

vorarbeiten (*v.*), to prepare (work) beforehand, to do preliminary work 1
vorausgehen (*v.*), to precede, to go in advance 2
voraussetzen (*v.*), to presuppose, to assume 1
Voraussetzung (*f.*), condition, supposition 1
Vorbehalt (*m.*), reservation, restriction 1
vorbehandeln (*v.*), to treat beforehand; to pretreat 1
vorerst (*adv.*), first of all; from the very first; for the present 2
vorerwähnt (*p. adj.*), aforesaid, previously mentioned 1
vorfinden (**sich**) (*v.*), to occur, to be found 1
Vorgang (*m.*), process, procedure, event, reaction, occurrence 14
vorgehen (*v.*), to proceed, to happen, go on 2
vorgehend (*p. adj.*), proceeding 1
vorgeschichtlich (*adj.*), prehistoric 2
vorgeschlagen (*p. adj.*), proposed 2
vorhalten (*v.*), to hold before, to last, to hold out 1
vorhanden (*adj.*), present, existing, ready, extant, at hand 19
Vorhandensein (*n.*), presence, existence, availability 2
vorher (*adv.*), previously, before-(hand) 3
vorhergehen (*v.*), to precede, to go before 8
vorhergehend (*adj.*), preceding, previous, prior 2
vorherig (*adj.*), previous, preceding 2
vorherrschend (*p. adj.*), predominating, prevalent 2
vorig (*adj.*), previous 1
vorkommen (*v.*), to occur, to happen, to appear, to crop up 4

Vorkommen (*n.*), occurrence, presence 7
vorkühlen (*v.*), to cool beforehand, to precool 1
Vorlage (*f.*), receiver, condenser 7
vorlagern (*v.*), to extend in front of, to protrude 1
vorlegen (*v.*), to lay before, to apply, to propose 3
Vorliegen (*n.*), existing, being, presence 1
vorliegen (*v.*), to exist, to be present (found); **es liegt vor,** there is 7
vornehmen (*v.*), to take up, to undertake, to intend 3
vornehmlich (*adv.*), especially, particularly 1
vornherein (*adv.*), **von —,** at first; as a matter of course 1
Vorprobe (*f.*), preliminary test 2
Vorrichtung (*f.*), apparatus, device 1
Vorschlag (*m.*), proposition, proposal; (metal) flux, fusion 8
vorschlagen (*v.*), to propose, to suggest 4
Vorschrift (*f.*), prescription, precept, specification 4
Vorsicht (*f.*), (pre)caution, providence, care 1
vorsichtig (*adj.*), cautious, careful 1
Vorsichtsmassregel (*f.*), precautionary (safety) measure 1
vorstehen (*v.*), to stand (out) before, to superintend, to direct, to manage 8
vorstehend (*p. adj.*), preceding, above 2
Vorstellung (*f.*), notion, idea 1
Vorstoss (*m.*), adapter, edging, lap 2
Vorteil (*m.*), advantage, profit, interest; **den — bieten,** to have the advantage 3
vorteilhaft (*adj.*), favorable, advantageous, profitable 1

vorübergehend (*adj.*), temporary, transitory 1
vorwiegen (*v.*), to preponderate, to outweigh, to predominate 2
vorwiegend (*p. adj., adv.*), predominant(ly) 4
vorzüglich (*adj., adv.*), superior, excellent(ly), preferably 3
vorzugsweise (*adv.*), preferably, especially 2
Vulkan (*m.*), volcano 1
Vulkanisation (*f.*), vulcanization 2

W

wachsen (*v.*), to grow, to increase 1
wägen (*v.*), to weigh, to balance 1
Wägung (*f.*), weighing 1
wählen (*v.*), to choose, to select 4
wahr (*adj.*), true, real 2
wahren (*v.*), to protect, to preserve, to maintain 1
während (*prep.* with gen., *conj.*), during, while 55
wahrscheinlich (*adj., adv.*), probable, probably, likely 5
Waid (*m.*), dyer's woad (*Isatis tinctoria*) 2
Walzdraht (*m.*), rolled wire (twist) 2
Walze (*f.*), drum, roller, cylinder 3
Walzeisen (*n.*), rolled (drawn) iron, axle 2
Walzen (*n.*), rolling 1
walzen (*v.*), to roll 2
Walzenguss (*m.*), roll casting(s) 4
Walzwerk (*n.*), rolling (crushing) mill, rollers 2
Wand (*f.*), wall 2
Wandstärke (*f.*), wall (strength) thickness 2
Ware (*f.*), article; textile fabric; (*pl.*), goods, merchandise 2
warm (*adj.*), warm, hot 7
Warmbildsamkeit (*f.*), forgeability 1
Wärme (*f.*), warmth, heat; in

der —, in a hot state, when hot 9

Wärmebehandlung (*f.*), heat treatment 7

Wärmeentwicklung (*f.*), evolution of heat 1

Wärmetönung (*f.*), heat effect (of a reaction) 3

warmverarbeitet (*p. adj.*), hot worked 1

Warmwassererzeuger (*m.*), hot-water heater 1

warum (*adv.*), why 1

was (*pron.*), which, what, that; a fact that (when antecedent is a whole clause) 7

Waschen (*n.*), washing 1

waschen (*v.*), to wash, to scour, to scrub 5

Wasser (*n.*), water (H_2O) 127

Wasserabspaltung (*f.*), separation of water, dehydration 2

Wasseralgen (*f. pl.*), water algae 1

Wasserbadtemperatur (*f.*), temperature of water bath 1

Wasserblau (*n.*), marine blue 1

Wasserdampf (*m.*), water vapor, steam 3

Wasserdampfgehalt (*m.*), water vapor content, steam content 1

wasserdicht (*adj.*), waterproof, impervious to water 3

Wasserdichtigkeit (*f.*), waterproofing, waterproof quality, water impermeability 1

wasserentziehend (*p. adj.*), dehydrating, removing (extracting) water 1

wasserfrei (*adj.*), anhydrous, free from water 2

Wassergas (*n.*), water gas 2

Wasserglaslösung (*f.*), water glass (silicate of soda) solution 1

wässerig (*adj.*), aqueous, dilute 35

Wasserleitung (*f.*), water pipe line 1

wasserlöslich (*adj.*), water-soluble 1

Wasserlöslichkeit (*f.*), water solubility 1

Wassermantel (*m.*), water jacket 2

Wasserrohr (*n.*), water pipe, water tube 2

Wasserrohrkessel (*m.*), water tube boiler, steam boiler 2

Wasserstoff (*m.*), hydrogen 38

Wasserstoffatom (*n.*), hydrogen atom 4

Wasserstoffaufnahme (*f.*), hydrogen absorption 1

Wasserstoffflamme (*f.*), hydrogen flame 1

Wasserstoffgas (*n.*), hydrogen gas 1

Wasserstoffgehalt (*m.*), hydrogen content 1

wasserstoffhaltig (*adj.*), containing hydrogen, hydrogenous 1

Wasserstoffmenge (*f.*), quantity of hydrogen 2

Wasserstoffsuperoxyd (*n.*), hydrogen peroxide 5

Wasserstofftrichlorid (*n.*), hydrogen trichloride 1

Wasserstrahlpumpe (*f.*), water jet pump 1

wasserunlöslich (*adj.*), insoluble in water 1

Wasserverlust (*m.*), loss of water, water loss 1

Wasserzusatz (*m.*), addition or admixture of water 1

wässrig, see **wässerig** 35

Wechsel (*m.*), change, variation 1

wechseln (*v.*), to change, to alternate, to exchange 12

wechselnd (*p. adj.*), changing, varying, various 1

Wechselstrom (*m.*), alternating current 1

weder (*conj.*), neither; —... noch, neither ... nor 2

Weg (*m.*), way, process, method,

manner; (*pl.*), ways and means 11

wegen (*prep.* with gen.), on account of, because (by reason) of 9

weich (*adj.*), soft, weak, mild 3

Weichenplatte (*f.*), iron switch; base plate for railway points 2

Weichguss (*m.*), soft or malleable casting(s) 1

weil (*conj.*), because, since, as 11

Weingeist (*m.*), (spirit of wine), alcohol 1

Weingeistflamme (*f.*), alcohol flame 1

weingeistig (*adj.*), alcoholic, spirituous 1

Weise (*f.*), manner, way, mode, method; **auf diese** —, in this way, manner; **in ähnlicher** —, similarly; **in folgender** —, in the following manner 15

weiss (*adj.*), white, clean, blank 10

Weissblechabfälle (*m. pl.*), tin plate scrap 1

weisskernig (*adj.*), white heart (malleable iron) 2

weit (*adj.*), broad, wide, far, great, considerably; (*adv.*), by far, much; **ohne** —**eres**, without any further ado (trouble, treatment); **bei** —**em**, by far 44

weitaus (*adv.*), by far 1

weiter (*adj.*), additional (farther); **nicht** —, no farther 1

Weiterbehandlung (*f.*), further treatment 1

Weiterchlorierung (*f.*), continued or further chlorination 1

Weiteres (*n.*), further details 1

weiterhin (*adv.*), furthermore 1

weiterverarbeiten (*v.*), to manufacture (treat) further 1

Weiterverarbeitung (*f.*), further manufacture 1

weitgehend (*p. adj.*), far-reaching, considerably 4

weittragend (*p. adj.*), important, far-reaching 1

welcher (*adj., rel. pron.*), who, which (of two), what, that 30

Welt (*f.*), world, universe 1

Weltbedarf (*m.*), world need, demand 1

Weltkonsum (*m.*), world consumption 1

wenig (*adj.*), little, few, some 23

weniger (*adj., comp.*), fewer, less 8

wenigstens (*adv.*), at least 1

wenn (*conj.*), if, whenever, when; — **auch,** even though 58

wenngleich (*conj.*), although 1

werden (**wurde, geworden**) (*v.*), to become, to be, to grow; — **zu,** to change, to be transformed into 86

Werk (*n.*), work(s), mill 2

Werkslaboratorium (*n.*), works laboratory, laboratory 1

Werkzeug (*n.*), tool, instrument, implement 4

Werkzeugstahl (*m.*), tool steel 3

Wert (*m.*), value, price, worth; **im** — **von;** with a value of, valued at 19

Wertbestimmung (*f.*), valuation, determination of value 1

—**wertig** (suffix), valent

Wertigkeit (*f.*), valence 1

wertvoll (*adj.*), valuable 3

wesentlich (*adj.*), essential, real, considerable, important, substantial, decided; **im** —**en** (*adv.*), actually, in reality, really, essentially, substantially, fundamentally 22

Wesentliche (*n.*), essentials, fundamentals 1

Westindien (*n.*), West Indies 1

wichtig (*adj.*), important; **wichtigst** (*superl.*), most important 21

Wichtigkeit (*f.*), importance, weightiness; **von** — **sein,** to be of importance 2

Wicklung (*f.*), winding 1
widerlegen (*v.*), to disprove, to refute 1
widersprechen (*v.*), to contradict 1
Widerstand (*m.*), resistance 1
widerstandsfähig (*adj.*), resistant, capable of resistance 2
widmen (*v.*), to dedicate, to devote 1
wie (*adv., conj.*), as, like, how; such as 70
wieder (*adv.*), again, back, anew 20
Wiederausscheiden (*n.*), reprecipitating, separating out again 1
Wiedereintauchen (*n.*), redipping 1
wiedereintauchen (*v.*), to dip in again 1
wiedererzeugen (*v.*), to regenerate, to produce again 2
wiedergeben (*v.*), to give back, to render, to reproduce, to depict 3
wiedergegeben (*p. adj.*), reproduced 1
wiederholen (*v.*), to repeat 2
wiederholt (*adj., adv.*), repeated(ly), frequent(ly) 1
Wiederholung (*f.*), repetition 3
wiederum (*adv.*), again, once more, anew 2
willkürlich (*adj.*), voluntary 1
Windfrischprozess (*m.*), converter process 1
Windfrischverfahren (*n.*), converter process 1
Winkel (*m.*), angle, corner 2
Winkeleisen (*n.*), angle iron 1
winzig (*adj.*), tiny, small, minute 1
wir (*pron.*), we 3
wirken (*v.*), to act, to react, to effect, to produce, to work 8
wirksam (*adj.*), effective, active, efficient 2
Wirksamkeit (*f.*), effectiveness, efficiency 1
Wirkung (*f.*), effect, action, reaction, operation 11

wirkungslos (*adj.*), inactive 1
wirtschaftlich (*adj.*), commercially thrifty, economic 7
wissen (wusste, gewusst) (*v.*), to know 3
Wissenschaft (*f.*), knowledge, science 1
wissenschaftlich (*adj., adv.*), scientific(ally) 3
wo (*adv.*), where 6
wobei (*rel. adv.*), during which (process), in which case 14
wochenlang (*adv.*), for weeks 1
wodurch (*rel. adv.*), by means of which 3
wohl (*adv.*), well, good, probably, indeed, easily 18
Wolfram (*n.*), tungsten 4
Wolle (*f.*), wool 2
wollen (*v.*), to intend, to wish, to will, to want to 3
wonach (*rel. adv.*), according to which 1
worauf (*rel. adv.*), whereupon, upon (on) which 2
woraus (*adv.*), from which, out of which 2
Wort (*n.*), word 2
wünschen (*v.*), to wish (for), to desire 1
würdigen (*v.*), to mention duly 1

X

Xanthen (*n.*), xanthene 2
Xanthin (*n.*), xanthine 3
Xanthon (*n.*), xanthone 2
m-Xylidin (*n.*), *m*-xylidine 1
m-Xylol (*n.*), *m*-xylene 2
p-Xylol (*n.*), *p*-xylene 2

Z

zäh (*adj.*), viscous, tough 3
zähhart (*adj.*), tough, sound 2
Zahl (*f.*), number, numeral 19
zählen (*v.*), to count, to calculate 2
zahlenmässig (*adj.*), numerical 1

Zahlenwert (*m.*), numerical value 3

zahlreich (*adj.*), numerous 3

Zapfen (*m.*), (= **Tannen** —), (fir) cone 1

Zaundraht (*m.*), fence wire 2

Zeichen (*n.*), symbol 1

zeigen (*v.*), to show, to indicate 25

Z-eisen (*n.*), Z-iron 1

Zeit (*f.*), time, period, duration; **kurze** — **darauf**, a short time after this; **auf kurze** —, for a short time; **zur** —, at present time; **in neuerer** —, more recently 20

Zeitabstand (*m.*), interval 1

zeitig (*adj.*), early, timely, on time 1

zeitigen (*v.*), to mature, to ripen 1

Zeitintervall (*n.*), interval of time, interval 1

Zeitlang (*f.*); **eine** —, for a time 1

zeitlich (*adj.*), temporal 1

zeitraubend (*p. adj.*), time-consuming, taking up much time, wearisome 1

Zelle (*f.*), cell 1

Zellulose (*f.*), cellulose 1

Zentner (*m.*), hundredweight 1

zentnerweise (*adv.*), by the hundredweight 1

Zentralheizung (*f.*), central heating 2

zentrifugieren to centrifuge 1

Zerbrechen (*n.*), breaking, shattering 1

zerbrechlich (*adj.*), fragile, breakable 1

zerdrücken (*v.*), to crush, to squash 1

Zerfall (*m.*), decomposition, decay 1

zerfallen (*v.*), to decompose, to break up (into); to fall into 7

zerfliessen (*v.*), to deliquesce, to melt, to liquefy 1

zerkleinern (*v.*), to reduce to small pieces 1

zerlegbar (*adj.*), decomposable 1

zerlegen (*v.*), to decompose, to analyze, to divide, to separate 2

Zerplatzen (*n.*), explosion, bursting (asunder) 1

zerreiben (*v.*), to triturate, to grind, to granulate, to pulverize 1

zerreissen (*v.*), to tear, to break 1

Zerreissstab (*m.*), breaking rod 1

Zerschneiden (*n.*), shredding, cutting to pieces 1

zersetzen (*v.*), to decompose, to break up into constituent parts 6

Zersetzen (*n.*), decomposition, disintegration 1

Zersetzung (*f.*), decomposition, dissolution 15

Zersetzungsprodukt (*n.*), decomposition product 1

Zerspringen (*n.*), cracking, breaking, bursting, exploding 2

zerspringen (*v.*), to explode, to crack, to fly into pieces 2

zerstören (*v.*), to destroy, to ruin 3

zerstreuen (*v.*), to scatter, to diffuse, to disperse 1

zerteilen (*v.*), to divide 1

ziehen (*v.*), to draw, to pull, to drag 10

Ziel (*n.*), goal, aim 1

ziemlich (*adv.*), rather, considerably, fairly well 5

Zimmer (*n.*), chamber, room, apartment 1

Zimmertemperatur (*f.*), room temperature 4

Zink (*n.*), zinc 2

Zinkstäbchen (*n.*), small zinc bar 1

Zinkstaub (*m.*), zinc dust, zinc powder 1

Zinkstäubchen (*n.*), zinc powder 5

Zinkstaub-Methode (*f.*), zinc dust method (for reduction of organic compounds) 1

Zinn (*n.*), tin 3

Zinnchlorid (*n.*), stannic chloride 2

Zinnoxydulsalz (*n.*), stannous salt 1

Zinnverbindung (*f.*), tin compound 1

Zirkon (= **Zirkonium**) (*n.*), zirconium; **Zirkon** (*m.*), zircon (mineral), natural zirconium silicate 2

zitieren (*v.*), to quote, to cite, to summon 1

Zone (*f.*), zone 1

Zonenbau (*m.*), zonal structure 1

Zoreseisen (*n.*) = **Belag(e)eisen** (*n.*), flooring iron 1

zu (*prep.* with dat.), to, for, in, at, toward, too 212

Zucker (*m.*), sugar 4

Zuckerfabrikation (*f.*), sugar manufacture 1

Zuckermühle (*f.*), sugar mill 2

zudem (*adv.*), besides 1

zueinander (*adv.*), to each other 2

zuerst (*adv.*), first of all, at first, above all 11

zufliessen (*v.*), to flow in or towards 2

zufolge (*adv.*), owing to, according to 1

Zufuhr (*f.*), importation, supply, addition 1

zuführen (*v.*), to bring, to add, to feed, to supply 1

Zug (*m.*), train, motion, drawing stroke 2

Zugabe (*f.*), extra, surplus, addition 1

zugänglich (*adj.*), accessible, approachable 2

zugeben (*v.*), to add, to give in addition, to allow, to admit 1

zugegen (*adv.*), present; — **sein,** to be present 3

Zugehörigkeit (*f.*), membership 1

zugeschmolzen (*p. adj.*), sealed, closed by melting 1

Zugfestigkeit (*f.*), tensile strength, tenacity 1

zugleich (*adv.*), at the same time, together, simultaneously 3

zugrunde (*adv.*), basic 2

zugrundegehen (*v.*), to be lost, to perish 1

zugrundelegen (*v.*), to take as a foundation or basis; to start out from; **zugrundeliegen** (*v.*), to be at the bottom of, to be the basis of (for) 1

Zugschornstein (*m.*), draft chimney 1

zukommen (*v.*), to come to, to be due to, belong to, to suit 1

Zukunft (*f.*), future 1

zulassen (*v.*), to admit, to permit 1

Zulaufenlassen (*n.*), addition, allowing to run into; **beim —,** during the time allotted for the running (flowing) during the period of flow 1

zuletzt (*adv.*), finally, at last 1

zum = **zu dem,** for the, to the, etc. 25

zumal (*adv.*), especially, chiefly, particularly, as 1

zunächst (*adv.*), first of all 20

Zunahme (*f.*), increase 2

zunehmen (*v.*), to increase, to grow 4

zunehmend (*p. adj.*), increasing, growing 1

zunutze machen (**sich**) (*idiom*), to use, to put to use, to make use of 1

Zuordnung (*f.*), association, relation 1

zur = **zu der,** to the, for the, etc. 82

zurück (*adv.*), back 3

zurückdrängen (*v.*), to repress, to push or drive back (out) 3

Zurückfliessen (*n.*), return flow, ebbing 1

zurückfliessen (*v.*), to flow back 1

zurückführen (**auf**) (*v.*), to trace or lead back, to attribute to, to reconvert, to reduce, to convert again   8

zurückgehen (v.), to go back to   1

zurückgreifen (v.), to fall back upon, to grasp at something   1

zurückhalten (v.), to hold back, to detain, to prevent   1

zurückkommen (v.), to return, to come back   1

zurücktreten (v.), to recede, to go back   1

zurückziehen (v.), to withdraw   1

zurzeit (adv.), at the time, at present   2

zusagen (v.), to agree with, to suit, to consent   1

zusammen (adv.), together   2

zusammenbrechen (v.), to break down, to collapse   1

zusammenbringen (v.), to bring together, to gather, to collect   1

Zusammendrückbarkeitskoeffizient (m.), coefficient of compressibility   1

zusammenfassen (v.), to collect together, to sum up   1

zusammenfügen (v.), to join, to combine, to unite, to construct   1

Zusammenhalt (m.), cohesion, unity   1

Zusammenhang (m.), relationship, connection, coherence, association; im — mit, in connection with   4

zusammenhängen (v.), to cohere, to hang together, to go with, to be connected with   2

zusammenschmelzen (v.), to fuse together   1

Zusammensetzung (f.), composition, structure, combination, synthesis   42

zusammenstellen (v.), to collect, to summarize, to put together, to tabulate   6

Zusammenstellung (f.), classification, compilation   6

Zusammentritt (m.), going together, combination   1

Zusammenziehung (f.), contraction   1

Zusatz (m.), addition, admixture; unter — von, with addition of; auf — von, with addition of   2

Zusatzeisen (n.), iron for additions   1

Zusatzelement (n.), additional element   2

Zuschlag (m.), flux, addition, slag   4

zuschmelzen (v.), to seal, to close by melting   3

zuschreiben (v.), to attribute, to ascribe to   1

zusetzen (v.), to add (to), to mix, to alloy   6

Zustand (m.), state, circumstance; zustande (adv.), — kommen, to come about, to take place   1

Zustandekommen (n.), occurrence   1

Zustandsdiagramm (n.), phase, diagram   1

zutreffen (v.), to come true, to prove right, to agree   1

Zutritt (m.), access, entry   1

zuverlässig (adj.), reliable, authentic, trustworthy   1

zuvor (adv.), previously   1

zuweilen (adv.), sometimes   1

zuweisen (v.), to allot, to assign   1

zuwenden (v.), to turn to or toward   1

zwanzigst (adj.), twentieth   1

zwar (adv.), indeed, to be sure, of course, no doubt   16

Zweck (m.), purpose, object, end, design; es hat keinen —, there is no object (in), it is of no use; zwecks, for the purpose of   30

zweckmässig (adj.), suitable,

practical, appropriate; **am** **—sten,** most suitably 6

zwei (*adj.*), two (as a prefix bi-; di-) 22

zweifelfrei (*adj.*), free of doubt 1

zweifelhaft (*adj.*), doubtful, questionable, uncertain 2

zweifellos (*adj.*), doubtless 2

Zweig (*m.*), branch, department, twig 2

zweihalsig (*adj.*), two-necked 1

zweit (*adj.*), second 19

zweiwertig (*adj.*), bivalent 2

Zwilling (*m.*), twinning, twin 2

Zwillingslamelle (*f.*), twinning lamina 1

Zwillingslamellierung (*f.*), twinning lamination 1

zwischen (*prep. with dat.*), between, among 54

Zwischenerzeugnis (*n.*), intermediate product, by-product 4

Zwischenphase (*f.*), intermediate phase 2

Zwischenprodukt (*n.*), intermediate product 7

Zylinderguss (*m.*), cylinder castings, cylindrical casting 2

CHEMICAL SYMBOLS AND ABBREVIATIONS USED IN THIS BOOK

Symbols

= = gives, forms; is equal to, equals.

→ = gives, passes over to, leads to.

⇌ = forms and is formed from (reversible reaction).

> = is greater than.

< = is less than.

+ = plus, and, reacting with.

− = minus, less.

′ = prime.

″ = second.

(+) = **in Gegenwart von** (in the presence of).

° = degree(s).

% = per cent.

% ig.= **prozentig** (per cent).

α = (alpha), degree of dissociation; angle of optical rotation; coefficient of linear or cubical expansion.

α- = alpha- (first in order or position).

β- = beta- (second in order), expansion coefficient.

γ = (gamma) surface tension; ratio of specific heats; ionization; Newtonian gravitational constant.

γ- = gamma- (third in order).

Δ = (delta) diffusion coefficient.

δ- = delta- (fourth in order).

ϵ = (epsilon) dielectric constant; electrode potential.

θ = (theta) angle (plane).

φ = (phi) (**Durchmesser**) = diameter.

κ = (kappa) electrical (volume) conductivity; magnetic susceptibility.

μ = (mu) micron (one-millionth of a meter); molecular conductivity; magnetic permeability.

ν = (nu) frequency.

π = (pi) ratio of circumference to diameter; osmotic pressure.

ρ = (rho) refractive power.

Σ = (sigma) summation.

σ = sigma = Stefan's constant; surface tension; one-thousandth of a second.

Abbreviations

A = argon.

A. = **Annalen** = **Annale** = annals; = **Archiv** = archive.

Ä. = **Äther** = ether.

Å = **Ångström** unit(s), $1\text{Å} = 1 \times 10^{-8}$ cm.

a.a.O. = **am angeführten**, or **angegebenen, Orte** = in the place cited.

Abb. = **Abbildungen** = illustrations.

Abh. = **Abhandl.** = **Abhandlungen** = papers, transactions.

absol. = **absolut** = absolute.

Abt. = **Abteilung** = division.

Ac. = **Académie** = Academy.

a.c. = alternating current.

Acad. = **Académie** = Academy.

287

Accad. = Accademia = Academy.
A.E. = Angströmeinheit = Ångström unit.
Ae = Aether = ether.
A.G. = Atomgewicht = atomic weight; Aktiengesellschaft = joint-stock company.
Ag = Silber = silver.
Ak. = Akad. = Akademie = academy.
Al = Aluminium = aluminum.
Alk. = Alkohol = alcohol.
alkal. = alkalisch = alkaline.
alkoh. = alkoholisch = alcoholic.
allg. = allgemein = general.
Am. = Amer. = American.
amp. = ampere(s).
An. = Anmerkung = remark.
angw. = angew. = angewandte = applied.
Ann. = Annales = annals.
anorg. = anorganische = inorganic.
Anw. = Anwendung = employment, use.
Anz. = Anzeiger = announcer.
A. P. = Amerikanisches Patent = American patent.
appl. = appliqué = applied.
Arch. = Archiv = archive.
As = Arsen = arsenic.
Assn. = association.
asym. = asymmetrisch = asymmetric.
At.- = Atomprozent = atomic per cent.
At.-Gew. = Atomgewicht = atomic weight.
äth., äther = ätherisch = ethereal.
Atm. = Atmosphäre = atmosphere.
Atomgew. = Atomgewicht = atomic weight.
Au = gold.
a.u.a. = auch unter andern = also among others.
Aufl. = Auflage = edition.
Ausdehnungskoeff. = Ausdehnungskoeffizient = coefficient of expansion.

ausg. = ausgegeben or herausgegeben = produced, edited, etc.
B = Bor = boron.
B. = Bildung = formation.
Ba = barium.
bas. = basisch = basic.
BASF = Badische Anilin- und Soda-Fabrik = Anilin and Soda Factory of Baden (Ludwigshafen am Rhein).
Bd. = Band = volume.
Bde. = Bände = volumes.
Bé. = Baumé
Beibl. = Beiblätter = supplements.
Beih. = Beihefte = supplements.
Belg. = Belgisch = Belgian; Belgique = Belgium.
Ber. = Berichte = reports.
ber. = berechnet = calculated.
Best., Bestimm. = Bestimmung = determination.
betr. = betreffend = concerning, in question, under consideration.
Bi = Wismut = bismuth.
bibl. = bibliothèque = library; bibliography.
Bild. = Bildg. = Bildung = formation.
Bildgg. = Bildungen = formations.
Bl. = bulletin.
Br. = Brom = bromine.
Bz. = Benzol = benzene.
bzgl. = bezüglich = respecting.
Bzn. = Benzin = benzine.
bzw. = beziehungsweise = respectively, or.
c = specific heat; velocity of light in free space.
c_p = spezifische Wärme bei konstantem Druck = specific heat at constant pressure.
c_v = spezifische Wärme bei konstantem Volumen = specific heat at constant volume.
C = Kohlenstoff = carbon.
c. = Zentimeter = centimeter.
Ca = calcium.

ca. = **circa** = about, approximately.

Cal. = large, or kilogram calorie(s).

Can. = Canadian.

cca. = **circa** = about.

Cd = cadmium.

cf. = confer = compare.

cg. = **cgm.** = centrigram(s).

Ch. = **Chemie** = **chimie** = chemistry; **chemisch** = **chimique** = chemical.

chem. = **chemisch** = chemical.

Chem. = **Chemiker** = chemist.

chim. = **chimie, chimica, chimique** = chemistry, chemical.

Cl = **Chlor** = chlorine.

cm. = centimeter(s).

cm^q, cm^2 = square centimeter(s).

cm^c, cm^3 = cubic centimeter(s).

Co = **Kobalt** = cobalt.

conf. = compare, see, cf.

C.r., C. R., CR. = *Compt. rend.* = Comptes rendus = reports.

Cu = **Kupfer** = copper.

Cy = cyanogen, CN.

cycl. = **cyclisch** = cyclic.

d_c = critical density.

D. = **Dichte** = density = specific weight.

D^{16} = **spez. Gew. bei 16°** = specific weight at 16°.

D^{20}_4 = **spez. Gew. bei 20° bezogen auf Wasser von 4°** = specific weight at 20° with reference to water at 4°.

Darst. = **Darstellung** = preparation.

dch. = **durch** = through, by.

DD. = **Dichten** = densities.

DD. = **Dampfdichte** = vapor density.

DE. = **Dielektrizitätskonstante** = dielectric constant.

Der. = **Derivat** = derivative.

Deriv. = **Derivat** = derivative.

desgl. = **desgleichen** = of the kind, likewise, ditto.

dest. = **destilliert** = distilled; **destillieren** = to distil.

Dest., Destillat. = **Destillation** = distillation.

deut. = **deutsch** = German.

dgl. = **dergleichen** = the like.

d.h. = **das heisst,** = that is, i.e.

d.i. = **das ist** = that is, i.e.

D_t = density at a given temperature.

Diss. or **Dissert.** = **Dissertation** = thesis.

Dissoz. = **Dissoziation** = dissociation.

drgl. = **dergleichen** = the like.

D.R.P. = **Deutsches Reichs-Patent** = Imperial German patent.

dsgl. = **desgleichen** = likewise, ditto.

DZ., dz. = **Doppelzentner** = double centner, 100 kilograms.

E = electromotive force; electrode potential; energy.

E. = **Erstarrungspunkt** = freezing point, solidification point; **Eigenschaften** = properties.

Eg. = **Eisessig** = glacial acetic acid.

Eig. = **Eigenschaft** = property.

Eigg. = **Eigenschaften** = properties.

Einfl. = **Einfluss** = influence.

Einw. = **Einwirkung** = action, effect.

EK = **E.M.K., EMK.** = **elektromotorische Kraft** = electromotive force, e.m.f.

Elekt. = **Elektrizität** = electricity.

Eng. = Engineering; Engineer.

enth. = **enthaltend** = containing.

entspr. = **entsprechend** = corresponding.

Entsteh. = **Entstehung** = origin.

Entw. = **Entwick(e)lung** = evolution, development.

E.P. = **englisches Patent** = English patent.

Ep or **Er., Erstarr.-Pkt., Erstp.** =

Erstarrungspunkt = solidification or freezing point.

erh. = **erhitzt** = heated.

ev. = **eventuell** = eventual, in question, under consideration.

event. = **eventuell** = eventual, eventually, probably, perhaps.

exp. = **experimentell** = experimental.

F = **Fusionspunkt, Schmelzpunkt** = melting point.

F = **Faraday's** constant = number of coulombs per gram equivalent of an ion.

F = **Fluor** = fluorine.

f. = **für** = for; **fest** = solid; **fein** = fine; franc.

Farb. = **Farben** = colors.

Farbw. = **Farbwerke** = dyeworks.

Fe = **Eisen** = iron.

ff. = **und folgende** = and following, et seq.

F.i.D. = **Faden in Dampf** = thread in vapor.

fig. = **Figur** = figure.

Fl. = **Flüssigkeit** = liquid; fluid.

fl. = **flüssig** = liquid, fluid; **flüchtig** = volatile.

Fll. = **Flüssigkeiten** = liquids, fluids.

flüss. = **flüssig** = liquid, fluid.

F.P. = **französisches** Patent = French patent.

Fp. = **Fusionspunkt** = melting point.

Fr. = franc.

frakt. = **fraktioniert** = fractionated.

Frankfurt a.M. = **Frankfurt am Main**, a German city.

frbl. = **farblos** = colorless.

g. = **Gramm** = gram, grams.

Gasentw. = **Gasentwicklung** = evolution of gas.

Gaz., Gazz. = **Gazzetta** = Gazette.

gebd. = **gebunden** = bound.

gel. = **gelöst** = dissolved.

geolog. = **geologisch** = geological.

gesätt. = **gesättigt** = saturated.

Gew. = **Gewicht** = weight.

gew., gewöhnl. = **gewöhnlich** = usual, ordinary; usually.

Geww. = **Gewichte**, = weights.

Ggw. = **Gegenwart** = presence.

GM. = **Goldmark** = gold mark(s).

gm. = gram.

H = **Wasserstoff** = hydrogen.

Hal = **Halogen** = halogen.

Hauptwrk. = **Hauptwirkung** = main action.

He = helium.

H.-Entw. = **H-Entwicklung** = hydrogen evolution or development.

herg. = **hergestellt** = produced.

Herst. = **Herstellung** = preparation, production.

Hg = **Quecksilber** = mercury.

Hlg. = **Halogen** = halogen.

H_2O = **Wasser** = water.

h.p., hp., H. P. = horsepower.

I = electric current; intensity of magnetization.

i. = **in, im** = in the; **ist** = is.

i. B. auf. = **in Berechnung auf** = calculated on the basis of.

ibid. = *ibidem* = in the same place.

i. J. = **im Jahre** = in the year.

inakt. = **inaktiv** = inactive.

Inaug. Diss. = inaugural dissertation (thesis for doctor's degree).

Ind. = **Industrie** = industry; **industriell** = industrial.

Inst. = institute.

J = **Jod** = iodine.

J = **Journal** = journal; **Jahrbuch** or **Jahresbericht** = annual report.

K = constant; specifically, chemical equilibrium constant; dielectric constant; electric dissociation constant.

k = constant; specifically, velocity coefficient of reaction; molecular gas constant.

K = **Kalium** = potassium.

K. = **Kelvin** = absolute centigrade scale.

Ka. = Kathode = cathode.

Kap. = Kapitel = chapter.

kg = Kilogramm = kilogram(s).

kg.-m. = kilogram-meter(s).

k. Kal. = kleine Kalorie = small calorie.

km. = kilometer(s).

Koeff., Koeffiz. = Koeffizient = co-efficient.

kompr. = komprimiert = compressed.

Konz. = Konzentration = concentration.

konz. = konzentriert = concentrated.

kor., korr. = korrigiert = corrected.

Kp. = Kochpunkt = boiling point.

Kp$_{10}$ = Kochpunkt bei 10 mm Quecksilberdruck = boiling point at 10 millimeters of mercury pressure.

Kr = krypton.

Kr. = Krystallographie = crystallography.

krit. = kritisch = critical.

Kryst. = Krystallographie = crystallography; Krystall(e) = crystals(s); Krystallisation = crystallization.

kryst. = krystallisiert = crystallized; krystallinisch = crystalline.

kub. = kubisch = cubic.

kw., K.W. = kilowatt(s).

kw.-hr. = kilowatt-hour(s).

Kwst. = Kilowattstunde = kilowatt-hour.

KW-stoff. = Kohlenwasserstoff = hydrocarbon.

L. = latent heat.

l. = Liter = liter(s); löslich = soluble; lies = read; Länge = length.

Landw. = Landwirtschaft = agriculture; landwirtschaftlich = agricultural.

Leg. = Legierung = alloy; alloying.

Legg. = Legierungen = alloys.

leichtl. = leichtlöslich = easily soluble.

Lfg. = Lieferung = issue, number, part.

Li = lithium.

ll. = leicht löslich = readily soluble.

Lösl. = Löslichkeit = solubility.

lösl. = löslich = soluble.

Lösungsm. = Lösungsmittel = solvent.

Lsg. = Lösung = solution.

Lsgg. = Lösungen = solutions.

Lsgs.-Mittel. = Lösungsmittel = solvents.

l.W. = lichte Weite = inside diameter.

M = Molekulargewicht = molecular weight.

m- = meta- = m-.

M = Mark = mark, marks; Metall = metal (in formulas).

m^2 = square meter(s).

m^3 = cubic meter(s).

M. = Masse = mass; Mittelsorte = medium grade.

magnet. = magnetisch = magnetic.

Me = Methyl = methyl; Metall = metal.

Met. = metallurgical, metals, metallurgy.

metall. = metallisch = metallic.

Meth. = Methode = method.

M.G. = Molekulargewicht = molecular weight.

Mg = magnesium.

mg. = milligram(s).

Mitt. = Mitteilung(en) = communication(s).

mitt. = mittels = by means of.

Mk. = Mark = mark(s).

mk. = mikroskopisch = microscopic.

m.-kg. = meter-kilogram.

mkr. = mikroskopisch = microscopic.

ml. = milliliter(s).

mm. = millimeter(s).

Mn = Mangan = manganese.

Mo = Molybdän = molybdenum.

Mol. = Molekül = molecule.

Mol. Gew. = Molekulargewicht = molecular weight.

Mol.-Refr., Mol.-Refrakt. = Molekularrefraktion = molecular refraction.

Monatsh = Monatshefte = monthly number (of a publication).

mx = Maximum = maximum.

n (in combination with numbers) = refractive index.

n (in combination with names) = normal.

N = Stickstoff = nitrogen.

Na = Natrium = sodium.

nasz. = naszierend = nascent.

Naturv. = Naturvorkommen = natural occurrence

Nd = Neodym = neodymium.

Nd. = Niederschlag = precipitate.

Ndd. = Niederschläge = precipitates.

Ni = nickel.

No. = Nummer = number.

Norw. P. = norwegisches Patent = Norwegian patent.

Nr., Nro. = Nummer = number.

Ntf. = Naturforscher = scientific investigator.

O = Sauerstoff = oxygen.

O- = united to oxygen.

o- = ortho- = o-.

o. = oder = or;   oben = above; ohne = without.

o. drgl. = oder dergleichen = or the like.

Os = osmium.

p- = para- = p-.

P = Phosphor = phosphorus.

Pb = Blei = lead.

period = periodisch = periodical.

Pd = palladium.

Pf. = Pfund = pound.

Ph = Phenyl.

physik., physikal = physikalisch = physical.

Pkt. = Punkt = point.

Pr. = proceedings.

pr. = praktisch = practical, applied.

prakt. = praktisch = practical, applied.

prim. = primär = primary.

Prod. = Produkt = product.

Proz. = Prozent = per cent.

Prüflsgg. = Prüflösungen = testing solution.

P.S., PS., Pst. = Pferdestärke = horsepower, h. p.

Pt. = Platin = platinum.

qmm. = Quadratmillimeter = square millimeter.

R = gas constant per mole of ideal gas; electrical resistance.

r = Radius = radius;   rechts drehend = dextrorotatory.

rd. = rund = about, approximately.

Rd. = Reduktion = reduction.

Red. = Reduktion = reduction.

Redd. = Redduktionen = reductions.

Ref. = Referate = reports, abstracts.

Rep. = Report, report.

Rk. = Reaktion = reaction.

Rkk. = Reaktionen = reactions.

Rostbildg. = Rostbildung = rust formation.

R-P. = Reichs-Patent = imperial patent.

S = Schwefel = sulfur.

S- = united to sulfur.

S. = Seite = page;   Säure = acid.

s. = siehe = see.

s. a. = siehe auch = see also.

s. a. s. = siehe auch Seite = see also page.

schm. = schmelzend = melting; schmilzt = melts.

Schmelztp., Schmp., Schmpt. = Schmelzpunkt = melting point.

Schw. = schweizerisch = Swiss; schwedisch = Swedish.

s. d. = **siehe dies** = see this, which see, q. v. (quod vide).

Sd. = **Siedepunkt** = boiling point.

sd. = **siedend** = boiling.

Sdp. = **Siedepunkt** = boiling point, b.p.

Se = **Selen** = selenium.

sek. = **sekundär** = secondary.

Sek. = **Sekunde** = second.

s. G. = **spezifisches Gewicht** = specific gravity, sp. gr.

s. g. = **sogenannt** = so-called.

Si = **Silicium, Silizium** = silicon.

sied. = **siedend** = boiling.

Sm. = **Schmelzpunkt** = melting point.

Sn = **Zinn** = tin.

s. o. = **siehe oben** = see above.

sog., sogen. = **sogenannt** = so-called.

spez. Gew., sp. G. = **spezifisches Gewicht** = specific gravity, sp. gr.

spezif. = **spezifisch** = specific.

Spl. = **Supplement.** = supplement.

Sr. = strontium.

S. S. = **Schwefelwasserstoffsäure** = hydrogen sulfide, H_2S.

SS. = **Säuren** = acids.

s. S. = **siehe Seite** = see page.

St. = **Stahl** = steel.

Std. = **Stunde, Stunden** = hour, hours.

std. = **stündig** = for hour(s).

Stde. = **Stunde** = hour.

stdg. = **stündig** = for — hour(s).

Stdn. = **Stunden** = hours.

stöchiometr. = **stöchiometrisch** = stoichiometric.

s. u. = **siehe unten** = see below.

Subst. = **Substanz** = substance.

s. W. = **spezifische Wärme** = specific heat.

swl. = **sehr wenig löslich** = very slightly soluble.

s. w. u. = **siehe weiter unten** = see below.

Syst. No. = **System-Nummer** = system number.

SZ., S. Z. = **Säurezahl** = acid number.

T. = **Teil** = part.

t. = **Tonne** = ton(s); **Temperatur** = temperature.

Ta = **Tantal** = tantalum.

Te = **Tellur** = tellurium.

techn. = **technisch** = technical(ly), industrial(ly).

Temp. = **Temperatur** = temperature.

Tempp. = **Temperaturen** = temperatures.

tert. = **tertiär** = tertiary.

Tfl. = **Tafel** = table.

Th = **Thorium** = thorium.

Ti = **Titan** = titanium.

Tl. = **Teil, Teile** = part, parts.

Tle., Tln. = **Teile, Teilen** = parts.

u. = **und** = and.

u. a. = **unter anderen** = among others.

u. a. m. = **und andere mehr** = and others; **und anderes mehr** = and so forth, and so on.

u. ä. m. = **und ähnliches mehr** = and the like.

u. a. s. = **und andere solche** = and others.

u. dgl. = **und dergleichen** = and the like.

u. dgl. m. = **und dergleichen mehr** = and such like.

u. e. a. = **und einige andere** = and some others.

Umwandl. = **Umwandlung** = transformation, conversion.

unges. = **ungesättigt** = unsaturated.

unl., unlösl. = **unlöslich** = insoluble.

Unters. = **Untersuchung** = investigation, examination.

u.s.f. = **und so fort** = and so on.

usw., u. s. w., = **und so weiter** = and so forth, and so on, etc.

u. Z., u. Zers. = **unter Zersetzung** = with decomposition.

u. zw. = **und zwar** = i.e., that is, and that.

V = **Vanadium** = vanadium.

V. = **Vorkommen** = occurrence, presence.

V. = volume(s); volt(s); velocity; vicinal; **vide** = see; **von** = of, from, etc.; **vormals** = formerly.

Vak. = **Vakuum** = vacuum.

Vb. = **Verbindung** = compound.

Vbb. = **Verbindungen** = compounds.

Verb. = **Verbindung** = compound; combination.

Verbb. = **Verbindungen** = compounds.

Verd. = **Verdünnung** = dilution.

verd. = **verdünnt** = diluted, dilute.

Verf. = **Verfahren** = process.

Verfahr. = **Verfahren** = process.

Verff. = **Verfahren** = methods.

Vergl. = **Vergleich** = comparison.

vergl. = **vergleiche** = compare, cf.

Verh. = **Verhalten** = behavior; **Verhältnis** = proportion, ratio.

Vers. = **Versuch** = experiment, test.

Verss. = **Versuche** = experiments, tests.

vgl. = **vergleiche** = compare, see, cf.

vgl. a. = **vergleiche auch** = see also.

Vhdl. = **Verhandlungen** = transactions.

Vol. = **Volumen,**   **Volumina** = volume, volumes.

Vork. = **Vorkommen** = occurrence.

W = **Widerstand** = electrical resistance.

W = **Wolfram** = tungsten; work.

W. = **Wasser** = water.

wässr. = **wässerig** = aqueous.

Wirk. = **Wirkung** = action, effect.

wiss. = **wissenschaftlich** = scientific.

Wrkg. = **Wirkung** = action, effect.

wss. = **wässerig** = aqueous, hydrous.

Xe = xenon.

Z. = **Zeitschrift** = periodical; **Zeile** = line; **Zeit** = time; **Zoll** = inch.

z. = **zu** = at, for, by; **zum, zur** = at the, for the.

z. B. = **zum Beispiel** = for example.

Zers. = **Zersetzung** = decomposition.

Zn = **Zink** = zinc.

Zp. = **Zersetzungspunkt** = decomposition point.

Zr = **Zirkonium** = zirconium.

z. T. = **zum Teil** = in part, partly.

Ztg. = **Zeitung** = news.

z. Th. = **zum Theil** = in part.

Ztrbl. = **Zentralblatt** = central journal.

Ztschr. = **Zeitschrift** = journal, periodical.

Zus. = **Zusammensetzung** = composition; **Zusatz** = addition.

zw. = **zwischen** = between.

z. Z. = **zur Zeit** = at present; acting.

ALPHABETICAL LIST OF STRONG AND IRREGULAR VERBS

The following is an alphabetical reference list of the strong and irregular verbs in German. Inseparable and separable strong verbs are *not* listed here, their principal parts being formed like those of the basic verb. Verbs with which "ist" appears are conjugated with "sein"; verbs for which no auxiliary is given form their compound tenses with "haben."

Infinitive	Present 3rd sing. (if vowel is changed)	Past	Past Participle	English Infinitive
backen	bäckt	buk	gebacken	*bake*
befehlen	befiehlt	befahl	befohlen	*command*
beginnen		begann	begonnen	*begin*
beissen		biss	gebissen	*bite*
bergen	birgt	barg	geborgen	*hide; conceal*
bersten	birst	barst	ist geborsten	*burst*
betrügen		betrog	betrogen	*deceive*
biegen		bog	gebogen	*bend*
bieten		bot	geboten	*offer*
binden		band	gebunden	*tie; bind*
bitten		bat	gebeten	*ask*
blasen	bläst	blies	geblasen	*blow*
bleiben		blieb	ist geblieben	*stay; remain*
braten	brät	briet	gebraten	*roast*
brechen	bricht	brach	gebrochen	*break*
dringen		drang	ist gedrungen	*pierce; penetrate*
empfehlen	empfiehlt	empfahl	empfohlen	*recommend*
erlöschen	erlischt	erlosch	ist erloschen	*go out (light)*
erschrecken	erschrickt	erschrak	ist erschrocken	*be(come) afraid*
essen	isst	ass	gegessen	*eat*
fahren	fährt	fuhr	ist gefahren	*go; ride; drive*
fallen	fällt	fiel	ist gefallen	*fall*
fangen	fängt	fing	gefangen	*catch*
fechten	ficht	focht	gefochten	*fight*
finden		fand	gefunden	*find*
fliegen		flog	ist geflogen	*fly*
fliehen		floh	ist geflohen	*flee*
fliessen		floss	ist geflossen	*flow*
fressen	frisst	frass	gefressen	*eat (as animals); corrode*
frieren		fror	gefroren	*freeze*
gären		gor	gegoren	*ferment*
gebären	gebiert	gebar	geboren	*bear; give birth to*
geben	gibt	gab	gegeben	*give*
gehen		ging	ist gegangen	*go*
gelingen		gelang	ist gelungen	*be successful; succeed*
gelten	gilt	galt	gegolten	*be valid; be true; hold good*
geniessen		genoss	genossen	*enjoy*
geschehen	geschieht	geschah	ist geschehen	*happen*
gewinnen		gewann	gewonnen	*win; gain; obtain*
giessen		goss	gegossen	*pour; cast*
gleichen		glich	geglichen	*equal; resemble*
gleiten		glitt	ist geglitten	*glide; slip*

graben	gräbt	grub		gegraben	*dig*
greifen		griff		gegriffen	*seize*
halten	hält	hielt		gehalten	*hold*
hangen	hängt	hing		gehangen	*hang*
heben		hob		gehoben	*lift*
heissen		hiess		geheissen	*be named; bid*
helfen	hilft	half		geholfen	*help*
klingen		klang		geklungen	*sound*
kommen		kam	ist	gekommen	*come*
kriechen		kroch	ist	gekrochen	*creep; crawl*
laden	lädt	lud		geladen	*load*
lassen	lässt	liess		gelassen	*let; have (cause)*
laufen	läuft	lief	ist	gelaufen	*run*
leiden		litt		gelitten	*suffer*
leihen		lieh		geliehen	*lend*
lesen	liest	las		gelesen	*read*
liegen		lag	ist	gelegen	*lie; be (situated)*
lügen		log		gelogen	*lie (tell a)*
meiden		mied		gemieden	*avoid*
messen	misst	mass		gemessen	*measure*
misslingen		misslang	ist	misslungen	*fail*
nehmen	nimmt	nahm		genommen	*take*
pfeifen		pfiff		gepfiffen	*whistle*
preisen		pries		gepriesen	*praise*
quellen	quillt	quoll	ist	gequollen	*gush; spring*
raten	rät	riet		geraten	*advise; guess*
reiben		rieb		gerieben	*rub*
reissen		riss		gerissen	*tear; snatch*
reiten		ritt	ist	geritten	*ride*
riechen		roch		gerochen	*smell*
rufen		rief		gerufen	*call; shout*
saufen	säuft	soff		gesoffen	*drink (as animals)*
saugen		sog (saugte)		gesogen (gesaugt)	*suck*
schaffen		schuf		geschaffen	*create*
scheiden		schied	(ist)	geschieden	*part; separate*
scheinen		schien		geschienen	*seem; shine*
schelten	schilt	schalt		gescholten	*scold*
schieben		schob		geschoben	*push; shove*
schiessen		schoss		geschossen	*shoot*
schlafen	schläft	schlief		geschlafen	*sleep*
schlagen	schlägt	schlug		geschlagen	*beat; strike*
schleichen		schlich	ist	geschlichen	*sneak*
schliessen		schloss	ist	geschlossen	*shut; lock*
schmelzen	schmilzt	schmolz	(ist)	geschmolzen	*melt; fuse*
schneiden		schnitt		geschnitten	*cut*
schreiben		schrieb		geschrieben	*write*
schreien		schrie		geschrieen	*scream*
schreiten		schritt	ist	geschritten	*stride*
schweigen		schwieg		geschwiegen	*be silent*
schwellen	schwillt	schwoll	ist	geschwollen	*swell*
schwimmen		schwamm	ist	geschwommen	*swim*
schwinden		schwand	ist	geschwunden	*vanish*
schwingen		schwang		geschwungen	*swing*
schwören		schwur, schwor		geschworen	*swear*
sehen	sieht	sah		gesehen	*see*
sein	ist	war	ist	gewesen	*be*
sieden		sott (siedete)		gesotten (gesiedet)	*boil*
singen		sang		gesungen	*sing*
sinken		sank	ist	gesunken	*sink*
sinnen		sann		gesonnen	*think*
sitzen		sass		gesessen	*sit*
spinnen		spann		gesponnen	*spin*
sprechen	spricht	sprach		gesprochen	*speak*
springen		sprang	ist	gesprungen	*jump*
stechen	sticht	stach		gestochen	*stick; sting*
stehen		stand		gestanden	*stand*
stehlen	stiehlt	stahl		gestohlen	*steal*

steigen		stieg	ist gestiegen	*mount*
sterben	stirbt	starb	ist gestorben	*die*
stossen	stösst	stiess	gestossen	*push; bump*
streichen		strich	(ist) gestrichen	*stroke*
streiten		stritt	gestritten	*contend*
tragen	trägt	trug	getragen	*carry*
treffen	trifft	traf	getroffen	*hit; meet*
treiben		trieb	getrieben	*drive*
treten	tritt	trat	ist getreten	*tread; step*
trinken		trank	getrunken	*drink*
tun		tat	getan	*do; put*
verderben	verdirbt	verdarb	(ist) verdorben	*ruin; spoil*
vergessen	vergisst	vergass	vergessen	*forget*
verlieren		verlor	verloren	*lose*
verzeihen		verzieh	verziehen	*pardon*
wachsen	wächst	wuchs	ist gewachsen	*grow*
waschen	wäscht	wusch	gewaschen	*wash*
weben		wob	gewoben	*weave*
weichen		wich	ist gewichen	*yield*
weisen		wies	gewiesen	*point; show*
werben	wirbt	warb	geworben	*woo*
werden	wird	wurde / ward	ist geworden	*become*
werfen	wirft	warf	geworfen	*throw*
wiegen		wog	gewogen	*weigh*
ziehen		zog	gezogen / ist gezogen	*pull; draw* / *go; march; move*
zwingen		zwang	gezwungen	*force*

IRREGULAR WEAK VERBS

Infinitive	*Present*	*Past*	*Past Participle*	*English Meaning*
brennen		brannte	gebrannt	*burn*
kennen		kannte	gekannt	*know; be acquainted with*
nennen		nannte	genannt	*name*
rennen		rannte	ist gerannt	*run*
senden	sendet	sandte	gesandt	*send*
wenden	wendet	wandte	gewandt	*turn*
bringen		brachte	gebracht	*bring*
denken		dachte	gedacht	*think*
haben	hat	hatte	gehabt	*have*
wissen	weiss	wusste	gewusst	*know*

MODAL AUXILIARY VERBS

dürfen, *be permitted to*	darf, *I may*	durfte, *I was allowed*	gedurft, *allowed*
können, *be able to*	kann, *can*	konnte, *could*	gekonnt, *been able*
mögen, *like to*	mag, *like*	mochte, *cared*	gemocht, *cared*
müssen, *have to*	muss, *I must*	musste, *had to*	gemuszt, *had to*
sollen, *be supposed to*	soll, *am to*	sollte, *was to*	gesollt, *supposed*
wollen, *want to*	will, *want*	wollte, *wanted*	gewollt, *wanted*

PAST SUBJUNCTIVE

ich dürfte, *I might* / *I would be permitted*	ich könnte, *I would be able* / *I could* / *I might*	ich möchte, *I should like to*
ich müsste, *I would have to*	ich sollte, *I should*	ich wollte, *I would* / *I'd want to*

ABBREVIATIONS OF PERIODICALS CITED IN THIS BOOK

The student of chemistry and technology will find the following list of abbreviations, and the titles of the periodicals for which they stand, of practical use. To facilitate the reading of abbreviations the following example will serve as a model: BRONN, *Ztschr. angew. Chem.* 14, 848 (1901). The student is to understand that Bronn is the author of the article found in the *Zeitschrift für angewandte Chemie*, Volume 14, page 848, year 1901. In American citations of periodicals, the volume number is usually in heavy type, thus: **14.** It will also be noted that there is no accepted standard of abbreviations in the various German publications. If the student wishes to become familiar with the uniform abbreviations which have been adopted for these and other periodicals by American chemists he should consult the *List of Periodicals* published by *Chemical Abstracts*, Ohio State University, Columbus, Ohio.

In the following list the authors have taken the liberty of giving, in parentheses, a translation of the titles of the foreign periodicals in order to help the student remember what each publication stands for. The student, however, when referring to these publications, should cite the original foreign title.

A. = *Liebigs Annalen der Chemie.* (Liebig's Annals of Chemistry.)

A. Ch. = *Annales de chimie,* St. Germain, Paris, France. (Annals of Chemistry.)

A. Ch.; Ann. Chim. et Phys. = *Annales de chimie et de physique,* Paris, France (1817–1914). Separated into two journals in 1914: *Annales de chimie* and *Annales de physique.* (Annals of Chemistry and Physics.)

Am. Chem. J.; Amer. Chem. Journ. = *American Chemical Journal,* Baltimore, Md. Combined with the *Journal of the American Chemical Society* in 1914.

Am. J. Sci.; Amer. Journ. Science = *American Journal of Science,* New Haven, Conn.

Am. Soc. = *Journal of the American Chemical Society,* Washington, D. C.

Ann. Phys.; Ann. d. Phys. = *Annalen der Physik,* Leipzig, Germany. (Annals of Physics.)

Anz. Krakau Akad. = *Anzeiger der Akademie der Wissenschaften, Krakau.* Joined with the *Bulletin international de l'académie des sciences de Cracovie* since 1900. (Announcer of the Academy of Sciences at Krakau.)

A. Pth. = *Archiv für experimentelle Pathologie und Pharmakologie,* Leipzig, Germany. (Archives for Experimental Pathology and Pharmacology.)

Arch. f. Anatomie u. Physiologie = *Archiv für Anatomie und Physiologie.* Merged with *Pflügers Archiv für die gesamte Physiologie des Menschen und der Tiere* (which see), Julius Springer, Berlin, Germany. (Archives for Anatomy and Physiology.)

Arch. phys. nat. = *Archives des sciences physiques et naturelles,* University of Geneva, Geneva, Switzerland. (Archives of the Physical and Natural Sciences.)

A. Spl. = *Liebigs Annalen Supplementbände.* (Supplementary volumes to Liebig's Annals.)

Atti. Linc. = *Atti della reale accademia nazionale dei Lincei,* Rome, Italy. The most important Italian chemical publication. (Transactions of the National Science Academy of Lincei.)

B.; Ber. = *Berichte der deutschen chemischen Gesellschaft,* Berlin, Germany. (Reports of the German Chemical Society.)

Bibl. univ. = *Bibliothèque universelle des sciences et arts,* 1816–1835; second series, 1836–1845; then *Archives des sciences physiques et naturelles,* Geneva, Switzerland. (Universal Library of Sciences and Arts; Archives of Physical and Natural Sciences.)

Bl. = *Bulletin de la société chimique de France,* Paris, France. (Bulletin of the Chemical Society of France.)

Bl. Acad. Belg. = *Bulletin de l'académie royale de Belgique.* Since 1899, *Classe des Sciences,* Brussels, Belgium. (Bulletin of the Royal Academy of Belgium.)

Bl. Min. Eng. = *Bulletin of the American Institute of Mining Engineers.* Since 1919, *Mining and Metallurgy,* New York City.

Bl. Soc. d'Enc. = *Bulletin de la société d'encouragement pour l'industrie nationale,* 44 rue de Rennes, Paris (6e), France. (Bulletin of the Society for the Encouragement of National Industry.)

C. = *Chemisches Centralblatt,* Berlin, Germany. Name changed in 1907 to *Chemisches Zentralblatt.* Published weekly by the Deutsche chemische Gesellschaft, 1 vol. of 2 parts. This is the oldest chemical abstract journal in existence; it was started in 1830 and has been published continuously ever since. (Chemical Central Publication.)

Canad. Chem. Metallurgy = *Canadian Chemistry and Metallurgy,* Toronto, Canada.

Chem. Fabr. = *Chemische Fabrik (Die). Teil B der Zeitschrift des Vereins deutscher Chemiker,* Berlin, Germany. (Chemical Manufacture [The]. Part B of the Periodical of the Union of German Chemists.)

Chem. Met. Eng. = *Chemical and Metallurgical Engineering,* McGraw-Hill Publishing Co., New York City. Before 1918, *Metallurgical and Chemical Engineering.* After 1946, *Chemical Engineering.*

Chem. N. = *Chemical News,* English Publication.

Chem. Weekbl. = *Chemisch Weekblad,* Amsterdam, Holland. (Chemical Weekly Paper.)

Chem. Ztrlbl. = *Chemisches Zentralblatt.* (Chemical Central Publication.)

Ch. I.; Chemische Ind. = *Chemische Industrie,* Berlin, Germany. (Chemical Industry.)

Ch. Z.; Chem.-Ztg. = *Chemiker-Zeitung,* Cöthen, Germany. Published three times a week. (Chemists' Newspaper.)

Chim. et Ind. = *Chimie et industrie,* 49 Mathurins St., Paris, France. (Chemistry and Industry.)

C. Min. = *Zentralblatt für Mineralogie, Geologie und Paläontologie,* Stuttgart W., Germany. Since 1920 divided into parts A, Mineralogie, Petrographie; and B, Geologie, Paläontologie. (Central Periodical for Mineralogy, Geology, and Paleontology.)

C.R.; Comp. rend. Acad. Sciences = *Comptes rendus hebdomadaires des séances de l'académie des sciences,* Paris, France. (Weekly reports of the Academy of Sciences.)

Dingl. J. = *Dinglers polytechnisches Journal,* Berlin, Germany. Twenty-six numbers a year. (Dingler's Polytechnical Journal.)

Econom. Geol. = *Economic Geology,* Lancaster, Penna.

Electrochem. met. Ind. = *Electrochemical and Metallurgical Industry,* New York City. Continued as *Metallurgical and Chemical Engineering;* name changed in 1918 to *Chemical and Metallurgical Engineering.*

Fer. = *Ferrum.* Discontinued in 1916. (Iron.)

Frdl. = *Friedländers Fortschritte der Teerfarbenfabrikation,* Julius Springer, Berlin, Germany. (Friedländer's Progress in the Manufacture of Coal Tar Colors.)

G.; Gazz. = *Gazzetta chimica italiana,* Rome, Italy. Monthly publication. (Italian Chemical Gazette.)

Gas. = *Das Gas- und Wasserfach; Fortsetzung von J. Gabel,* Munich, Germany. (The Gas and Water Profession; continuation by J. Gabel.)

Glastechn. Ber. = *Glastechnische Berichte.* Published by the Deutsche glastechnische Gesellschaft, Frankfurt am Main. (Commercial Glass Reports.)

Grh. = *Gerhardt, Traité de chimie organique,* Paris, France. 4 vols., 1853–1856. (Gerhardt's Treatise on Organic Chemistry.)

H. = *Zeitschrift für physiologische Chemie (Hoppe-Seyler),* Leipzig, Germany. ([Hoppe-Seyler's] Periodical for Physiological Chemistry.)

Ind. eng. Chem. = *Industrial and Engineering Chemistry,* Washington, D. C.

J. = *Jahresbericht über die Fortschritte der Chemie und verwandter Teile anderer Wissenschaften,* Giessen, Germany. (Yearly Report Regarding the Progress of Chemistry and Related Parts of Other Sciences.)

J. Am. Soc.; Journ. Amer. Chem. Soc. = *Journal of the American Chemical Society,* Washington, D. C.

Jernkatorets Ann. = *Jernkatorets Annaler,* Nordiska Bokhandeln, Stockholm, Sweden. (Jernkatoret's Annals, Nordic Publishing House.)

J. ind. eng. Chem.; Journ. Ind. Engin. Chem. = *(The) Journal of Industrial and Engineering Chemistry,* Washington, D. C. Name changed in 1923 to *Industrial and Engineering Chemistry.*

J. Indian Inst. Science, A = *Journal of the Indian Institute of Science,* Series A, Bangalore, India.

J. Inst. Met. = *Journal of the Institute of Metals,* London, England.

Journ. Chem. Soc. = *Journal of the Chemical Society,* London, England.

Journ. Chim. physique; J. Ch. Ph. = Journal de chimie physique, St. Michel, Paris, France. (Journal of Physical Chemistry.)

Journ. prakt. Chem. = Journal für praktische Chemie, Leipzig, Germany. (Journal for Practical Chemistry.)

Ж *(Journ. Russ. phys. Chem. Ges. = Journal der russischen physikalisch-chemischen Gesellschaft)*, Moscow, U. S. S. R. Printed in Russian. (Journal of the Russian Physical-Chemical Society.)

Journ. Soc. Chem. Ind. = Journal of the Society of Chemical Industry, Japan.

J. Pharm. Chim. = Journal de pharmacie et de chimie, Paris, France. (Journal of Pharmacy and Chemistry.)

J. Phys. théor. = Journal de physique théorique et appliquée. Since 1920, *Journal de physique et Le radium.* (Journal of Theoretical and Applied Physics.)

J. pr.; J. Pr. Ch. = Journal für praktische Chemie, Leipzig, Germany. (Journal for Practical Chemistry.)

J. Roy. Inst. = Journal of the Royal Institution of Great Britain.

J. Soc. Chem. Ind. = Journal of the Society of Chemical Industry, London E. C. 2, England. A weekly publication. Includes *Chemistry and Industry* and *British Chemical Abstracts B.*

J. techn. ökonom. Ch. = Journal für technische und ökonomische Chemie, Leipzig, Germany, 1828–1833; continued as *Journal für praktische Chemie.* (Journal of Industrial and Economic Chemistry.)

J. Washington Acad. = Journal of the Washington Academy of Sciences, Washington, D. C.

Koll. Z. = Kolloid-Zeitschrift, Dresden-Blasewitz, Germany. Monthly publication. (Colloid Periodical.)

Korrosion Metallschutz = Korrosion und Metallschutz, Leipzig, Germany. Monthly publication. (Corrosion and Protection of Metals.)

Lieb. Ann. = Liebigs Annalen der Chemie, Leipzig, Germany. See *A.* (Liebig's Annals of Chemistry.)

L'Ind. Chim. = l'Industria chimica, mineraria e metallurgica, Torino, Italy. Incorporated, July, 1919, with the *Giornale de chimica industriale.* (Chemical, Mineral, and Metallurgical Industry.)

M. = Monatshefte für Chemie und verwandte Teile anderer Wissenschaften, Vienna, Austria. (Monthly Numbers for Chemistry and Related Parts of Other Sciences.)

Met. Chem. Eng. = Metallurgical and Chemical Engineering, McGraw-Hill Publishing Co., New York City. Since 1918, *Chemical and Metallurgical Engineering.*

Met. Ind. London = The Metal Industry, London, England.

Minutes Pr. Inst. Civil Engr. = Minutes and Proceedings of the American Institute of Civil Engineers, New York City.

Mitt. Kaiser Wilhelm Inst. Eisenforschung = Mitteilungen aus dem Kaiser-Wilhelm Institute für Eisenforschung zu Düsseldorf, Germany. (Communications from the Kaiser Wilhelm Institute for Iron Research at Düsseldorf.)

Mitt. Materialpr. = Mitteilungen aus dem königlichen Materialprüfungsamt zu Berlin-Dahlem. Name changed in 1928 to *Mitteilungen der deutschen Materialprüfungsanstalten*, Julius Springer, Berlin, Germany. (Communications from the Royal Bureau for Testing Materials at Berlin-Dahlem; Communications from the German Establishment for Testing Materials.)

Mitt. techn. Versuchsanst. Berlin = Mitteilungen der technischen Versuchsanstalt Berlin, Germany. (Communications of the Technical Experimental Establishment at Berlin.)

Monatsh.; Monatsh. Chem. = Monatshefte für Chemie und verwandte Teile anderer Wissenschaften, Vienna, Austria. (Monthly Numbers for Chemistry and Related Parts of Other Sciences.)

Nature = Nature, London, England. A weekly publication.

Naturw. = Die Naturwissenschaften, Springer, Berlin, Germany. (Natural Sciences.)

N. Jb. Min. Beilagebd. = Neues Jahrbuch für Mineralogie, Geologie und Paläontologie. Beilagebände. Stuttgart, Germany. (New Yearbook for Mineralogy, Geology, and Palaeontology. Supplementary volumes.)

Ofvers. Akad. Stockholm = Ofversigt of Kongliga Vetenskaps Akademens Förhandligar Stockholm, Sweden. Up to 1903, *Konigliga Svenska Vetenskaps Akademiens Handlegar.* (Review of the Transactions of the Royal Academy of Science, Stockholm; Transactions of the Swedish Royal Academy of Science.)

Opuscula Physica et Chemica = Opuscula Physica et Chemica, Upsala, Sweden, 1782. By T. Bergman. (Physical and Chemical Works.)

(Der) Papierfabrikant, 140 Dranienstrasse, Berlin, Germany. ([The] Paper Manufacturer.)

P.C.H. = Pharmazeutische Zentralhalle für Deutschland, Dresden, Germany. (Pharmaceutical Central Hall for Germany.)

Pflügers Arch. d. Physiol. = Pflügers Archiv für die gesamte Physiologie des Menschen und der Tiere, Berlin, Germany. (Pflüger's Archives for the Entire Physiology of Man and Animals.)

Pharm. J. = Pharmaceutical Journal, London, England.

Pharm. Ztg. = Pharmazeutische Zeitung, Springer, Berlin, Germany. (Pharmaceutical Newspaper.)

Ph. Ch. = Zeitschrift für physikalische Chemie, Leipzig, Germany. (Periodical for Physical Chemistry.)

Phil. Mag. = The London, Edinburgh and Dublin Philosophical Magazine and Journal of Science, London, England.

Phil. Trans. = Philosophical Transactions of the Royal Society of London, England.

Pogg. Ann. = Annalen der Physik und Chemie, herausgegeben von Poggendorff. (Poggendorff's Annals of Physics and Chemistry.)

Pr. Am. Acad. = Proceedings of the American Academy of Arts and Sciences, Boston, Mass.

Pr. Cambridge Soc. = Proceedings of the Cambridge Philosophical Society, Cambridge University Press, London, England.

Proceed. Chem. Soc. = Proceedings of the Chemical Society of London, England,

1841–43. Continued as *Memoirs and Proceedings of the Chemical Society of London.*

Pr. Roy. Soc. Proceedings of the Royal Society, London, England.

R.; Rec. Trav. chim. = *Recueil des travaux chimiques des Pays-Bas,* Dordrecht, Holland. (Collection of Chemical Works of the Netherlands.)

R. A. L. = *Atti della reale accademia nazionale dei Lincei; Rendiconti classe di scienze fisiche, matematiche e naturali,* Rome, Italy. (Transactions of the Royal National Academy of Lincei. Classified Reports of Physical, Mathematical and Natural Sciences.)

Rep. 8th Brit. Assoc. = *Report of the Eighth Meeting of the British Association for the Advancement of Science.* (The 108th meeting was held in 1935.)

Répert. Chim. pure = *Répertoire de chimie pure et appliquée. Comptes rendus des applications de la chimie en France et à l'étranger.* Paris, 1858–1863. From 1864 to date, *Bulletin de la Société chimique de Paris.* (Repertory of Pure and Applied Chemistry. Reports of the Applications of Chemistry in France and Abroad.)

Rev. Mét. = *Revue de métallurgie,* Paris, France. (Metallurgical Magazine.)

Rev. Mét. Mém. = *Revue de métallurgie (Mémoires),* Paris, France. (Metallurgical Magazine [Memoirs].)

Schweiz. min. petrogr. Mitt. = *Schweizerische mineralogische und petrographische Mitteilungen,* Zürich, Switzerland. (Swiss Mineralogical and Petrographic Communications.)

Schw. J. = *Schweiggers Journal für Chemie und Physik,* Nürnberg, Berlin, 1811–1833, 68 vols. (Schweigger's Journal for Chemistry and Physics.)

Sci. Rep. Tôhoku = *The Science Reports of the Tôhoku Imperial University,* Japan.

Skr. Akad. Oslo = *Skrifter Utgit av det Norske Videnskaps Akademi i Oslo. I. Matematisk-Naturvidenskapelig Klasse. Norske Videnskaps — Akademi i Oslo,* Norway. (Publications of the Norwegian Academy of Science, Oslo. I. Mathematics and Science Group — Norwegian Academy of Science, Oslo.)

Soc. = *Journal of the Chemical Society,* London, England.

Soc. Fenn. Comm. = *Societas Scientarium Fennica, Commentationes Biologicae.* Printed in English, French, or German. Helsingfors, Finland. (Finnish Society of Scientists, Biological Commentaries.)

Sprechsaal. = *Zeitschrift für die keramischen, glas- und verwandten Industrien.* Name changed, 1933, to *Sprechsaal für Keramik-Glas-Email, Fach- und Wirtschaftsblatt für die Silicat-Industrien,* Coburg, Germany. (Forum. Periodical for the Ceramic, Glass, and Related Industries.)

St. E. = *Stahl und Eisen,* Düsseldorf, Germany. (Steel and Iron.)

Techn. Publ. Am. Inst. Min. metallurg. Eng. = *Technical Publications of the American Institute of Mining and Metallurgical Engineers,* New York City. This same association publishes *Mining and Metallurgy* and *Transactions.*

Thermoch. Unters. = *Thermochemische Untersuchungen,* by Thomson. (Thermochemical Investigations.)

Trans. Am. electrochem. Soc. = *Transactions of the American Electrochemical Society*, Columbia University, New York City.

Trans. Faraday Soc. = *Transactions of the Faraday Society*, London, England.

Trans. Min. Eng. = *Transactions of the American Institute of Mining and Metallurgical Engineers*, New York City.

Tschermak = *Tschermaks mineralogische und petrographische Mitteilungen.* Name changed in 1931 to *Mineralogische und petrographische Mitteilungen*, Leipzig, Germany. (Tschermak's Mineralogical and Petrographic Information.)

Verh. Gewerbefl. = *Verhandlungen des Vereins zur Förderung des Gewerbefleisses.* (Transactions of the Union for the Promotion of Industry.)

Verh. phys. Ges. = *Verhandlungen der deutschen physikalischen Gesellschaft.* From 1882 to 1898, . . . *der ph. Ges. zu Berlin;* from 1899 to 1919, *Berichte der deutschen physikalischen Gesellschaft.* (Transactions of the German Physical Society.)

W. = *Annalen der Physik*, Leipzig, Germany. Formerly called *Wiedemann-Drude.* (Annals of Physics.)

Wied. Ann. (Beibl.) = *Beiblätter zu Annalen der Physik und Chemie, herausgegeben von Wiedemann.* Discontinued in 1919. Merged in *Physikalische Berichte.* (Supplement to the Annals of Physics and Chemistry.)

Z. = *Zeitschrift für Chemie.* (Periodical for Chemistry.)

Z. Ang.; Ztschr. angew. Chem. = *Zeitschrift für angewandte Chemie.* Name changed in 1932 to *Angewandte Chemie*, Berlin, Germany. (Periodical for Applied Chemistry.)

Z. anorg. allg. Chem.; Z. anorg. Ch. = *Zeitschrift für anorganische Chemie.* Name changed in 1915 to *Zeitschrift für anorganische und allgemeine Chemie*, Leipzig, Germany. (Periodical for Inorganic and General Chemistry.)

Z. El.; Ztschr. Elektrochem. = *Zeitschrift für Elektrochemie.* Name changed in 1904 to *Zeitschrift für Elektrochemie und angewandte physikalische Chemie*, Berlin, Germany. (Periodical for Electrochemistry and Applied Physical Chemistry.)

Ztschr. f. d. ges. Textil-Industrie = *Zeitschrift für die gesamte Textil-Industrie*, Leipzig, Germany. (Periodical for the Entire Textile Industry.)

Z. Kryst.; Z. Kr. = *Zeitschrift für Krystallographie und Mineralogie.* Name changed, 1921, to *Zeitschrift für Kristallographie*, Leipzig, Germany. (Periodical for Crystallography and Mineralogy.)

Z. phys. Ch.; Ztschr. physical. Chem.; Z. ph. C. = *Zeitschrift für physikalische Chemie*, Leipzig, Germany. (Periodical for Physical Chemistry.)

Ztschr. prakt. Geol. = *Zeitschrift für praktische Geologie mit besonderer Berücksichtigung der Lagerstättenkunde*, Halle (Saale), Germany. (Periodical for Practical Geology with Special Consideration of the Science of Ore Deposits.)

Z. Ver. d. Zuckerind. = *Zeitschrift des Vereins der deutschen Zuckerindustrie.* Name changed, 1935, to *Zeitschrift der Wirtschaftsgruppe Zuckerindustrie*, Berlin, Germany. (Periodical of the Union of the German Sugar Industry.)

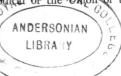